LAROUSSE

encyclopédique
universel

EN 16 VOLUMES

LAROUSSE

*encyclopédique
universel*

EN 16 VOLUMES

jaumière
───────
magmatisme

9

FRANCE LOISIRS
123, BOULEVARD DE GRENELLE, PARIS

direction de la publication

Bertrand ÉVENO

direction éditoriale

Yves GARNIER

édition

Michèle BEAUCOURT

conception graphique

Guy CALKA et Alain JOLY

lecture-correction

service Lecture-Correction Larousse

couverture

France Loisirs

fabrication

Lionel GAILLARD
Janine MILLE

impression

France Loisirs

Édition du Club France Loisirs, Paris
avec l'autorisation des éditions Larousse-Bordas
© Larousse-Bordas 1998
N° Éditeur : 31365 - dépôt légal : avril 1999
ISBN : 2-7242-9391-6

Imprimé en Espagne par Printer Industria Gráfica, S.A.
et relié à la Nouvelle Reliure Industrielle à Auxerre

LES DOSSIERS ET VOYAGES DE CE VOLUME

Le vivant et les sciences du vivant

Sciences, techniques, activités économiques, armée

Voyages

JAUMIÈRE n.f. Tube par lequel passe la mèche du gouvernail.

JAUNÂTRE adj. Qui tire sur le jaune ; d'un jaune terne ou sale.

JAUNE adj. -1. De la couleur du citron, du soufre, etc. (placée, dans le spectre solaire, entre le vert et l'orangé). -2. *Race jaune,* race caractérisée princ. par une pigmentation jaunâtre ou cuivrée de la peau, et qui peuple en grande partie l'Asie. SYN. : **xanthoderme.** BIOL. *Corps jaune,* masse de couleur blanc jaunâtre, de fonction endocrinienne, qui se développe dans l'ovaire si l'ovule a été fécondé, et qui sécrète une hormone, la progestérone, qui conditionne la gestation. HIST. *Syndicats jaunes,* syndicats créés pour s'opposer aux actions revendicatives des syndicats ouvriers (et dont l'emblème était, à l'origine, un gland jaune et un genêt.) [Les syndicats jaunes sont apparus en 1899 et en 1900 à Montceau-les-Mines et au Creusot.] JEUX. *Nain jaune,* jeu de cartes pour 3 à 8 joueurs, qui se joue avec 52 cartes. (Le sept de carreau représente le nain jaune.) PATHOL. *Fièvre jaune,* maladie contagieuse des pays tropicaux, due à un virus transmis par un moustique, la *stégomyie,* et caractérisée par la coloration jaune de la peau et par des vomissements de sang noir. SYN. : **vomito negro.** SPORTS. *Maillot jaune,* premier du classement général, dans le Tour de France cycliste, et qui porte un maillot de cette couleur. ◆n. -1.(Avec une majusc.) Personne de race jaune, par opp. à *Blanc,* à *Noir.* -2. PÉJOR. Se dit d'un membre d'un syndicat jaune, d'un briseur de grève. ◆n.m. -1.Couleur jaune : *Étoffe d'un jaune clair.* -2. Matière colorante permettant d'obtenir la couleur jaune : *Jaune d'antimoine, de cadmium, de chrome.* -3. *Jaune (d'œuf),* partie centrale de l'œuf des oiseaux, surmontée par le germe et riche en lécithine, en protéine (vitelline) et en vitamines A et D. ‖ *Jaune d'argent,* couleur de surface obtenue par la cémentation de sels d'argent avec de l'ocre sur la feuille de verre, dans l'art du vitrail. ‖ *Jaune d'or,* jaune légèrement orangé.

JAUNE *(fleuve)* → HUANG HE.

JAUNE *(mer),* dépendance de l'océan Pacifique, entre la Chine et la Corée. Hydrocarbures.

JAUNIR v.t. Teindre qqch en jaune, le rendre jaune. ◆v.i. Devenir jaune.

JAUNISSE n.f. Ictère.

JAUNISSEMENT n.m. Action de rendre jaune ; fait de devenir jaune.

JAURÈS (Jean), homme politique français (Castres 1859 - Paris 1914). Professeur de philosophie, journaliste et député républicain (1885-1889), il se fait, à partir de 1892, le porte-parole des revendications ouvrières. Député socialiste de 1893 à 1898, puis de 1902 à sa mort, il s'engage à fond dans la défense de Dreyfus et se prononce en faveur de la participation des socialistes au gouvernement. Fondateur de l'*Humanité* (1904), historien (*Histoire socialiste* [*1789-1900*], 1901-1908), Jaurès est le véritable leader du socialisme français, surtout après la création de la S. F. I. O. en 1905, mais il n'adhérera jamais à la totalité des thèses marxistes. Pacifiste militant, il s'attire l'hostilité des milieux nationalistes et est assassiné en juillet 1914.

Jean **JAURÈS,**
homme politique
français.
Détail
d'un portrait
par F. Batut.
(Musée Jean-Jaurès,
Castres.)

1. **JAVA** n.f. Danse populaire à trois temps, typique des bals musettes et très en vogue au début du XXᵉ s.

2. **JAVA** n.m. AFRIQUE. Tissu de pagne en coton imprimé, de qualité commune.

JAVA, une des îles de la Sonde (Indonésie), étirée sur 1 000 km entre les détroits de la Sonde et de Bali, et bordée au N. par la mer de Java, au S. par l'océan Indien ; 130 000 km² ; 108 millions d'hab. (*Javanais*). GÉOGR. Proche de l'équateur, Java possède un climat toujours chaud, constamment humide dans l'ouest, relativement plus sec à l'est. Elle juxtapose plaines et plateaux littoraux et volcans parfois actifs, comme le Semeru. Environ 60 % de la population du pays est concentrée sur le quinzième de sa superficie, avec une densité supérieure à 800 hab. au km² pour un territoire partiellement montagneux et à dominante rurale. L'agriculture, fréquemment irriguée, y est intensive avec souvent plusieurs récoltes annuelles, associant cultures vivrières (riz puis maïs, manioc, etc.) et plantations (théiers, hévéas, tabac), souvent héritées de la colonisation. Mais la pression démographique accélère l'exode rural vers des villes surpeuplées (Jakarta, Surabaya, Bandung) alors que l'industrie est encore peu active, à part l'agroalimentaire et l'extraction des hydrocarbures en mer de Java. HIST. → INDONÉSIE.

JAVA *(mer de)*, dépendance du Pacifique, entre Java, Sumatra et Bornéo.

JAVANAIS, E adj. et n. De Java. ◆ **javanais** n.m. -1. Langue du groupe indonésien parlée à Java. -2. Argot codé qui consiste à insérer après chaque consonne les syllabes *av* ou *va*. (Ex. : *bonjour* transformé en *bavonjavour*.)

JAVARI (le), affl. de l'Amazone (r. dr.), frontière entre le Pérou et le Brésil ; 1 000 km env.

JAVART n.m. Tumeur au bas de la jambe du cheval, du bœuf, etc.

JAVEAU n.m. Île de sable, de limon, laissée par un cours d'eau au fort débit.

JAVEL (EAU DE) n.f. (de *Javel*, n. de lieu). Solution aqueuse d'hypochlorite et de chlorure de sodium, utilisée comme décolorant et comme désinfectant.

JAVELAGE n.m. -1. Mise en javelles. -2. Séjour des javelles sur le chaume.

JAVELER v.t. [24]. Mettre une céréale en javelles.

JAVELINE n.f. Arme de jet longue et mince.

JAVELLE n.f. -1. Dans la moisson à la main, petit tas de tiges de céréales qu'on laisse sur place quelque temps avant la mise en gerbe. -2. Petit tas de sel, dans les salins.

JAVELLISATION n.f. Procédé de stérilisation de l'eau, à laquelle on ajoute la quantité juste suffisante d'eau de Javel pour oxyder les matières organiques.

JAVELLISER v.t. Stériliser l'eau par addition d'eau de Javel.

JAVELOT n.m. -1. Lance courte, arme de jet des Anciens. -2. Instrument de lancer, en forme de lance, employé en athlétisme. (La longueur et le poids minimaux du javelot sont de 2,60 m et 800 g pour les hommes, de 2,20 m et 600 g pour les femmes.)

JAYADEVA, poète indien (XIIe s.), auteur du poème mystique *Gita Govinda*.

JAYAPURA, anc. Hollandia, v. d'Indonésie, ch.-l. de l'Irian Jaya (Nouvelle-Guinée occidentale) ; 88 000 hab.

JAZZ [dʒaz] n.m. (de l'amér. *jazz-band*). Musique afro-américaine, créée au début du XXe s.

par les communautés noire et créole du sud des États-Unis, et fondée pour une large part sur l'improvisation, un traitement original de la matière sonore et une mise en valeur spécifique du rythme, le swing.
→ ● DOSSIER LE JAZZ *page 2967.*

JAZZ-BAND [dʒazbãd] n.m. (pl. jazz-bands). VIEILLI. Orchestre de jazz.

JAZZIQUE ou **JAZZISTIQUE** adj. Relatif au jazz ; propre au jazz.

JAZZMAN [dʒazman] n.m. (pl. jazzmans ou jazzmen). Musicien de jazz.

JDANOV (Andreï Aleksandrovitch), homme politique soviétique (Marioupol 1896 - Moscou 1948). Membre du Politburo (1939), il dirigea la politique culturelle de l'ère stalinienne.

JE pron. pers. de la 1re pers. du sing. des deux genres : *Je pars demain, j'irai à Toulon.* ◆ n.m. inv. En philosophie, sujet qui parle, qui pense.

JEAN ou **JEANS** [dʒin(s)] n.m. -1. Tissu de coton ou de polyester-coton, très serré, fabriqué à partir d'une chaîne teinte génér. en bleu et d'une trame écrue. -2. Pantalon coupé dans ce tissu. SYN. : blue-jean. -3. Pantalon de tissu quelconque, coupé comme un jean.

SAINTS

JEAN ou **JEAN** l'Évangéliste *(saint)*, apôtre de Jésus, auquel la tradition attribue la rédaction du quatrième Évangile, de trois épîtres et de l'Apocalypse. Pêcheur de Galilée, fils de Zébédée, frère de Jacques dit le Majeur, il est l'un des premiers disciples de Jésus. Il aurait évangélisé l'Asie Mineure et, après un temps d'exil dans l'île de Patmos, il serait mort à Éphèse, v. 100, sous Trajan. L'Évangile qui lui est attribué se caractérise par son goût pour la méditation sur le mystère de la personne de Jésus et la signification de sa mission dans l'histoire du salut.

JEAN Bosco *(saint)*, prêtre italien (Becchi, prov. d'Asti, 1815 - Turin 1888). Il se voua à l'éducation et à l'instruction professionnelle des enfants et adolescents pauvres, pour lesquels il fonda, en 1859, la congrégation des Prêtres de Saint-François-de-Sales, ou Salésiens.

JEAN Chrysostome *(saint)*, Père de l'Église grecque (Antioche v. 344 - près de Comana, Cappadoce, 407). Prêtre d'Antioche puis évêque de Constantinople de 397 à 404, il fut appelé Chrysostome (« Bouche d'or ») pour son éloquence. Sa rigueur touchant la discipline ecclésiastique et son zèle lui attirèrent l'hostilité du monde politique et religieux, ce qui entraîna sa déposition et son exil.

JEAN DE BRÉBEUF *(saint),* jésuite et missionnaire français (Condé-sur-Vire 1593-Saint-Ignace, Canada, 1649), martyrisé par les Iroquois.

JEAN de Damas ou Damascène *(saint)* [Damas ? v. 650 - Saint-Sabas, près de Jérusalem, v. 749]. Considéré comme le dernier des Pères de l'Église grecque. Né dans une riche famille arabe chrétienne, il quitte v. 700 de hautes fonctions administratives pour la vie monastique. Son principal ouvrage, la *Source de la connaissance,* est le premier traité synthétique du dogme chrétien. Par l'usage qu'il fait du vocabulaire aristotélicien, il attirera l'attention des grands scolastiques latins, tandis qu'en Orient il marque le passage d'une théologie conceptuelle à l'expérience ecclésiale.

JEAN de Dieu *(saint),* religieux portugais (Montemor-o-Novo 1495 - Grenade 1550). Ancien soldat converti, il fonda un hôpital à Grenade en 1537 et jeta les bases de l'ordre des Frères hospitaliers, dit de Saint-Jean-de-Dieu. Il fut appelé le « Pauvre des pauvres ».

JEAN de la Croix *(saint),* religieux et mystique espagnol, docteur de l'Église (Fontiveros, prov. d'Ávila, 1542 - Ubeda 1591). Promoteur, avec Thérèse d'Ávila, de la réforme de l'ordre du Carmel, il est l'auteur d'œuvres qui font de lui l'un des grands mystiques du christianisme : *la Montée du Carmel, la Nuit obscure, la Vive Flamme d'amour, le Cantique spirituel.*

JEAN DE MATHA *(saint),* fondateur de l'ordre des Trinitaires (Faucon, Provence, 1160 - Rome 1213), voué au rachat des captifs.

JEAN EUDES *(saint),* prêtre français (Ri, Orne, 1601 - Caen 1680). Membre de l'Oratoire de France, il quitta cette congrégation pour fonder, toujours dans la ligne du renouveau spirituel de l'époque, la Société de Jésus-et-Marie, dont les membres (appelés ensuite « Eudistes ») se vouent à la formation du clergé.

Saint **JEAN** Chrysostome, Père de l'Église grecque. (B. N., Paris.)

JEAN FISHER *(saint),* prélat anglais (Beverley v. 1469 - Londres 1535). Érudit, nommé en 1504 chancelier de l'université de Cambridge et évêque de Rochester (Kent), lié aux humanistes de son temps (notamment à Érasme), critique vis-à-vis du luthéranisme, il condamna le remariage d'Henri VIII et la prétention de celui-ci à devenir le « chef suprême de l'Église d'Angleterre ». Son élévation au cardinalat et sa résistance, aux côtés de son ami et collègue Thomas More, lui valurent d'être condamné et décapité.

PAPE

JEAN XXIII (Angelo Roncalli) [Sotto il Monte 1881 - Rome 1963], pape de 1958 à 1963. Après avoir occupé plusieurs postes diplomatiques (Ankara, Sofia, Paris), il est nommé patriarche de Venise et cardinal (1953), puis élu pape le 28 octobre 1958. Son court pontificat, voué à l'*aggiornamento* (mise à jour) de l'Église catholique, est surtout marqué par la convocation du IIe concile du Vatican (1962), dont Jean XXIII fait le concile de l'ouverture au monde et de l'œcuménisme. Son influence s'exprimera aussi à travers deux encycliques : *Mater et Magistra* (1961), sur la question sociale, et *Pacem in terris* (1963), qui appelle tous les hommes de bonne volonté à travailler pour instaurer la paix sur terre.

Le pape **JEAN XXIII.**

ANGLETERRE

JEAN sans Terre (Oxford 1167 - Newark, Nottinghamshire, 1216), roi d'Angleterre (1199-1216). Cinquième fils d'Henri II, frère et successeur de Richard Cœur de Lion, il est cité par Philippe Auguste devant la Cour des pairs pour avoir enlevé Isabelle d'Angoulême. Déclaré déchu de ses fiefs français (1202), il perd la Normandie et la Touraine. Excommunié en 1209, il doit inféoder son royaume au Saint-Siège. En 1214, il est défait par Philippe Auguste à la Roche-aux-Moines puis, avec ses alliés germaniques et flamands, à Bouvines. Ces échecs provoquent une vive opposition en Angleterre, et la révolte des barons le contraint à accepter en 1215 la Grande Charte, qui renforce le rôle du Parlement.

ARAGON ET NAVARRE

JEAN II (Medina del Campo 1397 - Barcelone 1479), roi de Navarre (1425-1479) et d'Aragon (1458-1479). Fils cadet de Ferdinand Ier, il s'empara du pouvoir en Navarre après la mort de sa femme (1441) et prépara le règne brillant de son fils Ferdinand II, à qui il fit épouser Isabelle de Castille.

BOHÊME

JEAN Ier DE LUXEMBOURG l'Aveugle (1296 - Crécy 1346), roi de Bohême (1310-1346). Fils de l'empereur Henri VII, il fut tué dans les rangs français à la bataille de Crécy, où, malgré sa cécité, il avait vaillamment combattu.

BOURGOGNE

JEAN sans Peur (Dijon 1371 - Montereau 1419), duc de Bourgogne (1404-1419). Fils et successeur de Philippe le Hardi, il entre en lutte contre Louis, duc d'Orléans, chef des Armagnacs, qu'il fait assassiner en 1407. Chef du parti bourguignon, il s'empare de Paris après s'être allié au roi d'Angleterre. Inquiet des succès anglais, il cherche à se rapprocher de Charles VI et le rencontre sur le pont de Montereau, où il est assassiné.

BRETAGNE

JEAN IV DE MONTFORT (1295 - Hennebont 1345), duc de Bretagne. Il conquit le duché contre sa nièce Jeanne de Penthièvre, que soutenait le roi de France Philippe VI.

BYZANCE

JEAN II Comnène (1087 - Taurus 1143), empereur byzantin (1118-1143). Il pacifia les Balkans et rétablit la suzeraineté byzantine sur les Francs de Syrie. **Jean V Paléologue** (1332-1391), empereur byzantin (1341-1354 ; 1355-1376 ; 1379-1391). Sa minorité fut troublée par l'action de Jean VI Cantacuzène. **Jean VI Cantacuzène** (Constantinople v. 1293 - Mistra 1383), empereur byzantin (1341-1355). Tuteur de Jean V Paléologue, il fut associé au jeune empereur ; ayant abdiqué, il se retira dans un monastère, où il rédigea son *Histoire,* qui couvre les années 1320-1356. **Jean VII Paléologue** (v. 1360 - mont Athos v. 1410), empereur byzantin (1399-1402). **Jean VIII Paléologue** (1390 - Constantinople 1448), empereur byzantin (1425-1448). Au concile de Florence (1439), il conclut avec le pape l'union des Églises, qui fut éphémère.

EMPIRE LATIN D'ORIENT

JEAN DE BRIENNE (v. 1148 - Constantinople 1237), roi de Jérusalem (1210-1225), empereur latin de Constantinople (1231-1237).

FRANCE

JEAN Ier le Posthume (Paris 1316), roi de France et de Navarre. Fils posthume de Louis X le Hutin, il ne vécut que quelques jours. **JEAN II le Bon** (château du Gué de Maulny, près du Mans, 1319 - Londres 1364), roi de France (1350-1364). Fils et successeur de Philippe VI de Valois, il soumet son gendre Charles le Mauvais, roi de Navarre, puis reprend la lutte contre les Anglais. Vaincu et fait prisonnier à Poitiers par le Prince Noir (fils du roi d'Angleterre) en 1356, il est emmené à Londres, laissant son fils Charles aux prises avec une grave crise politique. Il n'est libéré qu'en 1362, après la signature du traité de Brétigny, abandonnant l'Aquitaine aux Anglais et contre promesse d'une rançon. Il donne en apanage à son fils Philippe le Hardi le duché de Bourgogne, cœur du puissant État bourguignon. Incapable de payer sa rançon, il se constitue à nouveau prisonnier des Anglais (1364).

POLOGNE

JEAN III Sobieski (Olesko 1629 - Wilanów 1696), roi de Pologne (1674-1696). Vainqueur des Ottomans à Chocim (auj. Khotine, Ukraine) en 1673, il libéra en 1683 la ville de Vienne assiégée par les Turcs.

PORTUGAL

JEAN IV le Fortuné (Vila Viçosa 1604 - Lisbonne 1656), duc de Bragance, roi de Portugal (1640-1656). Il fut proclamé roi (1640) à la suite du soulèvement qui mit fin à la domination espagnole sur le pays.

JEAN (le Prêtre), personnage fabuleux du Moyen Âge, chef d'un État chrétien, et identifié soit au khan des Mongols, soit au négus.

JEAN de Leyde (Jan Beukelsz., dit), chef religieux (Leyde 1509 - Münster 1536). Succédant à son compatriote hollandais Jan Matthijsz. à la tête du mouvement anabaptiste qui avait pris possession de Münster (Westphalie), il se donna le titre de « roi de justice » de cette « Jérusalem céleste » et y établit une véritable théocratie sur la base d'une communauté des biens incluant jusqu'à la polygamie. La cité fut prise par trahison et Jean de Leyde fut brûlé.

JEAN de Meung ou de **Meun**, écrivain français (Meung-sur-Loire v. 1240 - Paris v. 1305), auteur de la seconde partie du *Roman de la Rose* (→ ROMAN).

LE JAZZ

Cette forme musicale populaire est issue de la rencontre de divers éléments, les uns venant du folklore négro-américain d'inspiration africaine (blues, chants de travail, gospel songs), les autres, de la musique européenne (marches, musiques militaires, danses de salon). D'une certaine façon, l'église et la maison close auront été les berceaux de cette culture, et l'auront marquée de leurs caractéristiques respectives de ferveur et de sensualité, d'aspiration spirituelle et de réalisme existentiel. Le jazz affirme la sensibilité particulière du peuple noir américain, culturellement hybride, et tout autant il vise l'universel.

Le jazz Nouvelle-Orléans et le jazz classique.

Le jazz fut tout d'abord répandu par des formations de danse qui avaient intégré à leur répertoire des blues et des ragtimes. Sidney Bechet, Buddy Bolden (1877-1931) et King Oliver en sont les pionniers, à La Nouvelle-Orléans, cité où de multiples influences se croisent, capitale mythologique de l'univers du jazz.

À partir de 1917 (date de la fermeture de Storyville, le quartier réservé de La Nouvelle-Orléans, et de l'enregistrement du premier disque de jazz), les musiciens fondateurs du style *New Orleans* commencent à émigrer vers le nord, notamment à Chicago et à New York. Louis Armstrong s'impose bientôt comme la première grande figure internationale et met en place les canons du genre. Les années 1920 consacrent le talent du trompettiste Bix Beiderbecke (1903-1931), du clarinettiste Johnny Dodds (1892-1940) et du pianiste et chef d'orchestre Jelly Roll Morton (1885-1941).

De 1930 à 1940, le jazz, parvenu au stade du classicisme, connaît une grande popularité mondiale, grâce au développement du disque, à la promotion d'importantes tournées internationales de concerts et à l'audience que le cinéma lui apporte en faisant souvent appel à ses artistes pour illustrer de grandes œuvres de cet art, lui aussi nouveau dans le siècle. Les orchestres se multiplient (Count Basie, Duke Ellington, Fletcher Henderson [1898-1952], Jimmie Lunceford [1902-1947], Chick Webb [1909-1939]) et d'importants artistes se font connaître (Ella Fitzgerald, Lionel Hampton, Coleman Hawkins, Billie Holiday, Art Tatum, Fats Waller).

Le jazz moderne.

À la fin de la Seconde Guerre mondiale, en rupture avec la période swing, s'impose le style *be-bop,* à l'initiative de Charlie

LE JAZZ

❶ Miles Davis
à Montreux, en 1989.

Parker, Kenny Clarke, Dizzy Gillespie, Thelonious Monk, Bud Powell et de Max Roach (né en 1925). Ce courant élargit les bases harmoniques du genre, en bouleverse les conceptions rythmiques et revalorise les caractères créatif et rebelle, que la reconnaissance et le succès obtenus en trois décennies menaçaient peut-être d'affadissement.

Le jazz, à cette époque, commence de s'installer ailleurs que dans son milieu de référence. On voit, dans de nombreux pays, d'authentiques artistes développer leurs talents et en susciter de nouveaux, en Europe principalement, et en France en particulier (André Ékyan [1907-1972], Stéphane Grappelli [né en 1908], Claude Luter [né en 1923], Django Reinhardt).

LE JAZZ, MUSIQUE OUVERTE

Le jazz, musique des Noirs américains à l'origine, s'est développé dans le monde en quelques décennies. Art de la confrontation et de la synthèse, il a guidé les innovations musicales contemporaines. Miles Davis ❶, une des grandes figures du genre, fut un audacieux chercheur de passerelles entre le jazz et les musiques voisines. L'O. N. J. (créé en 1986) en est un des laboratoires actuels ❷.

❷ L'Orchestre national de jazz (Théâtre des Champs-Élysées, Paris, 1986).

LE JAZZ

À partir de 1948, dans la lignée du saxophoniste Lester Young (qui a aussi influencé le be-bop), le *jazz cool* entreprend de nouvelles recherches, sous l'impulsion de Miles Davis, Stan Getz, Lee Konitz (né en 1927). En réaction à l'esprit éthéré du cool, le *hard bop* indique un retour aux sources du blues (Dexter Gordon [1923-1990], les Jazz Messengers d'Art Blakey, Sonny Rollins, Charlie Mingus), et le jazz vocal s'oriente vers le rhythm and blues, qui a donné naissance au rock and roll (Ray Charles, Fats Domino [né en 1928]).

À la fin des années 1950, le saxophoniste John Coltrane ouvre la voie du *free jazz* (de 1960 au milieu des années 1970), qui apparaît comme une volonté d'affranchissement radical de toutes les contraintes, une extension de la liberté d'improvisation et une affirmation politique contestataire qui revalorise l'image de l'Afrique-mère originelle, en rupture avec l'ordre culturel dominant aux États-Unis, et qui soutient les avancées importantes du mouvement des Noirs de cette époque (« Black Power »). Ornette Coleman, Archie Shepp, Sun Ra (1915-1993) ou encore Cecil Taylor (né en 1933) restent les figures majeures de ce courant.

Les tendances contemporaines.

Dans les années 70, sous l'influence de la pop music, se développe le *jazz-rock* (Miles Davis, Herbie Hancock [né en 1940], John McLaughlin [né en 1942]). Ce style, que l'on dénomme aussi « fusion music », jette des ponts entre la tradition du jazz et les tendances les plus innovatrices de la pop music. L'électrification des instruments, la revalorisation du rôle de la guitare, l'apprentissage de l'électronique sont des atouts pour le renouvellement et la popularisation du jazz, principalement en direction du public jeune international.

Les années 80 voient un retour au be-bop, la promotion de styles nouveaux comme le funk et le rap, aux marges « bluesy » du jazz, et une recherche de fusion, de métissage ou de confrontation avec des formes exotiques, dans la mouvance du phénomène de la world music. La place que les technologies les plus sophistiquées ont prise dans le jazz contemporain est un des témoins de la capacité de renouvellement dont le jazz a toujours été porteur.

Les principaux festivals de jazz en Europe.

En France : Angoulême (musiques métisses), Antibes-Juan-les-Pins, Marciac (Gers), Nice, Paris, Uzeste (Gironde), Vandœuvre-lès-Nancy, Vienne.

À l'étranger : Moers (Allemagne), Montreux (Suisse).

JEAN-BAPTISTE *(saint)*, chef d'une secte juive du temps de Jésus, considéré par les Évangiles et la tradition comme le précurseur de celui-ci. Il prêchait sur les bords du Jourdain un « baptême de pénitence » et annonçait l'arrivée du Messie, avec des accents relevant du style eschatologique et évoquant la mentalité religieuse d'autres groupes, tels les esséniens. Jean-Baptiste fut décapité sur l'ordre d'Hérode Antipas en 28 apr. J.-C.

Saint **JEAN-BAPTISTE** baptisant Jésus sur les bords du Jourdain. Bois gravé du XVᵉ siècle.

JEAN-BAPTISTE DE LA SALLE *(saint)*, prêtre français (Reims 1651 - Rouen 1719). Il fonda en 1682 l'institut des frères des Écoles chrétiennes, qui se voua à l'éducation des enfants pauvres et qui fut le prototype des congrégations religieuses de laïques enseignants. Ses méthodes et ses ouvrages ont fait de lui une des figures marquantes de la pédagogie de l'époque.

JEAN BODEL, poète de la confrérie des jongleurs d'Arras (m. v. 1210). Il a marqué la chanson de geste avec *la Chanson des Saisnes,* la pastourelle, le jeu dramatique avec le *Jeu de saint Nicolas* (→ JEU) et créé le genre poétique du congé.

Jean-Christophe, « roman-fleuve », en 10 volumes (1904-1912), de Romain Rolland, histoire d'un musicien pauvre et génial dont les expériences et les rêves sont en partie ceux de l'auteur.

JEAN FRANÇOIS RÉGIS *(saint)*, jésuite français (Fontcouverte, Aude, 1597 - Lalouvesc, Ardèche). Admis dans la Compagnie de Jésus en 1616, il se spécialisa dans les missions populaires, principalement à travers le Vivarais et le Velay.

JEAN-MARIE VIANNEY *(saint)*, prêtre français (Dardilly, près de Lyon, 1786 - Ars-sur-Formans, Ain, 1859). Curé du village d'Ars, dans la Dombes, il convertit une population déshéritée et sa prédication attira tant d'étrangers qu'Ars devint, de son vivant, un lieu de pèlerinage.

SAINTES

JEANNE D'ARC *(sainte)*, dite la Pucelle d'Orléans, héroïne française (Domrémy 1412 - Rouen 1431). Fille d'un laboureur aisé de Domrémy, elle témoigne très jeune d'une piété intense. À l'âge de 13 ans, elle entend des voix divines lui ordonnant de partir pour délivrer Orléans, assiégée par les Anglais. En 1429, elle parvient à convaincre le capitaine Robert de Baudricourt de lui donner une escorte pour rencontrer Charles VII à Chinon, afin de le faire sacrer à Reims légitime roi de France. Après avoir rencontré le roi, elle reçoit un équipement de capitaine et une suite militaire. Avec l'armée royale, elle joue un rôle décisif dans la délivrance d'Orléans (mai). Plusieurs victoires sur les armées anglo-bourguignonnes (dont celle de Patay) lui permettent de conduire Charles VII à Reims, où elle le fait

Sainte **JEANNE D'ARC.** Détail d'une peinture par Ingres. (Musée du Louvre, Paris.)

sacrer (juill.). Mais les lenteurs calculées de la diplomatie royale entravent l'action de Jeanne, qui échoue devant Paris, où elle est blessée. Tentant de sauver Compiègne en 1430, elle y est capturée et remise aux Anglais. Déférée au tribunal d'Inquisition de Rouen, présidé par l'évêque de Beauvais, Pierre Cauchon, tout dévoué à la cause anglaise, elle subit, sans avocat, un long procès pour hérésie (janv.-mars 1431). Déclarée hérétique et relapse, elle est brûlée vive en mai 1431. À la suite d'une enquête décidée en 1450 par Charles VII, elle est solennellement réhabilitée en 1456.

Une héroïne nationale. Jeanne d'Arc a su raviver le sentiment national et a largement contribué à la victoire définitive de la France sur l'Angleterre. Héroïne nationale, elle a été béatifiée en 1909 et canonisée en 1920. Sa fête, devenue fête nationale, a été fixée au dimanche suivant le 8 mai, jour anniversaire de la délivrance d'Orléans. Le destin de Jeanne d'Arc a inspiré de nombreuses œuvres, en particulier le poème de Christine de Pisan (*Ditié de Jeanne d'Arc,* 1429), la tragédie de Schiller (*la Pucelle d'Orléans,* 1801), la trilogie dramatique *Jeanne d'Arc* de Charles Péguy (1897), la *Sainte Jeanne* de G. B. Shaw (1923), le film de Carl Dreyer, *la Passion de Jeanne d'Arc* (1928), *l'Alouette* de J. Anouilh (1953) et *Jeanne d'Arc au bûcher,* oratorio de P. Claudel, musique d'A. Honegger (1938).

JEANNE DE FRANCE ou DE VALOIS *(sainte)* [1464-1505], reine de France. Fille de Louis XI, épouse de Louis XII, qui la répudia à son avènement (1498), elle fonda l'ordre de l'Annonciade de Bourges, sur les conseils de saint François de Paule.

ANGLETERRE

JEANNE GREY, *lady* Dudley (Bradgate, Leicestershire, v. 1537 - Londres 1554), reine d'Angleterre (1553). Petite-nièce d'Henri VIII, elle succéda à Édouard VI grâce aux intrigues de John Dudley mais fut rapidement détrônée par Marie Ire Tudor, qui la fit décapiter.

JEANNE SEYMOUR (1509 - Hampton Court 1537), troisième femme d'Henri VIII, roi d'Angleterre, mère du futur Édouard VI.

BRETAGNE

JEANNE DE PENTHIÈVRE, dite la Boiteuse (1319-1384), duchesse de Bretagne (1341-1365). Elle entra en compétition avec Jean de Montfort puis avec le fils de celui-ci, Jean IV, à qui elle céda ses droits par le traité de Guérande (1365).

CASTILLE

JEANNE la Folle (Tolède 1479 - Tordesillas 1555), reine de Castille (1504-1555). Épouse de l'archiduc d'Autriche Philippe le Beau et mère de Charles Quint, elle perdit la raison à la mort de son mari (1506).

NAPLES

JEANNE Ire D'ANJOU (Naples 1326 - Aversa, Campanie, 1382), reine de Naples (1343-1382). Elle se maria quatre fois et fut mise à mort sur l'ordre de son cousin et héritier Charles de Durazzo. **Jeanne II** (Naples v. 1371 - *id.* 1435), reine de Naples (1414-1435). Elle désigna pour lui succéder René d'Anjou, qu'elle avait adopté.

NAVARRE

JEANNE III D'ALBRET (Pau 1528 - Paris 1572), reine de Navarre (1555-1572). Femme d'Antoine de Bourbon et mère d'Henri IV, roi de France, elle fit du calvinisme la religion officielle de son royaume.

JEANNE-FRANÇOISE FRÉMYOT DE CHANTAL *(sainte)* [Dijon 1572 - Moulins 1641], fondatrice, avec saint François de Sales, de l'ordre de la Visitation. Elle fut la grand-mère de Mme de Sévigné.

1. **JEANNETTE** n.f. Petite planche à repasser montée sur un pied, utilisée notamm. pour le repassage des manches.

2. **JEANNETTE** n.f. Nom donné aux filles de 8 à 11 ans dans les associations scoutes catholiques.

JEANNIN (Pierre), dit le Président Jeannin, magistrat et diplomate français (Autun 1540 - Paris v. 1622). Conseiller d'État, il signa l'alliance entre la France et la Hollande (1608), et la trêve de Douze Ans entre les Pays-Bas et l'Espagne (1609). Il fut surintendant des Finances de 1616 à 1619.

JEAN-PAUL II (Karol Wojtyła) [Wadowice, près de Cracovie, 1920], pape depuis 1978.

Le pape
JEAN-PAUL II
(ici en 1991).

Ordonné prêtre en 1946, il devient évêque auxiliaire de Cracovie en 1958 et archevêque en 1964. Créé cardinal en 1967, il est élu pape le 16 octobre 1978, après l'éphémère pontificat de Jean-Paul Iᵉʳ. Il s'impose par son dynamisme et par ses voyages, malgré l'attentat dont il est victime en mai 1981. Par son message, il cherche à rendre confiance aux chrétiens et à les mobiliser au service d'une « nouvelle évangélisation ». Ses interventions touchant la discipline ecclésiastique et la morale sont parfois jugées conservatrices et en retrait par rapport à l'esprit du dernier concile. **JEAN-PAUL** → RICHTER.

JEANS (*sir* James Hopwood), astronome, mathématicien et physicien britannique (Londres 1877 - Dorking, Surrey, 1946). On lui doit des travaux de dynamique stellaire et une théorie, à présent abandonnée, de la formation des planètes. Il fut aussi un popularisateur de l'astronomie et de la physique.

JECTISSE [ʒɛktis] ou **JETISSE** [ʒətis] adj.f. *Pierre jectisse,* pierre qui peut facilement être posée à la main, dans une construction. ‖ *Terre jectisse,* terre déplacée ou rapportée.

JEEP [dʒip] n.f. (nom déposé). Automobile tout terrain à quatre roues motrices, d'un type mis au point pour l'armée américaine pendant la Seconde Guerre mondiale.

JEFFERSON (Thomas), homme d'État américain (Shadwell, Virginie, 1743 - Monticello, Virginie, 1826). Principal auteur de la Déclaration d'indépendance des États-Unis (1776), fondateur du Parti antifédéraliste (1797), il préconisa une république très décentralisée, essentiellement agraire. Vice-président (1797-1809), puis président des États-Unis (1801-1809), il acheta la Louisiane à la France. Architecte amateur, il a construit le Capitole de l'État de Virginie à Richmond (terminé en 1796), sa propre maison à Monticello, etc.

JEHOL ou **REHE,** ancienne province de la Chine, partagée entre le Hebei et le Liaoning.

JÉHOVAH, nom utilisé entre le xiiiᵉ et le xixᵉ siècle pour désigner le Dieu de la Bible, Yahvé, et qui provient de la transcription du nom divin par les Massorètes. Ceux-ci, par respect pour ce nom que nul ne devait prononcer, ajoutèrent aux consonnes du tétragramme de *Yavhé* (YHWH) les voyelles a, o et a (transcrites é, o, a) d'*Adonaï* (Edonaï) « Seigneur », de manière à se rappeler que le tétragramme se lisait seulement Adonaï. C'est une lecture combinant les deux graphies qui donna Jéhovah.

Jéhovah *(Témoins de),* groupe religieux fondé aux États-Unis en 1874 par C. Taze Russell, auquel succéda, de 1916 à 1942, Joseph Franklin Rutherford. Ce groupe est caractérisé par un prosélytisme agissant, par une lecture littéraliste de la Bible, par un prophétisme eschatologique annonçant le triomphe de Jéhovah sur Satan.

JÉJUNAL, E, AUX adj. Relatif au jéjunum.

JÉJUNO-ILÉON n.m. (pl. jéjuno-iléons). Partie de l'intestin grêle qui s'étend du duodénum au cæcum.

JÉJUNUM [ʒeʒynɔm] n.m. Partie de l'intestin grêle qui fait suite au duodénum.

JELAČIĆ ou **JELATCHITCH** (Josip), ban de Croatie (Peterwardein, auj. Petrovaradin, 1801 - Zagreb 1859). Il participa à la répression de la révolution en Hongrie en 1848.

JELLICOE (John), amiral britannique (Southampton 1859 - Londres 1935). Commandant la principale force navale britannique (1914-1916), il livra la bataille du Jütland. Chef de l'Amirauté (1916-17), il dirigea la lutte contre les sous-marins allemands.

Jemmapes *(bataille de)* [6 nov. 1792], victoire remportée, près de Mons, par Dumouriez sur les Autrichiens du duc Albert de Saxe-Teschen. Cette victoire assura à la France la possession de la Belgique et de la Rhénanie.

JENNER (Edward), médecin britannique (Berkeley 1749 - *id.* 1823). Il réalisa la première vaccination (en 1796), qui eut un retentissement considérable, en découvrant que l'inoculation de la vaccine (virus venant du cowpox, maladie des vaches) provoque chez l'homme une maladie bénigne qui le protège contre la variole, car celle-ci est due à un virus apparenté. Pasteur utilisa un principe un peu différent mais rendit hommage à Jenner.

JENNY [dʒeni] n.f. (pl. jennys). Machine utilisée autref. pour filer le coton.

JENSEN (Johannes Vilhelm), écrivain danois (Farsø, Jylland, 1873 - Copenhague 1950). Auteur d'essais d'anthropologie, il entreprit la glorification des races « gothiques » — anglosaxonnes et germaniques (*la Renaissance gothique,* 1901) — et s'efforça de créer une nouvelle morale païenne (*le Long Voyage,* 1908-1922). [Prix Nobel 1944.]

JÉRÉMIADE n.f. FAM. Plainte, lamentation persistante, importune.

JÉRÉMIE, un des grands prophètes de la Bible (Anatot, près de Jérusalem, v. 650/645 av. J.-C. - en Égypte v. 580 av. J.-C.). Son ministère, qui commence vers 627, se situe sous les derniers rois de Juda. Témoin de la fin de Jérusalem en 587, il est contraint de se réfugier en Égypte, où il soutient par ses oracles ses compatriotes exilés. Préparant la voie à une religion plus détachée du Temple et des rites, il donne au peuple élu l'orientation qui lui permettra de traverser l'épreuve de l'Exil en conservant sa cohésion et sa foi. Le livre prophétique dit « de Jérémie » est un recueil de ses oracles, dû à divers compilateurs. Quant aux *Lamentations,* c'est une suite de complaintes sur la dévastation de Jérusalem, composées par un Juif resté en Juda après 587 et attribuées par la suite à Jérémie.

JEREZ n.m. → XÉRÈS.

JEREZ DE LA FRONTERA, anc. Xeres, v. d'Espagne (Andalousie) ; 183 316 hab. Vins. — Monuments de l'époque mauresque jusqu'au baroque.

JÉRICHO, en ar. Arīḥā, v. de Cisjordanie, dans la vallée du Jourdain ; 13 000 hab. — Habitée dès le VIIIᵉ millénaire, elle témoigne des débuts de l'agriculture et de ceux de la céramique, ainsi que d'un culte des morts attesté par des crânes humains peints, au visage surmodelé en plâtre. Elle fut un des premiers sites dont s'emparèrent les Hébreux au XIIIᵉ s. av. J.-C. : le son de leurs trompettes aurait fait s'écrouler les murs de la ville. — Jéricho a été la première ville de Cisjordanie (sous occupation israélienne depuis 1967) à accéder, en 1994, à l'autonomie.

JERK [dʒɛrk] n.m. (mot angl., *secousse*). Danse qui consiste à imprimer à tout le corps un rythme saccadé, à la mode à partir de 1965.

JÉROBOAM n.m. Grosse bouteille de champagne d'une contenance de quatre champenoises (soit plus de 3 litres).

JÉROBOAM Iᵉʳ, fondateur et premier souverain du royaume d'Israël (931-910 av. J.-C.). Les tribus du Nord le prirent pour roi lors de la scission qui suivit la mort de Salomon. Il organisa habilement son État, allant jusqu'à doubler cette séparation politique par une sorte de schisme religieux, de manière à contrecarrer l'influence de Jérusalem, qui avait l'avantage de posséder le Temple. Ainsi fit-il élever deux sanctuaires nationaux, à Dan et à Béthel, où il établit un culte et un sacerdoce rivaux de ceux de Jérusalem.

JÉRÔME *(saint),* écrivain ecclésiastique, Père et docteur de l'Église latine (Stridon, Dalmatie, v. 347 - Bethléem 419/420). Hormis un séjour à Rome (382-385) auprès du pape Damase, il

passa sa vie en Orient. Activement mêlé aux controverses théologiques du temps (pélagianisme et origénisme) et fort attaché à la propagation de l'idéal monastique, il se consacra surtout à l'étude de la Bible, dont il rédigea de nombreux commentaires. Il en entreprit, pendant les longues années de son séjour à Bethléem, une traduction nouvelle, à partir du texte hébreu, qui allait aboutir à la Vulgate.

Saint **JÉRÔME**. Détail d'une peinture d'A. Bouts. (Musée des Beaux-Arts, Dijon.)

JERRICAN, JERRYCAN [dʒerikan] ou **JERRICANE** [ʒerikan] n.m. Récipient métallique muni d'un bec verseur, d'une contenance d'env. 20 litres.

JERSEY [ʒɛrzɛ] n.m. (de l'île de *Jersey*). -1. Tricot ne comportant que des mailles à l'endroit sur une même face. -2. Vêtement, partic. chandail en jersey. -3. *Point de jersey,* point de tricot obtenu en alternant un rang de mailles à l'endroit et un rang de mailles à l'envers.

JERSEY, la plus grande (116 km²) et la plus peuplée (83 000 hab.) des îles Anglo-Normandes. Ch.-l. *Saint Helier.* Tourisme. Place financière. Cultures maraîchères et florales.

JERSEY CITY, v. des États-Unis (New Jersey), sur l'Hudson, en face de New York ; 228 537 hab.

JERSIAIS, E adj. et n. -1. De Jersey. -2. *Race jersiaise,* race bovine de petite taille, originaire de Jersey, excellente laitière.

JÉRUSALEM, ville sainte de Palestine et lieu de pèlerinage pour les chrétiens, les juifs et les musulmans, proclamée capitale d'Israël par la Knesset en 1980 ; 494 000 hab. **HIST.** Au Xᵉ s. av. J.-C., David fait de cette vieille ville cananéenne la capitale politique du royaume des Hébreux, et son fils Salomon, la capitale religieuse de l'État en y édifiant le Temple de Yahvé, ainsi qu'un palais pour lui-même. La scission entre les tribus du Nord et celles du Sud à la mort de Salomon réduit l'importance de Jérusalem, qui n'est plus que la capitale du royaume de Juda. Prise et incendiée en 587 par Nabuchodonosor, la cité de David reprend vie en 538 avec le retour des Juifs déportés à Babylone. L'autel est rétabli, le Temple reconstruit. Après la mort d'Alexandre, Lagides et Séleucides se disputent la ville, qui redevient capitale des rois asmonéens. Hérode le Grand tente de redonner au second Temple la gloire qu'avait celui de Salomon ; cependant, la guerre avec les Romains entraîne en 70 apr. J.-C. la ruine de Jérusalem, que les Juifs réoccupent lors de leur seconde révolte (132-135) animée par Bar-Kokhba, mais que l'empereur Hadrien fait raser entièrement. À l'époque byzantine, les chrétiens font revivre Jérusalem en y établissant des monastères et des églises. Passée aux mains des Arabes (638), la ville est reconquise par les croisés et devient la capitale d'un royaume chrétien (1099-1187 puis 1229-1244), avant de repasser sous la domination musulmane (Mamelouks, de 1260 à 1517, puis

JÉRUSALEM : le « mur des Lamentations » et la Coupole du Rocher (VIIᵉ s.).

Ottomans, de 1517 à 1917). Siège de l'administration de la Palestine placée en 1922 sous mandat britannique, la ville est partagée en 1948 entre le nouvel État d'Israël et la Transjordanie. Lors de la guerre des Six-Jours, en 1967, l'armée israélienne s'empare des quartiers arabes qui constituaient la « Vieille Ville ». **ARTS.** Monuments célèbres : « mur des Lamentations » ; Coupole du Rocher, le plus ancien monument de l'islam (VIIᵉ s.) ; mosquée al-Aqsa (XIᵉ s.) ; édifices de l'époque des croisades. Musée national d'Israël (1965).

Jérusalem *(royaume latin de),* État latin du Levant, fondé par les croisés après la prise de Jérusalem en 1099 et détruit en 1291 par les Mamelouks.

JESPERSEN (Otto), linguiste danois (Randers 1860 - Copenhague 1943). Il est l'auteur d'une œuvre considérable portant sur les domaines les plus variés de la linguistique : la phonétique, la grammaire et l'histoire de l'anglais, la pédagogie des langues, les langues auxiliaires internationales.

JÉSUITE n.m. Membre de la Compagnie de Jésus. ◆ adj. *Style jésuite,* style architectural de la Contre-Réforme.

JÉSUITIQUE adj. Qui concerne les jésuites.

JÉSUITISME n.m. -1. Système moral et religieux des jésuites. -2. PÉJOR. Hypocrisie, astuce.

JÉSUS n.m. -1. Représentation du Christ enfant. -2. *Jésus de Lyon* ou *jésus,* saucisson sec de gros diamètre emballé sous cæcum de porc. ◆ adj. *Papier jésus* ou *jésus,* n.m., format de papier de grande dimension (56 × 72 cm, 56 × 76 cm ou 55 × 70 cm).

JÉSUS ou **JÉSUS-CHRIST,** Juif de Palestine qui vécut au début de l'ère définie par sa propre apparition dans l'histoire, et dont la personne, le ministère, la prédication sont à l'origine de la religion chrétienne. Pour celle-ci, il est le fils de Dieu et le Messie (« oint », « consacré » — en grec *Khristos*) annoncé par les prophètes. Ses disciples lui ont reconnu le privilège — exceptionnel dans l'histoire des religions — d'être si étroitement uni à Dieu qu'il représente non seulement la révélation de ce dernier mais aussi l'incarnation même, en son unique personne, de la nature divine dans la nature humaine.

La question historique. Les sources principales dont on dispose au sujet de Jésus sont le Nouveau Testament, et spécialement les quatre Évangiles. Mais ces derniers ne constituent pas véritablement une histoire de Jésus, car ils prennent seulement en compte les intérêts des communautés pour lesquelles ils ont été rédigés. C'est pourquoi les historiens tentent de retrouver, par une méthode de critique des textes, ce qui, antérieurement à l'interprétation théologique des Évangiles, aurait constitué le tissu des gestes et des paroles authentiques de Jésus.

La vie et le message de Jésus. Les dates les plus sûres sont celles de la mort de Jésus (le vendredi 7 avril 30) et du début de son ministère public (27 ou 28). Mais on ne peut dater avec la moindre certitude sa naissance (8 ou 7 avant l'ère dite « chrétienne »). Né (selon une tradition fortement symbolique) à Bethléem, en Judée, Jésus passe son enfance et sa jeunesse à Nazareth en Galilée auprès de sa mère, Marie, et de son père adoptif, le charpentier Joseph. Sa vie apostolique a pour point de départ un séjour auprès du prophète Jean, qui le baptise dans les eaux du Jourdain. La prédication de Jésus a d'abord pour cadre la Galilée, où il recrute ses premiers disciples et où son message sera le mieux accueilli. Au terme de ce ministère galiléen, dont on ne peut savoir s'il a duré un, deux ou trois ans, Jésus se heurte à ses compatriotes, de moins en moins réceptifs, et aux manœuvres hostiles des chefs religieux. L'impression se répand que son annonce du royaume de Dieu ne fait que préparer un bouleversement politique radical. La tension est à son comble lorsque, à l'approche de la Pâque, Jésus se rend à Jérusalem. Arrêté à l'instigation des chefs juifs, il est condamné par l'autorité romaine d'occupation, que représente Ponce Pilate, et crucifié le 14 du mois de nisan en l'an 30. Apparemment achevée avec la mise au tombeau, l'histoire de Jésus prend un autre relief à travers celle de ses disciples, qui disent l'avoir vu vivant, et à travers l'Église, qui se définit comme son corps mystique. La Résurrection de Jésus-Christ signifie alors que le Christ de la foi prend le pas sur le Jésus de l'histoire.

Jésus *(Compagnie* ou *Société de),* ordre religieux fondé par Ignace de Loyola, qui le fit reconnaître par le pape en 1540 et qui en promulgua les *Constitutions* en 1551. Les membres de ce nouvel ordre, qu'on appela bientôt « les Jésuites », se mettent à la totale disposition du pape, vis-à-vis duquel ils se lient par un vœu spécial d'obéissance, ajouté aux trois vœux de religion classiques. La Compagnie de Jésus, qui a connu un rapide essor, a développé une activité multiforme (missions, enseignement, controverses théologiques, notamment sur la

Fresque de l'église de Saint-Jacques-des-Guérets (Loir-et-Cher) représentant **JÉSUS** entouré des symboles des quatre évangélistes (fin du XIIe s.).

grâce) et suscité des hostilités qui ont même entraîné son interdiction par Clément XIV en 1773. Elle a été rétablie par Pie VII en 1814.

1. **JET** [ʒɛ] n. m. -1. Action de jeter, de lancer qqch loin de soi, en partic. un projectile. -2. Distance correspondant à la portée d'un jet : *À un jet de pierre.* -3. Mouvement d'un fluide qui jaillit avec force et comme sous l'effet d'une pression : *Un jet de sang.* -4. Émission, projection vive et soudaine de qqch : *Un jet de lumière.* -5. *Jet d'eau,* filet ou gerbe d'eau qui jaillit d'une fontaine et retombe dans un bassin. **ARM.** *Arme de jet,* arme qui constitue elle-même un projectile (javelot) ou qui le lance (arc). **BÂT.** *Jet d'eau,* traverse saillante au bas d'un vantail de fenêtre ou d'une porte extérieure, moulurée en talon renversé de façon à écarter le ruissellement de la pluie. **BOT.** Nouvelle pousse des végétaux. **MAR.** *Jet à la mer,* opération qui consiste à jeter à la mer tout ou partie de la cargaison afin d'alléger le navire. **TECHN.** Action de faire couler la matière en fusion dans un moule. ‖ Masselotte.

2. **JET** [dʒɛt] n.m. Avion à réaction.

JETABLE adj. Se dit d'un objet destiné à être jeté après usage : *Rasoir, briquet jetable.*

JETAGE n.m. Sécrétion s'écoulant du nez d'animaux atteints de la morve, de la gourme.

JETÉ n.m. -1. Bande d'étoffe ou de broderie que l'on met sur une table comme ornement. -2. En tricot, brin jeté sur l'aiguille avant de prendre une maille. -3. En haltérophilie, mouvement amenant la barre de l'épaule au bout des bras tendus verticalement. -4. En chorégraphie, saut lancé, exécuté d'une jambe sur l'autre. -5. *Jeté de lit,* couvre-lit.

JETÉE n.f. -1. Ouvrage enraciné dans le rivage et établi pour permettre l'accès d'une installation portuaire, pour faciliter les manœuvres des bateaux et des navires dans les chenaux d'accès à un port. -2. Couloir reliant une aérogare à un satellite ou à un poste de stationnement d'avion.

1. **JETER** v.t. [27]. -1. Envoyer loin qqch en le lançant. -2. Mettre, poser qqch qqpart rapidement ou sans précaution. -3. Pousser qqn ou qqch avec violence : *Jeter qqn à terre.* -4. Se débarrasser de qqch, le mettre aux ordures. -5. Porter vivement le corps ou une partie du corps dans une direction. -6. Faire jaillir qqch ; lancer : *Diamant qui jette mille feux.* -7. Mettre brusquement qqn ou qqch dans un certain état : *Jeter qqn dans l'embarras.* -8. Susciter un sentiment, un état d'esprit, etc. ; répandre : *Jeter le trouble dans les esprits.* -9. Lancer qqch hors de soi ; émettre : *Jeter un cri.* -10. Disposer qqch, le mettre en place, l'établir : *Jeter les fondations de qqch.* -11. Produire des bourgeons, en parlant des végétaux. ➡ **se jeter** v.pr. -1. Se porter vivement vers qqch, vers un lieu ; se précipiter. -2. S'engager, s'adonner complètement, avec passion : *Se jeter dans les études.* -3. Déverser ses eaux, en parlant d'un cours d'eau : *La Saône se jette dans le Rhône.*

2. **JETER** n.m. *Tir au jeter,* tir exécuté par surprise à courte distance, sans employer les appareils de pointage.

JETEUR, EUSE n. *Jeteur de sort,* personne qui lance des malédictions en usant de magie.

JETISSE adj.f. → JECTISSE.

JETON n.m. -1. Pièce ronde et plate de métal, d'ivoire, de matière plastique, etc., utilisée pour faire fonctionner certains appareils, comme marque à certains jeux et à divers autres usages. -2. FAM. *Faux jeton,* hypocrite. ‖ *Jeton de présence,* somme forfaitaire allouée aux membres des conseils d'administration.

JET-STREAM [dʒɛtstrim] n.m. (pl. jet-streams). Courant d'ouest très rapide (parfois plus de 500 km/h), qu'on observe entre 10 000 et 15 000 m, entre les 30e et 45e parallèles des deux hémisphères.

JEU n.m. -1. Activité physique ou intellectuelle non imposée et gratuite, à laquelle on s'adonne pour se divertir, en tirer un plaisir. -2. Activité de loisir soumise à des règles conventionnelles, comportant gagnant(s) et perdant(s), et où interviennent les qualités physiques ou intellectuelles, l'adresse, l'habileté ou le hasard. -3. Ensemble des différents jeux de hasard, notamm. ceux où on risque de l'argent. -4. Ensemble des règles d'après lesquelles on joue : *Respecter, jouer le jeu.* -5. Ensemble des éléments nécessaires à la pratique d'un jeu : *Jeu de cartes.* -6. Ensemble des cartes, des jetons, etc., distribués à un joueur : *Avoir un bon jeu.* -7. Action, manière de jouer ; partie qui se joue. -8. Manière de jouer d'un instrument de musique, d'interpréter un rôle : *Jeu brillant, pathétique.* -9. Manière d'agir ; manège, stratagème : *Le jeu subtil d'un diplomate.* -10. Action, attitude de qqn qui n'agit pas sérieusement ; plaisanterie : *Dire qqch par jeu.* -11. Manière de bouger, de se mouvoir en vue d'obtenir un résultat : *Jeu de jambes.* -12. LITT. Ensemble de mouvements produisant un effet esthétique : *Jeu d'ombre et de lumière.* -13. Mouvement régulier d'un mécanisme, d'un organe : *Jeu du piston dans le cylindre.* -14. Fonctionnement normal d'un système, d'une organisation, des éléments d'un ensemble : *Le jeu de la concurrence.* -15. Série complète d'objets de même nature : *Un jeu de clefs.* -16. *Jeu d'eau,* configuration esthétique d'un ou de plusieurs jets d'eau. ‖ *Jeu de mots,* équivoque, plaisanterie fondée sur la ressemblance des mots. ‖ *Jeu de physionomie,* mimique significative du visage. **COMPTAB.** *Jeu d'écriture,* opération comptable purement formelle, n'ayant aucune incidence sur l'équilibre des recettes et des dépenses. **ÉCON.** *Jeu d'entreprise,* méthode de formation à la gestion des entreprises et d'entraînement à la prise de décision par l'étude de situations proposant des problèmes analogues à ceux que pose la vie de l'entreprise. **ÉLECTR.** *Jeu de barres,* ensemble des conducteurs rigides auxquels se raccordent les arrivées et les départs de ligne dans un poste de transformation, une sous-station, etc. **JEUX.** *Maison de jeu,* établissement public où on joue de l'argent. **MATH.** *Théorie des jeux,* partie de la théorie de la décision relative aux initiatives susceptibles d'être prises (stratégies) par un partenaire, à partir de la connaissance (informations) des décisions possibles des autres partenaires. **MÉCAN.** Intervalle laissé entre deux pièces, leur permettant de se mouvoir librement. ‖ Excès d'aisance dû à un défaut de serrage entre deux pièces en contact. **MUS.** *Jeu d'orgue,* suite, série de tuyaux d'un orgue correspondant à un même timbre. **PSYCHOL.** *Jeu de rôle,* scène mimée par les membres d'un groupe sous la direction d'un animateur, destinée à favoriser la créativité de chacun. **SPORTS.** Division d'un set, au tennis. ‖ *Jeu blanc,* au tennis, jeu dans lequel le perdant n'a marqué aucun point. ‖ *Jeu décisif,* au tennis, jeu supplémentaire servant à départager deux joueurs ou deux équipes à égalité à six jeux partout. ‖ *Jeu à XIII,* rugby à treize joueurs. **THÉÂTRE.** Forme dramatique du Moyen Âge, caractérisée par le mélange des tons et la variété des sujets (ex. : *le Jeu de Robin et Marion).* ‖ *Jeu d'orgue,* tableau de commande des éclairages d'un théâtre. ‖ *Jeu de scène,* mouvement, attitude concourant à un certain effet, sans lien direct avec le texte. ◆ pl. Ensemble de compétitions regroupant plusieurs disciplines sportives et auxquelles participent souvent les représentants de divers pays : *Jeux Olympiques.*

Jeu d'Adam, drame semi-liturgique (seconde moitié du XIIe s.), le premier en langue française.

Jeu de paume *(serment du)* [20 juin 1789], serment prêté dans la salle du jeu de paume, à Versailles, par les députés du tiers état, qui jurèrent de ne pas se séparer avant d'avoir donné une Constitution au royaume.

Jeu de saint Nicolas, pièce de Jean Bodel, représentée à Arras vers 1200, le premier exemple d'un théâtre profane et bourgeois.

JEUDI n. m. -1. Quatrième jour de la semaine. -2. *Jeudi saint,* jeudi de la semaine sainte.

JEUN (À) loc. adv. Sans avoir rien mangé ni bu depuis le réveil.

JEUNE adj. -1. Qui n'est pas avancé en âge : *Jeune homme. Jeunes enfants.* -2. Cadet : *Durand jeune et Cie.* -3. Qui a encore la vigueur et le charme de la jeunesse. -4. Qui est moins âgé que les personnes de même fonction, de la même profession, etc. : *Un jeune ministre.* -5. Qui convient à la jeunesse : *Coiffure jeune.* -6. Nouveau, récent : *Un pays jeune.* -7. Se dit d'un vin auquel il manque encore les qualités qu'il peut acquérir par le vieillissement. -8. Qui n'a pas encore les qualités de la maturité ; naïf, crédule. -9. **BELGIQUE.** *Vieux jeune homme, vieille jeune fille,* vieux garçon, vieille fille. ◆ adv. À la manière des personnes jeunes : *S'habiller jeune.* ◆ n. -1. Animal non encore adulte. -2. Personne jeune. -3. *Les jeunes,* la jeunesse.

JEÛNE n.m. -1. Privation d'aliments. -2. **SUISSE.** *Jeûne fédéral,* fête religieuse consacrée à l'amour de la patrie, fixée au troisième dimanche de septembre.

Jeune-Allemagne, mouvement intellectuel né vers 1830, libéral et francophile, lancé par Heine et Börne, et qui s'inspirait des théories saint-simoniennes. La diète de Francfort condamna (1835) le mouvement, qui disparut avant la révolution de 1848.

JEÛNER v.i. -1. S'abstenir de manger ; pratiquer le jeûne, la diète. -2. Pratiquer le jeûne pour des raisons religieuses.

Jeunes-France (les), nom donné vers 1830 à un groupe d'écrivains et d'artistes excentriques qui exagéraient les théories de l'école romantique (T. Gautier, G. de Nerval, P. Borel, etc.).

Jeunes Gens en colère, mouvement littéraire et artistique fondé sur une critique des valeurs traditionnelles de la société britannique, qui se développa en Grande-Bretagne dans les années 1955-1965. Il réunissait, entre autres, J. Osborne, A. Sillitoe, J. Arden, H. Pinter, C. Wilson.

JEUNESSE n.f. -1. Période de la vie humaine comprise entre l'enfance et l'âge mûr. -2. Fait d'être jeune ; ensemble des caractères physiques et moraux d'une personne jeune : *Jeunesse de cœur, d'esprit.* -3. Période de croissance, de développement de qqch ; état, caractère des choses nouvellement créées ou établies et qui n'ont pas encore atteint leur plénitude : *Science qui est dans sa jeunesse.* -4. Ensemble des jeunes, ou des enfants et des adolescents : *Émissions pour la jeunesse.* ◆ pl. Mouvement, groupement de jeunes gens : *Les jeunesses musicales.*

JEUNESSE *(île de la),* anc. île des Pins, dépendance de Cuba.

Jeunesse ouvrière chrétienne → J. O. C.

Jeunes-Turcs, groupe d'intellectuels et d'officiers ottomans, libéraux et réformateurs, d'abord rassemblés en diverses sociétés secrètes. Ils contraignirent le sultan Abdülhamid II à restaurer la Constitution (1908) puis à abdiquer (1909). Ils établirent en 1913 une dictature militaire, dirigée par Ahmed Cemal Paşa et Mehmed Talat Paşa (1874-1921), qui fut renversée en 1918.

JEÛNEUR, EUSE n. Personne qui jeûne.

jeux Floraux, nom donné au concours poétique annuel, et dont les prix sont des fleurs d'orfèvrerie, institué à Toulouse en 1323 par un groupe de poètes (Consistoire du Gai Savoir) désireux de maintenir les traditions du lyrisme courtois.

JEVONS (William Stanley), économiste britannique (Liverpool 1835 - Bexhill, près de Hastings, 1882). Cofondateur du courant marginaliste avec L. Walras et C. Menger, il introduisit le concept de « degré final d'utilité ». En logique, on lui doit l'interprétation de la somme logique comme disjonction non exclusive.

JHANSI, v. de l'Inde (Uttar Pradesh) ; 368 580 hab. Métallurgie.

JHELAM ou **JHELUM** (la), l'une des « cinq rivières » du Pendjab, affl. de la Chenab (r. dr.) ; 725 km.

JIAMUSI, v. de Chine (Heilongjiang) ; 571 000 hab.

JIANG JIESHI ou **TCHANG KAÏ-CHEK**, généralissime et homme d'État chinois (dans le Zhejiang 1887 - Taipei 1975). Il prend part à la révolution de 1911, qui instaure la République en Chine, dirige après 1926 l'armée du parti au pouvoir, le Guomindang, et, rompant avec les communistes (1927), établit un gouvernement nationaliste à Nankin. Il lutte contre le Parti communiste, qu'il contraint à la Longue Marche (1934), avant de former avec lui un front commun contre le Japon (1936). Il combat pendant la guerre civile (1946-1949) puis s'enfuit à Taïwan, où il présidera le gouvernement jusqu'à sa mort. Son fils, **Jiang Jingguo** ou **Chiang Ching-kuo** (dans le Zhejiang 1910 - Taipei 1988), lui a succédé à la tête du Guomindang (1975) et du gouvernement (1978).

JIANG JIESHI,
généralissime
et homme d'État
chinois.

JIANG QING → MAO ZEDONG.

JIANGSU, prov. de la Chine centrale ; 100 000 km^2 ; 67 057 000 hab. Cap. *Nankin.*

JIANGXI, prov. de la Chine méridionale ; 160 000 km^2 ; 37 710 000 hab. Cap. *Nanchang.*

JIANG ZEMIN, homme politique chinois (Yangzhou 1926). Secrétaire général du Parti communiste chinois depuis 1989, il est aussi chef de l'État depuis 1993.

JIAYI ou **CHIA-I**, v. de Taïwan ; 255 000 hab.

JIGGER [dʒigər] n.m. (mot angl., *cribleur*). Appareil utilisé pour les traitements et la teinture des tissus, dans lequel les pièces circulent alternativement dans les deux sens.

JILIN, prov. de la Chine du Nord-Est ; 180 000 km^2 ; 24 660 000 hab. Cap. *Changchun.* Au centre de la prov., la ville de *Jilin* a 1 138 000 hab.

JILONG → KEELUNG.

JIMÉNEZ (Juan Ramón), poète espagnol (Moguer, Huelva, 1881 - San Juan de Porto Rico 1958). D'abord influencé par Rubén Dario et par le symbolisme (*Âme de violette,* 1901), il a cherché à parvenir, hors de tout engagement politique, philosophique ou social, à l'expression idéale de la pensée (*Éternités,* 1918 ; *Unité,* 1925). [Prix Nobel 1956.]

JINAN, v. de Chine, cap. du Shandong, sur le Huang He ; 1 460 000 hab. Centre industriel.

JINGLE [dʒingœl] n.m. (mot angl., *couplet*). Bref thème musical destiné à introduire ou à accompagner une émission ou un message publicitaire. Recomm. off. : *sonal.*

JINGXI [ʒigksi] n.m. (mot chinois, *théâtre de la capitale*). Genre dramatique musical chinois, connu en Occident sous le nom d'*opéra de Pékin,* dans lequel les acteurs déclament, chantent, dansent, miment et font parfois de l'acrobatie, accompagnés par un ensemble de plusieurs instruments.

JINISME n.m. → JAÏNISME.

JINJA, v. de l'Ouganda ; 53 000 hab. Centre industriel.

JINNAH (Muhammad Ali), homme d'État pakistanais (Karachi 1876 - *id.* 1948). Véritable créateur du Pakistan, il milita au sein de la Ligue musulmane pour sa création et devint son premier chef d'État (1947-48).

Muhammad Ali
JINNAH,
homme d'État
pakistanais
(ici en 1946).

JINZHOU, v. de la Chine du Nord-Est (Liaoning) ; 789 000 hab.

JITOMIR, v. d'Ukraine, à l'O. de Kiev ; 292 000 hab.

JIU-JITSU, JU-JITSU ou **JUJITSU** [ʒjyʒitsy] n.m. inv. Art martial japonais, fondé sur les projections, les luxations, les étranglements et les coups frappés (atémis) sur les points vitaux du corps, et qui, codifié, a donné naissance au judo.

JIVARO, Indiens d'Amazonie, qui parlent une langue qu'on rattache parfois à l'arawak. Leur organisation sociale repose sur la famille patrilinéaire. Ils habitent des « longues maisons ». Leurs croyances chamanistes sont à l'origine de la pratique de la réduction des têtes coupées de leurs ennemis morts.

JIXI, v. de la Chine du Nord-Est (Heilongjiang) ; 816 000 hab.

JOACHIM, saint personnage qui, selon la tradition, aurait été l'époux de sainte Anne et le père de la Vierge Marie. On ignore tout de sa vie.

JOACHIM DE FLORE ou **GIOACCHINO DA FIORE,** mystique italien (Celico, Calabre, v. 1130 - San Martino di Giove, Canale, Piémont, 1202). Entré chez les cisterciens, il devient en 1177 abbé du monastère de Corazzo. Il y écrit ses révélations, puis s'en va fonder, en 1189, son couvent de Saint-Jean de Flore, dont il devient abbé après avoir rompu avec Cîteaux. Notamment dans sa *Concorde des deux Testaments* et dans son *Commentaire de l'Apocalypse,* il enseigne que le monde, après avoir été sous le règne du Père (Ancien Testament, période de la famille), puis du Fils (Nouveau Testament, âge de la foi et des clercs), est parvenu au règne de l'Esprit (temps des moines, libéré des préoccupations doctrinales et morales). Cet « Évangile éternel » eut une grande influence sur les millénarismes ultérieurs et, dès le XIIIᵉ siècle, sur les « mouvements de pauvreté », en particulier sur celui des « spirituels ».

JOAILLERIE n.f. -1. Art de mettre en valeur les pierres fines et précieuses, en utilisant leur éclat, leur forme, leur couleur. -2. Commerce du joaillier. -3. Articles vendus par le joaillier.

JOAILLIER, ÈRE [ʒɔaje, ɛr] n. Personne qui crée, fabrique ou vend des joyaux. ◆ adj. Relatif à la joaillerie.

JOÃO PESSOA, v. du Brésil, cap. de l'État du Paraíba, sur le Paraíba ; 497 214 hab. – Belle église du couvent de S. Francisco (XVIIIᵉ s.).

JOB [dʒɔb] n.m. (mot angl., *besogne, tâche*). FAM. -1. Petit emploi rémunéré, souvent provisoire ; petit boulot. -2. Tout travail rémunéré.

Job *(livre de),* livre biblique composé au Vᵉ s. av. J.-C. C'est un poème complexe qui pose, en admettant qu'on ne peut le résoudre par la simple raison, le problème du mal et voudrait élucider le fait que des justes soient malheureux et des méchants heureux. Il oscille entre une réflexion quasi désespérée et l'abandon à Dieu.

JOBISTE n. BELGIQUE. FAM. Étudiant occupant un emploi occasionnel, un job.

J. O. C. (Jeunesse ouvrière chrétienne), mouvement d'action catholique, propre au monde ouvrier, fondé en 1925 par un prêtre belge, Joseph Cardijn (créé cardinal en 1965), et introduit en France, en 1926, par l'abbé Guérin et par Georges Quiclet. Le mouvement s'est, par la suite, répandu dans le monde entier.

JOCASSE n.f. Litorne.

JOCASTE, héroïne du cycle thébain dans la mythologie grecque. Sœur de Créon, elle était la femme de Laïos, roi de Thèbes. Leur fils Œdipe, dans l'ignorance totale et conformément à un oracle, tua Laïos et épousa Jocaste. Quand l'inceste fut révélé, celle-ci se tua.

Jocelyn, poème de Lamartine (1836). Journal, en vers, d'un prêtre, ce poème devait être le dernier d'une vaste épopée philosophique dont le début est *la Chute d'un ange.*

JOCHO, sculpteur japonais (actif à Kyoto, m. en 1057). Son bouddha Amida (en bois laqué et doré), exécuté en 1053 pour le pavillon du Phénix du Byodo-in à Uji, reste l'exemple classique du style national, fondé sur le travail en commun en atelier.
(Voir illustration p. suivante.)

JOCISTE [ʒɔsist] adj. et n. Qui appartient à la Jeunesse ouvrière chrétienne (J. O. C.).

JOCKEY [ʒɔkɛ] n. Professionnel qui monte les chevaux de course.

JODELLE (Étienne), poète français (Paris 1532 - id. 1573). Auteur à succès de la tragédie *Cléopâtre captive* (1553), point de départ d'une forme dramatique d'où sortira la tragédie classique, il devint, sollicité par Ronsard, membre de la Pléiade. Il mourut dans la misère en laissant une œuvre lyrique en grande partie perdue, annonciatrice du baroque.

JODHPUR, v. de l'Inde (Rajasthan) ; 648 621 hab. Centre commercial (céréales, oléagineux, textiles), industriel et artisanal

JOCHO : le bouddha Amida. Bois laqué et doré, 1053. (Pavillon du Phénix du Byodo-in, Uji.)

(ivoire, cuir, laque). — Impressionnante forteresse en grès rouge et remparts du XVIe siècle.

JODHPURS [ʒɔdpyr] n.m. pl. (de *Jodhpur,* ville de l'Inde où l'on fabrique des cotonnades). Pantalon long, serré à partir du genou, utilisé pour monter à cheval.

JODL (Alfred), général allemand (Würzburg 1890 - Nuremberg 1946). Chef du bureau des opérations de la Wehrmacht de 1938 à 1945, il signa à Reims, le 7 mai 1945, l'acte de reddition des armées allemandes. Condamné à mort comme criminel de guerre, il fut exécuté.

JODLER v.i. → IOULER.

JOFFRE (Joseph), maréchal de France (Rivesaltes 1852 - Paris 1931). Après s'être distingué au Tonkin (1885), au Soudan (1892), puis, sous Gallieni, à Madagascar (1900), il devient en 1911 chef d'état-major général. Commandant en chef des armées du Nord et du Nord-Est en 1914, il remporte la victoire décisive de la Marne ; commandant en chef des armées françaises (déc. 1915), il livre la bataille de la Somme ; il est remplacé par Nivelle à la fin de 1916 et promu maréchal.

JOGGEUR, EUSE [dʒɔgœr, øz] n. Personne qui pratique le jogging.

JOGGING [dʒɔgiŋ] n.m. -1. Course à pied pratiquée pour l'entretien de la forme physi-

que, sur les terrains les plus variés (bois et campagne, routes, rues des villes). -2. Survêtement utilisé pour cette activité.

JOGJAKARTA, v. d'Indonésie (Java) ; 428 000 hab. Université.

JOHANNESBURG, la plus grande ville de l'Afrique du Sud, dans le Witwatersrand, ch.-l. de la prov. de Gauteng ; 1 566 000 hab. Centre industriel, commercial et intellectuel. Musées. Zoo.

JOHANNIQUE adj. Relatif à l'apôtre Jean, à son œuvre : *Évangile johannique.*

JOHANNITE n. Membre d'un mouvement religieux chrétien oriental qui confère le baptême au nom de saint Jean-Baptiste.

JOHN BULL → BULL (John).

JOHNS (Jasper), peintre américain (Augusta, Géorgie, 1930). Représentant du courant « néodadaïste » avec Rauschenberg, il a exploré, depuis ses *Drapeaux* américains (1955), les relations d'ambiguïté entre l'objet et sa représentation, entre le signe et la matérialité de l'œuvre (série de « cibles », de « chiffres », d'« alphabets »...). À partir des années 70, il a donné de grandes toiles à « dallages » ou à hachures.

JOHNSON (Andrew), homme d'État américain (Raleigh 1808 - Carter's Station, Tennessee, 1875). Républicain, il fut président des États-Unis (1865-1869), après l'assassinat de Lincoln. Pour s'être opposé de fait à l'égalité raciale, notamment à la ratification du 14e amendement interdisant toute limitation des droits des citoyens, il fut traduit devant le Sénat pour trahison et acquitté.

JOHNSON (Daniel), homme politique canadien (Danville, prov. de Québec, 1915 - Manic 5, prov. de Québec, 1968). Chef de l'Union nationale (1961), il fut Premier ministre du Québec de 1966 à sa mort. Son fils **Daniel**

Joseph **JOFFRE**, maréchal de France. Détail d'un portrait par Calderé. (Musée de l'Armée, Paris.)

(Montréal 1944), chef du Parti libéral, a brièvement succédé à R. Bourassa à la tête du gouvernement québécois (1994).

JOHNSON (Eyvind), écrivain suédois (Svartbjörnsbyn, Norrland, 1900 - Stockholm 1976). Autodidacte, romancier influencé par Gide, Joyce et Proust, il est l'un des meilleurs représentants de la littérature « prolétarienne » suédoise (*Olof,* 1934-1937 ; *Krilon,* 1941-1943 ; *Heureux Ulysse,* 1946). [Prix Nobel avec Harry Martinson 1974.]

JOHNSON (Lyndon Baines), homme d'État américain (Stonewall, Texas, 1908 - Johnson City, près d'Austin, Texas, 1973). Démocrate, vice-président des États-Unis (1961), il devint président à la suite de l'assassinat de J. F. Kennedy (1963), puis fut président élu (1964-1968). Il dut faire face à de graves émeutes raciales et au développement de la guerre du Viêt Nam.

JOHNSON (Philip), architecte américain (Cleveland 1906). Il est passé du style international à une sorte de néoclassicisme (théâtre du Lincoln Center, New York, 1962), voire au postmodernisme.

JOHNSON (Samuel), écrivain britannique (Lichfield 1709 - Londres 1784). Il se fit le défenseur de l'esthétique classique (*Dictionnaire de la langue anglaise,* 1755).

JOHNSON (Uwe), écrivain allemand (Cammin, Poméranie, 1934 - Sheerness, Kent, 1984). Son œuvre fut dominée par le déchirement de l'Allemagne en deux États et deux modes de pensée (*Une année dans la vie de Gesine Cresspahl,* 1970-1984).

JOIE n.f. (lat. *gaudium*). -1. Sentiment de bonheur intense, de plénitude, limité dans sa durée, éprouvé par une personne dont une aspiration, un désir sont satisfaits. -2. Ce qui provoque chez qqn un sentiment de vif bonheur, de vif plaisir : *C'est une joie de les revoir.* -3. État de satisfaction qui se manifeste par de la gaieté et de la bonne humeur ; ces manifestations elles-mêmes : *L'incident les a mis en joie.* -4. *Feu de joie,* feu allumé dans les réjouissances publiques.

JOINDRE v.t. [82]. -1. Unir, assujettir deux choses : *Joindre des tôles par des rivets.* -2. Rapprocher des choses de telle sorte qu'elles se touchent : *Joindre des planches.* -3. Établir une communication entre deux lieux ; relier. -4. Ajouter, associer qqch à qqch d'autre : *Joindre une pièce au dossier.* -5. Entrer en rapport, en communication avec qqn : *Je l'ai joint par*

téléphone. ◆ v.i. Être en contact étroit : *Les battants de la fenêtre joignent mal.* ◆ **se joindre** v. pr. (à). S'associer à qqn, à un groupe ; participer à qqch.

1. **JOINT, E** adj. Uni, lié ; qui est en contact : *Sauter à pieds joints.*

2. **JOINT** n.m. -1. Surface ou ligne d'assemblage de deux éléments fixes et, partic., point de raccordement de deux tuyaux. -2. Garniture assurant l'étanchéité d'un assemblage : *Changer le joint d'un robinet qui fuit.* -3. Intermédiaire : *Faire le joint entre deux personnes.* **BÂT., TRAV. PUBL.** Espace entre deux pierres garni de liant. **CH. DE F.** Dispositif qui réunit et rend solidaires les extrémités voisines de deux rails contigus, à l'aide d'éclisses fixées sur l'âme des deux rails. **MÉCAN.** Articulation entre deux pièces. ‖ *Joint de cardan* → CARDAN. ‖ *Joint de dilatation,* dispositif permettant la libre dilatation et la contraction en fonction de la température. **TECHN.** *Joint de culasse,* joint d'étanchéité interposé entre le bloc-cylindres et la culasse d'un moteur à combustion interne.

JOINTIF, IVE adj. Qui joint sans laisser d'intervalle : *Lattes jointives.*

JOINTOIEMENT n.m. Action de jointoyer.

JOINTOYER [ʒwɛ̃twaje] v.t. [13]. Remplir avec du mortier ou une autre substance les joints d'une maçonnerie, d'un sol.

JOINTURE n.f. -1. Endroit où deux choses se joignent : *La jointure de deux pierres.* -2. Articulation : *La jointure du genou.*

JOINT-VENTURE [dʒɔjntvɛntər] n.m. (mot angl., *entreprise mixte*) [pl. joint-ventures]. Association de fait entre deux personnes physiques ou morales pour un objet commun mais limité, avec partage des frais et des risques.

JOINVILLE, v. du Brésil, au S.-E. de Curitiba ; 346 095 hab.

JOINVILLE (François d'Orléans, *prince* de), troisième fils de Louis-Philippe (Neuilly-sur-Seine 1818 - Paris 1900). Vice-amiral, il ramena en France les restes de Napoléon (1840).

JOINVILLE (Jean, *sire* de), chroniqueur français (v. 1224-1317). Sénéchal de Champagne, il participa à la septième croisade (1248) aux côtés de Saint Louis, dont il devint le confident. Son *Livre des saintes paroles et des bons faits de notre roi Louis* (v. 1309) est une source précieuse pour l'histoire de ce roi.

JOINVILLE-LE-PONT, ch.-l. de c. du Val-de-Marne, sur la Marne ; 16 908 hab. (*Joinvillais*). Studios de cinéma.

JÓKAI (Mór), romancier et publiciste hongrois (Komárom 1825 - Budapest 1904). Il est l'auteur fécond d'une œuvre romanesque d'inspiration romantique (*le Nabab hongrois,* 1853).

JOKER [ʒɔkɛr] n.m. Carte portant la figure d'un bouffon et susceptible de prendre à certains jeux la valeur que lui donne celui qui la détient.

JOLAS (Betsy), compositrice française (Paris 1926). Elle poursuit une évolution solitaire, travaillant dans plusieurs directions, évitant la musique électronique : *le Pavillon au bord de la rivière,* opéra chinois (1975), *Liring Ballade* pour baryton et orchestre (1980), *Trio à cordes* (1991).

JOLI, E adj. Agréable à voir, à entendre ; qui séduit par sa grâce, son charme : *Une jolie fille. Une jolie voix.* ◆ **joliment** adv.

JOLIOT-CURIE (Irène), physicienne française (Paris 1897 - *id.* 1956), fille de Pierre et de Marie Curie, épouse de Jean Frédéric Joliot. Seule ou en collaboration avec son mari, elle effectua des travaux qui conduisirent à la découverte de la radioactivité artificielle. Ses recherches sur l'action des neutrons sur l'uranium furent une étape importante de la découverte de la fission nucléaire. Elle fut nommée sous-secrétaire d'État à la Recherche scientifique en 1936 et directrice de l'Institut du radium en 1946. (Prix Nobel de chimie 1935.)

JOLIOT-CURIE (Jean Frédéric), physicien français (Paris 1900 - *id.* 1958). En collaboration avec sa femme Irène, il a découvert la radioactivité artificielle (1934) en observant la désintégration spontanée d'éléments obtenus

Irène et Jean Frédéric **JOLIOT-CURIE**.

par bombardement aux particules α d'autres éléments. Après avoir fait construire le premier cyclotron de l'Europe occidentale, il a apporté une preuve physique du phénomène de fission puis étudié les réactions en chaîne et les conditions de réalisation d'une pile atomique à uranium et à eau lourde, qui fut construite en 1948. Pendant l'occupation de la France, il fut président du Front national et adhéra au Parti communiste. Directeur du C. N. R. S. en 1945, président du Conseil mondial de la paix, il fut le premier haut-commissaire à l'Énergie atomique (1946-1950), poste dont il fut relevé à cause de son engagement politique. (Prix Nobel de chimie 1935.)

JOLIVET (André), compositeur français (Paris 1905 - *id.* 1974). Disciple d'Edgard Varèse, membre du groupe Jeune-France (1936), il fonda l'essentiel de son message sur deux sources fondamentales, la prière et la danse (*Mana,* 1935 ; *Cinq Danses rituelles,* 1939 ; deux sonates pour piano, trois symphonies, des concertos, *Épithalame* d'après le Cantique des cantiques, 1953, créé en 1956).

JOLLIET ou **JOLIET** (Louis), explorateur français (région de Québec 1645 - Canada 1700). Avec le P. Marquette, il reconnut le cours du Mississippi (1672).

JOMINI (Antoine Henri, *baron* de), général et écrivain militaire suisse d'origine italienne (Payerne 1779 - Paris 1869). Il sert d'abord dans les rangs français à Ulm (1805) et en Russie (1812) mais, en désaccord avec Berthier, il passe au service de la Russie (août 1813). Conseiller du tsar Alexandre Iᵉʳ, fondateur de l'Académie militaire de Saint-Pétersbourg (1837), il est chargé de l'éducation du futur Alexandre II. Il est également le conseiller de Nicolas Iᵉʳ (guerre de Crimée, 1854) puis de Napoléon III (guerre d'Italie, 1859). Jomini est l'auteur d'un ouvrage majeur, le *Précis de l'art de la guerre* (1837). Refusant à la stratégie le statut de science, il considère cependant que cet art repose sur quelques concepts fondamentaux : concentration du gros des forces, détermination du point décisif d'application de ces forces, intensité et simultanéité de cette application. L'influence de Jomini fut considérable.

JOMMELLI (Niccolo), compositeur italien (Aversa 1714 - Naples 1774). Il contribua à la réforme de l'*opera seria,* ce qui fait de lui un prédécesseur de Gluck. En témoignent notamment *La clemenza di Tito* (1753), *Pelope* (1755), *Enea nel Lazio* (1755), ainsi que des opéras bouffes dont *Il matrimonio per concorso* (1766). Son *Miserere* pour 2 voix et orchestre est célèbre.

JOMON n.m. (jap. *jōmon,* cordé). Période prénéolithique et néolithique du Japon (10000-300 av. notre ère), caractérisée par des poteries portant des marques de cordes ou des impressions de coquillages.

Jonas *(livre de),* écrit datant de la fin du IVe s. av. J.-C. et admis par une erreur d'interprétation dans le corps des livres prophétiques de la Bible. Il prêche l'universalisme en décrivant, à travers des constructions fantastiques comme l'enfermement de Jonas dans le ventre d'une baleine pendant trois jours, l'attitude chauvine d'un prophète récalcitrant qui veut réserver au seul Israël les bienfaits de Dieu.

JONC [ʒɔ̃] n.m. -1. Plante des lieux humides, à tiges et feuilles cylindriques. (Famille des joncacées.) -2. Canne faite d'une tige de rotang, ou *jonc d'Inde.* -3. Anneau ou bracelet dont le cercle est partout de même grosseur. -4. *Jonc fleuri,* butome.

JONCACÉE n.f. *Joncacées,* famille de plantes monocotylédones herbacées, à rhizome rampant, comme le jonc ou la luzule.

JONCHAIE, JONCHÈRE ou **JONCHERAIE** n.f. Lieu où croissent les joncs.

1. **JONCHÉE** n.f. LITT. Quantité d'objets qui jonchent le sol : *Une jonchée de feuilles.*

2. **JONCHÉE** n.f. Fromage frais de vache, de chèvre ou de brebis, présenté dans un panier de jonc.

JONCHER v.t. -1. Couvrir le sol, une surface en répandant çà et là des fleurs, des feuilles, des objets divers ; étendre : *Joncher la terre de fleurs.* -2. Être épars sur le sol, le couvrir.

JONCHET n.m. Chacun des bâtonnets de bois, d'os, etc., mis en tas et qu'il faut, dans un jeu, recueillir un à un sans faire bouger les autres. ◆ pl. Jeu de jonchets. SYN. : **honchets.**

JONCTION n.f. -1. Action de joindre, d'unir ; fait de se joindre : *La jonction de deux armées.* -2. Zone d'un semi-conducteur dans laquelle les modes de conduction s'inversent. -3. *Point de jonction* ou *jonction,* endroit où deux choses se joignent, se confondent.

JONES (Ernest), médecin et psychanalyste britannique (Gowerton, Glamorgan, 1879 - Londres 1958). Il a joué un rôle important dans la diffusion de la psychanalyse dans les pays anglo-saxons, mais il est surtout connu pour son importante biographie de S. Freud.

JONES (Everett Le Roi), écrivain américain (Newark 1934). Il a pris en 1965 le nom de **Imamu Amiri Baraka.** Romancier, dans la lignée de Joyce et de Kerouac, poète militant, essayiste et dramaturge, il est une des figures dominantes de la négritude dans les années 50 et 60 (*le Système de l'Enfer de Dante,* 1965 ; *A Black Mass,* 1966 ; *A Black Value System,* 1969).

JONES (Inigo), architecte anglais (Londres 1573 - *id.* 1652). Intendant des bâtiments royaux après avoir été un décorateur des fêtes de la cour, il voyagea en Italie (1613) et introduisit le palladianisme en Angleterre (Banqueting House, Londres, 1619 et suiv.).

JONES (James), écrivain américain (Robinson, Illinois, 1921 - Southampton, État de New York, 1977). Ses romans relatent son expérience de la guerre (*Tant qu'il y aura des hommes,* 1951) et les bouleversements contemporains (*le Joli Mois de mai,* 1971).

JONGEN (Joseph), compositeur et pédagogue belge (Liège 1873 - Sart-lès-Spa 1953). Son œuvre, apparentée à l'école française (d'Indy, Debussy), aborde tous les genres : musique de chambre, pages d'orchestre (dont une symphonie avec orgue), musique dramatique et œuvres religieuses.

JONGKIND (Johan Barthold), peintre et graveur néerlandais (Lattrop 1819 - Grenoble 1891). Paysagiste, installé en France, il est un des précurseurs de l'impressionnisme, notamment dans ses très vivantes aquarelles.
(Voir illustration p. suivante.)

JONGLER v.i. (avec). -1. Lancer en l'air, les uns après les autres, divers objets que l'on relance à mesure qu'on les reçoit. -2. Manier qqch avec une grande habileté, une grande aisance : *Jongler avec les chiffres.*

JONGLERIE n.f. -1. Action de jongler ; art du jongleur. -2. Tour d'adresse ou de passe-passe. -3. Habileté hypocrite.

JONGLEUR, EUSE n. -1. Artiste qui pratique l'art de jongler. -2. Personne habile, qui jongle avec les idées, les mots. ◆ **jongleur** n.m. Poète-musicien ambulant du Moyen Âge ; ménestrel.

JÖNKÖPING, v. de Suède, sur le lac Vättern ; 111 486 hab. Allumettes. — Monuments du XVIIe siècle. Musées provincial et de plein air.

JONQUE n.f. Bateau à fond plat, à dérive, muni de deux ou trois mâts et gréé de voiles de toile ou de natte raidies par des lattes en bambou, qui sert au transport ou à la pêche, en Extrême-Orient.

Notre-Dame de Paris (1854), huile de Johan Barthold **JONGKIND**. (Musée du Louvre, Paris.)

JONQUIÈRE, v. du Canada (Québec), dans la région du Saguenay ; 54 559 hab.

JONQUILLE n.f. Narcisse à haute collerette, à feuilles cylindriques comme celles des joncs, cultivé pour ses fleurs jaunes. ◆ adj. inv. D'une couleur jaune clair.

JONSON (Ben), auteur dramatique anglais (Westminster 1572 ? - Londres 1637). Auteur fécond, il passa du « masque » (le futur opéra) à la comédie, puis à la tragédie à l'ancienne. *Chacun dans son caractère* (1598) fut joué par la troupe de Shakespeare, dont Ben Jonson devint l'ami et le rival. Ses comédies de caractère, tel *Volpone* (1606) [→ Volpone], sont considérées comme les plus remarquables de la Renaissance anglaise.

JONZAC, ch.-l. d'arr. de la Charente-Maritime, sur la Seugne ; 4 389 hab. Eau-de-vie. — Château (XIVᵉ-XVIIᵉ s.), église romane très restaurée et ancien couvent des Carmes.

JOOSS (Kurt), danseur et pédagogue allemand (Wasseralfingen, Wurtemberg, 1901 - Heilbronn 1979). Élève puis assistant de Rudolph von Laban, il fonde à Essen la Folkwangschule (1927) mais doit fuir l'Allemagne nazie et se réfugie en Grande-Bretagne, où il poursuit ses activités de chorégraphe et de pédagogue. De retour à Essen en 1949, il réorganise son école, à laquelle il se consacre jusqu'en 1953. Il est l'auteur de *la Table verte* (1932), œuvre capitale et caractéristique de l'expressionnisme chorégraphique d'avant-guerre.

JOPLIN (Janis), chanteuse de rock américaine (Port Arthur 1943 - Hollywood 1970). Personnalité tourmentée, douée d'une voix bouleversante, elle conjugua les accents du rock avec les inflexions et les thèmes du blues. Elle fut la première femme à s'imposer dans la pop music.

JORAN n.m. (de *Jura*). Vent frais du nord-ouest qui souffle sur le sud du Jura et le lac Léman.

Représentation au théâtre Sarah-Bernhardt de *la Table verte* de Kurt **JOOSS** (Paris, 1963).

Le Roi boit (v. 1638-1640), par Jacob **JORDAENS.** (Musée des Beaux-Arts, Tournai.)

JORASSES (Grandes), sommets du massif du Mont-Blanc ; 4 208 m à la pointe Walker.

JORDAENS (Jacob), peintre flamand (Anvers 1593 - *id.* 1678). Influencé par Rubens et par le caravagisme, il devint dans sa maturité le représentant par excellence d'un naturalisme opulent et sensuel (*Le roi boit, le Satyre et le Paysan,* diverses versions).

JORDAN (Camille), mathématicien français (Lyon 1838 - Paris 1922). Il fut l'un des fondateurs de la théorie des groupes, où il reprit et développa les idées d'É. Galois.

JORDANIE, État de l'Asie occidentale.

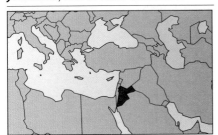

NOM OFFICIEL : Royaume hachémite de Jordanie.
CAPITALE : Amman.
SUPERFICIE : 92 000 km².

POPULATION : 5 650 000 hab. *(Jordaniens).*
LANGUE : arabe.
RELIGION : islam.
MONNAIE : dinar jordanien.
RÉGIME : monarchie constitutionnelle, régime parlementaire.

GÉOGRAPHIE

La majeure partie du pays est formée d'un plateau désertique parcouru par quelques nomades. Le Nord-Ouest, un peu moins aride, porte des céréales, mais le fossé du Jourdain irrigué (canal du Ghor oriental) a des cultures fruitières et légumières. La ville d'Amman regroupe maintenant le tiers environ de la population jordanienne.

La crise et la guerre du Golfe ont eu de graves répercussions sur l'économie, très liée à celle de l'Iraq (transit par le port d'Aqaba, exportations alimentaires). Le chômage a augmenté et l'afflux des rapatriés et de réfugiés a accru les besoins en logements, éducation, santé. Les exportations de phosphates et de potasse doivent également se réorienter. Malgré la paix avec Israël, la Jordanie, très endettée, traverse une période difficile.

(Voir carte p. suivante.)

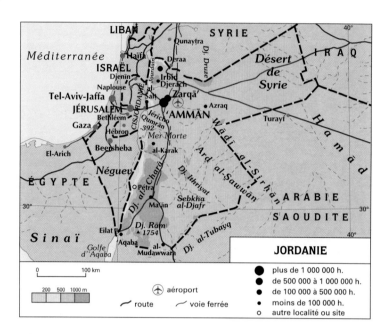

LIBAN — SYRIE — 40° — IRAQ
Méditerranée — Qunaytra — Dj. Druze — Désert de Syrie
ISRAËL — Haïfa — Deraa
Djenin — Irbid
Naplouse — Djerach
Tel-Aviv-Jaffa — Salt — Zarqā'
JÉRUSALEM — Azraq
Bethléem — Jéricho — 'AMMAN — Turayf — Hamād
Gaza — Qumran — -392
Hébron — Mer Morte
El-Arich — Beersheba — al-Karak
Néguev — ÉGYPTE — Ard al-Sawwan — Wadi al-Sirhan — ARABIE
30° — Pétra — 30°
Sebkha al-Djafr — SAOUDITE
Sinaï — Maan
Eilat — Dj. Rām ▲1754 — Dj. al-Tubaya — 40°
Golfe d''Aqaba — Aqaba — al-Mudawwara — Dj. al-Tubaya

JORDANIE

0 — 100 km
200 500 1000 m
✈ aéroport
⌒ route — ⌒ voie ferrée

● plus de 1 000 000 h.
● de 500 000 à 1 000 000 h.
● de 100 000 à 500 000 h.
• moins de 100 000 h.
o autre localité ou site

HISTOIRE

La Jordanie est issue de l'émirat de Transjordanie, créé en 1921 à l'est du Jourdain et placé sous tutelle britannique. Érigé en royaume en 1946, cet État prend une part active à la guerre opposant, à partir de 1947, Arabes et Israéliens, et annexe la Cisjordanie (territoire situé à l'ouest du Jourdain et faisant partie de l'État arabe prévu par le plan de partage de la Palestine adopté par l'O. N. U.).

1949 : le nouvel État prend le nom de royaume hachémite de Jordanie.

1952 : Husayn en devient roi.

1967 : au terme de la troisième guerre israélo-arabe, la Cisjordanie est conquise et occupée par Israël.

1970 : les troupes royales interviennent contre les Palestiniens, qui sont expulsés vers la Syrie et le Liban.

Après la guerre israélo-arabe d'octobre 1973, la Jordanie renoue progressivement avec les Palestiniens.

1988 : le roi Husayn proclame la rupture des liens légaux et administratifs entre la Jordanie et la Cisjordanie.

1994 : la Jordanie signe un traité de paix avec Israël.

JORN (Asger Jørgensen, dit Asger), peintre, graveur et écrivain danois (Vejrum 1914 - Århus 1973). Cofondateur de Cobra, puis d'une des branches du mouvement situationniste, esprit aigu, expérimentateur aux initiatives multiples, il a laissé une œuvre plastique d'une grande liberté (*Atomisation imprévue*, 1958, musée Jorn à Silkeborg, Jylland).

JORURI n.m. Genre dramatique populaire japonais qui a donné naissance au bunraku.

JOS, v. du Nigeria, sur le *plateau de Jos ;* 169 000 hab.

JOSEPH adj. et n.m. Se dit d'un papier mince utilisé pour filtrer les liquides.

JOSEPH, patriarche hébreu, l'avant-dernier des douze fils de Jacob. Ses frères l'ayant vendu à des caravaniers, il devint esclave en Égypte, puis accéda aux fonctions de ministre du pharaon. C'est là que ses frères et son père, le retrouvèrent, s'installant en Égypte sous sa protection.

SAINTS

JOSEPH (*saint*), époux de la Vierge Marie et père nourricier de Jésus. Son culte s'est développé tardivement en Orient à partir du VIIᵉ siècle et il passa ensuite en Occident.

JOSEPH d'Arimathie (*saint*) [Iᵉʳ s.], Juif de Jérusalem, membre du Sanhédrin. Il prêta son propre tombeau pour ensevelir Jésus.

EMPIRE GERMANIQUE ET AUTRICHE

JOSEPH Iᵉʳ (Vienne 1678 - *id.* 1711), roi de Hongrie (1687), roi des Romains (1690), archiduc d'Autriche et empereur germanique (1705-1711). Fils et successeur de Léopold Iᵉʳ, il conquit l'Italie du Nord durant la guerre de

Asger **JORN** : *le Troll et les oiseaux* (1944). [Musée de Silkeborg (Danemark).]

la Succession d'Espagne. En Hongrie, il apaisa la noblesse en reconnaissant le calvinisme et les droits des États (1711). **Joseph II** (Vienne 1741 - *id.* 1790), empereur germanique et corégent des États des Habsbourg (1765-1790). Fils aîné de François Ier et de Marie-Thérèse, devenu seul maître à la mort de sa mère (1780), il voulut, en despote éclairé, rationaliser et moderniser le gouvernement de ses États, et libéra les paysans des servitudes personnelles (1781). Il pratiqua à l'égard de l'Église une politique de surveillance et de contrôle (→ JOSÉPHISME). Sa politique centralisatrice provoqua le soulèvement de la Hongrie et des Pays-Bas (1789).

ESPAGNE
JOSEPH, roi d'Espagne → BONAPARTE.

JOSEPH (François Joseph Le Clerc du Tremblay, dit le Père), surnommé l'**Éminence grise**, capucin français (Paris 1577 - Rueil 1638). Confident et conseiller de Richelieu, partisan de la lutte contre les Habsbourg, il eut une grande influence sur la politique extérieure menée par le cardinal.

JOSÈPHE (Flavius) → FLAVIUS JOSÈPHE.

JOSÉPHINE (Marie-Josèphe Tascher de La Pagerie), impératrice des Français (Trois-Îlets, Martinique, 1763 - Malmaison 1814). Elle épousa en 1779 le vicomte de Beauharnais, dont elle eut deux enfants (Eugène et Hortense). Veuve en 1794, elle devint la femme du général Bonaparte (1796) et fut couronnée impératrice en 1804. N'ayant pu donner d'héritier à l'Empereur, elle fut répudiée en 1809 et se retira à la Malmaison.

JOSÉPHISME n.m. Système conçu par Joseph II, empereur germanique, pour subordonner l'Église à l'État.

ENCYCL. Partisan de la liberté religieuse et adepte des philosophes, Joseph II voulut, au mépris de la souveraineté pontificale, soumettre l'Église à son autorité en la cantonnant dans des tâches telles que l'enseignement et la charité hospitalière. Il réorganisa la formation du clergé, réglementa les rites funéraires, censura les sermons, interdit pèlerinages et processions, et supprima, en 1781, 700 monastères. Cette politique, acceptée par les États héréditaires, provoqua la révolte des Pays-Bas (1789). En Toscane, le joséphisme se trouva en collusion avec le jansénisme italien.

JOSEPHSON (Brian David), physicien britannique (Cardiff 1940). Il a découvert en 1962 que, si deux matériaux supraconducteurs sont reliés par une jonction isolante mince, des électrons peuvent, sans chute de tension, franchir cette barrière tant que le courant reste

JOSÉPHINE,
impératrice
des Français.
Détail
d'un portrait
par F. Gérard.
(Château
de Versailles.)

inférieur à un certain seuil. On tire parti de ce phénomène *(effet Josephson)* en informatique pour réaliser des circuits logiques et des mémoires très rapides. (Prix Nobel 1973.)

JOSPIN (Lionel), homme politique français (Meudon 1937). Ministre de l'Éducation nationale (1988-1992), premier secrétaire du parti socialiste de 1981 à 1988 et de 1995 à 1997, il a été nommé Premier ministre en 1997.

JOSQUIN DES PRÉS, compositeur français (Beaurevoir, Picardie, v. 1440 - Condé-sur-l'Escaut v. 1521/1524). Attaché à la chapelle pontificale, il resta plus de vingt ans en Italie, avant de devenir musicien de Louis XII. Dans ses messes *(Hercules dux Ferrariae, De beata Virgine, Pange lingua)* et motets *(Miserere),* il a su joindre à l'écriture contrapuntique savante telle qu'on la pratiquait dans les pays flamands une effusion mélodique acquise au contact des musiciens qu'il a fréquentés en Italie. Il a été aussi l'un des créateurs de la chanson à une ou à plusieurs voix *(Adieu mes amours, Mille Regrets, Nymphes des bois).*

JOSUÉ, personnage biblique qui succéda à Moïse et qui eut alors à conduire les Hébreux dans le pays de Canaan (fin du XIIIᵉ s. av. J.-C.). Le livre biblique de Josué raconte leur installation dans cette Terre promise, ainsi que les combats qu'ils eurent à y livrer, notamment celui au cours duquel Josué arrêta le Soleil.

JOTA [xɔta] n.f. Chanson et danse populaires espagnoles à trois temps, avec accompagnement de castagnettes.

JOTTEREAU n.m. (anc. fr. *jouette,* petite joue). Pièce de bois ou de métal fixée de chaque côté de la tête du mât d'un voilier.

JOTUNHEIM, massif de la Norvège méridionale, portant le point culminant de la Scandinavie (2 470 m).

JOUAL [ʒwal] n.m. sing. (prononciation canadienne de *cheval).* Parler populaire québécois à base de français fortement anglicisé.

JOUBARBE n.f. (lat. *Jovis barba,* barbe de Jupiter). Plante vivace poussant sur les toits, les murs, les rochers, et dont les rosettes de feuilles ressemblent à de petits artichauts. (Genre *Sempervivum ;* famille des crassulacées.)

JOUBERT (Barthélemy), général français (Pont-de-Vaux 1769 - Novi 1799). Il commanda en Hollande puis en Italie (1798), où il occupa le Piémont et Turin.

JOUBERT (Joseph), moraliste français (Montignac, Périgord, 1754 - Villeneuve-sur-Yonne 1824), auteur des *Pensées, essais, maximes.*

JOUBERT (Petrus Jacobus), général boer (colonie du Cap 1831 ? -Pretoria 1900), commandant en chef contre les Britanniques en 1881 et en 1899.

JOUE n.f. -**1.** Chacune des parties latérales du visage de l'homme, comprise entre la bouche, l'œil et l'oreille. -**2.** Partie latérale de la tête de certains animaux. -**3.** *Mettre en joue,* viser avec une arme à feu pour tirer. **BOUCH.** Morceau du bœuf correspondant à la région du maxillaire inférieur, servant à faire du pot-au-feu. **CHARP.** Épaisseur de bois de chaque côté d'une mortaise, d'une rainure. **MAR.** Partie renflée de chaque côté de l'étrave d'un navire. **MÉCAN.** Pièce latérale servant de fermeture ou de support à un ensemble mécanique. **MOBIL.** Espace, plein ou vide, au-dessous de l'accotoir d'un canapé, d'un fauteuil.

JOUÉE n.f. Côté d'une embrasure, d'une lucarne, etc.

JOUÉ-LÈS-TOURS, ch.-l. de c. d'Indre-et-Loire, banlieue de Tours ; 37 114 hab. *(Jocondiens).* Caoutchouc.

JOUER v.i. -**1.** Se divertir en pratiquant un jeu. -**2.** Exercer le métier d'acteur ; tenir un rôle : *Jouer dans un film.* -**3.** Fonctionner correctement : *La clé joue dans la serrure.* -**4.** Agir ; produire un effet : *L'argument ne joue pas en votre faveur.* -**5.** Changer de dimensions, de forme sous l'effet de l'humidité ; prendre du jeu, en parlant de ce qui est en bois : *La porte a joué.* ◆ v.t. ind. -**1.** Se divertir en pratiquant un jeu, s'amuser avec un jeu, un jouet ; pratiquer un sport. -**2.** Engager de l'argent dans un jeu : *Jouer à la roulette.* -**3.** Spéculer : *Jouer à la Bourse, en Bourse.* -**4.** Exposer qqch à des risques par légèreté : *Jouer avec sa santé.* -**5.** Manier un instrument, une arme : *Jouer du couteau.* -**6.** Faire mouvoir une partie du corps plus ou moins vivement : *Jouer des coudes.* -**7.** Se servir ou savoir se servir d'un instrument de musique : *Jouer du violon.* -**8.** Chercher à paraître ce qu'on n'est pas : *Jouer à l'artiste incompris.* -**9.** *Jouer à la hausse, à la baisse,* spéculer sur la hausse ou la baisse des cours des valeurs ou des marchandises, partic. sur les marchés à terme. ◆ v.t. -**1.** Mettre en jeu ; lancer, déplacer ce avec quoi on joue : *Jouer une carte.* -**2.** Miser une somme ; mettre qqch comme enjeu : *Jouer gros jeu.* -**3.** Risquer qqch : *Jouer sa vie.* -**4.** Interpréter une pièce musicale. -**5.** Donner la représentation d'une pièce ; passer un film. -**6.** Interpréter une œuvre ; tenir tel rôle. -**7.** Affecter un comportement, feindre un sentiment : *Jouer la surprise.* ◆**se jouer** v.pr. -**1.** Ne pas se laisser arrêter par qqch ou n'en faire aucun cas : *Se jouer des difficultés.* **-2.** LITT. Tromper qqn, abuser de sa confiance.

JOUET n.m. Objet conçu pour amuser un enfant.

JOUETTE n.f. BELGIQUE. Personne encline à s'amuser à des riens.

JOUEUR, EUSE n. **-1.** Personne qui pratique un jeu, un sport : *Joueur d'échecs, de tennis.* **-2.** Personne qui joue d'un instrument de musique : *Joueur de guitare.* **-3.** Personne qui a la passion des jeux d'argent, le goût du risque. ◆ adj. Qui aime jouer, s'amuser : *Un enfant joueur.*

JOUFFLU, E adj. Qui a de grosses joues.

JOUFFROY D'ABBANS (Claude François, *marquis* de), ingénieur français (Roches-sur-Rognon, Champagne, 1751 - Paris 1832). Il est le premier à avoir fait fonctionner un bateau à vapeur (Lyon, 15 juill. 1783).

JOUG [ʒu] n.m. **-1.** Pièce de bois utilisée pour atteler une paire d'animaux de trait. (Dans le cas de l'attelage des bovins, le joug se place soit derrière les cornes [joug de nuque] soit devant le garrot.) **-2.** LITT. Contrainte matérielle ou morale. **-3.** Chez les Romains, javelot attaché horizontalement sur deux autres fichés en terre, et sous lequel le vainqueur faisait passer, en signe de soumission, les chefs et les soldats de l'armée vaincue. **- 4.** Fléau d'une balance.

JOUHANDEAU (Marcel), écrivain français (Guéret 1888 - Rueil-Malmaison 1979). Dans une œuvre tout entière habitée par le moi, Jouhandeau mêle le mysticisme et l'ironie, l'observation réaliste et l'introspection dans ses romans (*la Jeunesse de Théophile,* 1921 ; *M. Godeau intime,* 1926), ses contes (*les Pincengrain,* 1924), ses chroniques (*Chaminadour,* 1934-1941), ses essais (*De l'abjection,* 1939) et ses récits autobiographiques (*Chroniques maritales,* 1938-1943 ; *Journaliers,* 1961-1978).

JOUHAUX (Léon), syndicaliste français (Paris 1879 - *id.* 1954). Secrétaire général de la C. G. T. (1909-1940), il dirigea, à partir de 1948, la C. G. T. -F. O., issue de la scission de la C. G. T. (Prix Nobel de la paix 1951.)

JOUIR v.t. ind. **(de). -1.** Tirer un vif plaisir, une grande joie de la possession ou de la disposition de qqch : *Jouir de sa victoire.* **-2.** Avoir la possession de qqch dont on tire des avantages ; bénéficier : *Jouir d'une bonne santé.*

JOUISSANCE n.f. **-1.** Plaisir intense tiré de la possession de qqch, de la connaissance, etc. **-2.** Plaisir sexuel. **-3.** Libre disposition de qqch ; droit d'utiliser une chose, un droit, d'en jouir.

- 4. *Jouissance légale,* usufruit sur les biens de l'enfant mineur dont bénéficie le parent qui les administre.

JOUISSEUR, EUSE n. Personne qui recherche les plaisirs matériels ou sensuels.

JOUJOU n.m. (pl. joujoux). Petit jouet d'enfant.

JOUJOUTHÈQUE n.f. CANADA. Ludothèque.

JOUKOV (Gueorgui Konstantinovitch), maréchal soviétique (Strelkovka 1896 - Moscou 1974). Chargé de défendre Moscou (1941), il résista victorieusement, puis il dirigea la défense de Leningrad (1943). Il conduisit ensuite un groupe d'armées de Varsovie à Berlin, où il reçut la capitulation de la Wehrmacht (1945). Disgracié par Staline, il fut, après la mort de ce dernier, ministre de la Défense (1955-1957).

JOUKOV,
maréchal
soviétique
(ici en 1945).

JOUKOVSKI (Nikolaï Iegorovitch), aérodynamicien russe (Orekhovo 1847 - Moscou 1921). Il construisit l'une des premières souffleries (1902).

JOUKOVSKI (Vassili Andreïevitch), poète russe (près de Michenskoïe 1783 - Baden-Baden 1852). Il fit connaître au public russe le romantisme anglais et allemand, et fut le précepteur du tsar Alexandre II.

JOULE n.m. (de J.P. *Joule*). **-1.** Unité de mesure de travail, d'énergie et de quantité de chaleur (symb. J), équivalant au travail produit par une force de 1 newton, dont le point d'application se déplace de 1 m dans la direction de la force. **-2.** *Effet Joule,* dégagement de chaleur dans un conducteur homogène parcouru par un courant électrique. ‖ *Joule par kelvin,* unité de mesure de capacité thermique et d'entropie (symb. J/K), qui équivaut à l'augmentation de l'entropie d'un système recevant une quantité de chaleur de 1 joule à la température thermodynamique constante de 1 kelvin, pourvu qu'aucun changement irréversible n'ait lieu dans le système. ‖ *Joule par kilogramme-kelvin,* unité de mesure de chaleur massique et d'entropie massique [symb. J/(kg • K)], équivalant à la chaleur massique d'un corps homogène de masse 1 kilogramme, dans lequel l'apport d'une quantité de chaleur de 1 joule produit une élévation de température thermodynamique de 1 kelvin.

JOULE (James Prescott), physicien britannique (Salford, près de Manchester, 1818 - Sale, Cheshire, 1889). Il étudia la chaleur dégagée par les courants électriques dans les conducteurs et en formula la loi, qui porte son nom (1841). Il détermina l'équivalent mécanique de la calorie (1842). Il énonça le principe de conservation de l'énergie mécanique et étudia, avec W. Thomson (lord Kelvin), la détente des gaz dans le vide. Utilisant la théorie cinétique des gaz, il calcula la vitesse moyenne des molécules gazeuses.

JOUMBLATT (Kamal), homme politique libanais (Moukhtara 1917 - près de Baaklin 1977). Chef de la communauté druze et fondateur en 1949 du Parti progressiste socialiste. Après son assassinat, son fils **Walid** (Beyrouth 1947) lui a succédé à la tête de la communauté druze et du parti.

JOUR n.m. -**1.** Clarté, lumière du Soleil permettant de voir les objets. -**2.** Manière dont les objets sont éclairés : *La pièce baignait dans un jour glauque.* -**3.** Ouverture, dans un espace plein, qui laisse passer la lumière. - **4.** Intervalle de temps compris entre le lever et le coucher du soleil en un lieu donné. -**5.** Durée de la rotation de la Terre, d'une autre planète ou d'un satellite naturel autour de son axe. - **6.** COUR. Période de 24 h, assimilée au jour civil, constituant une unité de temps et un repère dans le calendrier. -**7.** Intervalle de 24 h considéré en fonction des circonstances qui le marquent (température, événements, activité des personnes, etc.) : *Un jour de chaleur.* -**8.** Moment présent, époque actuelle : *Au goût du jour.* ARCHIT., ARTS DÉCOR. *À jour, percé à jour,* se dit d'un élément d'architecture, d'un objet, d'un ornement percé de nombreux vides. ASTRON. *Jour civil,* jour solaire moyen dont la durée est de 24 h exactement et commençant à minuit. ‖ *Jour sidéral,* durée de la rotation de la Terre sur elle-même, mesurée par rapport au point vernal (env. 23 h 56 min 4 s). ‖ *Jour solaire moyen,* durée moyenne, constante par définition, d'un jour solaire vrai, fixée à 24 h

et commençant à midi. ‖ *Jour solaire vrai,* durée variable, voisine de 24 h, séparant deux passages consécutifs du Soleil au méridien d'un lieu (plus long que le jour sidéral en raison du mouvement de la Terre autour du Soleil). BROD. Vide pratiqué dans une étoffe soit par le retrait des fils, soit par l'écartement des fils à l'aide d'une grosse aiguille. SYN. : ajour. MÉTROL. Unité de temps (symb. d, le symbole j. étant aussi admis en France) équivalant à 86 400 secondes. ◆ pl. -**1.** LITT. Époque, temps. -**2.** LITT. Vie, existence : *Mettre fin à ses jours.* -**3.** *Grands jours,* sous l'Ancien Régime, assises judiciaires tenues par une délégation d'un parlement dans une ville de son ressort.

JOUR-AMENDE n.m. (pl. jours-amendes). Peine de substitution à l'emprisonnement ou peine complémentaire qui consiste en une amende dont le montant quotidien est dû un certain nombre de jours.

JOURDAIN (le), fl. du Proche-Orient ; 360 km. Né au Liban, il traverse le lac de Tibériade et se jette dans la mer Morte. Il sépare Israël de la Syrie, puis de la Jordanie.

Jourdain *(Monsieur),* principal personnage du *Bourgeois gentilhomme* de Molière.

JOURDAN (Jean-Baptiste, *comte*), maréchal de France (Limoges 1762 - Paris 1833). Vainqueur à Fleurus (1794), il commanda l'armée d'Espagne (1808-1814). Député aux Cinq-Cents, il fit voter la loi sur la conscription (1798).

JOURNAL n.m. -**1.** Écrit où l'on relate les faits jour par jour : *Tenir son journal.* -**2.** Publication, le plus souvent quotidienne, qui donne des informations politiques, littéraires, scientifiques, etc. -**3.** *Journal interne d'entreprise,* publication réalisée par une entreprise et destinée à ses différents collaborateurs. ‖ *Journal intime,* notation, plus ou moins régulière, de ses impressions ou réflexions personnelles. ‖ *Journal lumineux, journal électronique,* dispositif visible de la rue, faisant apparaître des annonces par un procédé électrique ou électronique. ‖ *Journal parlé, télévisé,* actualités transmises par la radio, la télévision. COMPTAB. *Livre journal* ou *journal,* registre sur lequel un commerçant inscrit, jour par jour, ses diverses opérations comptables. ENSEIGN. *Journal de classe,* cahier de textes. MAR. *Journal de bord,* registre dans lequel sont inscrits tous les renseignements concernant la navigation d'un navire. MÉTROL. Anc. mesure de superficie correspondant à la quantité de terrain qu'un homme pouvait labourer en un jour.

Journal de Genève, quotidien suisse de tendance libérale, fondé en 1826.

Journal des débats (le), quotidien français fondé en 1789. Racheté en 1799 par les frères Bertin, le journal, de tendance libérale, connut un grand rayonnement. Il cessa de paraître en 1944.

JOURNALIER, ÈRE adj. Qui se fait chaque jour. ◆ n. Travailleur payé à la journée (en partic., ouvrier agricole saisonnier).

JOURNALISME n.m. **-1.** Profession de ceux qui écrivent dans les journaux, participent à la rédaction d'un journal parlé ou télévisé. **-2.** Ensemble des journaux ou des journalistes.

JOURNALISTE n. Personne qui a pour occupation principale, régulière et rétribuée, l'exercice du journalisme dans un ou plusieurs organes de la presse écrite ou audiovisuelle.

JOURNALISTIQUE adj. Qui a trait au journalisme ou aux journalistes.

Journal officiel de la République française (J. O.), publication officielle qui a succédé, en 1848, au *Moniteur universel*. Pris en régie par l'État en 1880, le *Journal officiel* publie chaque jour les lois, décrets, arrêtés, ce qui les rend opposables au public, des circulaires et divers textes, administratifs (avis, communications, informations, annonces). Il publie également d'autres textes, dont le compte rendu des débats parlementaires.

JOURNÉE n.f. **-1.** Espace de temps compris approximativement entre le lever et le coucher du soleil. **-2.** Cet espace de temps, considéré du point de vue du climat ou des activités auxquelles on le consacre : *Une journée bien remplie.* **-3.** Jour marqué par un événement important : *Journée des Barricades.* **-4.** Travail, affaires que l'on fait ; rémunération, recette correspondante : *Faire de bonnes journées.*

JOURNELLEMENT adv. **-1.** Tous les jours ; quotidiennement. **-2.** De façon fréquente, continue.

JOUTE n.f. **-1.** Combat courtois à cheval, d'homme à homme, avec la lance. **-2.** *Joute nautique, joute lyonnaise,* jeu où deux hommes, debout sur une barque, cherchent à se faire tomber à l'eau en se poussant avec une longue perche.

JOUTER v.i. Pratiquer la joute à cheval ou la joute nautique.

JOUVE (Pierre Jean), écrivain français (Arras 1887 - Paris 1976). D'abord influencé par le symbolisme et l'esthétique du groupe de l'Abbaye (*Présence,* 1912), il connaît une longue crise morale aboutissant, en 1924, à un reniement de l'œuvre passée et à une nouvelle conception poétique qui, à la lumière de la psychanalyse, approfondit dans ses recueils lyriques (*les Noces,* 1931 ; *Sueur de sang,* 1933 ; *Gloire,* 1942 ; *Moires,* 1962 ; *Ténèbres,* 1965) la double nature de l'homme, prisonnier de ses instincts mais attiré par la spiritualité.

JOUVENEL → JUVÉNAL.

JOUVENET (Jean), peintre français (Rouen 1644 - Paris 1717). Il exécuta des travaux décoratifs divers (notamm. à Versailles) et fut sans doute le meilleur peintre religieux de son temps (*Annonciation,* 1685, musée de Rouen ; *Descente de croix,* 1697, Louvre).

JOUVET (Louis), acteur et directeur de théâtre français (Crozon 1887 - Paris 1951). L'un des animateurs du Cartel, directeur de l'Athénée (1934), il s'est distingué par ses mises en scène et ses interprétations de J. Romains (*Knock,* 1923), Molière, Giraudoux. Il joua également plusieurs rôles importants au cinéma (*Drôle de drame,* 1937).

Louis **JOUVET** dans *Drôle de drame* (1937), film de Marcel Carné.

JOUVET (Michel), médecin français (Lons-le-Saunier 1925). Ses recherches portent sur la physiologie du système nerveux, en particulier sur le sommeil et les rêves.

JOUXTER v.t. LITT. Être situé à côté d'un lieu ; avoisiner.

JOUY-EN-JOSAS, comm. des Yvelines, sur la Bièvre ; 7 701 hab. *(Jovaciens).* Centre national de recherches zootechniques. École des hautes études commerciales. — Oberkampf y avait installé ses ateliers d'impression sur toile (*toiles de Jouy,* qui font l'objet d'un musée local).

JOVIAL, E, ALS ou **AUX** adj. Qui est d'une gaieté simple et communicative ; qui exprime la gaieté. ◆ **jovialement** adv.

JOVIALITÉ n.f. Humeur joviale.

JOVIEN, ENNE adj. Relatif à la planète Jupiter.

JOVIEN, en lat. **Flavius Claudius Iovianus** (Singidunum, Mésie, v. 331 - Dadastana, Bithynie, 364), empereur romain (363-364). Succédant à Julien, il restaura les privilèges de l'Église et conclut la paix avec Châhpuhr, roi de Perse.

JOYAU n.m. -1. Objet fait de matières précieuses, génér. destiné à la parure ; bijou. -2. Chose très belle ou d'une grande valeur.

JOYCE (James), écrivain irlandais (Dublin 1882 - Zurich, Suisse, 1941).
→ ● **DOSSIER** JAMES JOYCE *page suivante.*

JOYEUSE (Anne, *duc* **de**), homme de guerre français et favori d'Henri III (Joyeuse 1561 - Coutras 1587). Commandant de l'armée royale, il mourut au combat, vaincu par le futur Henri IV. Son frère **François** (1562-1615), cardinal, négocia la réconciliation d'Henri IV avec le pape.

JOYEUX, EUSE adj. -1. Qui éprouve de la joie : *Une bande joyeuse.* -2. Qui exprime la joie : *Cris joyeux.* -3. Qui inspire la joie : *Joyeuse nouvelle.*
◆ **joyeusement** adv.

JÓZSEF (Attila), poète hongrois (Budapest 1905 - Balatonszárszó 1937). Militant du mouvement ouvrier clandestin, objet de persécutions perpétuelles, il se suicida, laissant une œuvre d'inspiration sociale qui domine le lyrisme hongrois moderne (*le Mendiant de la beauté,* 1922).

JUAN (*golfe*), golfe des Alpes-Maritimes.

JUAN CARLOS Iᵉʳ de Bourbon (Rome 1938), roi d'Espagne, petit-fils d'Alphonse XIII. Il est désigné par Franco en 1969 comme héritier du trône d'Espagne. Après la mort de ce dernier (1975), il préside à la démocratisation du pays.

JUAN CARLOS Iᵉʳ
de Bourbon,
roi d'Espagne.

Détail d'une *Mise au tombeau* de **JUAN DE JUNI.**
Bois polychrome, 1545.
(Musée national de Sculpture, Valladolid.)

JUAN D'AUTRICHE (*don*), prince espagnol (Ratisbonne 1545 - Bourges, près de Namur, 1578), fils naturel de Charles Quint. Vainqueur des Turcs à Lépante (1571), il fut gouverneur des Pays-Bas (1576-1578), où il se livra à des excès contre les calvinistes.

JUAN DE FUCA, détroit qui sépare l'île de Vancouver (Canada) des États-Unis.

JUAN DE JUNI, sculpteur espagnol d'origine française (Joigny ? 1507 ? -Valladolid 1577). Il fit un voyage en Italie avant de travailler à León (1533) et de s'établir à Valladolid (1541), où ses œuvres, mouvementées, ont influencé la sculpture castillane (*Mise au tombeau, Vierge aux épées,* en bois polychrome).

JUAN DE NOVA, petite île française de l'océan Indien, dans le canal de Mozambique.

JUAN FERNÁNDEZ (*îles*), archipel chilien du Pacifique.

JUÁREZ GARCÍA (Benito), homme d'État mexicain (San Pablo Guelatao 1806 - Mexico 1872). Président de la République (1858) réélu en 1861, il lutta en 1863 contre l'intrusion française au Mexique et fit fusiller l'empereur Maximilien d'Autriche (1867).

JUBA II (v. 52 av. J.-C. - v. 23/24 apr. J.-C.), roi de Mauritanie (25 av. J.-C.-v. 23/24 apr. J.-C.). Étroitement dépendant de Rome, il dut son royaume à Auguste. Il dota sa capitale, *Caesarea* (auj. *Cherchell*), de nombreux monuments.

D O S S I E R

JAMES JOYCE

Né à Dublin en 1882, Joyce situa dans sa ville natale le décor de ses principaux textes, mais, d'exil en exil, sa vie et son œuvre témoignent d'une recherche de l'universalité et des mythes fondateurs de l'humanité. Par ses innovations techniques, l'œuvre de Joyce a marqué une rupture dans la littérature occidentale.

Une existence marquée par l'exil.

Issu d'une vieille famille catholique, James Joyce connaît une enfance pénible entre un père alcoolique et une mère bigote. Pour ne pas leur ressembler, il se réfugie dans l'intellectualisme, au collège des Jésuites puis à l'université. Passionné de culture et d'histoire européennes, il perd très tôt la foi en Dieu comme en son pays, où il ne reviendra plus après 1912. Sous prétexte d'étudier la médecine, il avait, en effet, entamé, en 1902 une suite ininterrompue d'exils (Paris, Trieste, Zurich, où il trouve refuge lors de la Première Guerre mondiale). Paris redevient sa ville d'adoption jusqu'au début de la guerre suivante, durant laquelle il meurt à Zurich (1941). Enseignant occasionnellement l'anglais, il vit principalement du parasitage de ses admirateurs.

❶ James Joyce en 1939, photographié par Gisèle Freund.

LA DÉRISION ET LE DRAME

Libéré des intimidations collectives, éprouvant pour son compte la jubilation du « créateur qui à distance de son œuvre se cure les ongles », Joyce ne sera pas épargné par la souffrance puisqu'il devient peu à peu aveugle et que sa fille sombre dans la folie.

JAMES JOYCE

Après une première et timide incursion dans la poésie (*Musique de chambre*, 1907), recommencée par jeu dans *Dix Sous de poèmes* en 1927, son premier roman est autobiographique. En effet, *Dedalus, portrait de l'artiste en jeune homme* (1916) procède, par symbolisme et ironie, à l'exorcisme de son enfance : obsession du péché, carapace d'orgueil et prétentions littéraires. En 1914 paraît *Gens de Dublin*, recueil de nouvelles réalistes qui, malgré un sens profond de la compassion, sont jugées subversives par les éditeurs. En 1922, *Ulysse*, censuré en Grande-Bretagne pour pornographie, peut être publié à Paris, grâce à l'intervention, notamment, d'Adrienne Monnier.

Commencé en 1922, *Finnegans Wake* ne paraît qu'en 1939. Pendant toutes ces années, tenant secret jusqu'à son titre, il le qualifiait d'« œuvre en cours » *(work in progress)*.

Ulysse, « cathédrale en prose ».

Composé de 1914 à 1922, *Ulysse* est le récit d'une journée ordinaire, le 16 juin 1904 (qui est aussi la date du mariage de l'auteur). Leopold Bloom, sa femme Molly et le jeune poète Stephen Dedalus se muent au fil des pages en archétypes de la condition humaine. Comme *l'Odyssée*, dont elle se veut une transposition parodique, l'œuvre est divisée en épisodes où s'opposent le souvenir d'un passé glorieux et la déchéance actuelle de quelques silhouettes à la dérive dans un Dublin désolé. Participant de la légende, de l'histoire, du reportage, de la farce, du drame, de la symphonie, du traité scolastique, cette œuvre tente d'unifier tous les genres en un langage total. Le réalisme du roman est d'abord un réalisme verbal : le monologue intérieur sert à constituer chaque personnage. Temps et intrigue disparus, l'œuvre repose sur les émergences de « courants de conscience » *(streams of consciousness)* : sensations, pensées, impressions et souvenirs font surface, pêle-mêle.

La déconstruction du discours romanesque.

Joyce n'a pas inventé une nouvelle manière d'écrire, il a poussé jusque dans leurs dernières conséquences une théorie esthétique qui date d'Aristote et une pratique littéraire amorcée par Flaubert. Il a accompli, exténué, une certaine forme de la littérature, en retournant la notion de « réalisme » : la réalité de la littérature est dans la pratique de son matériau propre, le langage. La réalité de l'écrivain est avant tout verbale. Aussi, plus Joyce a rejeté les cadres sociaux et culturels, plus il a été attiré dans la construction de son œuvre par les structures fortes et ramifiées, par les « grilles » symboliques qui dessinent pour chacun de ses livres des niveaux de lisibilité.

JUBARTE n.f. Mégaptère.

JUBBULPORE → JABALPUR.

JUBÉ n.m. Clôture monumentale, génér. surmontée d'une galerie, séparant le chœur de la nef dans certaines églises et qui servait aux lectures liturgiques.

JUBILAIRE adj. Relatif à un jubilé. ◆ n. SUISSE. Personne qui fête un jubilé.

JUBILATION n.f. Joie intense et expansive.

JUBILÉ n.m. -1. Dans la Bible, année privilégiée revenant tous les 50 ans et marquée par la redistribution égalitaire des terres. -2. Dans la religion catholique, année sainte, revenant avec une périodicité qui a varié selon les époques, où les pèlerins de Rome bénéficient d'une indulgence plénière. -3. Anniversaire important, génér. cinquantenaire, d'un mariage, de l'exercice d'une fonction, etc., et partic. du début d'un règne. -4. SUISSE. Petite fête qui marque l'anniversaire d'une entrée en fonction, de la création d'un club, etc.

JUBILER v.i. FAM. Manifester une joie intense, souvent intérieure.

JUBY *(cap)*, promontoire du sud-ouest du Maroc.

JUCHÉE n.f. Lieu où se perchent les faisans.

JUCHER v.t. Placer qqch à une hauteur relativement grande par rapport à sa taille. ◆ v.i. Se mettre sur une branche, sur une perche pour dormir, en parlant des poules et de quelques oiseaux. ◆ **se jucher** v.pr. Se percher.

JUCHOIR n.m. Perche, bâton préparés pour faire jucher la volaille.

JUDA, personnage biblique. Son nom désignait d'abord un pays qui donna son nom à une tribu. Celle-ci se trouva un ancêtre éponyme dans la personne de Juda, fils de Jacob et de Lia. Établie au sud de la Palestine, cette tribu a joué un rôle prépondérant dans l'histoire du peuple hébreu.

JUDA *(royaume de)*, entité nationale créée en Palestine, face au royaume rival d'Israël, par les tribus du Sud à la suite de la mort de Salomon. Les souverains les plus marquants de ce royaume (931-587 av. J.-C.) furent Roboam, Josaphat, Athalie (dont le règne fut marqué par une grave crise politique et religieuse), Ozias, Achab, Ezéchias, Josias et Sédécias. Le royaume de Juda fut très affecté par l'effondrement de celui d'Israël, lors de la chute de Samarie (721). Ezéchias (716-687) entreprit une profonde réforme religieuse et une restauration nationale ; mais, se rangeant du côté de l'Égypte pour éviter la domination de l'Assyrie, il dut payer à celle-ci, victorieuse, un lourd tribut. Après la chute de Ninive en 612, Babylone prit le relais de l'Assyrie et investit Jérusalem, qui tomba en 587 sous les coups de Nabuchodonosor. Le Temple fut détruit et l'élite de la population déportée à Babylone.

JUDAÏCITÉ n.f. Fait d'être juif.

JUDAÏQUE adj. Relatif au judaïsme : *La loi judaïque.*

JUDAÏSER v.t. Rendre juif ; convertir au judaïsme.

JUDAÏSME n.m. Ensemble de la pensée et des institutions religieuses du peuple d'Israël, des Juifs.
→ ● DOSSIER LE JUDAÏSME *page 3001.*

JUDAS n.m. -1. Traître. -2. Petite ouverture ou appareil à lentille *(judas optique)* aménagés dans un vantail de porte, une cloison, etc., pour voir ce qui se passe de l'autre côté sans être vu.

JUDAS, dit l'Iscariote, un des douze apôtres de Jésus. Il est le traître, celui qui livra Jésus à ses ennemis. Les Évangiles disent qu'ensuite il se donna la mort, tandis que d'autres traditions lui attribuent une fin plus atroce et honteuse.

JUDAS MACCABÉE → MACCABÉE.

JUDÉE, province du sud de la Palestine à l'époque gréco-romaine.

JUDÉITÉ ou **JUDAÏTÉ** n.f. Ensemble des caractères qui constituent l'identité juive.

JUDELLE n.f. Foulque.

JUDÉO-ALLEMAND, E adj. et n.m. (pl. judéo-allemands, es). Yiddish.

JUDÉO-CHRÉTIEN, ENNE adj. (pl. judéo-chrétiens, ennes). Se dit des croyances et des valeurs morales communes au judaïsme et au christianisme. ◆ n. Adepte du judéo-christianisme.

JUDÉO-CHRISTIANISME n.m. -1. Doctrine professée, dans l'Église primitive, par les chrétiens d'origine juive sur la nécessité de la pratique des observances mosaïques. -2. Ensemble des éléments constitutifs de la civilisation judéo-chrétienne, qui a modelé les sociétés occidentales.

JUDÉO-ESPAGNOL n.m. Ladino.

JUDICIAIRE adj. -1. Qui relève de la justice, de son administration : *Autorité judiciaire.* -2. Qui se fait en justice, par autorité de justice : *Vente judiciaire.* -3. Se dit de l'astrologie qui porte un jugement conjectural sur la qualité d'un individu et sur les péripéties de sa vie. -4. *Acte judiciaire,* lié au déroulement d'une procédure. ‖ *Juridiction judiciaire,* ensemble de tribunaux jugeant des litiges des particuliers entre eux, par opp. aux juridictions administratives, qui jugent les affaires dans lesquelles l'Administration est partie. ◆ **judiciairement** adv.

JUDICIEUX, EUSE adj. -1. Qui a le jugement bon, droit, juste. -2. Qui témoigne d'un jugement rationnel, pertinent : *Remarque judicieuse.* ◆ **judicieusement** adv.

Judith *(livre de),* livre de la Bible écrit vers le milieu du IIe s. av. J.-C. Avec les livres de Daniel et des Maccabées, il témoigne de l'affrontement d'alors entre le judaïsme et l'hellénisme. L'héroïne, Judith, dont le nom signifie « la Juive » et qui va tuer sous sa tente Holopherne, le général de Nabuchodonosor, symbolise l'action libératrice de Dieu par des intermédiaires fidèles à sa loi.

JUDITH DE BAVIÈRE (v. 800 - Tours 843), seconde femme de Louis le Pieux, empereur d'Occident. Elle exerça une grande influence sur son époux, au seul profit de son fils, Charles le Chauve.

JUDO n.m. (du jap. *ju,* souple, et *do,* méthode). Sport de combat, dérivé du jiu-jitsu, où la souplesse et la vitesse jouent un rôle prépondérant.

ENCYCL. Le judo a été créé par le Japonais Kano Jigoro. Sport olympique en 1964 (à Tokyo) et depuis 1972, le judo est aussi régulièrement l'objet de compétitions continentales (championnats d'Europe depuis 1951) et mondiales (championnats du monde depuis 1956). La valeur (classement) du judoka est définie par la couleur de la ceinture portée sur le judogi (la couleur noire correspond au grade le plus élevé). Les combats se disputent sur le *tatami* (tapis constitué de mousse ou de nattes de paille de riz tressée).
Le vainqueur est celui qui, à l'issue de la rencontre, marque l'avantage technique le plus net (à moins que le combat ne se termine par un *ippon*) ; parfois, la victoire peut être obtenue par décision de l'arbitre, quand aucun avantage technique ne départage les adversaires ; il est alors tenu compte des attitudes et du style des attaques. Il est interdit de donner des coups, et certaines prises sont prohibées. Les prises utilisées sont classées en projections, immobilisations, clés et strangulations. Sept catégories de poids sont reconnues : *super-léger* (moins de 60 kg pour les hommes, de 48 kg pour les femmes), *mi-léger* (moins de 65 ou de 52 kg), *léger* (moins de 71 ou de 56 kg), *mi-moyen* (moins de 78 ou de 61 kg), *moyen* (moins de 86 ou de 66 kg), *mi-lourd* (moins de 95 ou de 72 kg), *lourd* (au-dessus de 95 ou de 72 kg).

prise de **JUDO** (projection)
[« te guruma », enroulement avec les mains]

JUDOGI n.m. Kimono de judoka.

JUDOKA n. Personne qui pratique le judo.

JUGAL, E, AUX adj. -1. Relatif à la joue. -2. *Arcade jugale,* arcade osseuse de la joue. SYN. : arcade zygomatique.

JUGE n.m. -1. Magistrat chargé de rendre la justice en appliquant les lois. -2. Personne qui est appelée à servir d'arbitre dans une contestation, à donner son avis : *Je vous fais juge de la situation.* -3. Commissaire chargé, dans une course, un sport, de constater l'ordre des arrivées, de réprimer les irrégularités qui pourraient se produire au cours d'une épreuve. -4. *Juge aux affaires familiales (J. A. F.),* juge compétent dans les affaires de divorce et de séparation de corps. ‖ *Juge de l'application des peines,* juge du tribunal de grande instance chargé de suivre et d'individualiser l'exécution des peines des condamnés. ‖ *Juge consulaire,* membre d'un tribunal de commerce. ‖ *Juge des enfants,* juge chargé, en matière civile, de tout ce qui concerne l'assistance éducative et, en matière pénale, des délits commis par les mineurs. ‖ *Juge d'instance,* juge du tribunal d'instance (anc. *juge de paix*). ‖ *Juge d'instruction,* juge du tribunal de grande instance chargé de l'instruction préparatoire en matière pénale. (Il est aussi officier de police judiciaire.) [En Suisse, on dit *juge informateur.*] ‖ *Juge de la mise en état,* juge chargé, en matière civile, d'instruire une affaire et de la mettre en état d'être jugée par le tribunal. ‖ *Juge rapporteur,* juge chargé de compléter le dossier d'une affaire en cours. ‖ *Juge des référés,* juge qui, sans être saisi au principal, a le pouvoir d'ordonner des mesures urgentes qui ne se heurtent à aucune contestation sérieuse. ‖ *Juge des tutelles,* juge chargé princ. de surveiller la gestion des biens des incapables.

JUGÉ n.m. → 2. JUGER.

JUGE-COMMISSAIRE n.m. (pl. juges-commissaires). Juge désigné par le tribunal pour diriger certaines procédures (ex. : redressement et liquidation judiciaires).

JUGEMENT n.m. -1. Action de juger une affaire selon le droit ; décision rendue par un tribunal, partic. par tribunal d'instance, de grande instance, de commerce ou un conseil de prud'hommes. -2. Faculté de l'esprit qui permet de juger, d'apprécier. -3. Aptitude à bien juger : *Je m'en remets à votre jugement.* -4. Action de se faire une opinion, manière de juger ; appréciation portée sur qqn ou qqch, opinion, sentiment : *Des jugements péremptoires.* -5. *Jugement avant dire droit,* ordonnant une mesure provisoire ou une mesure d'instruction au cours du procès. ‖ *Jugement par défaut,* prononcé contre une partie qui n'a pas comparu à l'audience. ‖ *Jugement dernier,* acte par lequel, à la Parousie, le Christ manifestera le sort de tous les humains. ‖ *Jugement de Dieu,* décret de la Providence, volonté divine ; ensemble d'épreuves (ordalies) auxquelles on soumettait autref. les accusés pour les innocenter ou démontrer leur culpabilité.

1. **JUGER** v.t. [17]. -1. Prononcer en qualité de juge une sentence à propos de qqn, d'une affaire. -2. Prendre une décision en qualité d'arbitre. -3. Estimer la valeur de qqn ou de qqch : *Juger un candidat.* -4. Avoir tel avis ; penser, estimer : *Il a jugé nécessaire de protester.* ◆ v.t. ind. (de). -1. Porter une appréciation sur qqch : *Juger de la distance.* -2. Se faire une idée, imaginer qqch : *Jugez de ma surprise.*

2. **JUGER** ou **JUGÉ** n.m. *Au juger* ou *au jugé,* d'après une approximation sommaire. ‖ *Tir au juger,* tir exécuté sans épauler ni viser.

Juges, dans l'histoire des Hébreux, chefs temporaires et héros locaux qui, durant la période consécutive à l'installation en Canaan, exercèrent leur autorité sur un groupe de tribus rassemblées face à un danger extérieur. Les plus connus sont Gédéon, Jephté, Samson et une femme, Déborah. La période dite « des Juges » (de 1200 à 1030 env.) s'est achevée avec l'établissement de la monarchie. Le *livre des Juges,* rédigé vers la fin de la période monarchique (VIIᵉ-VIᵉ s.), évoque, dans le style pittoresque de la littérature populaire, l'action de ces administrateurs charismatiques, ainsi que les grands événements contemporains.

JUGLANDACÉE n.f. *Juglandacées,* famille d'arbres apétales de grande taille, dont le type est le noyer.

JUGLAR (Clément), médecin et économiste français (Paris 1819 - id. 1905). Il a établi la périodicité des crises économiques et présenté les cycles comme une conséquence inéluctable du développement. Juglar a mis en valeur un cycle d'une durée de sept à huit années (auquel sera donné son nom) et éclairé le rôle de la monnaie dans la genèse des crises.

1. **JUGULAIRE** adj. -1. Qui appartient à la gorge, au cou. -2. *Veine jugulaire* ou *jugulaire,* n.f., chacune des quatre grosses veines situées de chaque côté des parties latérales du cou.

2. **JUGULAIRE** n.f. Courroie de cuir ou bande métallique servant à assujettir un casque, un shako, une bombe, etc., sous le menton.

JUGULER v.t. Arrêter qqch dans son développement ; étouffer, maîtriser : *Juguler l'inflation.*

JUGURTHA (v. 160 av. J.-C.-Rome 104), roi de Numidie (118-105 av. J.-C.). Petit-fils de Masinissa, il lutta contre Rome, fut vaincu par Marius (107 av. J.-C.) et livré à Sulla (105), alors questeur de Marius. Il mourut en prison.

JUIF, IVE n. (lat. *judaeus,* de Judée). -1. (Avec une majusc.). Personne appartenant à la communauté israélite, au peuple juif : *Un Juif polonais.* -2. Personne qui professe la religion judaïque : *Un juif pratiquant.* -3. *Juif errant,* personnage légendaire condamné à marcher sans s'arrêter jusqu'à la fin du monde pour avoir injurié Jésus portant sa croix (la tradition le nomme *Ahasvérus*). ◆ adj. Relatif aux juifs : *Religion juive.*

JUILLET n.m. Septième mois de l'année.

Juillet *(fête du 14-),* fête nationale française, instituée en 1880, qui commémore à la fois la prise de la Bastille, le 14 juillet 1789, et la fête de la Fédération, le 14 juillet 1790.

Juillet *(monarchie de)*, régime monarchique constitutionnel instauré en France après les journées des 27, 28, 29 juillet 1830 *(les Trois Glorieuses)* et dont le souverain fut Louis-Philippe Iᵉʳ, qui fut renversé par la révolution de février 1848.

Le régime de Juillet repose sur la Charte de 1814 révisée, à laquelle Louis-Philippe Iᵉʳ prête serment le 9 août 1830, et qui consacre la victoire du système représentatif. Le principe de la souveraineté nationale remplace celui de droit divin ; le roi, investi du pouvoir exécutif, partage le législatif avec la Chambre des pairs et la Chambre des députés. Le régime s'appuie sur la bourgeoisie, qui occupe les ressorts de l'État et de l'Administration.

L'installation d'une monarchie bourgeoise (1830-1840).

2 nov. 1830 : confronté à de graves difficultés économiques (faillites, chômage) et à l'agitation, Louis-Philippe fait appel au banquier J. Laffitte, chef du courant le plus libéral, (le Mouvement), comme président du Conseil.

Discrédité par les manifestations anticléricales à Paris (févr. 1831), par ses expédients (augmentation des impôts), par son soutien aux insurrections polonaise et italienne, Laffitte est renvoyé et remplacé par Casimir Perier (mars), chef du courant conservateur, la Résistance.

19 avr. 1831 : le système électoral, organisé par la loi du 19 avril, attribue à 168 000 bourgeois (en majorité des propriétaires fonciers) le monopole de la représentation nationale.

Perier réduit les fonctionnaires à l'obéissance, poursuit les révolutionnaires et réprime l'insurrection des canuts de Lyon (nov.). La mort de Perier (16 mai 1832) ouvre une période de troubles.

avr.-nov. 1832 : les légitimistes organisent en Vendée un soulèvement en faveur du fils de la duchesse de Berry mais échouent. Les républicains, renforcés par les premières associations ouvrières, tentent un coup de force à l'occasion des funérailles du général Lamarque (juin 1832), puis organisent contre le roi l'attentat de Fieschi (juill. 1835).

1835 : de nouvelles lois, jugulant la presse et réorganisant les cours d'assises, brisent le parti républicain.

La volonté de Louis-Philippe d'exercer une autorité active engendre la succession de dix ministères, dont ceux de Molé (1836-1839) et de Thiers (mars-oct. 1840). Ce dernier réprime une série de grèves dues à la misère ouvrière.

15 juill. 1840 : conclusion du traité de Londres entre la Grande-Bretagne, la Russie, l'Autriche et la Prusse contre l'Égypte, alliée de la France, afin d'empêcher le démembrement de l'Empire ottoman.

Le bellicisme de Thiers entraîne son renvoi (29 oct.) par Louis-Philippe, lequel charge le maréchal Soult de constituer un cabinet qui sera, en fait, dirigé par Guizot.

Monarchie de **JUILLET** : signature de la loi de régence par le roi Louis-Philippe lors d'un Conseil des ministres aux Tuileries le 15 août 1842. Peinture de C. Jacquand. (Château de Versailles.)

Le ministère Guizot et la stabilité (1840-1848).

Cette stabilité s'explique par la parfaite entente entre le roi et Guizot, dont la politique entièrement acquise au conservatisme est appuyée par le souverain, et par la désagrégation des partis à la Chambre, qui permet au gouvernement de se créer une majorité par des faveurs personnelles. L'« ère Guizot » est celle des lois d'affaires, favorables à la haute bourgeoisie et à l'expansion économique. C'est l'époque du démarrage de la révolution industrielle, stimulé par les économistes libéraux (J.-B. Say et F. Bastiat), qui font voter la loi du 11 juin 1842 sur les chemins de fer (1 930 km de voies ferrées en 1848, contre 570 en 1842). Mais le protectionnisme et l'insuffisante organisation du crédit freinent le progrès économique.

1847 : conquête de l'Algérie.

À l'extérieur, après avoir pratiqué une politique de concessions à la Grande-Bretagne, Guizot rompt avec cette dernière (1846) et se rapproche de l'Autriche de Metternich pour enrayer l'agitation libérale en Europe, ce qui accroît le nombre des opposants au régime.

La chute de la monarchie (févr. 1848).

À partir de la fin de 1846, la question de la réforme électorale cristallise les efforts de l'opposition, qui réclame un abaissement du cens électoral.

juill. 1847 : début de la campagne des banquets.

Le roi et Guizot refusant toute modification de la loi de 1831, l'opposition fait appel à l'opinion par une campagne de banquets, tenus à Paris et dans les grandes villes, alors que la crise économique jette à la rue près de un million de chômeurs. L'interdiction du banquet qui devait se tenir à Paris, le 22 février 1848, provoque la révolution de 1848 qui renverse Louis-Philippe et met fin à la monarchie de Juillet.

24 févr. 1848 : instauration de la République, proclamée par le gouvernement provisoire (→ RÉPUBLIQUE [IIᵉ]).

juillet 1789 *(journée du 14)*, première insurrection des Parisiens pendant la Révolution, qui entraîna la prise de la Bastille.

juillet 1830 *(révolution* ou *journées de)*, ou **les Trois Glorieuses** (27-29 juill.). → RÉVOLUTION DE 1830.

JUILLETTISTE n. Personne qui prend ses vacances au mois de juillet.

JUIN n.m. Sixième mois de l'année.

JUIN (Alphonse), maréchal de France (Bône, auj. Annaba, 1888 - Paris 1967). Commandant le corps expéditionnaire français en Italie (1943), vainqueur au Garigliano (1944), il devint résident général au Maroc (1947-1951) et fut fait maréchal en 1952. De 1953 à 1956, il commanda les forces atlantiques du secteur Centre-Europe.

Alphonse **JUIN,**
maréchal
de France.

juin 1792 *(journée du 20)*, émeute parisienne causée par le renvoi des ministres brissotins et au cours de laquelle fut envahi le palais des Tuileries, où résidait alors Louis XVI.

juin 1848 *(journées de)* [23-26 juin], insurrection parisienne provoquée par le licenciement des ouvriers des Ateliers nationaux. Réprimée par Cavaignac, elle fut suivie d'une réaction conservatrice.

juin 1940 *(appel du 18)*, discours prononcé par le général de Gaulle à la radio de Londres, incitant les Français à refuser l'armistice et à continuer le combat aux côtés de la Grande-Bretagne.

JUIVERIE n.f. ANC. Quartier juif ; ghetto.

JUIZ DE FORA, v. du Brésil (Minas Gerais) ; 385 756 hab.

JU-JITSU ou **JUSITSU** → JIU-JITSU.

JUJUBE n.m. -1. Fruit du jujubier, drupe rouge à maturité, à pulpe blanche et sucrée, légèrement laxative, qui sert à fabriquer les fruits pectoraux et la pâte de jujube. -2. Suc, pâte extraits du jujube.

JUJUBIER n.m. Arbre cultivé dans le Midi pour ses fruits (jujubes). [Haut. jusqu'à 8 m ; famille des rhamnacées.]

JUKE-BOX [dʒukbɔks] n.m. (pl. inv. ou jukeboxes). Électrophone automatique placé génér. dans un lieu public et permettant, après introduction d'une pièce ou d'un jeton, d'écouter un disque sélectionné.

JULEP [ʒylɛp] n.m. Préparation liquide, sucrée et aromatisée, servant de base aux potions *(julep simple* et *julep gommeux).*

JULES II *(Giuliano* Della Rovere) [Albissola 1443 - Rome 1513], pape de 1503 à 1513. Désireux de faire du Saint-Siège la première puissance italienne, il guerroya notamment contre les Français. Mais il fut aussi un mécène fastueux et le protecteur, par exemple, de Michel-Ange et de Bramante. Au premier, il commanda son tombeau et les peintures de la voûte de la chapelle Sixtine.

Le pape
JULES II.
Détail
d'un portrait
par Raphaël.
(Musée des Offices,
Florence.)

JULIA ou **IULIA** *(gens),* illustre famille de Rome, à laquelle appartenait Jules César et qui prétendait descendre d'Iule, fils d'Énée.

JULIANA (Louise Emma Marie Wilhelmine) [La Haye 1909], reine des Pays-Bas (1948-1980). En 1980, elle a abdiqué en faveur de sa fille Béatrice.

JULIE (Ottaviano 39 av. J.-C. - Reggio di Calabria 14 apr. J.-C.), fille d'Auguste. Elle épousa successivement Marcellus, Agrippa et Tibère. Elle fut reléguée dans l'île de Pandateria pour son inconduite (2 av. J.-C.).

JULIE, nom de plusieurs princesses romaines d'origine syrienne. **Julia Domna** (Émèse v. 158 - Antioche 217) fut l'épouse de Septime Sévère et la mère de Caracalla. Sa sœur **Julia Mœsa** (Émèse - 226) fut la grand-mère d'Elagabal. Toutes deux ont favorisé l'extension des cultes venus de Syrie.

Julie ou la Nouvelle Héloïse → ROUSSEAU.

JULIEN, ENNE adj. *Année julienne,* année de 365,25 jours. ‖ *Calendrier julien,* calendrier que réforma Jules César en 46 av. J.-C. ‖ *Ère* ou *période julienne,* espace de 7 980 années juliennes utilisé pour la chronologie des phénomènes astronomiques, dont l'origine a été fixée au 1er janv. de l'an 4713 av. J.-C., à 12 h temps universel.

JULIEN, dit l'Apostat, en lat. Flavius Claudius Julianus (Constantinople 331 - en Mésopotamie 363), empereur romain (361-363). Neveu de Constantin, successeur de Constance II, il abandonna la religion chrétienne et favorisa la renaissance du paganisme. Il fut tué lors d'une campagne contre les Perses.

JULIÉNAS n.m. Vin d'un cru renommé du Beaujolais.

JULIEN L'HOSPITALIER *(saint)* [dates indéterminées], assassin involontaire de ses parents. Son histoire est connue surtout par la *Légende dorée* et un conte de Flaubert. Patron des bateliers, des voyageurs et des aubergistes.

JULIENNE n.f. -1. Plante ornementale (nom usuel de plusieurs espèces de crucifères). -2. Manière de tailler certains légumes en fins bâtonnets ; potage fait et servi avec des légumes ainsi taillés. -3. Lingue.

JULIO-CLAUDIENS, membres de la première dynastie impériale romaine issue de César. Ce furent Auguste, Tibère, Caligula, Claude et Néron.

JULLIAN (Camille), historien français (Marseille 1859 - Paris 1933), auteur d'une *Histoire de la Gaule* (1907-1928). [Acad. fr. 1924.]

JULLUNDUR, v. de l'Inde (Pendjab) ; 519 530 hab.

JUMBO [dʒœmbo] n.m. Chariot à portique supportant des perforatrices et servant au forage des trous de mine pour l'abattage des roches ou au forage des trous de boulonnage pour le soutènement.

JUMBO-JET [dʒœmbodʒɛt] n.m. (pl. jumbo-jets). Avion gros-porteur.

JUMEAU, ELLE adj. -1. Se dit de deux enfants nés d'un même accouchement. (V. ENCYCL.) -2. Se dit de deux choses semblables, symétriques ou faites pour aller ensemble : *Maisons jumelles.* ◆ n. -1. Frère jumeau ou sœur jumelle. -2. (Au pl.). Enfants jumeaux. ◆ **jumeau** n.m. -1. Nom donné à un muscle de la fesse et à un muscle du mollet. -2. Morceau du bœuf situé dans l'épaule et dont on tire des biftecks et un morceau pour le pot-au-feu.

ENCYCL. Les faux jumeaux *(dizygotes)* représentent le cas le plus fréquent. Chaque jumeau provient d'une cellule, elle-même formée par la réunion d'un spermatozoïde et d'un ovule. Les vrais jumeaux *(monozygotes)* sont plus rares. Dans ce cas, un spermatozoïde fusionne avec un ovule pour former une seule cellule, selon le processus normal. Mais ensuite, l'embryon qui en résulte se divise, plus ou moins tardivement, en deux parties, chacune étant à l'origine d'un embryon. Ces jumeaux ont les mêmes chromosomes, le même groupe sanguin, le même sexe, et leur ressemblance physique est frappante.

D O S S I E R

LE JUDAÏSME

Bien que le terme de « judaïsme » soit apparu tardivement, le phénomène social, spirituel et culturel qu'il recouvre est en rapport étroit avec l'histoire du peuple hébreu. Cette histoire s'étend de l'appel adressé par Dieu à Abraham au retour partiel de ce peuple en Terre sainte – dans l'État d'Israël, à la Shoah et à la Diaspora d'aujourd'hui. Elle est marquée par ces moments exceptionnels que furent la sortie d'Égypte sous la conduite de Moïse, l'inauguration de l'Alliance avec Yahvé au Sinaï, l'installation en Palestine, les règnes de David et de Salomon et l'unification des tribus en un peuple, l'essor du prophétisme, les épreuves de l'Exil, enfin les guerres avec les Romains aux environs de l'ère chrétienne.

Du Temple à la synagogue.

Le judaïsme proprement dit s'est constitué autour de deux catastrophes nationales : la destruction du premier Temple de Jérusalem, en 587 av. J.-C., par Nabuchodonosor, et celle du second Temple, en 70 apr. J.-C., par Titus (suivie de celle de la cité sainte par Hadrien en 135). La catastrophe de 70 a marqué un tournant décisif pour le judaïsme : les cérémonies qui se déroulaient dans le Temple de Jérusalem et reposaient sur des sacrifices rituels ont dès lors été remplacées par un culte centré sur la prière, dans les multiples synagogues de la Diaspora. Dans cette situation de déracinement, comme déjà lors de l'épreuve du VIe s. av. J.-C., le peuple juif a réagi en réaffirmant avec une vigueur particulière sa religion et sa différence, comme si son histoire depuis les origines était inexplicable sans ce sentiment d'avoir une vocation et une responsabilité spécifiques. Mais celles-ci, qui se résument dans la notion d'« élection », sont moins un privilège qu'une mission. Elles n'incitent le « peuple élu » ni à une volonté de domination ni à l'hostilité vis-à-vis des nations, mais témoignent du caractère unique de sa relation avec Dieu et de l'obligation particulière qui lui est faite de lutter contre tout esclavage.

L'Alliance.

L'élection repose sur l'Alliance qui est au cœur de la religion juive et que Dieu avait inaugurée par la promesse faite à Abraham, le « père des croyants », et à sa descendance. Cette Alliance se caractérise essentiellement par l'établissement d'une relation absolument neuve entre l'humanité et un Dieu unique. Elle impose d'abord à celle-ci de bannir l'idolâtrie, puis de n'y plus retomber et de rester fidèle à la foi de Yahvé. Cette

LE JUDAÏSME

fidélité s'exprime dans la vénération du Nom très saint et imprononçable de Dieu (YHWH), dans le refus d'en donner la moindre représentation. C'est ce principe de l'alliance avec un Dieu unique et transcendant qui sera repris largement par le monothéisme musulman.

Les Écritures et la Loi.

Pour le judaïsme, l'histoire du salut est consignée dans ce qu'il appelle la Loi. Cette Loi a une double expression : écrite et orale. La première est représentée par la Bible hébraïque, qui correspond (avec quelques différences) à ce que les chrétiens nomment l'Ancien Testament et qui comprend la Loi transmise, selon la tradition, par Moïse dans le Pentateuque, ou *Torah*, les Prophètes *(Nebiim)* et les Hagiographes, ou Écrits *(Ketoubim)*. La Loi orale est formée par de très nombreux commentaires de la Bible, qui avaient été élaborés depuis des siècles et dont la rédaction a été achevée vers 220 par Juda Ha-Nassi. L'ensemble de ces commentaires, dénommé *Mishna*, a ensuite donné lieu à une prolifération d'interprétations (notamment avec la *gemara*) qui ont abouti, d'une part, au *Talmud de Jérusalem*, achevé en Palestine vers le milieu du IVe siècle, d'autre part, au *Talmud de Babylone*, qui date de 500 environ. Avec les compléments qui lui ont été apportés par la suite, cette littérature rabbinique renferme deux composantes principales : la *halaka*, réglementation religieuse, juridique et morale, qui définit l'observance correcte du judaïsme, et l'*aggada*, ensemble d'interprétations éthiques et homilétiques relevant d'un style plus libre et intégrant même des éléments folkloriques empruntés aux contextes culturels environnants. La Loi judaïque est donc constituée par ces deux sources inséparables de la *Torah* écrite et de la *Torah* orale (désormais fixée elle-même par écrit) : c'est pourquoi l'on peut dire que la religion juive ne repose pas uniquement sur le texte biblique, mais aussi sur les nombreux commentaires qui ont été rédigés au cours de près de dix siècles d'étude et de méditation. Cette longue tradition exégétique et littéraire qui, à partir de la Bible, revêt une infinie variété de formes, notamment philosophiques et mystiques, a fait du judaïsme une religion vouée, plus qu'aucune autre, à la recherche intellectuelle et à l'étude, laquelle est, d'ailleurs, la seule activité autorisée lors du repos hebdomadaire du shabbat.

Pratiques et tendances.

Outre que la dimension prophétique et messianique y est fondamentale, le judaïsme se définit comme une pratique incluant des observances (telles que l'obligation de la nourriture

LE JUDAÏSME

kasher) et un rituel extrêmement minutieux. Ses grandes fêtes sont la Pâque (*Pessah,* qui commémore la sortie d'Égypte), la Pentecôte (*Shabouot,* en souvenir de la transmission de la Loi à Moïse sur le Sinaï), les Tabernacles (*Soukkot,* qui rappellent le séjour dans le désert après l'Exode), le jour de l'an (*Rosh ha-Shana*) et le jour du Grand Pardon *(Yom Kippour),* la fête des Sorts (*Pourim,* anniversaire de la délivrance des juifs de Perse grâce à Esther) et *Hanoukka,* qui évoque la restauration du culte dans le Temple après les victoires de Judas Maccabée.

Longtemps reléguées dans des ghettos et périodiquement exposées à l'antisémitisme, aux pogroms et à des persécutions qui ont connu leur forme la plus monstrueuse avec la Shoah, les communautés juives se sont réparties en deux familles principales, les juifs qui suivaient le rituel « allemand », ou *ash-kénazes,* et ceux qui avaient adopté le rituel « espagnol », ou

LA DIASPORA
(XVe-XXe S.)

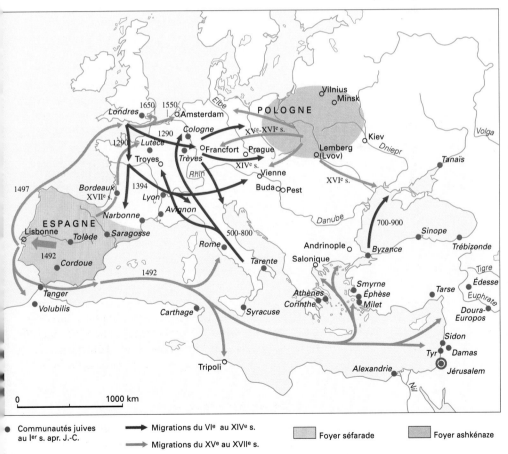

0 — 1000 km

● Communautés juives au Ier s. apr. J.-C.

→ Migrations du VIe au XIVe s.
→ Migrations du XVe au XVIIe s.

Foyer séfarade   Foyer ashkénaze

séfarades. À la suite du génocide nazi, qui a exterminé plus de cinq millions de leurs coreligionnaires d'Europe, les juifs seraient au nombre de 4,5 millions sur ce continent (dont 500 000 en France), de 3,5 millions en Israël, de 6 à 6,5 millions en Amérique du Nord. Ils se distribuent aujourd'hui entre différents courants. Les plus importants sont : le judaïsme orthodoxe, attaché de manière stricte à la *halaka* et parfois tenté par certaines formes d'intégrisme ; le judaïsme réformé, soucieux de s'insérer dans la vie moderne ; le judaïsme conservateur, qui considère que la religion juive reçoit son unité de l'obéissance à la Loi, même si tous les juifs ne pensent pas de la même façon.

Voir aussi : ANTISÉMITISME, HÉBREUX.

■ PHILOSOPHIE

C'est surtout dans la Diaspora, où elle pouvait d'ailleurs tirer profit de son dialogue avec d'autres systèmes de pensée, que la philosophie juive s'est le plus épanouie.

De l'Antiquité au Moyen Âge.

Le premier grand penseur juif fut Philon d'Alexandrie (entre 12 et 20 av. J.-C. - v. 50 apr. J.-C.). Dans une œuvre volumineuse, qui fut rédigée en grec et qui devait avoir une grande influence

❶ Rouleau *(mizrah)* évoquant les principales fêtes juives (Allemagne du Sud, XVIIIᵉ s.). [Musée d'Israël, Jérusalem.]

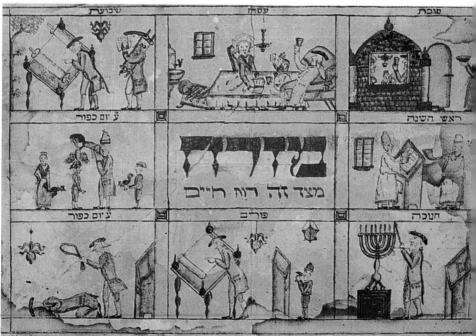

LE JUDAÏSME

❷ La *bar-mitsva,* cérémonie d'initiation du jeune juif.

sur les Pères de l'Église, il proposait une synthèse entre la philosophie antique et la révélation biblique. Le Moyen Âge, époque marquée par une exceptionnelle interdépendance entre les cultures et par le prestige d'auteurs arabes tels qu'Avicenne et Averroès, fut aussi illustré par les œuvres de grands penseurs juifs. Parmi eux, on peut citer : Isaac Israeli (v. 855-v. 955) ; Ibn Gabirol (1021-1058), dont le principal ouvrage, *la Source de vie,* fut écrit en arabe ; Moïse Maimonide (1138-1204), qui, avec son *Guide des égarés* (rédigé, lui aussi, en arabe et traduit en hébreu, puis en latin), représente un sommet de la philosophie juive ; Gersonides (1288-1344), commentateur d'Averroès et de Maimonide, et son contemporain Moïse de Narbonne (1300 ?-apr. 1362) ; Isaac Abravanel (1437-1508).

Les penseurs modernes et contemporains.

La philosophie juive médiévale avait pour pendant un courant plus rigoureusement consacré aux commentaires de la Bible et du Talmud, en particulier avec Rachi de Troyes (1040-1105). Dès le XIIᵉ siècle se développa un mouvement mystique et théosophique qui s'intensifia plus tard dans la kabbale, surtout sous l'influence d'Isaac Luria (1534-1572) et de son école de Safed, en Palestine. En marge des soubresauts provoqués par l'action de Sabbatai Zevi (1626-1676) et par le hassidisme du XIIIᵉ siècle, la philosophie connut un véritable renouveau au sein du judaïsme avec Moses Mendelssohn (1729-1786), qui correspondait avec Kant et s'interrogeait, avec ses adeptes, sur la vocation d'un juif à l'époque des Lumières. La philosophie juive est restée vivante dans le monde germanique grâce, notamment, à Martin Bubber (1878-1965) et à Franz Rosenzweig (1886-1929). En France, elle fut principalement représentée par Emmanuel Levinas (1905-1995).

FÊTES ET RITES JUIFS

Conformément à l'usage talmudique, le garçon juif de treize ans qui a reçu une instruction appropriée et vérifiée devient civilement et pénalement responsable. Ce statut lui est reconnu au cours d'une cérémonie *(bar-mitsva)* ❷ qui fait de lui un « fils des commandements », un serviteur de la Torah. L'iconographie juive évoque de multiples façons les fêtes qui scandent, au long de l'année, l'existence collective du peuple de l'Alliance. Le document ❶ représente un rouleau *(mizrah),* placé traditionnellement sur le mur oriental de la maison et indiquant la direction de Jérusalem.

JUMEL adj.m. Se dit d'un coton égyptien à longues fibres.

JUMELAGE n.m. -1. Action de jumeler. -2. Affût commun à plusieurs armes, permettant leur tir simultané.

JUMELÉ, E adj. -1. Disposé par couples : *Colonnes jumelées.* -2. *Pari jumelé* ou *jumelé,* n.m., pari consistant à désigner les chevaux arrivés premier et deuxième d'une course.

JUMELER v.t. [24]. -1. Ajuster, accoupler côte à côte deux objets semblables et semblablement disposés. -2. Associer des villes étrangères en vue d'établir entre elles des liens et des échanges culturels et touristiques.

JUMELLE adj.f. et n.f. → JUMEAU.

JUMELLES n.f. pl. -1. Instrument d'optique formé de deux lunettes identiques accouplées de façon à permettre la vision binoculaire. (Dans ce sens, s'emploie aussi au sing. : *jumelle marine.*) -2. Ensemble de deux pièces exactement semblables entrant dans la composition d'une machine ou d'un outil. -3. *Jumelles à prismes,* jumelles comportant deux prismes redressant l'image.

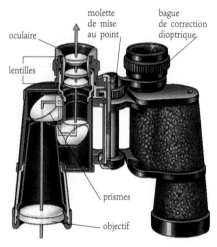

molette de mise au point
bague de correction dioptrique
oculaire
lentilles
prismes
objectif

JUMELLES à prismes

JUMENT n.f. Femelle adulte de l'espèce chevaline.

JUMPING [dʒœmpiŋ] n.m. Concours hippique consistant en une succession de sauts d'obstacles.

JUNEAU, cap. de l'Alaska ; 26 751 hab. — Musée historique de l'Alaska (ethnographie).

JUNG (Carl Gustav), psychiatre suisse (Kesswil, Turgovie, 1875 - Küsnacht, près de Zurich, 1961). Il rencontre Freud à Vienne en 1907, l'accompagne dans son voyage aux États-Unis (1909) et devient le premier président de l'Association psychanalytique internationale. Jung est considéré à cette époque comme le dauphin de Freud. La publication de *Métamorphoses et symboles de la libido* (1912) fait apparaître les premières divergences avec les thèses freudiennes, concernant notamment la nature de la libido, qui devient chez Jung l'expression psychique d'une « énergie vitale » et qui n'est pas uniquement d'origine sexuelle. En 1913, la rupture avec Freud est consommée et Jung donne à sa méthode le nom de « psychologie analytique ». Au-delà de l'inconscient individuel, Jung introduit un « inconscient collectif », notion qu'il approfondit dans *les Types psychologiques* (1920). L'inconscient collectif, qui représente l'accumulation des expériences millénaires de l'humanité, s'exprime à travers des *archétypes :* thèmes privilégiés que l'on rencontre inchangés aussi bien dans les rêves que dans les mythes, contes ou cosmogonies. Le but de la thérapie « jungienne » est de permettre à la personne de renouer avec ses racines, c'est-à-dire de prendre conscience des exigences des archétypes, exigences révélées par les rêves. Jung ne reconnaît pas à l'enfance un rôle déterminant dans l'éclosion des troubles psychiques de l'âge adulte. Il publie en 1944 *Psychologie et Alchimie,* ce qui marque une seconde époque de sa carrière, où il s'intéresse désormais à l'ethnologie et à la philosophie des religions.

JÜNGER (Ernst), écrivain allemand (Heidelberg 1895 - Wilflingen, Bade-Wurtemberg, 1998). La Première Guerre mondiale servira de thème à ses premiers ouvrages (*Orages d'acier,* 1920 ; *Feu et Sang,* 1925). Chef de file nietzschéen du « néonationalisme », Jünger voit dans la guerre une loi de la nature. Exaltant le machinisme et la révolution nationale (*le Cœur aventureux,* 1929), il sert ainsi les débuts du nazisme, qu'il devait combattre par la suite (*Sur les falaises de marbre,* 1939). Les œuvres écrites après 1945 témoignent d'un esthétisme aristocratique, fondé sur la figure du solitaire (*Traité du rebelle,* 1951) qui refuse le matérialisme moderne (*le Nœud gordien,* 1953 ; *Traité du sablier,* 1954) et affirme sa liberté face au pouvoir politique (*Heliopolis,* 1949 ; *Eumeswil,* 1977). Il a aussi publié un *Journal.*

JUNGFRAU (la), sommet des Alpes bernoises (4 166 m), en Suisse. Station d'altitude et de sports d'hiver sur le *plateau du Jungfraujoch* (3 457 m). Laboratoires de recherches scientifiques en haute montagne.

JUNGLE [ʒœ̃gl] ou [ʒɔ̃gl] n.f. -1. En Inde, formation végétale arborée qui prospère sous un climat chaud et humide avec une courte saison sèche. -2. Milieu où règne la loi du plus fort. -3. *La loi de la jungle,* la loi du plus fort.

JUNIOR adj. -1. Puîné, cadet : *Laurent junior.* -2. Qui concerne les jeunes, qui leur est destiné : *La mode junior.* -3. Débutant, sur le plan professionnel : *Ingénieur junior.* ◆ adj. et n. Se dit d'une catégorie d'âge, variable selon les sports ou les jeux, intermédiaire entre les cadets et les seniors (entre 16 et 20 ans).

JUNIOR ENTREPRISE n.f. (nom déposé). Association créée par des étudiants dans le cadre de leurs études et au sein de laquelle ils accomplissent des travaux spécialisés et rémunérés pour le compte d'entreprises.

JUNKER [junkər] n.m. Membre de la noblesse terrienne, en Prusse.

JUNKERS (Hugo), ingénieur allemand (Rheydt 1859 - Gauting 1935). Il réalisa le premier avion entièrement métallique (1915) et construisit de nombreux appareils militaires. En 1929 sortit de ses usines le premier moteur Diesel destiné à l'aviation.

JUNON, divinité italique puis romaine, femme de Jupiter et reine du Ciel, déesse de la Féminité et du Mariage. Elle est associée à Jupiter et à Minerve dans la triade du Capitole. Elle était assimilée à l'Héra des Grecs.

JUNONIEN, ENNE adj. Qui appartient à la déesse Junon.

JUNOT (Jean Andoche), *duc* d'**Abrantès,** général français (Bussy-le-Grand, Côte-d'Or, 1771 - Montbard 1813). Aide de camp de Bonaparte en Italie (1796), général en Égypte (1799), il commanda au Portugal (1807) mais dut capituler à Sintra (1808). Il se tua dans un accès de folie. Sa femme, **Laure Permon,** *duchesse* d'**Abrantès** (Montpellier 1784 - Paris 1838), est l'auteur de *Mémoires.*

JUNTE [ʒœ̃t] n.f. -1. ANC. Conseil politique ou administratif, dans les pays ibériques. -2. Gouvernement à caractère autoritaire, le plus souvent militaire, issu d'un coup d'État.

JUPE n.f. -1. Vêtement féminin qui enserre la taille et descend jusqu'aux jambes. -2. *Jupe portefeuille,* jupe qui se croise par-devant. MÉCAN. Surface latérale d'un piston, qui assure son guidage à l'intérieur du cylindre. TECHN. Dans les véhicules à coussin d'air, paroi souple limitant une chambre dans laquelle une certaine surpression permet la sustentation du véhicule.

JUPE-CULOTTE n.f. (pl. jupes-culottes). Pantalon très ample coupé de manière à tomber comme une jupe.

JUPETTE n.f. Jupe très courte.

JUPITER, divinité romaine, fils de Saturne et de Rhéa, à la fois père et maître du Ciel. Devenu le dieu suprême, il fut assimilé au Zeus grec. Il était adoré, avec Junon et Minerve, dans le grand temple du Capitole.

JUPITER, la plus grosse et la plus massive des planètes du système solaire. Elle est constituée essentiellement d'hydrogène et d'hélium. On lui connaît 16 satellites, dont 4 ont des dimensions planétaires.
(*Voir tableau p. suivante.*)

JUPITÉRIEN, ENNE adj. Relatif à la planète Jupiter : *Satellites jupitériens.*

JUPON n.m. Pièce de lingerie qui soutient l'ampleur d'une jupe, d'une robe.

JUPONNER v.t. Donner de l'ampleur à une jupe ou à une robe grâce à un jupon.

JUPPÉ (Alain), homme politique français (Mont-de-Marsan 1945). Secrétaire général (1988-1994) puis président du R. P. R. (1995-1997), ministre du Budget (1986-1988) puis des Affaires étrangères (1993-1995), il a été Premier ministre de 1995 à 1997.

JURA, chaîne de montagnes de France et de Suisse, qui se prolonge en Allemagne par des plateaux calcaires ; 1 718 m au crêt de la Neige. Le Jura franco-suisse comprend un secteur oriental plissé, plus élevé au sud qu'au nord, et un secteur occidental, tabulaire, au-dessus des plaines de la Saône. L'orientation et l'altitude expliquent l'abondance des précipitations, favorables à l'extension des forêts et des prairies. Aussi l'exploitation forestière et les produits laitiers (fromages) y constituent-ils les principales ressources, complétées par le tourisme et, surtout, par de nombreuses petites industries (horlogerie, lunetterie, travail du bois, matières plastiques, etc.). Le Jura allemand est formé d'un plateau calcaire, au climat rude, souvent recouvert par la lande, et dont l'altitude s'abaisse du sud (Jura souabe) vers le nord (Jura franconien).

JURA [39], dép. de la Région Franche-Comté ; ch.-l. de dép. *Lons-le-Saunier ;* ch.-l. d'arr. *Dole, Saint-Claude ;* 3 arr., 34 cant., 545 comm. ; 4 999 km² ; 248 759 hab. (*Jurassiens*). Il est rattaché à l'académie et à la cour d'appel de Besançon, à la région militaire Nord-Est.

JUPITER			
Caractéristiques physiques	diamètre équatorial	142 796 km (11,2 fois celui de la Terre)	
	diamètre polaire	133 540 km	
	aplatissement	0,062	
	masse par rapport à celle de la Terre	317,95	
	densité moyenne	1,31	
	période de rotation sidérale	9 h 50 min à 9 h 56 min	
	inclinaison de l'équateur sur l'orbite	3° 04′	
	albédo	0,45	
Caractéristiques orbitales	demi-grand axe de l'orbite	778 300 000 km (5,2 fois celui de l'orbite terrestre)	
	distance maximale au Soleil	816 000 000 km	
	distance minimale au Soleil	740 000 000 km	
	excentricité	0,048	
	inclinaison sur l'écliptique	1° 18′ 28″	
	période de révolution sidérale	11 ans 314,84 j	
	vitesse orbitale moyenne	13,06 km/s	

JURA *(canton du),* canton de Suisse, créé en 1979, englobant trois districts francophones jurassiens appartenant auparavant au canton de Berne ; 837 km² ; 66 163 hab. Ch.-l. Delémont.

Jura (Haut-), parc naturel régional créé en 1986, dans le dép. du Jura, à la frontière suisse ; env. 62 000 ha.

JURANÇON n.m. Vin des Pyrénées-Atlantiques.

JURANDE n.f. Sous l'Ancien Régime, groupement professionnel autonome, avec personnalité juridique propre et discipline collective stricte, composé de membres égaux unis par un serment.

JURASSIEN, ENNE adj. et n. **-1.** Du Jura. **-2.** *Relief jurassien,* type de relief développé dans une structure sédimentaire régulièrement plissée, où alternent couches dures et couches tendres, et dans lequel la topographie reflète le plus souvent la structure.

JURASSIQUE n.m. et adj. Période de l'ère secondaire, entre le trias et le crétacé, marquée par le dépôt d'épaisses couches calcaires, partic. dans le Jura.

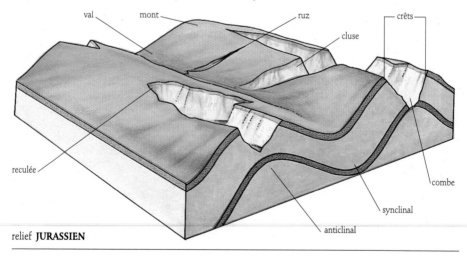

relief **JURASSIEN**

JURAT [ʒyra] n.m. Magistrat municipal, dans certaines villes du midi de la France, sous l'Ancien Régime.

JURATOIRE adj. *Caution juratoire,* serment, fait en justice, de représenter sa personne ou un objet.

1. **JURÉ, E** adj. -1. Qui a prêté serment : *Expert juré.* -2. *Ennemi juré,* adversaire acharné, implacable. ‖ *Métier juré,* métier autonome organisé en jurande, par opp. à *métier réglé,* contrôlé par les municipalités.

2. **JURÉ** n.m. -1. Citoyen désigné par voie de tirage au sort en vue de participer au jury d'une cour d'assises. -2. Membre d'un jury quelconque.

1. **JURER** v.t. -1. Prononcer solennellement un serment en engageant un être ou une chose que l'on tient pour sacré. -2. Affirmer qqch avec vigueur, le promettre. -3. Décider qqch par un engagement ferme ; s'engager à respecter ou à ruiner qqch ou qqn : *Jurer la perte d'un ennemi.* ◆ **se jurer** v.pr. -1. Se promettre à soi-même de faire qqch. -2. Se promettre réciproquement qqch.

2. **JURER** v.i. Proférer des jurons ; blasphémer. ◆ v.t. ind. Être mal assorti avec qqch ; produire un effet disparate : *Ce vert jure avec cet orangé.*

JUREUR adj.m. et n.m. Se dit d'un prêtre qui, sous la Révolution, avait prêté serment à la Constitution civile du clergé.

JURIDICTION n.f. (lat. *juris dictio,* droit de rendre la justice). -1. Pouvoir de juger, de rendre la justice ; étendue de territoire où s'exerce ce pouvoir. -2. Organisme institué pour trancher les litiges qui lui sont soumis. -3. Ensemble des tribunaux de même ordre, de même nature ou de même degré hiérarchique. -4. *Juridiction du premier degré,* juridiction statuant en première instance. ‖ *Juridiction du second degré,* juridiction d'appel.

JURIDICTIONNEL, ELLE adj. Relatif à une juridiction.

JURIDIQUE adj. Qui relève du droit. ◆ **juridiquement** adv. De façon juridique ; du point de vue du droit.

JURIDISME n.m. Attachement étroit à la règle juridique ; formalisme juridique.

JURIEN DE LA GRAVIÈRE (Jean Edmond), amiral français (Brest 1812 - Paris 1892). Il commanda les forces françaises au Mexique (1861), fut aide de camp de Napoléon III (1864) et devint directeur des Cartes et Plans de la marine (1871). [Acad. fr. 1888.]

JURIN (James), médecin et physicien anglais (Londres 1684 - *id.* 1750). Il est l'auteur de la loi relative à l'ascension des liquides dans les tubes capillaires (1718).

JURISCONSULTE n.m. (lat. *juris consultus,* versé dans le droit). Spécialiste faisant profession de donner des consultations sur des questions de droit.

JURISPRUDENCE n.f. (lat. *jurisprudentia,* science du droit). -1. Ensemble des décisions des tribunaux, qui constitue une source du droit. -2. *Faire jurisprudence,* faire autorité et servir d'exemple dans un cas déterminé ; créer un précédent.

JURISPRUDENTIEL, ELLE adj. Qui résulte de la jurisprudence.

JURISTE n. Personne qui connaît, pratique le droit ; auteur d'ouvrages juridiques.

JURON n.m. Expression grossière ou blasphématoire traduisant sous forme d'interjection une réaction vive de dépit ou de colère.

JURUÁ, riv. de l'Amazonie, affl. de l'Amazone (r. dr.) ; env. 3 000 km.

JURY n.m. -1. Ensemble des jurés appelés à titre temporaire à participer à l'exercice de la justice en cour d'assises. -2. Commission d'examinateurs chargée d'un examen, d'un classement, d'un jugement.

JUS [ʒy] n.m. -1. Liquide extrait de la pulpe, de la chair de certains fruits ou légumes ; boisson constituée par ce liquide. -2. Suc résultant de la cuisson d'une viande, d'une volaille.

JUSANT n.m. Reflux.

JUSÉE n.f. Liqueur acide obtenue par le lessivage du tan et utilisée au début du tannage à l'écorce de chêne.

JUSQUE prép. Suivi des prép. *à, en, vers, dans,* s'emploie pour indiquer une limite spatiale ou temporelle, un point limite, un degré extrême : *De Paris jusqu'à Rome. Il est allé jusqu'à le frapper. Aimer jusqu'à ses ennemis.* ◆ loc. conj. *Jusqu'à ce que,* jusqu'au moment où (indique la limite temporelle). ◆ loc. adv. *Jusque-là, jusqu'ici,* jusqu'à ce lieu, jusqu'à ce moment (indiquent la limite qu'on ne dépasse pas).

JUSQUIAME n.f. (gr. *huoskuamos,* fève de porc). Plante des décombres, à feuilles visqueuses et à fleurs jaunâtres rayées de pourpre, très toxique. (Famille des solanacées.)

JUSSIÉE n.f. Plante exotique aquatique, employée comme plante ornementale.

JUSSIEU (de), famille de botanistes français, qui a compté parmi ses membres : **Antoine**

(Lyon 1686 - Paris 1758) ; **Bernard** (Lyon 1699 - Paris 1777), frère du précédent ; **Joseph** (Lyon 1704 - Paris 1779), frère des précédents ; **Antoine Laurent** (Lyon 1748 - Paris 1836), neveu des trois précédents, promoteur de la classification « naturelle » des plantes ; **Adrien** (Paris 1797 - *id.* 1853), fils du précédent.

JUSSION n.f. *Lettre de jussion,* lettre patente par laquelle le roi enjoignait la cour souveraine d'enregistrer un acte législatif.

JUSTAUCORPS n.m. -**1.** Pourpoint serré à la taille, à basques et à manches, en usage au XVIIᵉ s. -**2.** Sous-vêtement féminin d'un seul tenant, dont le bas se termine en slip. SYN. : **body.** -**3.** Vêtement collant d'une seule pièce utilisé pour la danse et certains sports.

JUSTE adj. et n. Qui juge et agit selon l'équité, en respectant les règles de la morale ou de la religion. ◆ adj. -**1.** Conforme à la justice, à la morale : *Sentence juste.* -**2.** Conforme à la raison, à la vérité : *Raisonnement juste.* -**3.** Qui est exact, conforme à la réalité, à la règle ; qui est tel qu'il doit être ; qui fonctionne avec précision : *Note juste.* - **4.** Précis, réglé : *Tir juste.* -**5.** Étroit, court : *Chaussons trop justes.* - **6.** Qui suffit à peine : *Deux minutes, ce sera juste.* ◆ adv. -**1.** Avec justesse : *Chanter juste.* -**2.** Précisément : *Le café est juste au coin.* -**3.** Seulement : *J'ai juste pris le temps de dîner.* - **4.** D'une manière insuffisante : *Il a mesuré trop juste.* ◆ **justement** adv. -**1.** Légitimement : *Être justement indigné.* -**2.** D'une manière exacte : *Comme on l'a dit si justement.* -**3.** Précisément, par coïncidence : *Nous parlions justement de vous.*

JUSTESSE n.f. -**1.** Qualité d'un instrument de mesure qui donne des indications de grandeur très voisines de celles de la réalité. -**2.** Qualité d'une chose bien réglée, exacte, et donc bien adaptée à sa fonction. -**3.** Précision, exactitude d'une expression, d'un ton, etc. : *Justesse d'une comparaison.* - **4.** Manière de faire, de penser, sans erreur ni écart : *Viser avec justesse.*

JUSTICE n.f. -**1.** Principe moral qui exige le respect du droit et de l'équité. -**2.** Vertu, qualité morale qui consiste à être juste, à respecter les droits d'autrui. -**3.** Caractère de ce qui est juste, impartial. - **4.** Pouvoir de rendre le droit à chacun ; exercice de ce pouvoir. -**5.** Action par laquelle une autorité, un pouvoir judiciaires reconnaissent le droit de chacun. (V. ENCYCL.) - **6.** Institution qui exerce un pouvoir juridictionnel ; ensemble de ces institutions : *Justice civile, militaire.* -**7.** *Justice sociale,* celle qui exige des conditions de vie équitables pour chacun. **DR.** Fonction souveraine de l'État consistant à définir le droit positif et à trancher les litiges

entre sujets de droit ; acte par lequel s'exprime ce pouvoir, cette fonction. **FÉOD.** *Basse justice,* celle qui était compétente pour des causes mineures. ‖ *Haute justice,* celle qui était compétente pour des causes majeures (infractions pouvant entraîner des condamnations à mort).

ENCYCL. Rendre la justice est une fonction essentielle de l'État, dont on s'accorde à reconnaître qu'elle doit être organisée de façon à assurer l'indépendance des juges, tant à l'égard des pouvoirs publics qu'à celui des intérêts privés. Les diverses juridictions ont pour mission soit de trancher les différends qui opposent les sujets de droit, personnes physiques ou personnes morales de droit public ou de droit privé, soit de réprimer les infractions. Elles interviennent également en matière gracieuse, pour protéger certaines personnes, authentifier certains actes, autoriser des mesures urgentes. Les personnes physiques ou morales de droit privé ne sont pas toujours obligées de soumettre leurs différends aux juridictions étatiques ; elles peuvent recourir à l'*arbitrage* lorsqu'elles ont le pouvoir de disposer conventionnellement des droits en litige. Les juges, qui ont l'obligation de juger, sous peine de déni de justice, ne peuvent se substituer au pouvoir législatif et réglementaire, ni statuer, comme les anciens parlements, par voie réglementaire. Tout jugement ne peut donc être qu'une décision d'espèce, mais il revêt, à l'égard des parties, l'autorité de la chose jugée.

L'organisation de la justice. En France, la justice est une autorité dont l'indépendance est garantie (article 64 de la Constitution de 1958). Quant à son organisation, elle est un service public de l'État et présente l'originalité d'obéir au principe de la dualité de juridiction, lequel conduit à distinguer les tribunaux judiciaires (civils et pénaux) et les tribunaux administratifs.

Les *juridictions de l'ordre judiciaire* sont soumises au contrôle de la Cour de cassation, celles de l'ordre administratif relèvent du contrôle du Conseil d'État. Pour régler les conflits de compétence pouvant survenir du fait de l'existence de ces deux ordres a été institué le Tribunal des conflits, composé paritairement de magistrats de la Cour de cassation et du Conseil d'État. À l'intérieur de l'ordre judiciaire, les juridictions répressives sont chargées d'appliquer le droit pénal aux personnes qui ont commis des infractions et d'assurer, concurremment avec les juridictions civiles, la réparation des dommages qui en résultent. Devant les juridictions de l'ordre judiciaire, et sauf pour les litiges de peu de valeur ou les arrêts de la Cour d'assises, les justiciables ont droit au double degré de juridiction : l'une ou l'autre des parties peut, par voie d'appel, demander à une juridiction hiérarchiquement supérieure de réformer ou d'annuler un jugement qui n'a pas admis toutes ses prétentions. Les juridictions du premier et du second degré sont appelées « juges du fond », ou « juges du fait », par opposition au « juge du droit » que constitue la Cour de cassation. Celle-ci, placée au sommet de la hiérarchie de l'ordre judiciaire, n'est pas un troisième degré de juridiction, mais elle peut être saisie par tout plaideur qui a partiellement ou totalement perdu devant les juges du fond, afin de vérifier si la loi a été correctement interprétée et appliquée ; sinon, le mécanisme du renvoi, et exceptionnellement celui de l'évocation, aboutira à faire juger l'affaire à nouveau.

Devant les *juridictions de l'ordre administratif,* la règle du double degré de juridiction ne joue pas avec la même rigueur, car le Conseil d'État est, pour certains actes, compétent en premier et en dernier ressort, mais elle joue pour les décisions des tribunaux administratifs, dont les jugements sont portés, par voie d'appel, devant les cours administratives d'appel. Le Conseil d'État est, en outre, juge de cassation à l'égard des décisions émanant des autres juridictions administratives statuant en dernier ressort.

JUSTICIABLE adj. et n. Qui relève de la justice, des tribunaux. ◆ adj. -1. Qui relève de qqch, le nécessite : *Maladie justiciable d'un traitement prolongé.* -2. Qui doit répondre de ses actes : *Être justiciable de sa politique.*

JUSTICIER, ÈRE adj. et n. -1. Qui agit en redresseur de torts sans en avoir reçu le pouvoir légal. -2. Qui avait le droit de rendre la justice sur ses terres : *Seigneur haut justicier.*

JUSTIFIABLE adj. Qui peut être justifié.

JUSTIFIANT, E adj. Se dit de la grâce qui rend juste.

JUSTIFICATEUR, TRICE adj. Qui apporte une justification : *Témoignage justificateur.*

JUSTIFICATIF, IVE adj. et n.m. Qui sert à justifier ou à prouver : *Pièces justificatives.* ◆ **justificatif** n.m. Exemplaire ou extrait de journal prouvant l'insertion d'un article ou d'une annonce, et envoyé à l'auteur ou à l'annonceur.

JUSTIFICATION n.f. -1. Action de justifier, de se justifier. -2. Preuve d'une chose par titres ou par témoins : *Justification d'identité.* **IMPR.** Longueur d'une ligne pleine. ‖ *Justification du tirage,* formule indiquant le nombre d'exemplaires d'un livre imprimé sur différentes sortes de papiers. **THÉOL.** Acte par lequel Dieu fait passer une âme de l'état de péché à l'état de grâce.

JUSTIFIER v.t. -1. Défendre, disculper qqn d'une accusation, le mettre hors de cause ; prouver l'innocence de son comportement. -2. Faire admettre qqch, en établir le bien-fondé, la nécessité : *Justifier les dépenses.* -3. Donner à une ligne la longueur requise *(justification)* en insérant des blancs. -4. Mettre au nombre des justes. ◆ v.t. ind. **(de).** Apporter la preuve matérielle de qqch : *Quittance qui justifie du paiement.* ◆ **se justifier** v.pr. Donner des preuves de son innocence ; dégager sa responsabilité.

Justinien *(Code),* ouvrage juridique rédigé sur l'ordre de l'empereur Justinien (528-29 et 534), regroupant les lois promulguées depuis Hadrien. Il fut suivi du *Digeste,* ou *Pandectes,* qui reprenait, en la codifiant, la jurisprudence romaine, des *Institutes,* manuel de droit publié en 533, et des *Novelles* (lois postérieures à 533).

JUSTINIEN Iᵉʳ (Tauresium, près de Skopje ? 482 - Constantinople 565), empereur byzantin (527-565).

→ ● DOSSIER JUSTINIEN Iᵉʳ *page suivante.*

JUTE n.m. -1. Fibre textile extraite des tiges d'une plante de la famille des tiliacées. -2. Étoffe grossière faite avec ces fibres.

JUTES, peuple germanique qui s'établit dans le sud-est de l'Angleterre au Vᵉ s. apr. J.-C.

JUTEUX, EUSE adj. Qui a beaucoup de jus.

JÜTLAND → JYLLAND.

Jütland *(bataille du)* [31 mai-1ᵉʳ juin 1916], seul grand choc naval de la Première Guerre mondiale, qui eut lieu au large des côtes du Danemark (Jylland). Bien que la flotte allemande soit apparue comme supérieure en qualité, les Britanniques, commandés par Jellicoe, restèrent maîtres du champ de bataille.

JUVARRA ou **JUVARA** (Filippo), architecte et décorateur italien (Messine 1678 - Madrid 1736). Formé à Rome, il est appelé à Turin en 1714 et accomplit en vingt ans, surtout en Piémont, une œuvre considérable, d'un baroque retenu (basilique de Superga et villa royale de Stupinigi, près de Turin).

D O S S I E R

JUSTINIEN Iᵉʳ

Si Justinien n'a pu reconstituer qu'imparfaitement, et le temps de son règne (527-565) seulement, l'unité du monde romain, il a su assimiler ce qu'il y avait de plus solide dans l'œuvre de Rome, le droit, grâce auquel il a renforcé l'autorité impériale. C'est aussi de son règne qu'il convient de dater la naissance d'une civilisation proprement byzantine.

La réorganisation de l'État.

Justinien collabore avec son oncle Justin dès 518 et lui succède en 527. Secondé par son épouse, l'impératrice Théodora, il entreprend de rétablir le territoire de l'ancien Empire romain, de faire de la Méditerranée un lac byzantin et d'extirper l'arianisme, hérésie niant la divinité du Christ : ses guerres seront autant des croisades que des conquêtes.

Justinien poursuit la réforme de l'État dans le sens de la centralisation et de l'absolutisme impérial : il fait réviser et classer,

**JUSTINIEN Iᵉʳ
« LIEUTENANT DE DIEU »**
Justinien porte la couronne et le manteau pourpre, symboles du pouvoir impérial qui, dès les origines, associe tradition romaine et conception chrétienne.

❶ L'empereur Justinien et sa suite. Justinien offrant la patène. Mosaïque du VIᵉ siècle. (Chœur de l'église Saint-Vital, Ravenne.)

dans le *Code Justinien* (528-29 et 534), des lois promulguées depuis Hadrien et fait reprendre et codifier la jurisprudence romaine dans le *Digeste* (ou *Pandectes*). Parallèlement à cette œuvre juridique, il réprime les oppositions : un moment menacé par la sédition Nika, son pouvoir sort renforcé de l'épreuve (532).

L'œuvre religieuse.

Justinien impose également à l'Église l'autorité impériale. Dès 518, il obtient la réunion d'un synode qui chasse les évêques monophysites, dont les thèses privilégient la nature divine du Christ, et il se réconcilie avec Rome. Il condamne à nouveau cette doctrine en 528 et ferme l'université d'Athènes, foyer de paganisme (529). Mais sa politique à l'égard des monophysites est inégale. Sous l'influence de Théodora, qui les protège, il fait déporter le pape Silvère en Asie Mineure.

La reconquête de l'Occident.

Le projet de reconquête des territoires occidentaux sur les Barbares ariens suppose la consolidation des frontières orientales de l'Empire. Aussi Justinien conclut-il en 532 avec le souverain perse Khosrô une « paix éternelle » qui met fin à cinq années de luttes. La reconquête de l'Occident sur les Barbares est menée par ses grands généraux, Bélisaire puis Narsès. En Afrique du Nord, les Vandales sont vaincus, et leur territoire est réuni à l'Empire romain en 534. La conquête de l'Italie sur les Ostrogoths demande des années de dures campagnes (535-540). Mais la résistance des Ostrogoths, qui reprend à partir de 542, n'est vaincue qu'en 561. Aux Wisigoths est enlevé le sud-est de l'Espagne (v. 550-554). Mais la Provence est laissée aux Francs, catholiques.

Cependant, l'engagement de Byzance en Occident a affaibli l'Orient et a incité Khosrô à rompre la paix (540). Les Perses envahissent la Syrie, et, pour les arrêter, Justinien doit se résoudre à leur payer tribut (562). Il doit aussi payer pour le départ des Huns et des Slaves, qui ont plusieurs fois franchi la frontière du Danube. Cette politique coûte cher à l'Orient, et les nouveaux impôts que Justinien est ainsi obligé de lever conduisent à l'affaiblissement de l'Empire.

Le rayonnement de l'Empire.

Centre d'un actif trafic commercial entre l'Europe et l'Asie, Byzance devient aussi, sous l'impulsion de Justinien, un remarquable foyer intellectuel et artistique. En témoignent la basilique Sainte-Sophie qu'il fait élever à Constantinople et la pénétration de l'art byzantin en Occident (Ravenne).

LE GOUVERNEMENT DE JUSTINIEN Ier

Bien secondé jusqu'en 548 par l'impératrice, Justinien gouverne le monde byzantin du fond de son palais, entouré de collaborateurs remarquables : Tribonien, questeur du Palais-Sacré (ministre de la Justice) ; Jean de Cappadoce, homme d'État habile, investi en 531 de la préfecture du prétoire d'Orient ; Bélisaire, chef de guerre efficace et dévoué. Justinien entend réaliser l'unité législative de l'Empire, sur lequel il règne en maître absolu (autocrate). Ainsi, il codifie le droit romain, à travers le *Code Justinien*, le *Digeste*, les *Institutes* (manuel de droit), les *Novelles* (lois postérieures à 533), qui formeront plus tard le *Corpus juris civilis*. En outre, des ordonnances suppriment la vénalité des offices et donnent aux officiers, astreints au serment de fidélité, des pouvoirs civils et militaires, mais les soumettent au contrôle des évêques. La puissance des grands propriétaires terriens est surveillée.

JUVÉNAL, en lat. Decimus Junius Juvenalis, poète latin (Aquinum, Apulie, v. 60 apr. J.-C.- v. 130). Il est l'auteur de *Satires* à la verve puissante, opposant à la Rome dissolue de son temps l'image de la République idéalisée par Cicéron et Tite-Live.

JUVÉNAL ou **JOUVENEL DES URSINS,** famille champenoise. Ses membres les plus connus sont : **Jean,** magistrat (Troyes 1360 - Poitiers 1431), prévôt des marchands en 1389. En 1408, il fit donner la régence du royaume à Isabeau de Bavière ; **Jean II,** son fils, magistrat lui aussi, prélat et historien (Paris 1388 - Reims 1473), auteur d'une *Chronique de Charles VI ;* **Guillaume** (Paris 1401 - *id.* 1472), frère du précédent, chancelier de Charles VII (1445) et de Louis XI (1466). Son portrait a été peint par Fouquet (v. 1460, Louvre).

JUVÉNAT n.m. Stage qui prépare au professorat, dans certains ordres religieux.

JUVÉNILE adj. Qui appartient à la jeunesse, qui en a l'ardeur, la vivacité. ◆ n.m. En zoologie, jeune d'un animal.

JUXTALINÉAIRE adj. (lat. *juxta,* à côté, et *linea,* ligne). Se dit d'une traduction où le texte original et la version se correspondent ligne à ligne dans deux colonnes contiguës.

JUXTAPOSÉ, E adj. Se dit des propositions qui ne sont liées par aucune coordination ou subordination.

JUXTAPOSER v.t. Poser, placer des choses côte à côte, dans une proximité immédiate.

JUXTAPOSITION n.f. Action de juxtaposer.

JYLLAND, en all. Jütland, péninsule formant la partie continentale du Danemark. Plat et bas, couvert de cultures et de prairies au sud et à l'est, le Jylland porte des landes et des forêts au nord et à l'ouest, et ses principaux centres urbains sont des ports.

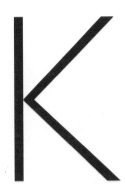

K n.m. inv. Onzième lettre de l'alphabet et huitième des consonnes : *K majuscule. k minuscule.* (La consonne [k] est une occlusive dorso-palatale sourde.)

k, symbole de kilo.

K CHIM. Symbole du potassium. MÉTROL. Symbole du kelvin.

K2, deuxième sommet du monde, dans l'Himalaya (Karakorum) ; 8 611 m.

KA n.m. → KAON.

Kaba ou **Kaaba,** édifice cubique au centre de la Grande Mosquée de La Mecque, vers lequel les musulmans se tournent pour prier. Dans sa paroi est scellée la Pierre noire, apportée, selon le Coran, à Abraham par l'ange Gabriel.

KABARDES, peuple musulman du Caucase du Nord, habitant la *République de Kabardino-Balkarie* (Russie) [760 000 hab.]. Cap. *Naltchik.*

KABBALE ou, vx, **CABALE** n.f. (hébr. *qabbalah,* tradition). Interprétation juive ésotérique et symbolique du texte de la Bible, et dont le livre classique est le *Zohar,* ou *Livre de la splendeur.* (Les adeptes des sciences occultes utilisent dans un sens magique les symboles de la kabbale.)

ENCYCL. Le courant mystique que constitue la kabbale a débuté au Moyen Âge dans des communautés juives de Provence, du Languedoc et d'Espagne. Il a produit, à la fin du XIIIᵉ siècle, son document littéraire majeur, le *Zohar (Livre de la splendeur).* À partir du XVᵉ siècle, le mouvement s'étendit, au-delà des cercles d'initiés, dans de larges couches de la société juive, notamment à Safed, en Palestine. Il a pour principaux représentants Moses Cordovero (1522-1570) et, surtout, Isaac Luria (1534-1572), dont l'enseignement, fondé sur la contemplation et l'attente du Messie, inspira même des courants déviants, tel le messia-

nisme de Sabbatai Zevi (1626-1676). La kabbale a pour doctrine essentielle une conception particulière de la nature de Dieu. Comme Être infini, la divinité est inaccessible, mais elle se manifeste dans la nature créée et dans l'histoire par les dix *Sefirot,* ou « émanations », qui expriment les attributs de son essence. L'enseignement kabbaliste fait aussi une place importante à l'homme, conçu comme la forme cosmique parfaite qui contient toutes les autres.

KABBALISTE ou, vx, **CABALISTE** n. Spécialiste de la kabbale.

KABBALISTIQUE ou, vx, **CABALISTIQUE** adj. -1. Relatif à la kabbale. -2. Cabalistique.

KABIG ou **KABIC** n.m. (mot breton). Veste à capuchon en drap de laine imperméable.

KABIR, poète et prédicateur indien de langue hindi (Bénarès 1440 - v. 1518). Enfant abandonné d'une veuve brahmane et recueilli par un couple de tisserands musulmans, il étudie les textes de l'hindouisme et devient le disciple de Ramananda, auprès duquel il aurait appris à contester la hiérarchie des castes. Il dénonce le formalisme des brahmanes et préconise un rapprochement entre l'hindouisme et l'islam sur la base d'une commune doctrine de l'amour divin.

KABOUL ou **KABUL,** cap. de l'Afghanistan depuis 1774, sur la rivière de Kaboul ; 1 297 000 hab.
(*Voir illustration p. suivante.*)

KABUKI [-bu-] n.m. (mot jap.). Genre théâtral japonais où le dialogue alterne avec des parties psalmodiées ou chantées et avec des intermèdes de ballet.

ENCYCL. Issu au XVIIᵉ siècle de danses féminines plus ou moins licencieuses, le genre se constitua sous l'effet de la censure en un spectacle interprété exclusivement par des

Vue générale de **KABOUL.**

hommes, réservé aux quartiers de plaisir, et connut ses premiers dramaturges spécialisés (Chikamatsu Monzaemon). La violence des intrigues, l'esthétique fortement stylisée des maquillages, la somptuosité des costumes et des décors, l'emphase du jeu ont assuré jusqu'à nos jours aux acteurs de kabuki (*onnagata* pour les rôles travestis) la faveur du plus grand public.

Kabuto-Cho, la Bourse de Tokyo (du nom du quartier des Guerriers où elle est installée).

KABWE, anc. Broken Hill, v. de la Zambie ; 191 000 hab. Centre métallurgique.

KABYLE adj. et n. De Kabylie. ◆ n.m. Langue berbère parlée en Kabylie.

KABYLES, peuple berbère sédentaire de la Grande Kabylie (Algérie), dont la langue propre est le tamazight. Les Kabyles sont organisés en clans complémentaires avec des fonctions et des interdits spécifiques. Ils ont manifesté leur opposition à la colonisation française plusieurs fois au cours du XIXᵉ siècle et ont été le principal foyer de la lutte pour l'indépendance de l'Algérie entre 1954 et 1962.

KABYLIE, ensemble de massifs, de vallées et de bassins littoraux du nord-est de l'Algérie. On distingue, de l'ouest à l'est : la Grande Kabylie, ou Kabylie du Djurdjura (2 308 m), la Kabylie des Babors et la Kabylie d'El-Qoll.

KACHA n.f. (mot russe). Semoule de sarrasin mondé, cuite à l'eau ou au gras.

KACHIN ou **CHINGPAW,** population tibéto-birmane dispersée en Chine du Sud (Yunnan), en Birmanie (États kachin et chan) et en Inde (Assam).

KÁDÁR (János), homme politique hongrois (Fiume, auj. Rijeka, 1912 - Budapest 1989). Ministre de l'Intérieur (1948-1951), chef du gouvernement après l'écrasement de l'insurrection hongroise de 1956 à 1958, puis de 1961 à 1965, il a dirigé le Parti communiste de 1956 à 1988. Tout en maintenant l'alignement sur l'U. R. S. S., il a mis en œuvre une certaine libéralisation économique.

KADARÉ (Ismail), écrivain albanais (Gjirokastër 1936). Journaliste, critique littéraire, essayiste, poète, il est surtout un maître de la nouvelle et du roman (*le Général de l'armée morte,* 1963 ; *le Concert,* 1988), où le fantastique et l'humour côtoient le réalisme quotidien et historique (*Avril brisé,* 1980).

KADDISH n.m. Prière juive récitée à la fin de chaque partie de l'office.

KADESH → QADESH.

KADHAFI ou **QADHDHAFI** (Muammar al-), homme d'État libyen (Syrte 1942). Principal

Muammar al-**KADHAFI,** homme d'État libyen.

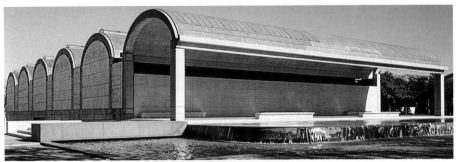

Louis **KAHN** : le Kimbell Art Museum (1966-1972) à Fort Worth (Texas).

instigateur du coup d'État qui renverse le roi Idris Ier (1969), président du Conseil de la révolution (1969-1977), il abandonne en 1979 ses fonctions officielles mais demeure le véritable chef de l'État. À l'origine de la « révolution culturelle islamique », il poursuit en vain une politique d'union (successivement avec l'Égypte, la Syrie, la Tunisie) et d'expansion (au Tchad), et appuie des actions terroristes.

KAESONG, v. de la Corée du Nord ; 346 000 hab.

KAFKA (Franz), écrivain pragois de langue allemande (Prague 1883 - sanatorium de Kierling, près de Vienne, 1924).
→ ● DOSSIER FRANZ KAFKA *page suivante.*

KAFKAÏEN, ENNE [kafkajɛ̃, ɛn] adj. Dont l'absurdité, l'illogisme rappellent l'atmosphère des romans de Kafka.

KAGEL (Mauricio), compositeur argentin (Buenos Aires 1931). Il s'est consacré au « théâtre instrumental » (*Staatstheater,* 1971 ; *Mare nostrum,* 1975 ; *la Trahison orale,* 1983 ; *Opus 1990,* 1991) en renouvelant beaucoup le matériau sonore (sons électroacoustiques et d'origines très diverses).

KAGOSHIMA, port du Japon, dans l'île de Kyushu ; 536 752 hab. – À proximité, base de lancement d'engins spatiaux.

Kahler *(maladie de),* affection maligne caractérisée par la prolifération dans la moelle osseuse de plasmocytes anormaux, qui détruisent le tissu osseux dans lequel ils se développent, et par des modifications importantes des protéines plasmatiques. SYN. : **myélomatose.**

KAHN (Gustave), poète français (Metz 1859 - Paris 1936). Membre du groupe symboliste, il a été un des théoriciens du vers libre (*les Palais nomades,* 1887).

KAHN (Hermann), physicien et futurologue américain (Bayonne, New Jersey, 1922 - Chap-paqua, État de New York, 1983). Kahn considère que si l'on veut être sérieusement en mesure d'éviter la guerre nucléaire, il convient d'en penser le déclenchement, le déroulement et l'issue. Ainsi élabore-t-il des modèles d'escalade qui, dans son esprit, doivent autant servir à arrêter le processus de déclenchement en cours qu'à permettre de limiter les effets de la guerre si elle était engagée. Il a influencé la stratégie américaine durant toute la guerre froide. Il a notamment écrit *On Thermonuclear Warfare* (1960) et *Thinking about the Unthinkable* (1962).

KAHN (Louis Isadore), architecte américain d'origine estonienne (île de Sarema, auj. Saaremaa, 1901 - New York 1974). La monumentalité (Yale University Art Gallery à New Haven, 1951), l'audace et la rigueur des formes (Richards Medical Research Center à Philadelphie, 1958), alliées à des réminiscences antiques ou médiévales (Capitole de Dacca, 1962 et suiv.), caractérisent son œuvre. L'espace et la lumière, l'équilibre des pleins et des vides, le rapport des espaces « servants » et « servis » ont été ses principales préoccupations.

KAHNWEILER (Daniel Henry), marchand de tableaux, écrivain d'art et éditeur d'origine allemande (Mannheim 1884 - Paris 1979). Il ouvrit en 1907 sa galerie à Paris, où il allait présenter Derain, Vlaminck, Picasso, Braque, Gris, Léger, etc. Il a publié des études sur plusieurs de ces artistes et sur le cubisme.

KAHRAMANMARAŞ, anc. Maraş, v. de Turquie, à l'E. du Taurus ; 228 129 hab.

KAIFENG ou **K'AI-FONG,** v. de Chine (Henan) ; 636 000 hab. – Capitale impériale sous les Cinq Dynasties et les Song du Nord (907-1126). Monuments anciens, dont la pagode de Fer (1049) ; musée.

FRANZ KAFKA

Kafka dut affronter le fait d'appartenir à plusieurs minorités : être juif en pays chrétien, être écrivain dans une famille hostile à toute activité artistique, écrire en allemand dans la capitale tchèque. Son nom est passé dans le langage commun à travers l'adjectif *kafkaïen,* qui exprime l'angoisse d'une situation sans issue dans un monde oppressant.

Une vie de solitude.

Description d'un combat est le titre du premier ouvrage de F. Kafka, publié en 1909 (il est né à Prague en 1883), mais qui pourrait aussi bien résumer sa vie, qu'il conçoit comme un combat, mais un combat perdu d'avance. L'opposition à son père est la première clef de cette œuvre universelle, comme en témoigne la *Lettre au père,* écrite en 1919 et jamais envoyée. Cet homme ne peut accepter la fragilité physique et psychologique de son fils. Il le pousse à occuper un emploi dans une compagnie d'assurances, au détriment de son œuvre. Franz lui-même n'assume qu'après 1910 une part de son héritage juif, en découvrant la littérature yiddish, la Bible et d'autres textes hébraïques. La solitude est une fatalité mais aussi un choix. Il rompt successivement cinq relations amoureuses, dont son journal ainsi qu'une abondante correspondance expriment l'intensité. Flaubert et Kierkegaard préfigurent à ses yeux son

LES ÉCRIVAINS PRAGOIS
Kafka et ses contemporains Max Brod (1884-1968), Gustav Meyrink (1868-1932), Rainer Maria Rilke (1875-1926) et Franz Werfel (1890-1945) ont entretenu avec la ville de Prague une relation complexe d'attraction-répulsion.

❶ Franz Kafka.

destin d'homme de lettres : solitude irrépressible, sentiment de culpabilité et assouvissement d'un désir d'unité et d'union cherché désespérément dans l'art. Atteint de tuberculose depuis 1917, Kafka vit cette maladie comme le châtiment d'une faute mystérieuse. Il laissera une grande partie de ses récits inachevés et ses trois derniers romans, le Procès (1925), le Château (1926) et l'Amérique (1927), seront publiés contre sa volonté expresse, après sa mort (en 1924), par les soins de son ami Max Brod.

Gregor Samsa, Joseph K., K., individus surnuméraires.

Kafka décrit, avec de plus en plus de minutie, des parcours dont on ne peut saisir ni l'origine ni le but, dans un style qui évolue du fantastique des œuvres de jeunesse au réalisme le plus précis. Dans la Métamorphose (1915), il retrace la transformation en une nuit du représentant de commerce Gregor Samsa en un insecte géant, qui, à l'image de l'artiste incompris, meurt, victime de la répugnance et de la violence de sa famille.

Kafka désigne ses principaux héros par l'initiale de son propre nom (Joseph K., dans le Procès ; l'arpenteur K., dans le Château), faisant d'eux de simples matricules à l'identité inconsistante dans un monde concentrationnaire. Le héros du Procès ignorera tout de la faute qui lui est reprochée, jusqu'à sa condamnation à mort. Kafka fait fonctionner, non sans humour, les mécanismes (politique, bureaucratique, social) jusqu'à leur plus extrême absurdité. Le Château décrit le double échec de l'arpenteur K., qui ne peut satisfaire une mystérieuse bureaucratie, laquelle au demeurant le fascine, ni s'intégrer à la communauté villageoise qui en subit la dictature.

Si l'on peut voir dans le rapport de Kafka à son père l'élément majeur de son mythe personnel, il faut cependant chercher une raison à l'échec le plus réussi de la littérature du xxᵉ siècle. Comme le dit le héros du dernier récit publié de son vivant, Un artiste de la faim (1924) : « Vous ne devriez pas admirer mon jeûne [...] Je ne peux pas faire autrement [...] Parce que je n'ai pas pu trouver d'aliment qui me plaise [...] »

Répertoire des œuvres.

Description d'un combat (1909), Contemplation (1913), le Verdict (1913), la Métamorphose (1915), la Colonie pénitentiaire (1919), Joséphine la cantatrice ou le Peuple des souris (1924), Un artiste de la faim (1924), le Procès (1925), le Château (1926), l'Amérique (1927), la Muraille de Chine (1931) ; Journal (de 1909 à 1924) ; Lettres (à Felice Bauer ; à Milena Jesenská ; aux membres de sa famille et à ses amis).

LE DÉSESPOIR ET L'HUMOUR

Les premières traductions françaises de Kafka (par Alexandre Vialatte [1901-1971]) ont accentué le caractère sombre et désespéré de l'œuvre. Les traductions ultérieures ont, au contraire, cherché à en faire sentir la tonalité ironique, revendiquée, notamment, à travers le personnage de Joseph K., dans le Procès (1925) : « Je manque de sérieux, c'est bien pourquoi il faut que je m'en tire par des plaisanteries. »

KAÏNITE [kainit] n.f. Sel double constitué par du sulfate de magnésium et du chlorure de potassium hydratés naturels.

KAIROUAN, v. de la Tunisie centrale ; 72 000 hab. – Fondée en 670, capitale de l'Ifriqiya, elle fut ruinée au XIe siècle. – La Grande Mosquée de Sidi Uqba, chef-d'œuvre d'équilibre et de puissance, a été fondée dès 670, mais sa forme définitive date de 800 à 909 ; minbar (IXe s.) et maqsura (XIIe s.). Mosquée des Trois Portes (866, restaurée) ; monuments (XVIIIe-XIXe s.).

KAISER [kajzœr] ou [kɛzɛr] n.m. (lat. *Caesar*). Empereur d'Allemagne, en partic. l'empereur Guillaume II.

KAISER (Georg), auteur dramatique allemand (Magdebourg 1878 - Ascona, Suisse, 1945). Ses drames historiques et philosophiques sont une des meilleures illustrations de l'expressionnisme (*les Bourgeois de Calais,* 1914 ; *Gaz,* 1918).

KAISER (Henry John), industriel américain (Sprout Brook, New York, 1882 - Honolulu 1967). Important producteur de ciment avant la Seconde Guerre mondiale, il appliqua durant le conflit les techniques de la préfabrication à la construction maritime et construisit le tiers de la flotte qui permit le débarquement en Europe. Il est le créateur de la Jeep.

KAISERSLAUTERN, v. d'Allemagne (Rhénanie-Palatinat) ; 97 625 hab.

KAKEMONO [kakemɔno] n.m. (mot jap., *chose suspendue*). Peinture ou calligraphie japonaise, sur soie ou papier, qui se déroule verticalement.

1. **KAKI** n.m. Fruit du plaqueminier, à pulpe molle et sucrée, ayant l'aspect d'une tomate. SYN. : **figue caque, plaquemine.**

fleur

plaqueminier

fruits (kakis)

KAKI

2. **KAKI** adj. inv. Brun-jaune (couleur de la tenue de campagne de nombreuses armées). ◆ n.m. AFRIQUE. Coutil servant à faire des uniformes, quelle qu'en soit la couleur.

KAKINADA ou **COCANADA,** port de l'Inde, sur le golfe du Bengale ; 327 407 hab.

KALA-AZAR n.m. Maladie parasitaire due à un protozoaire (leishmania), qui sévit en Orient et dans le bassin méditerranéen, et qui est caractérisée par une augmentation du volume de la rate, du foie et des ganglions.

La cour et la façade de la salle de prière de la Grande Mosquée de Sidi Uqba à **KAIROUAN.**

KALACHNIKOV n.m. Fusil soviétique de 7,62 mm, à chargeur en portion de cercle contenant 30 cartouches.

KALAHARI, désert de l'Afrique australe, entre les bassins du Zambèze et de l'Orange.

KALAMÁTA, port de Grèce (Péloponnèse) ; 43 838 hab.

KALATOZOV (Mikhaïl Konstantinovitch), cinéaste soviétique (Tiflis, auj. Tbilissi, 1903 - Moscou 1973). Son œuvre oscille entre le documentaire et la fiction au romantisme flamboyant : *le Sel de Svanetie* (1930), *le Clou dans la botte* (1932), *Quand passent les cigognes* (1957), *Je suis Cuba* (1964).

KALDOR (Nicholas), économiste britannique (Budapest 1908 - Papworth Everard, Cambridgeshire, 1986). On lui doit des travaux sur les fluctuations cycliques, la croissance et la distribution des revenus.

KALÉ n. inv. et adj. inv. Gitan.

KALÉIDOSCOPE n.m. (du gr. *kalos,* beau, *eidos,* aspect, et *skopein,* regarder). Appareil formé d'un tube opaque, contenant plusieurs miroirs disposés de façon que l'objet regardé ou les petits objets colorés placés dans le tube y produisent des dessins symétriques et variés.

KALÉIDOSCOPIQUE adj. D'un kaléidoscope.

Kalevala (le), épopée finnoise, composée de fragments recueillis par Elias Lönnrot de la bouche des bardes populaires (1833-1849). Élevée, dès sa parution, au rang d'épopée nationale, cette œuvre monumentale d'inspiration pacifiste célèbre les charmes du Nord et glorifie les vertus familiales, la sagesse en même temps que la puissance et la magie du verbe.

KALGAN, en chin. Zhangjiakou, v. de Chine (Hebei) ; 750 000 hab.

KALI n.m. (ar. *qalī,* soude). Plante du littoral, à feuilles épineuses, riche en soude. (Famille des chénopodiacées.)

KALI, divinité redoutable du panthéon hindouiste, épouse de Shiva, déesse de la Mort.

KALICYTIE n.f. Taux de potassium dans les cellules des tissus et dans les globules du sang.

KALIDASA, poète indien (ive-ve s.). Son chef-d'œuvre *Shakuntala* marque l'apogée du drame sanskrit.

KALIÉMIE n.f. Taux de potassium dans le plasma sanguin.

KALIMANTAN, nom indonésien de Bornéo, désignant parfois aussi seulement la partie administrative indonésienne de l'île.

KALININE → TVER.

KALININE (Mikhaïl Ivanovitch), homme politique soviétique (Verkhniaïa Troïtsa, près de Tver, 1875 - Moscou 1946), président du Tsik (Comité exécutif central des soviets) de 1919 à 1936, puis du praesidium du Soviet suprême (1938-1946).

KALININGRAD, anc. Königsberg, port de Russie, ch.-l. d'une enclave (couvrant 15 000 km²) sur la Baltique ; 401 000 hab. – Cathédrale du xive siècle.

KALISZ, v. de Pologne, ch.-l. de voïévodie ; 106 500 hab. – Églises (du xiiie au xviiie s.).

KALMAR, port de la Suède méridionale ; 56 206 hab. – Château des xiiie-xvie siècles (musée), cathédrale baroque du xviie.

Kalmar *(Union de),* union, sous un même sceptre, du Danemark, de la Suède et de la Norvège, instaurée en 1397 et rompue par l'insurrection suédoise de Gustave Vasa (1521-1523).

KALMOUKIE *(République de),* rép. de la Fédération de Russie ; 75 900 km² ; 322 000 hab. Cap. *Elista.*

KALMOUKS, peuple mongol vivant en Russie, en Mongolie et dans le Xinjiang. Une de leurs tribus s'établit en 1643 sur la basse Volga.

KALOUGA, v. de Russie, sur l'Oka ; 312 000 hab.

KAMA (la), riv. de Russie, affl. de la Volga (r. g.) qui draine l'est de la plaine russe et la bordure ouest de l'Oural ; 2 032 km.

KAMAKURA, v. du Japon (Honshu) ; 174 307 hab. – La cité a donné son nom à une période (1185/1192-1333) marquée par le shogunat de Minamoto no Yoritomo et de ses fils, dont elle fut la capitale, puis par la régence des Hojo. Plusieurs fois détruite entre 1333 et 1526, elle conserve de nombreux monuments, parmi lesquels plusieurs temples fondés au xiiie siècle ; statue colossale de Bouddha en bronze (1252). Musées.

KAMALA n.m. Plante dont le fruit est employé pour la teinture des tissus et comme médicament ténifuge. (Famille des euphorbiacées.)

Kama-sutra, traité de l'art d'aimer, écrit en sanskrit entre le ive et le viie siècle.

KAMBA ou **AKAMBA,** population bantoue des plateaux du Kenya.

KAMENEV (Lev Borissovitch **Rozenfeld,** dit), homme politique soviétique (Moscou 1883 - id. 1936). Proche collaborateur de Lénine depuis 1902-03, membre du bureau politique du Parti (1919-1925), il rejoignit Trotski dans l'opposition à Staline (1925-1927). Jugé lors des procès de Moscou (1936), il fut exécuté. Il a été réhabilité en 1988.

KAMENSK-OURALSKI, v. de Russie, au pied de l'Oural ; 209 000 hab. Métallurgie.

KAMERLINGH ONNES (Heike), physicien néerlandais (Groningue 1853 - Leyde 1926). Il a liquéfié l'hélium (1908), étudié les phénomènes physiques au voisinage du zéro absolu et découvert ainsi la supraconductivité (1911). [Prix Nobel 1913.]

KAMI n.m. (mot jap., *seigneur*). Être surnaturel, divinité, dans la religion shintoïste.

KAMICHI [kamiʃi] n.m. Oiseau échassier d'Amérique du Sud, aux ailes armées de deux éperons.

KAMIKAZE [kamikaz] ou [-kaze] n.m. (mot jap., *vents divins*). Pilote japonais volontaire pour écraser son avion chargé d'explosifs sur un objectif ; cet avion lui-même (en 1944-45).

KAMLOOPS, v. du Canada (Colombie-Britannique) ; 57 466 hab. Nœud ferroviaire.

KAMMERSPIEL [kamərʃpil] n.m. (mot all., *théâtre de chambre*). -1. Technique dramatique théâtrale visant à créer sur scène une plus grande intimité en s'attachant à la simplification du décor. -2. Genre cinématographique inspiré de cette technique dramatique.

KAMPALA, cap. de l'Ouganda ; 550 000 hab.

KAMPTOZOAIRE n.m. Animal marin microscopique pourvu d'une couronne de tentacules ciliés entourant la bouche et l'anus.

KAMTCHATKA, péninsule montagneuse et volcanique de la Sibérie, entre les mers de Béring et d'Okhotsk. Ses côtes sont jalonnées de ports de pêche (crabe et saumon).

KANA n.m. inv. Signe de l'écriture japonaise, à valeur syllabique.

KANAK, E adj. et n. → CANAQUE.

KANAK ou **CANAQUES,** peuple habitant essentiellement la Nouvelle-Calédonie, mais aussi Vanuatu, l'Australie et la Papouasie-Nouvelle-Guinée. Malgré une relative diversité linguistique, ils se caractérisent par une forte unité culturelle. Ayant été contraints d'abandonner leurs terres aux Français durant le XIXᵉ siècle, ils ont créé des partis politiques dont certains demandent l'indépendance, alors que d'autres réclament la récupération des terres. (→ NOUVELLE-CALÉDONIE.) Leur économie repose sur la culture, l'élevage et le travail dans les mines de nickel.

KANAMI → ZEAMI.

KANANGA, anc. Luluabourg, v. de la République démocratique du Congo (anc. Zaïre), sur la Lulua, affl. du Kasaï ; 291 000 hab.

KANÁRIS ou **CANARIS** (Konstandínos), amiral et homme politique grec (Psará v. 1790 - Athènes 1877). Il joua un grand rôle dans la guerre de l'Indépendance (1822-1825).

KANAZAWA, port du Japon (Honshu) ; 442 868 hab. — Résidence seigneuriale (XIXᵉ s.) ; célèbres jardins.

KANCHIPURAM ou **CONJEEVERAM,** v. de l'Inde (Tamil Nadu), au S.-O. de Madras ; 169 813 hab. — Capitale des Pallava puis des Cola, elle fut occupée ensuite par les musulmans. C'est une des sept villes saintes de l'Inde. Nombreux temples de Shiva, de Vishnou et jaïna des VIIIᵉ-XVIᵉ siècles.

KANDAHAR ou **QANDAHAR,** v. du sud de l'Afghanistan ; 209 000 hab.

KANDINSKY (Wassily), peintre russe, naturalisé allemand, puis français (Moscou 1866 - Neuilly-sur-Seine 1944).
→ ● DOSSIER WASSILY KANDINSKY *page 3026.*

KANDJAR n.m. Poignard turc et albanais à grand pommeau et à lame étroite et recourbée.

KANDY, v. de Sri Lanka. Capitale de Sri-Lanka de la fin du XVIᵉ au début du XIXᵉ siècle, Kandy est un centre de pèlerinages bouddhiques. Temple du Dalada Maligawa (XVIᵉ-XXᵉ s.). Dans les environs, temples du XIVᵉ siècle : Lankatilaka Vihara et Gadaladeniya ; jardin botanique.

KANE (Cheikh Hamidou), écrivain sénégalais (Matam 1928). Son roman *l'Aventure ambiguë* (1961) montre la difficulté de choisir entre une Afrique tournée vers le passé et les valeurs spirituelles et l'Occident enragé de progrès.

KANEM *(royaume du),* ancien royaume africain, situé à l'est du lac Tchad, dont la population était formée de Kanouri et qui connut un premier épanouissement entre le XIᵉ et le XIVᵉ siècle, avant de se fondre, au XVIᵉ siècle, dans le royaume du Bornou.

KANGCHENJUNGA, troisième sommet du monde, dans l'Himalaya, entre le Sikkim et le Népal ; 8 586 m.

KANGOUROU n.m. Mammifère australien, de l'ordre des marsupiaux, aux membres postérieurs très longs permettant le déplacement par bonds. (Le mâle peut atteindre 1,50 m de

KANGOUROU

haut ; la femelle conserve son petit pendant six mois env. dans une poche ventrale.)

KANGXI ou **K'ANG-HI** (Pékin 1654 - *id.* 1722), empereur de Chine de la dynastie Qing (1662-1722). Homme de lettres tolérant, il accepta des jésuites à sa cour.

KANJI n.m. inv. Signe de l'écriture japonaise, à valeur idéographique.

KANNARA ou **CANARA** n.m. Langue dravidienne parlée au Karnataka.

KANO, v. du Nigeria ; 552 000 hab. Aéroport. Université. — Ancienne capitale du royaume de Kano (XIᵉ s.-début du XIXᵉ s.).

KANO, lignée de peintres japonais ayant travaillé entre le XVᵉ et le XIXᵉ siècle, et dont les principaux représentants sont : **Kano Masanobu** (1434-1530), fondateur de l'école ; **Kano Motonobu** (Kyoto 1476 - *id.* 1559), qui créa de vastes compositions murales aux lignes vigoureuses et au coloris brillant (Kyoto, temple du Daitoku-ji et du Myoshin-ji) ; **Kano Eitoku** (Yamashiro 1543 - Kyoto 1590), petit-fils du précédent, qui eut, par son style grandiose et décoratif, une influence considérable, notamment sur son fils adoptif Sanraku.

KANO *(royaume de),* royaume haoussa qui eut pour capitale Kano, cité-État fondée au XIᵉ siècle. Prospère dès le XIVᵉ siècle, ce royaume devint un important foyer de culture musulmane. Il tomba aux mains des Peul en 1807.

KANPUR ou **CAWNPORE**, v. de l'Inde (Uttar Pradesh), sur le Gange ; 2 111 284 hab.

KANSAS, un des États unis d'Amérique ; 213 063 km² ; 2 477 574 hab. Aux produc-tions agricoles (blé, maïs, soja) s'ajoutent l'élevage bovin et l'industrie, représentée par la pétrochimie, l'aéronautique et l'agroalimentaire. Cap. *Topeka.*

KANSAS CITY, nom donné à deux villes jumelles des États-Unis (Missouri et Kansas) ; 149 767 hab. pour la conurbation, sur le Missouri. Aéroport. Grand marché agricole. — Musée d'art.

KANT (Immanuel), philosophe allemand (Königsberg 1724 - *id.* 1804).
→ ● **DOSSIER** IMMANUEL KANT *page 3029.*

KANTARA (El-), gorges d'Algérie, à l'ouest de l'Aurès, ouvrant sur l'oasis de Beskra.

KANTIEN, ENNE [kɑ̃sjɛ̃, ɛn] adj. Relatif à la philosophie de Kant.

KANTISME n.m. Philosophie de Kant.

KANTOR (Tadeusz), artiste, écrivain et metteur en scène polonais (Wielopole, près de Cracovie, 1915 - Cracovie 1990). À l'avant-garde du théâtre, ses happenings et ses spectacles de « théâtre de la mort » du groupe Cricot 2 sont devenus des références (*la Classe morte,* de Witkiewicz, 1975).
(*Voir illustration p. suivante.*)

KANTOROVITCH (Leonid Vitalievitch), mathématicien et économiste soviétique (Saint-Pétersbourg 1912 - Moscou 1986). Il avait

Détail d'un paravent peint par **KANO EITOKU.**
(Monastère de Daitoku-ji, Kyoto.)

Tadeusz **KANTOR** : *la Classe morte.*
(Théâtre national de Chaillot, Paris, 1977.)

restauré en U. R. S. S. une certaine conception du profit. (Prix Nobel 1975.)

KAOHSIUNG ou **GAOXIONG,** port du sud-ouest de Taïwan ; 1 343 000 hab. Centre industriel.

KAOLACK, v. du Sénégal, sur le Saloum ; 132 000 hab. Exportations d'arachides. Huileries.

KAOLIANG [kaɔljã] n.m. Sorgho à panicule lâche, cultivé en Extrême-Orient.

KAOLIN n.m. Roche argileuse, blanche et friable, composée essentiellement de kaolinite, et qui entre dans la composition de la porcelaine dure.

KAOLINISATION n.f. Formation du kaolin par altération des feldspaths alcalins des granites.

KAOLINITE n.f. Silicate naturel d'aluminium, appartenant au groupe des argiles, principal constituant du kaolin.

KAON ou **KA** n.m. Particule élémentaire (K), neutre ou chargée positivement ou négativement, et dont la masse vaut 965 fois celle de l'électron.

KAPITSA (Petr Leonidovitch), physicien soviétique (Kronchtadt 1894 - Moscou 1984). Ses premiers travaux, réalisés en Grande-Bretagne, concernaient la magnétostriction et la production de champs magnétiques intenses ; ils le menèrent à des recherches sur la fusion thermonucléaire contrôlée, dont il fut un pionnier en U. R. S. S. Il a aussi étudié les très basses températures et découvert la superfluidité de l'hélium liquide. (Prix Nobel 1978.)

KAPLAN (Viktor), ingénieur autrichien (Mürzzuschlag 1876 - Unterach 1934). On lui doit les turbines-hélices hydrauliques à pas variable qui portent son nom, adaptées aux grands débits sous de faibles hauteurs de chute.

KAPOK [kapɔk] n.m. Duvet végétal, très léger et imperméable, qui entoure les graines de certains arbres (fromager, kapokier), et que l'on utilise notamm. pour le rembourrage des coussins.

KAPOKIER n.m. Arbre asiatique qui produit le kapok. (Famille des malvacées.)

Kaposi *(sarcome* ou *syndrome de),* maladie maligne de type sarcomateux, qui est la complication la plus fréquente du sida.

Kapoustine Iar, base russe de lancement de missiles et d'engins spatiaux, au nord-ouest de la mer Caspienne, en bordure de la Volga.

KAPPA n.m. inv. Dixième lettre de l'alphabet grec (K, κ), correspondant au *k* français.

KAPTEYN (Jacobus Cornelius), astronome néerlandais (Barneveld 1851 - Amsterdam 1922). Il s'efforça de préciser la structure de la Galaxie par des dénombrements d'étoiles en fonction de leur magnitude dans une série de régions du ciel *(Selected Areas),* régulièrement réparties sur la sphère céleste. Il développa ainsi les études de statistique stellaire.

KARA *(mer de),* mer de l'océan Arctique, entre la Nouvelle-Zemble et le continent, et reliée à la mer de Barents par le *détroit de Kara.*

KARABAKH (HAUT-), région de l'Azerbaïdjan ; 4 400 km² ; 188 000 hab. Cap. *Stepanakert.* — Il est peuplé majoritairement d'Arméniens qui revendiquent son rattachement à la République d'Arménie. Ils y proclament unilatéralement une République (1991). En 1993, leurs forces armées remportent d'importants succès sur les Azerbaïdjanais.

KARA-BOGAZ, golfe en voie de dessèchement, sur la côte est de la Caspienne, au Turkménistan. Salines.

KARACHI, port et plus grande ville du Pakistan, sur la mer d'Oman ; 5 181 000 hab. Centre industriel. — Capitale du pays jusqu'en 1959.

KARADJORDJEVIĆ, dynastie serbe fondée par Karageorges, qui a donné à la Serbie le prince **Alexandre Karadjordjević** (1842-1858) et le roi **Pierre Iᵉʳ** (1903-1921), puis à la Yougoslavie les rois **Alexandre Iᵉʳ** (1921-1934) et **Pierre II** (1934-1945), dont **Paul Karadjordjević** assuma la régence (1934-1941).

KARADŽIĆ (Vuk), écrivain serbe (Tršić 1787 - Vienne 1864). Il recueillit les contes populaires de son pays et s'employa à la réforme de la langue serbe.

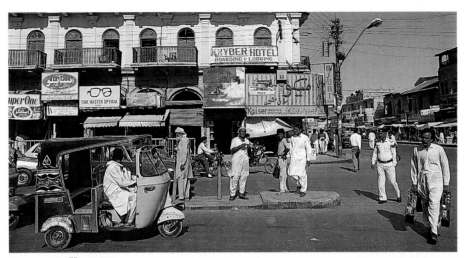

Un aspect de **KARACHI**.

KARAGANDA, en kazakh Karagandy, v. du Kazakhstan, au cœur du *bassin houiller de Karaganda ;* 614 000 hab. Sidérurgie.

KARAGEORGES ou **KARADJORDJE** (Djordje Petrović), fondateur de la dynastie des Karadjordjević (Viševac v. 1768 - Radovanje 1817). D'origine paysanne, il fut le chef de l'insurrection contre les Ottomans (1804). Proclamé prince héréditaire des Serbes (1808), il dut s'exiler (1813). De retour en Serbie (1817), il fut assassiné.

KARAÏTE, CARAÏTE ou **QARAÏTE** adj. et n. (hébr. *qaraïm,* fils des Écritures). Se dit d'un mouvement religieux issu du judaïsme, qui ne reconnaît que la seule autorité de la Torah.

KARAJAN (Herbert von), chef d'orchestre autrichien (Salzbourg 1908 - *id.* 1989). Chef d'orchestre permanent du Philharmonia Orchestra de Londres (1950), il est nommé en 1954 chef d'orchestre à vie de l'Orchestre philharmonique de Berlin. Il a pris la succession de K. Böhm comme directeur artistique de l'Opéra de Vienne (1957-1964, avec qui il devait renouer en 1977). En 1967, il crée le festival de Pâques de Salzbourg, consacré essentiellement aux opéras de Wagner.

KARAKALPAKS, peuple turc et musulman de l'Asie centrale, habitant, au sud de la mer d'Aral, la *République autonome de Karakalpakie* (Ouzbékistan) [1 214 000 hab.] Cap. *Noukous.*

KARAKORUM ou **KARAKORAM,** massif du Cachemire, portant des sommets très élevés (K2, Gasherbrum) et de grands glaciers.

KARAKOUM, partie la plus aride de la dépression aralo-caspienne (Turkménistan).

KARAKUL ou **CARACUL** [karakyl] n.m. Mouton d'Asie centrale, d'une variété à toison longue et ondulée ; cette fourrure. (Le karakul né avant terme fournit le breitschwanz.)

KARAMANLÍS ou **CARAMANLIS** (Konstandínos ou Constantin), homme d'État grec (Proti, Serrai, 1907). Trois fois Premier ministre de 1955 à 1963, puis à nouveau au pouvoir après la restauration de la démocratie (1974), il a été président de la République de 1980 à 1985 et de 1990 à 1995.

KARAMZINE (Nikolaï Mikhaïlovitch), écrivain russe (Mikhaïlovka, gouvern. de Simbirsk, 1766 - Saint-Pétersbourg 1826). Fondateur du *Messager de l'Europe* (1802), il est l'auteur du premier grand ouvrage historique publié en Russie, *Histoire de l'État russe* (1816-1829).

KARAOKÉ n.m. Divertissement collectif consistant à chanter sur une musique préenregistrée.

KARATCHAÏS, peuple turc et musulman du Caucase du Nord. Déportés en 1943-44, les Karatchaïs purent, après 1957, regagner la *région autonome des Karatchaïs-Tcherkesses,* auj. *République des Karatchaïs-Tcherkesses* (Fédération de Russie). [418 000 hab.]. Cap. *Tcherkessk.*

KARATÉ n.m. Sport de combat et art martial d'origine japonaise, dans lequel les adversaires combattent de façon fictive, les coups étant arrêtés avant de toucher.

WASSILY KANDINSKY

Au fil d'une recherche méthodiquement menée entre 1910 (date de sa première aquarelle abstraite) et 1914, Kandinsky a banni les « objets » de sa peinture, s'est éloigné du donné des sens et a consacré le définitif divorce de l'« art et de la nature comme des domaines absolument séparés ». En même temps qu'il assurait ainsi le triomphe de l'abstraction dans son art (processus dont il s'est expliqué dans *Du spirituel dans l'art*), il ouvrait une voie majeure à la peinture moderne.

Les années de formation.

UN SOUVENIR DE KANDINSKY
Retraçant un souvenir dont il est difficile de dire s'il n'est pas quelque peu inconsciemment reconstruit, l'artiste a parlé de la véritable révélation qu'aurait été pour lui la vue fortuite d'un de ses tableaux accroché, par mégarde, à l'envers : « Je sus alors expressément que les "objets" nuisaient à ma peinture », écrit-il.

Plus que par les cours de dessin et de peinture, le jeune Kandinsky est d'abord marqué par le spectacle de Moscou, ville où il est né en 1866, puis, pendant ses études de droit et d'économie (1886-1892), par la découverte de l'art populaire richement ornemental de la région de Vologda. Il découvre également Rembrandt, puis Monet, dont une *Meule* est exposée à Moscou en 1895. En 1896, ayant décidé de se vouer entièrement à la peinture, il s'installe à Munich, qui est alors le carrefour des mouvements picturaux les plus audacieux. Puis, de 1902 à 1907, il effectue une série de voyages (France, Hollande, Tunisie, Italie, Russie). Ses essais picturaux se ressentent alors de l'influence de l'impressionnisme, du Jugendstil (l'Art nouveau allemand) et d'un romantisme d'inspiration profondément russe (séries de bois gravés, dessins, toiles).

« Nécessité intérieure » et abstraction.

Lorsqu'il retourne à Munich, Kandinsky peint avec une hardiesse proche du fauvisme (paysages de Murnau, 1908-1909), mais parvient rapidement à une simplification très personnelle des formes, assortie de couleurs denses (*Improvisation III*, 1909, M. N. A. M., Paris). Bientôt, d'abord dans ses aquarelles (œuvre dite « première aquarelle abstraite de l'histoire de l'art », 1910, *ibid.*), puis dans ses toiles *(Avec l'arc noir,* 1912, *ibid.)*, sa peinture débouche sur une abstraction que caractérisent une bidimensionnalité affirmée, un espace arbitraire, des éléments graphiques et des couleurs autonomes.

Profondément réfléchie sans que jamais l'élaboration théorique précède la création, son œuvre s'accompagne d'écrits fondamentaux : en 1911, l'année même où, avec Franz Marc, Alfred Kubin et d'autres, il crée le groupe du Cavalier bleu (→ BLAUE REITER), il fait paraître *Du spirituel dans l'art*. Cet essai fonde la liberté inventive et le lyrisme sur la « nécessité intérieure », dont l'*Almanach* du Blaue Reiter (1912) présente divers exemples. En une démarche systématique, le peintre produit au cours des années allant de 1909 à 1914 des « Impressions », inspirées de la nature, des « Improvisations », qui puisent aux sources intérieures, et des « Compositions » qui mêlent la richesse intuitive à l'élaboration la plus exigeante (*Composition VI*, 1913, Ermitage, Saint-Pétersbourg).

Une « géométrie lyrique » à l'époque du Bauhaus.

En 1914, lorsque la guerre éclate, Kandinsky rentre à Moscou. Bientôt, dans l'enthousiasme de la révolution, il aborde des activités organisationnelles : en 1918, il est attaché au département des beaux-arts du commissariat populaire à l'Éducation et enseigne aux Vkhoutemas (Ateliers supérieurs d'art et de technique) ; en 1920, il participe à la création de l'Inkhouk (Institut de la culture artistique). ˋ

Au cours de cette période, où il remplit d'importantes fonctions, Kandinsky, cependant, peint peu. En 1921, il part vivre en Allemagne avec Nina Andreïevski, qu'il a épousée en 1917.

Engagé en 1922 au Bauhaus de Weimar, il peut alors appliquer le programme pédagogique élaboré pour l'Inkhouk mais jamais réalisé à Moscou. Dans ses cours comme dans sa peinture, le but essentiel est d'atteindre la structure des choses et de faire du signe un symbole ; ainsi se définit une nouvelle orientation de son art, une « géométrie lyrique » (*Jaune, rouge, bleu*, 1925, M. N. A. M.) qu'il explore dans les œuvres de la

« LES YEUX DE L'ÂME »
Dans un texte de 1916, Kandinsky proclame : « À partir des données extérieures de la nature [l'artiste innovateur crée], irrésistiblement, une nature intérieure. Il ne reflète pas la chose, mais l'esprit de cette chose, tel que son rêve le lui présente. [Il rend la nature] telle qu'elle apparaît au plus profond de [son] être. La main est inconsciemment et inconditionnellement soumise à l'âme, et l'artiste ne s'estime pas satisfait avant que son dessin ne soit l'impression exacte de ce qu'il contemple avec les yeux de l'âme [...], pays spirituel [qu'il] est obligé de faire voir à ses semblables [non pour sa propre satisfaction, mais] pour celle du spectateur.» *Simple* ❶, dans cet esprit, apparaît comme une œuvre de pure spontanéité poétique, tandis qu'*Accord réciproque* ❷ se ressent des processus d'intellectualisation développés par le Bauhaus.

❶ *Simple,* aquarelle, 1916.
(M. N. A. M., Paris.)

WASSILY KANDINSKY

période « architecturale » (1920-1924) et de la période « des cercles » (1925-1927), ainsi que dans le livre *Point, ligne, surface* (1926) et dans les publications du Bauhaus. L'inventaire des ressources des formes géométriques et des couleurs se poursuit à Dessau et à Berlin (→ BAUHAUS).

L'époque parisienne.

Lorsque le Bauhaus est fermé par les nazis en 1933, l'artiste vient s'installer en France (à Neuilly), où il est peu connu. Son œuvre s'accomplit alors avec une intuition lyrique et une invention déductive des formes, associant des signes géométriques et des éléments souples et sinueux, des couleurs accordées avec une science subtile et complexe (*Courbe dominante*, 1936, musée Guggenheim, New York). Formes chimériques et motifs décoratifs de sources slaves et asiatiques (*Bleu de ciel*, 1940, M. N. A. M. ; *Élan tempéré*, 1944, *ibid.*) prennent alors place dans le répertoire poétique d'une œuvre dont le cheminement et la richesse ont largement irrigué l'art du xxᵉ siècle. La plupart des œuvres que conserve le musée national d'Art moderne, à Paris, lui ont été données par Nina Kandinsky.

Voir aussi : L'ART ABSTRAIT, BAUHAUS, BLAUE REITER.

❷ *Accord réciproque,* huile et Ripolin sur toile, 1942. (M. N. A. M., Paris.)

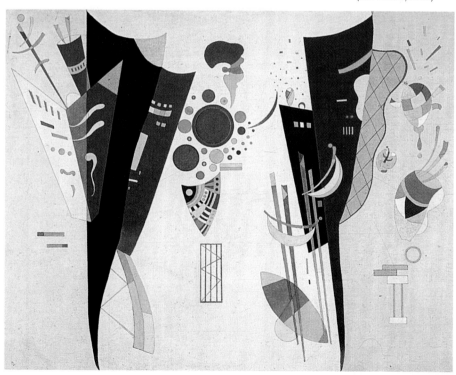

D   O   S   S   I   E   R

IMMANUEL KANT

Le criticisme kantien est un rationalisme dont l'originalité est de ne pas chercher à édifier un « système », comparable à ceux de Descartes ou de Leibniz, mais de s'attacher à circonscrire les limites à l'intérieur desquelles la raison peut connaître, et ce, en dégageant les conditions a priori de toute connaissance.

Né en 1724 à Königsberg dans une famille modeste, Kant obtient le grade de docteur à l'université en 1755, ce qui l'autorise à donner des cours en qualité de Privatdozent. Il n'est nommé professeur ordinaire à la chaire de logique et de métaphysique qu'en 1770. Célibataire, il mène une vie austère, entièrement consacrée à l'étude et à l'enseignement.

L'activité philosophique.

La carrière philosophique de Kant est classiquement divisée en trois parties : une phase précritique (1746-1781), une période constitutive d'une doctrine à laquelle Kant donne le nom de « criticisme » – pour marquer nettement son opposition au dogmatisme (1781-1790) –, et une phase défensive/offensive (1790-1800).

La période précritique. Elle recouvre tous les écrits de Kant antérieurs à la *Critique de la raison pure* (1781), exception faite pour sa thèse d'habilitation, appelée la « Dissertation » de 1770. Les écrits publiés avant 1770 portent sur des questions de physique et de philosophie. Sa vocation de physicien laisse définitivement place à une vocation de philosophe lorsqu'il présente sa Dissertation de 1770. Ce texte pose le double problème de la philosophie critique : déterminer l'origine de nos connaissances et saisir les limites de l'usage de nos concepts. La remise en question des sources de la connaissance intellectuelle ne pouvait qu'amener Kant à déterminer d'une autre manière la nature et les limites de la métaphysique.

La période des critiques. Kant définit lui-même la *Critique de la raison pure* comme un traité de la méthode qui accomplit en philosophie une révolution analogue à la révolution copernicienne. Cet exposé fondamental de la théorie kantienne de la connaissance entend également montrer en quoi « la philosophie a besoin d'une science qui détermine la possibilité, les principes et l'étendue de toutes les connaissances a priori ». L'analyse de la raison humaine fait apparaître que les principes qui fondent toutes les sciences théoriques de la raison ne sont que des jugements synthétiques a priori. Les mathématiques, notamment, ne contiennent que des connaissances de cette nature. Kant appelle « transcendantale » cette « connaissance qui, en général, s'occupe moins des objets que de nos concepts a priori des objets ». Dès qu'on accorde à la raison que ses idées ont un objet réel, elle tombe inévitablement en contradiction avec elle-même, car il est également facile et arbitraire de soutenir alternativement que le monde a un commencement ou non, que l'âme est immortelle ou non, etc. L'« analytique transcendantale » étudie les conditions d'une connaissance pure objective. Ainsi la *Critique...* limite la raison à un usage scientifique en dénonçant l'illusion de la métaphysique théorique et en établissant l'objectivité des principes de la science.

Kant tente de toucher un large public au moyen d'un écrit où il essaie d'élaborer les principes d'une morale selon l'esprit de la critique : le *Fondement de la métaphysique des mœurs* (1785). Cette morale n'établit à proprement parler « aucun principe nouveau mais seulement une formule nouvelle de la moralité». C'est dans ce texte que l'idée du devoir est ramenée à celle d'un *impératif catégorique* et que le philosophe va s'employer à développer ses idées sur la nature et la liberté. Comme le montre ensuite la *Critique de la raison pratique* (1788), la raison théorique et la raison pratique sont à la fois distinctes et en accord. La raison théorique ouvre le champ à la raison pratique, seule capable de fournir un objet réel à ses idées, mais la raison pratique ne doit pas pour autant tenter d'intervenir dans l'œuvre de la raison théorique. Kant va compléter son système par la publication, en 1790, d'une troisième critique, la *Critique de la faculté de juger,* ou *Critique du jugement,* qui tente essen-

RAISON ET LOI MORALE
Kant ❶, qui mena à Königsberg ❷, sa ville natale, une vie de métronome, s'employa à préserver la raison de ses errements possibles et à garantir l'universalité d'une morale rigoureuse. En lui, les Lumières s'accomplirent.

❶ Portrait de Kant par Hans Kurth (1931). Détail.

IMMANUEL KANT

tiellement de résoudre un problème capital : celui de l'inter-subjectivité, qui, par excellence, se révèle dans l'acte esthé-tique, puisque l'individu attribue à son sentiment particulier et personnel une valeur universelle ou, tout au moins, une valeur « pour autrui ». Pendant ses dernières années, Kant publie des écrits traitant surtout de philosophie pratique, dont la *Métaphysique des mœurs* (1797), qui constitue son dernier grand traité. Dans le *Projet de paix perpétuelle* (1795), il entre-prend de déterminer les conditions de la paix perpétuelle entre les nations.

Kantisme, kantisme critique et néokantisme.

À partir de 1786, des commentateurs et des disciples directs de Kant apparaissent en Allemagne. Vers la même époque, divers philosophes commencent à vouloir dépasser le kantisme ; parmi eux, on peut citer F. H. Jacobi et Herder (*Métacritique*, 1799). L'opposition à Kant et l'effort pour « dépasser » le criti-cisme aboutissent aux grandes métaphysiques postkantiennes de Fichte, de Schelling et de Hegel.

Le criticisme ressuscite dans les années 1860-1870, dominant la philosophie européenne de 1870 à 1920 (Lachelier, Duhem, Boutroux, Bachelard).

❷ Vue de la ville de Königsberg.

KARATÉKA n. Personne qui pratique le karaté.

KARAVELOV (Ljuben), écrivain bulgare (Koprivštica 1834 - Ruse 1879). Journaliste, auteur de nouvelles (*Bulgares du temps jadis,* 1867), il joua un rôle déterminant dans la renaissance de son pays.

KARAWANKEN, massif des Alpes orientales (Autriche et Slovénie).

KARBALA ou **KERBELA,** v. de l'Iraq, au sud-ouest de Bagdad ; 108 000 hab. – Cité sainte chiite (tombeau de Husayn).

KARBAU ou **KÉRABAU** n.m. Buffle d'Asie aux cornes très longues et très écartées.

KARDEC (Denisard Léon Hippolyte Rivail, dit **Allan**), occultiste français (Lyon 1804 - Paris 1869), fondateur de la doctrine du spiritisme (*le Livre des esprits,* 1857).

KARDINER (Abram), anthropologue et psychanalyste américain (New York 1891 - Easton, Connecticut, 1981). Il se situe à la jonction de la psychanalyse et de l'anthropologie (*They studied Man,* 1961).

KAREN, peuple de Birmanie et de Thaïlande.

KARIBA, site de la vallée du Zambèze, entre la Zambie et le Zimbabwe. Important aménagement hydroélectrique.

KARIKAL, port de l'Inde, sur le golfe du Bengale, anc. établissement français (1739-1954) ; 61 875 hab.

KARITÉ n.m. Arbre de l'Afrique tropicale, dont les graines fournissent une matière grasse comestible, le beurre de karité.

KARKEMISH, v. de la Syrie ancienne, sur l'Euphrate. Le pharaon d'Égypte Néchao II y fut battu par Nabuchodonosor II, roi de Babylone, en 605 av. J.-C. – Vestiges de la citadelle néohittite, où ont été recueillis de nombreux orthostates typiques du style du début du Ier millénaire.

KARKONOSZE, en tchèque Krkonoše, en all. Riesengebirge, nom polonais des monts des Géants formant la bordure nord-est de la Bohême ; 1 602 m.

KARLFELDT (Erik Axel), poète suédois (Folkärna 1864 - Stockholm 1931), peintre de la vie paysanne et provinciale (*Chansons de Fridolin,* 1898). [Prix Nobel 1931.]

KARL-MARX-STADT → CHEMNITZ.

KARLOFF (Charles Edward Pratt, dit **Boris**), acteur de cinéma britannique naturalisé américain (Dulwich, près de Londres, 1887 - Midhurst, Sussex, 1969). *Frankenstein* (1931)

orienta sa carrière vers le film fantastique et d'épouvante.

KARLOVY VARY, en all. Karlsbad, v. de la Rép. tchèque (Bohême) ; 56 291 hab. Station thermale. – Cathédrale baroque (xvIII[e] s.).

Karlowitz *(traité de)* [26 janv. 1699], traité signé entre l'Empire ottoman et l'Autriche, la Pologne, la Russie et Venise, par lequel les Ottomans abandonnaient la Hongrie, la Transylvanie, la Podolie, la Dalmatie et la Morée.

KARLSKRONA, port de la Suède, sur la Baltique ; 59 054 hab. – Églises des xvII[e] et xvIII[e] siècles. Musée de la Marine.

KARLSRUHE, v. d'Allemagne (Bade-Wurtemberg) ; 270 659 hab. Siège de la Cour suprême de la République fédérale. – Musée régional (dans le château, du xvIII[e] s.) et riche musée des Beaux-Arts.

KARLSTAD, v. de Suède, sur le lac Vänern ; 76 467 hab. – Cathédrale (xvIII[e] s.). Musée.

KARMA ou **KARMAN** n.m. Principe fondamental des religions indiennes, qui repose sur la conception de la vie humaine comme maillon d'une chaîne de vies *(samsara),* chaque vie étant déterminée par les actes accomplis dans la vie précédente.

Colonnes de la salle hypostyle du sanctuaire d'Amon à **KARNAK.**

Karman *(méthode),* technique d'avortement par aspiration, efficace pendant les six premières semaines de la grossesse.

KARMAN (Theodor von), ingénieur américain d'origine hongroise (Budapest 1881 - Aix-la-Chapelle 1963). Il a résolu de nombreux problèmes d'hydrodynamique et d'aérodynamique. La première soufflerie supersonique des États-Unis fut construite à son initiative (1938).

KARNAK, site de Haute-Égypte, sur la rive est du Nil, à l'emplacement de l'ancienne Thèbes, l'une des capitales des pharaons. L'ensemble religieux — le plus grand d'Égypte — se compose de trois complexes, du nord au sud : l'enceinte du dieu Montou, dont le temple est l'œuvre d'Aménophis III ; l'enceinte du grand temple d'Amon, à l'extraordinaire enchevêtrement de constructions, où se décèle la marque de presque tous les souverains d'Égypte, jusqu'à l'époque romaine ; enfin l'enceinte de la déesse Mout, dont le temple, comme ceux d'Aménophis III et de Ramsès III, est en ruine. L'énorme salle hypostyle (102 × 53 m) du sanctuaire d'Amon, commencée sous Aménophis III, est l'œuvre majeure de la XIXᵉ dynastie. Le plafond est soutenu par une forêt de colonnes,

historiées, comme les parois, de textes religieux et de cérémonies rituelles.

KARNATAKA, anc. Mysore, État du sud de l'Inde ; 192 000 km² ; 44 817 398 hab. Cap. *Bangalore.*

KARROO ou **KAROO,** ensemble de plateaux étagés de l'Afrique du Sud.

KARST n.m. Région ou massif possédant un relief karstique.

KARST, en ital. **Carso,** en slovène **Kras,** nom allemand d'une région de plateaux calcaires de Slovénie.

KARSTIQUE adj. **-1.** Relatif au karst. **-2.** *Relief karstique,* relief particulier aux régions où les roches calcaires forment d'épaisses assises, et résultant de l'action, en grande partie souterraine, d'eaux qui dissolvent le carbonate de calcium.

KART [kart] n.m. Petit véhicule automobile de compétition, à embrayage automatique, sans boîte de vitesses, ni carrosserie, ni suspension.

KARTING [kartiŋ] n.m. Sport pratiqué avec le kart.

KASAÏ ou **KASSAÏ** (le), riv. d'Afrique (Angola et surtout Congo [anc. Zaïre]), affl. du Congo (r. g.) ; 2 200 km.

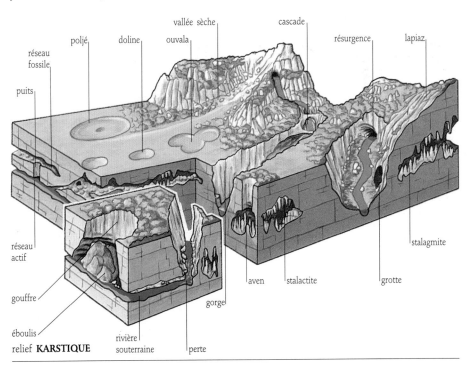

relief **KARSTIQUE**

KASHER, CASHER ou **CACHÈRE** [kaʃɛr] adj. inv. Se dit d'un aliment (viande, notamm.) conforme aux prescriptions rituelles du judaïsme, ainsi que du lieu où il est préparé ou vendu.

KASSEL, v. d'Allemagne (Hesse), anc. cap. de la Hesse, sur la Fulda ; 191 598 hab. — Musées, dont la riche Galerie de peinture ancienne (Rembrandt, Rubens, Van Dyck...). Depuis 1955, exposition quadriennale d'art contemporain « Documenta ».

KASSEM (Abd al-Karim), homme politique irakien (Bagdad 1914 - *id.* 1963). Leader de la révolution de 1958, qui renversa les Hachémites d'Iraq, il se heurta à de multiples oppositions et fut assassiné en 1963.

KASSITES, peuple du Zagros central, à l'ouest de l'Iran. Une dynastie kassite régna sur Babylone de 1595 env. à 1153 av. J.-C.

KASTLER (Alfred Henri Frédéric), physicien français (Guebwiller 1902 - Bandol 1984). Spécialiste de l'électronique quantique et de l'optique physique, il est surtout connu pour avoir réalisé, en 1950, l'inversion des populations d'électrons dans un atome. Ce procédé, dit de « pompage optique », est à l'origine des masers et des lasers. (Prix Nobel 1966.)

KÄSTNER (Erich), écrivain allemand (Dresde 1899 - Munich 1974). Évocateur de la fantaisie de l'enfance (*Émile et les détectives,* 1929), il critiqua avec férocité la société allemande pronazie (*Fabian,* 1931).

Kastrup, aéroport de Copenhague.

KASUGAI, v. du Japon (Honshu) ; 266 599 hab.

KATAÏEV (Valentine Petrovitch), écrivain soviétique (Odessa 1897 - Moscou 1986). Humoriste (*l'Île d'Ehrendorf,* 1924), dénonciateur des mentalités bourgeoises à travers sa comédie *la Quadrature du cercle* (1928), il écrivit sous l'influence de Maïakovski des romans qui illustrent le réalisme socialiste (*Ô temps, en avant,* 1932 ; *le Fils du régiment,* 1945).

KATANGA → SHABA.

KATAR → QATAR.

KATCHINA n.m. Chez les Indiens de l'Amérique du Nord, être surnaturel intermédiaire entre les dieux et les hommes ; masque qui le représente.

KATEB (Yacine), écrivain algérien d'expression française et arabe (Constantine 1929 - La Tronche, près de Grenoble, 1989). Son œuvre poétique, romanesque (*Nedjma,* 1956) et dramatique (*le Cadavre encerclé,* 1954 ; *la Guerre de deux mille ans,* 1974) analyse le destin politique et humain de son pays.

KATHAKALI n.m. Théâtre dansé du sud de l'Inde.

KATHIAWAR, presqu'île de l'Inde, sur la mer d'Oman.

KATMANDOU ou **KATMANDU,** cap. du Népal, à env. 1 300 m d'alt. ; 393 000 hab. — Capitale du pays depuis 1769, elle doit un pittoresque exceptionnel à ses temples bouddhiques et brahmaniques, à l'ensemble du palais royal (1576) et à sa belle architecture civile. Aux environs, stupas très vénérés : Bodnath, Svayambhunath.

KATONA (József), écrivain hongrois (Kecskemét 1791 - *id.* 1830). Il est le créateur de la tragédie nationale magyare (*Bánkbán,* 1821).

KATOWICE, v. de Pologne (Silésie) ; 366 900 hab. Centre industriel.

KATTEGAT → CATTÉGAT.

KATYN, village de Russie, à l'ouest de Smolensk. — Les cadavres d'environ 4 500 officiers polonais, abattus en 1940-41 par les Soviétiques, y furent découverts par les Allemands (1943). Ce massacre a été perpétré sur l'ordre de Staline (mars 1940), en vertu duquel près de 26 000 Polonais, civils et militaires, furent exécutés.

KATZ (Elihu), psychosociologue américain (Brooklyn 1926). Il a développé la thèse selon laquelle l'action des médias s'exerce à travers les guides d'opinion.

KAUNAS, v. de Lituanie, sur le Niémen ; 423 000 hab. Industries textiles et alimentaires. — Musées.

KAUNDA (Kenneth David), homme d'État zambien (Lubwa 1924). Premier président de la République de Zambie, il a été au pouvoir de 1964 à 1991.

KAUNITZ-RIETBERG (Wenzel Anton, *comte,* puis *prince* von), homme d'État autrichien (Vienne 1711 - *id.* 1794), chancelier d'État (1753-1792), partisan de l'alliance française et de la politique centralisatrice de Marie-Thérèse et de Joseph II.

KAUTSKY (Karl), homme politique autrichien (Prague 1854 - Amsterdam 1938). Secrétaire d'Engels (1881), marxiste rigoureux, il s'opposa au théoricien Eduard Bernstein, puis se rallia aux sociaux-démocrates, hostiles à l'action révolutionnaire.

KAVÁLA, port de Grèce (Macédoine) ; 58 576 hab.

KAVIRI ou **KAVERI** ou **CAUVERY** (la), fl. de l'Inde, tributaire du golfe du Bengale ; 764 km.

KAWA [kawa] n.m. -1. Poivrier d'une espèce commune aux îles Marquises et à Hawaii. -2. Boisson enivrante tirée de ce poivrier.

KAWABATA YASUNARI, écrivain japonais.

KAWABATA YASUNARI, écrivain japonais (Osaka 1899 - Zushi, près de Yokosuka, 1972). Se recommandant d'une esthétique marquée par les classiques bouddhiques (*Autobiographie littéraire,* 1934), il traduit dans ses nouvelles comme dans ses romans, à l'aide d'une langue classique, l'angoisse de la solitude, l'obsession de la mort, la fatalité des amours tragiques (*Pays de neige,* 1935-1948 ; *Nuée d'oiseaux blancs,* 1949-1951 ; *le Grondement de la montagne,* 1949-1954 ; *les Belles Endormies,* 1961 ; *Kyoto,* 1962). [Prix Nobel 1968.]

KAWAGOE, v. du Japon (Honshu) ; 304 854 hab.

KAWAGUCHI, v. du Japon (Honshu) ; 438 680 hab. Sidérurgie. Textile.

KAWALEROWICZ (Jerzy), cinéaste polonais (Gvozdets, Ukraine, 1922). Son premier film important, *Cellulose* (2 volets, 1953-54), rompait avec le cinéma traditionnel de la Pologne de l'immédiat après-guerre. Il affirmera ensuite sa personnalité dans *l'Ombre* (1956), *Train de nuit* (1959), *Mère Jeanne des Anges* (1961), *Austeria* (1982), *Pourquoi ?* (1995).

KAWASAKI, port du Japon (Honshu) ; 1 173 603 hab. Centre industriel.

KAYAK [kajak] n.m. (mot inuit). -1. Embarcation individuelle des Esquimaux, dont la carcasse de bois est recouverte de peaux cousues qui entourent l'emplacement du rameur. -2. Embarcation de sport étanche et légère, inspirée du kayak esquimau, propulsée par une pagaie double ; sport pratiqué avec cette embarcation.

KAYAKABLE adj. CANADA. Où l'on peut faire du kayak : *Rivière kayakable.*

KAYAKISTE n. Sportif pratiquant le kayak.

KAYES, v. du Mali, sur le fleuve Sénégal ; 67 000 hab.

KAYSERI, v. de Turquie, au sud-est d'Ankara ; 421 362 hab. — C'est l'ancienne Césarée de Cappadoce. — Citadelle seldjoukide et monuments anciens des XIIe-XVe siècles.

KAZAKH, E adj. et n. Du Kazakhstan. ◆ **kazakh** n.m. Langue turque du Kazakhstan.

KAZAKHS, peuple turc et musulman vivant principalement au Kazakhstan, en Ouzbékistan et au Xinjiang.

KAYAK biplace

KAZAKHSTAN, État de l'Asie centrale qui s'étend des rives de la mer Caspienne aux montagnes de la Chine (massifs de l'Altaï et du Tian Shan).

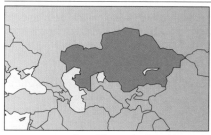

NOM OFFICIEL : République du Kazakhstan.
CAPITALE : Akmola.
SUPERFICIE : 2 717 000 km².
POPULATION : 17 210 000 hab. *(Kazakhs).*
LANGUES : kazakh et russe.
RELIGION : islam.
MONNAIE : tenge.
RÉGIME : institutionnellement parlementaire, de tendance présidentielle.

GÉOGRAPHIE

Le milieu naturel. Le Kazakhstan est le plus vaste pays d'Asie centrale, grand comme cinq fois la France. Son territoire, dont le cœur est occupé par le plateau central kazakh, atteint au N. la plaine de Sibérie occidentale et au S.-O. les semi-déserts des bords de la mer d'Aral. Il est marqué par une aridité.

L'économie et la population. La mise en valeur des terres vierges de l'extrémité nord en a fait une grande région céréalière. Le Kazakhstan méridional a développé sur le piémont montagneux une agriculture irriguée, où tabac, caoutchouc, coton, fruits, légumes et vignobles se juxtaposent à l'importante production de blé. L'élevage, celui des moutons surtout, est la ressource essentielle des steppes arides. La richesse du sous-sol (houille du bassin de Karagandy, cuivre, plomb, zinc, hydrocarbures, phosphates), largement exploité, a permis le développement d'une région traditionnellement tournée vers le nomadisme. L'industrie (métallurgie surtout) est aujourd'hui prépondérante et a accéléré

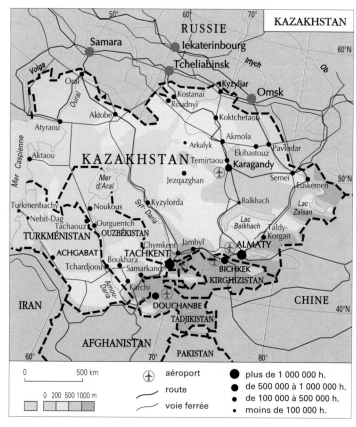

Un aspect d'Alma-Ata, capitale du **KAZAKHSTAN.**

une urbanisation qui explique la part importante de Russes (38 %), encore presque aussi nombreux que les Kazakhs (40 %).

HISTOIRE

La région est progressivement intégrée à l'Empire russe à partir du XVIIIe siècle.
1920 : elle est érigée en République autonome de Kirghizie, au sein de la R. S. S. de Russie.
1925 : cette république prend le nom de Kazakhstan.
1936 : elle devient une république fédérée.
1990 : les communistes remportent les premières élections républicaines libres.
1991 : le Soviet suprême proclame l'indépendance du pays et Noursoultan Nazarbaïev est élu à la présidence de la République (déc.).
1997 : la capitale est transférée d'Almaty (en russe Alma-Ata) à Akmola.

KAZAKOV (Iouri Pavlovitch), écrivain soviétique (Moscou 1927 - *id.* 1982). Ses nouvelles d'inspiration tchékhovienne peignent les gens simples (*la Petite Gare,* 1959).

KAZAN, v. de Russie, cap. de la République du Tatarstan, sur la Volga ; 1 094 000 hab. Centre industriel. – Kremlin de 1555.

KAZAN (Elia Kazanjoglous, dit Elia), cinéaste américain (Istanbul 1909). Venu du théâtre, il a construit une œuvre lyrique et tourmentée, menant de front l'exploration des conflits intérieurs et la peinture de la société américaine : *Un tramway nommé désir* (1951), *Sur les quais* (1954), *À l'est d'Eden* (1955), *America, America* (1963), *l'Arrangement* (1969), *le Dernier Nabab* (1976).

KAZANLĂK, v. de la Bulgarie ; 63 000 hab. Centre de la « vallée des roses ». – Tombe d'un chef thrace (IIIe ou IVe s. av. J.-C.).

KAZANTZÁKIS (Níkos), écrivain grec (Héraklion 1883 - près de Fribourg-en-Brisgau 1957). Dans ses poèmes (*Serpent et Lys,* 1906 ; *Odyssée,* 1938), ses essais, ses drames (*Ulysse,* 1928) et ses romans (*Alexis Zorba,* 1946 ; *le Christ recrucifié,* 1954), il use des thèmes antiques et populaires pour définir une sagesse moderne et universelle. Il a traduit *l'Iliade* (1955) et écrit en français son roman et journal de voyage *le Jardin des rochers* (1959).

KAZBEK, sommet du Caucase, en Géorgie, près de la frontière russe ; 5 033 m.

KAZVIN → QAZVIN.

K. D. → CONSTITUTIONNEL-DÉMOCRATE.

KEAN (Edmund), tragédien britannique (Londres 1789 - Richmond, Surrey, 1833). Il fut, à l'époque romantique et dans l'emploi du traître, un comédien réputé.

KEATON (Joseph Francis, dit **Buster**), acteur et cinéaste américain (Piqua, Kansas, 1895 - Los Angeles 1966). Auteur effectif de la plupart de ses films, il interpréta un personnage faussement impassible face à l'adversité, profondément poétique et subtilement comique. Il s'imposa comme un des acteurs les plus inventifs de l'âge d'or du burlesque américain (*la Croisière du « Navigator »,* 1924 ; *le Mécano de la « General »* [→ MÉCANO], 1926 ; *l'Opérateur* [ou *le Cameraman*], 1928).
(*Voir illustration p. suivante.*)

Buster **KEATON**
dans *la Croisière du « Navigator »* (1924).

KEATS (John), poète britannique (Londres 1795 - Rome 1821). Jeune orphelin, issu d'un milieu modeste, il abandonne ses études de médecine pour se consacrer à la poésie. Encouragé par Leigh Hunt et Shelley, il publie *Endymion* (1818) puis *Hyperion* (1820), poèmes mal accueillis par la critique. Atteint de tuberculose, il publie ses chefs-d'œuvre *(la Veille de la Sainte-Agnès, Ode à un rossignol, Ode à une urne grecque)* et meurt au cours d'un voyage en Italie. Précurseur de l'esthétisme, Keats dit, avant Rilke, son amour pour la mort qui le guette. Il a influencé, à travers Swinburne et Rossetti, aussi bien la peinture que la poésie, jusqu'à S. George et Faulkner.

KECSKEMÉT, v. de Hongrie, au sud-est de Budapest ; 102 516 hab. − Monuments du XVIIIe siècle à l'Art nouveau.

KEDAH, un des États de la Malaisie. Cap. *Alor Setar.*

KEDIRI, v. d'Indonésie (Java) ; 222 000 hab.

KEELING *(îles)* → COCOS.

KEELUNG ou **JILONG**, port du nord de Taïwan ; 351 000 hab.

KEESOM (Willem Hendrik), physicien néerlandais (île de Texel 1876 - Leyde 1956). Il a signalé deux variétés d'hélium liquide et a réussi à solidifier ce corps en le maintenant sous pression.

KEEWATIN, district du Canada (Territoires du Nord-Ouest), au nord du Manitoba.

KEFFIEH [kefje] n.m. Coiffure traditionnelle des Bédouins, faite d'un morceau de tissu plié et maintenu sur la tête par un cordon.

KÉFIR n.m. → KÉPHIR.

KÉGRESSE (Adolphe), ingénieur français (Héricourt 1879 - Croissy-sur-Seine 1943). Il est l'inventeur de la propulsion des automobiles par chenilles.

KEHL, v. d'Allemagne (Bade-Wurtemberg), sur le Rhin, en face de Strasbourg ; 30 000 hab.

KEISER (Reinhard), compositeur allemand (Teuchern 1674 - Hambourg 1739). Il fut l'un des créateurs, à Hambourg, de l'opéra classique allemand (*Croesus,* 1710, révisé en 1730).

KEITEL (Wilhelm), maréchal allemand (Helmscherode 1882 - Nuremberg 1946). L'un des artisans de la renaissance militaire allemande, chef du commandement suprême allemand de 1938 à 1945, il signa la capitulation de son pays à Berlin (8 mai 1945). Condamné à mort comme criminel de guerre à Nuremberg, il fut exécuté.

KEKKONEN (Urho Kaleva), homme d'État finlandais (Pielavesi 1900 - Helsinki 1986). Premier ministre de 1950 à 1956, puis président de la République jusqu'en 1981, il mena une action diplomatique importante.

KEKULÉ VON STRADONITZ (August), chimiste allemand (Darmstadt 1829 - Bonn 1896). Il fut l'élève de Liebig. Kekulé eut, le premier, l'idée d'employer des formules développées en chimie organique, discipline dont il fut l'un des principaux fondateurs. Il créa en 1857, parallèlement à A. S. Couper, la théorie de la tétravalence du carbone. Il fit, en 1862, l'hypothèse des liaisons multiples du carbone, distingua entre composés à chaîne ouverte et composés cycliques, et proposa, en 1865, la formule hexagonale du benzène. On lui doit la préparation classique du phénol et diverses synthèses organiques.

KELDERMANS, famille d'architectes flamands de la fin de l'époque gothique, dont le plus connu est **Rombout** (Malines v. 1460 - Anvers 1531), qui travailla à Malines, Bruxelles, Anvers, Gand, Hoogstraten.

KELLER (Gottfried), écrivain suisse d'expression allemande (Zurich 1819 - *id.* 1890). Il est l'auteur de poèmes, de nouvelles (*les Gens de Seldwyla,* 1856-1873) et de romans qui marquent la liaison entre le romantisme et le réalisme (*Henri le Vert,* 1854-55).

KELLERMANN (François Christophe), *duc* de Valmy, maréchal de France (Strasbourg 1735 - Paris 1820). Vainqueur à Valmy (1792), il commanda ensuite l'armée des Alpes et fut fait maréchal en 1804.

KELLOGG (Frank Billings), homme politique américain (Potsdam, État de New York, 1856 - Saint Paul, Minnesota, 1937). Secrétaire d'État du président Coolidge (1927-1929), il négocia avec A. Briand un pacte de renonciation à la guerre, signé par soixante nations (*pacte Briand-Kellogg*, 1928). [Prix Nobel de la paix 1929.]

KELLY (Eugene Curran, dit **Gene**), danseur, chorégraphe et acteur américain (Pittsburgh 1912 - Los Angeles 1996). Interprète et chorégraphe de revues à succès, il fait ensuite une brillante carrière cinématographique. Il participe, comme danseur et chorégraphe (*Escale à Hollywood*, 1945 ; *le Pirate*, 1948 ; *Un Américain à Paris*, 1951) mais aussi comme coréalisateur (*Un jour à New York*, 1949 ; *Chantons sous la pluie*, 1952 ; *Beau fixe sur New York*, 1955) à l'âge d'or de la comédie musicale hollywoodienne.

KELOWNA, v. du Canada (Colombie-Britannique) ; 57 945 hab.

KELSEN (Hans), juriste américain d'origine autrichienne (Prague 1881 - Orinda, Californie, 1973). Fondateur de l'école normativiste, il fut chargé en 1920 de la rédaction de la Constitution autrichienne.

KELVIN [kelvin] n.m. (de *Kelvin*, physicien brit.). Unité de mesure de température thermodynamique, équivalant à 1/273,16 de la température thermodynamique du point triple de l'eau.

KELVIN (*lord*) → THOMSON (*sir* William).

KEMAL (Mustafa) → ATATÜRK.

KEMAL (Yachar) → YAŞAR KEMAL.

KÉMALISME n.m. Courant politique se réclamant de Mustafa Kemal.

KEMEROVO, v. de Russie, en Sibérie occidentale ; 520 000 hab. Houille.

KEMPFF (Wilhelm), pianiste allemand (Jüterbog 1895 - Positano, Italie, 1991). Directeur de la Musikhochschule de Stuttgart (1924-1929), il assura aussi des cours d'été à Potsdam au palais de Marbre (1931-1941). Il est l'un des plus grands interprètes du romantisme allemand (Beethoven, Schumann).

KEMPIS (Thomas a) → THOMAS A KEMPIS.

KENDALL (Edward Calvin), biochimiste américain (South Norwalk, Connecticut 1886 - Princeton 1972). Il a isolé ou synthétisé des hormones, telle la thyroxine, et des hormones de la corticosurrénale et de l'hypophyse. (Prix Nobel de médecine 1950.)

KENDO [kɛndo] n.m. Art martial d'origine japonaise dans lequel les adversaires, protégés par un casque et un plastron, luttent avec un sabre de bambou.

KENITRA, anc. **Port-Lyautey**, port du Maroc, au nord de Rabat ; 188 000 hab.

KENKO HOSHI (Urabe Kaneyoshi, dit), écrivain japonais (v. 1283-1350). Poète de cour devenu ermite, il est l'auteur du *Tsurezuregusa (les Heures oisives)*, où il déplore la disparition de la civilisation courtoise.

KENNEDY (John Fitzgerald), homme d'État américain (Brookline, près de Boston, 1917 - Dallas 1963). Député puis sénateur démocrate, il fut élu président des États-Unis en 1960. Il pratiqua une politique de relance économique, fut à l'origine d'une législation contre la discrimination raciale et proposa aux Américains le projet d'une « Nouvelle Frontière » : vers une plus grande justice sociale et la perspective de gagner la course à la Lune. Dans le domaine des relations extérieures, il oscilla entre un rapprochement avec l'U. R. S. S. et une politique de fermeté à l'égard des régimes communistes (dans la crise de Berlin en 1961 ; à Cuba, où il obtint en 1962 le retrait des missiles soviétiques ; au Viêt Nam, où il prépara l'intervention militaire américaine). Il fut assassiné à Dallas. Son frère **Robert** (Brookline, près de Boston, 1925 - Los Angeles 1968), sénateur démocrate (1964), fut assassiné après avoir remporté les primaires de Californie comme candidat à la présidence.

John Fitzgerald
KENNEDY,
homme d'État
américain.

Kennedy (*centre spatial J. F.*), base de lancement de missiles intercontinentaux et d'engins spatiaux située au cap Canaveral (États-Unis). [Celui-ci porta de 1964 à 1973 le nom de *cap Kennedy*.]

Kennedy (*J. F.*), aéroport international de New York, à Idlewild.

KÉNOTRON n.m. (du gr. *kenos,* vide). Valve à deux électrodes utilisée pour l'alimentation des tubes à rayons X et pour le redressement des courants alternatifs de faible intensité et de haute ou très haute tension.

KENT, comté du sud-est de la Grande-Bretagne, entre Londres et le pas de Calais ; 3 700 km² ; 1 520 300 hab. Ch.-l. *Maidstone.* – Royaume jute fondé au Ve siècle. Il fut, jusqu'au VIIe siècle, le premier grand foyer de la civilisation anglo-saxonne (cap. *Canterbury*).

KENT (William), architecte, dessinateur de jardins, décorateur et peintre britannique (Bridlington, Yorkshire, 1685 - Londres 1748). Collaborateur d'un riche amateur, Richard Boyle, comte de Burlington, il fut l'un des champions du palladianisme et l'un des créateurs du jardin paysager à l'anglaise.

KENTIA [kɛntja] ou [kēsja] n.m. Palmier originaire de Nouvelle-Guinée et des îles Moluques.

KENTUCKY, un des États unis de l'Amérique du Nord ; 104 623 km² ; 3 685 296 hab. Cap. *Frankfort.* L'agriculture (tabac, céréales, soja, fruits et légumes) et l'élevage (bovin, ovin, porcin) sont complétés par les activités extractives (charbon surtout, mais aussi pétrole et gaz naturel, matériaux de construction et métaux non ferreux).

KENYA, État de l'Afrique orientale, sur l'océan Indien.

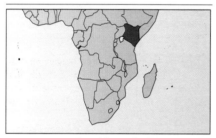

NOM OFFICIEL : République du Kenya.
CAPITALE : Nairobi.
SUPERFICIE : 583 000 km².
POPULATION : 29 140 000 hab. *(Kenyans).*
LANGUE : swahili.
RELIGIONS : catholicisme, protestantisme, animisme.
MONNAIE : shilling du Kenya.
RÉGIME : présidentiel.

GÉOGRAPHIE

Le milieu naturel. Les hauts massifs volcaniques du Sud-Ouest, humides, mais où l'altitude modère les températures à une latitude équatoriale, sont bien peuplés. Les bas pla-

teaux et plaines du Nord et du Nord-Est, steppiques, sont presque vides. Le pays est traversé par la zone d'effondrement de l'Afrique orientale (la Rift Valley), jalonnée de lacs.

La population et les ressources. La population est formée de groupes ethniques, parmi lesquels émergent les Masai et les Kikuyu. Elle s'accroît à un rythme annuel énorme, proche de 4 %. La majeure partie vit d'une agriculture associant cultures vivrières (maïs surtout), élevage bovin et ovin (mais à la finalité encore parfois plus sociale qu'économique) et plantations, héritées de la colonisation, café et thé essentiellement (bases des exportations). L'industrie, peu développée (agroalimentaire principalement), est présente à Nairobi et surtout à Mombasa, les seules véritables villes. Sa faiblesse contribue à expliquer le lourd déficit commercial (que ne comblent pas les revenus du tourisme international), à la base d'un endettement extérieur notable, pesant, avec la poussée démographique, sur l'avenir de l'économie. *(Voir carte p. suivante.)*

HISTOIRE

Pays où ont été découverts les restes les plus anciens des préhominiens (ancêtres de l'espèce humaine), le Kenya est occupé par des populations proches des Bochiman. Après des peuplements successifs, le territoire est occupé par les Bantous et les Nilotiques, dont font partie les Masai. Dominée depuis le VIIe siècle par les Arabes, la côte du Kenya tombe sous le contrôle des Portugais à la fin du XVe siècle. **1888** : la Grande-Bretagne obtient du sultan de Zanzibar une concession sur la majeure partie du pays.
1895 : création d'un protectorat britannique.
1920 : le Kenya devient une colonie britannique.
1952-1956 : révolte nationaliste des Mau-Mau.
1963 : le Kenya devient un État indépendant, membre du Commonwealth.
1964-1978 : J. Kenyatta, président de la République.
Son successeur Daniel Arap Moi maintient le système du parti unique de 1982 à 1991. En dépit du rétablissement du multipartisme, le climat politique et social se détériore.

KENYA *(mont),* sommet du centre du Kenya ; 5 199 m.

KENYAPITHÈQUE n.m. Primate fossile découvert au Kenya dans des terrains datant du pliocène.

KENYATTA (Jomo), homme d'État kenyan (Ichaweri v. 1893 - Mombasa 1978). Il lutta

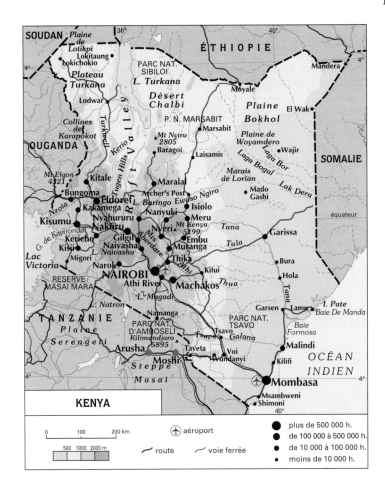

SOUDAN · Plaine de Lotikpi · Lokitaung · Lokichokio · ÉTHIOPIE · Mandera
Plateau Turkana · PARC NAT. SIBILOI · L. Turkana · Moyale
Lodwar · Désert Chalbi · Plaine Bokhol · El Wak
Collines del Karapokot · OUGANDA · P. N. MARSABIT · Marsabit · Plaine de Woyamdero · Wajir · SOMALIE
Mt Nyiru 2805 · Baragoi · Laisamis
Mt Elgon 4321 · Kitale · Maralal · Marais de Lorian · équateur
Bungoma · Archer's Post · Mado Gashi
Eldoret · L. Baringo · Ewaso Ngiro · Isiolo
Kakamega · Nanyuki · Meru · Garissa
Kisumu · Nyahururu · Nakuru · Nyeri · Mt Kenya 5199 · Tana
Kericha · Gilgil · Embu · Tula
Kisii · Naivasha · L. Naivasha · Muranga
Lac Victoria · Migori · Narok · Thika · Kitui · Bura
RESERVE MASAI MARA · NAIROBI · Athi River · Machakos · Thua · Hola
L. Natron · L. Mugadi · Namanga · Garsen · Lamu · I. Pate · Baie De Manda
TANZANIE · Plaine Serengeti · PARC NAT. D'AMBOSELI · Kilimandjaro 5895 · PARC NAT. TSAVO · Tsavo · Galana · Baie Formosa
Arusha · Taveta · Voi · Malindi
Moshi · Wundanyi · Kilifi · OCÉAN INDIEN
Steppe Masai · Mombasa
Msambweni · Shimoni

KENYA

0   100   200 km   ✈ aéroport   ● plus de 500 000 h.
                                          ● de 100 000 à 500 000 h.
500 1000 2000 m   ● de 10 000 à 100 000 h.
                      ⌒ route ⌒ voie ferrée   • moins de 10 000 h.

dès 1925 contre le régime colonial et devint en 1963 Premier ministre du Kenya indépendant. Président de la République en 1964, il fut constamment réélu jusqu'à sa mort.

KÉPHIR ou **KÉFIR** n.m. Boisson gazeuse et acidulée, obtenue en faisant fermenter du petit-lait.

KÉPI n.m. Coiffure légère munie d'une visière et d'une fausse jugulaire en galon métallique, portée notamm. par les officiers de l'armée de terre française.

KEPLER (Johannes), astronome allemand (Weil, auj. Weil der Stadt, Wurtemberg, 1571 - Ratisbonne 1630), l'un des créateurs de l'astronomie moderne. D'origine modeste, il est admis gratuitement aux séminaires d'Adelberg (1584) et de Tübingen (1589), où l'un des plus ardents défenseurs de l'hypothèse copernicienne, Maestlin, l'initie à l'astronomie. Professeur de mathématiques à Graz, il en est chassé vers 1600 par les persécutions religieuses. Il se réfugie alors à Prague, où il devient le disciple et l'assistant de Tycho Brahe, auquel il succède, en 1601, comme astronome de l'empereur.

La découverte des lois de Kepler. Partisan du système héliocentrique, Kepler explique

Johannes **KEPLER,** astronome allemand. Détail d'une gravure allemande de la fin du XVIe siècle. (B. N., Paris.)

dans un premier ouvrage, le *Prodomus... mysterium cosmographicum,* publié en 1596, pourquoi le système de Ptolémée doit céder la place à la représentation copernicienne du monde. Mais, hanté par les idées pythagoriciennes, il croit l'Univers construit selon une architecture géométrique. Aussi élabore-t-il un ingénieux modèle géométrique du système de Copernic, dans lequel l'orbe de chaque planète occupe une sphère circonscrite à un polyèdre régulier et inscrite dans un autre. En fait, il a la conviction que le nombre de planètes, leurs distances au Soleil et leurs vitesses de révolution ne sont pas le fruit du hasard. C'est en se livrant à une étude systématique du mouvement de la planète Mars (dont la trajectoire restait mal interprétée par Ptolémée et par Copernic), après de laborieux calculs qu'il contrôle grâce aux observations précises de Tycho Brahe, que Kepler découvre les deux premières lois qui ont immortalisé son nom. Celles-ci sont publiées en 1609 dans son *Astronomia nova.* Il s'efforce ensuite de démontrer l'existence d'un rapport harmonique (au sens musical du terme) entre la plus grande et la plus petite vitesse des planètes. Il découvre ainsi la troisième loi fondamentale du mouvement des planètes, qu'il publie en 1619 dans son *Harmonices mundi,* où il décrit sa vision

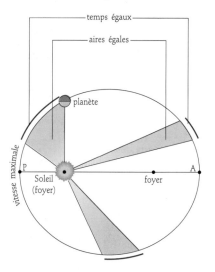

temps égaux

aires égales

planète

P

Soleil
(foyer)

vitesse maximale

foyer

A

P : périhélie   A : aphélie

Représentation des lois du mouvement des planètes autour du Soleil, énoncées par **KEPLER** au début du xviie siècle.

quelque peu mystique de l'Univers. Dans les dernières années de sa vie, il se consacre à l'établissement de tables précises des positions des planètes, fondées sur les lois qu'il a mises en évidence et sur les observations de Tycho Brahe : les *Tables rudolphines,* qu'il publie en 1627.

Les lois de Kepler. 1° Chaque planète décrit dans le sens direct une ellipse dont le Soleil occupe un des foyers. 2° Les aires décrites par le rayon vecteur allant du centre de la planète au centre du Soleil sont proportionnelles aux temps employés à les décrire. 3° Les carrés des temps des révolutions sidérales des planètes sont proportionnels aux cubes des grands axes de leurs orbites.

Ces lois ont, en fait, une portée très générale et s'appliquent à tout corps en mouvement orbital autour d'un autre, en particulier aux satellites (naturels ou artificiels) qui gravitent autour des planètes.

KÉRABAU n.m. → KARBAU.

KERALA, État de l'Inde, sur la côte sud-ouest du Deccan ; 39 000 km² ; 29 011 237 hab. Cap. *Trivandrum.* — Regroupant les États de Travancore et de Cochin, l'État de Kerala a été constitué en 1956.

KÉRATINE n.f. (du gr. *keras, keratos,* corne). Scléroprotéine imperméable à l'eau, riche en soufre, substance fondamentale des poils, des ongles, des cornes, des sabots, des plumes.

KÉRATINISATION n.f. Transformation des cellules des couches profondes de l'épiderme en cellules de la couche cornée superficielle, riches en kératine.

KÉRATINISÉ, E adj. Chargé de kératine.

KÉRATITE n.f. Inflammation de la cornée.

KÉRATOCÔNE n.m. Modification progressive de la courbure de la cornée qui prend la forme d'un cône.

KÉRATOPLASTIE n.f. Greffe de la cornée.

KÉRATOSE n.f. Affection de la peau formant un épaississement de la couche cornée.

KÉRATOTOMIE n.f. Incision de la cornée.

KERBELA → KARBALA.

KERENSKI (Aleksandr Fedorovitch), homme politique russe (Simbirsk 1881 - New York 1970). Membre du Parti social-révolutionnaire, il devint en 1917 ministre de la Justice, de la Guerre puis chef du gouvernement provisoire qui fut renversé par les bolcheviques en novembre (octobre dans le calendrier russe) 1917.

KERGUELEN *(îles),* archipel français du sud de l'océan Indien ; env. 7 000 km². Station de recherches scientifiques.

KERGUELEN DE TRÉMAREC (Yves de), marin français (Quimper 1734 - Paris 1797). Il découvrit en 1772 les *îles Kerguelen.*

KERKENNAH, petit archipel tunisien en face de Sfax.

KERMAN ou **KIRMAN,** v. d'Iran ; 257 000 hab. — Monuments anciens dont la Grande Mosquée (xive s.) ornée d'un beau décor de faïence émaillée.

KERMANCHAH, v. de l'ouest de l'Iran, ch.-l. de prov., dans le Kurdistan ; 291 000 hab. Cité commerciale et militaire (près de la frontière irakienne).

KERMÈS n.m. -1. Cochenille nuisible qui se fixe sur certains arbres et y pond ses œufs. -2. *Chêne kermès,* petit chêne méditerranéen à feuilles persistantes et épineuses.

KERMESSE n.f. -1. RÉGION. Dans les Flandres, fête patronale et foire annuelle. -2. Fête en plein air comportant des jeux et des stands de vente, et organisée le plus souvent au bénéfice d'une œuvre.

KÉROGÈNE n.m. (du gr. *kêros,* cire, et *gennân,* produire). Roche constitutive des gisements d'hydrocarbures les plus lourds.

KÉROSÈNE [zɛn] n.m. (du gr. *kêros,* cire). Liquide pétrolier incolore ou jaune pâle, distillant entre 150 et 300 °C, obtenu comme intermédiaire entre l'essence et le gazole à partir du pétrole brut, et utilisé comme carburant d'aviation.

André **KERTÉSZ** : *Autoportrait, Paris, 1927.*
(A. F. D. P. P., ministère de la Culture, Paris.)

KEROUAC (Jack), écrivain américain (Lowell, Massachusetts, 1922 - Saint Petersburg, Floride, 1969). Auteur de *Sur la route* (1957), bible de la *Beat Generation,* il a donné en outre une œuvre d'inspiration tantôt familiale et catholique (*Satori à Paris,* 1966), tantôt « beat » (*les Souterrains,* 1958 ; *Big Sur,* 1963 ; *les Anges vagabonds,* 1965), ainsi que des poèmes (*Mexico City Blues,* 1959) et des souvenirs (*le Vagabond solitaire,* 1960).

Jack **KEROUAC,**
écrivain
américain.

KEROULARIOS (Michel), en fr. Cérulaire, patriarche de Constantinople de 1043 à 1059 (Constantinople v. 1000 - *id.* 1059). Jouissant d'un grand crédit auprès de l'empereur et du peuple, il refusa de reconnaître la primauté de Rome. Excommunié par les légats du pape Léon IX (16 juill. 1054), il fit prononcer par un synode l'anathème contre la bulle pontificale. Il consacra ainsi le schisme entre l'Église d'Orient et l'Église d'Occident.

KERR (John), physicien britannique (Ardrossan, Strathclyde, Écosse, 1824 - Glasgow 1907). Il découvrit, en 1875, la biréfringence des isolants soumis à un champ électrique.

KERRIA n.m. Arbuste ornemental, d'origine japonaise, à fleurs jaune d'or. (Famille des rosacées.)

KERTCH, port d'Ukraine, en Crimée, sur le *détroit de Kertch* (qui relie la mer Noire et la mer d'Azov) ; 174 000 hab.

KERTÉSZ (André), photographe américain d'origine hongroise (Budapest 1894 - New York 1985). Sensibilité poétique et sens de l'humour, alliés à l'invention formelle, dominent son œuvre, qui a profondément marqué le langage photographique (*Enfants,* 1933 ; *Paris vu par André Kertész,* 1934 ; *Soixante Ans de photographie,* 1912-1972). En 1984, il a légué son œuvre et ses archives à l'État français.

KESSEL (Joseph), écrivain et journaliste français (Clara, Argentine, 1898 - Avernes, Val-d'Oise, 1979). Grand reporter, il exalte, dans ses romans, la fraternité virile dans la guerre (*l'Équipage,* 1923 ; *l'Armée des ombres,* 1944) et dans l'aventure (*Fortune carrée,* 1930 ; *le Lion,* 1958 ; *les Cavaliers,* 1967). Il est également l'auteur, avec son neveu Maurice Druon, du *Chant des partisans.* (Acad. fr. 1962.)

KESSELRING (Albert), maréchal allemand (Marktsteft 1885 - Bad Nauheim 1960). Chef d'état-major de l'armée de l'air (1936), il commanda de 1941 à 1944 les forces allemandes de Méditerranée et d'Italie, puis le front de l'Ouest en 1945.

KETCH [kɛtʃ] n.m. Voilier dont le grand mât est à l'avant et dont l'artimon est implanté en avant de la barre (à la différence du yawl).

KETCHUP [kɛtʃœp] n.m. Condiment d'origine anglaise, sauce épaisse à base de tomates, de saveur légèrement vinaigrée et sucrée.

KETMIE n.f. Arbre des régions chaudes, au bois utilisé en ébénisterie. (Famille des malvacées.)

KEVLAR n.m. (nom déposé). Fibre aramide légère, robuste et très résistante au feu et à la corrosion.

KEY (Ellen), féministe et pédagogue suédoise (Sundsholm 1849 - près du lac Vättern 1926), une des pionnières de l'éducation nouvelle, elle milita pour l'émancipation des femmes.

KEYNES (John Maynard, *lord*), économiste et financier britannique (Cambridge 1883 - Firle, Sussex, 1946).

→ ● DOSSIER KEYNES ET LE KEYNÉSIANISME *page suivante.*

KEYNÉSIANISME n.m. Ensemble des théories de l'économiste Keynes.

KEYNÉSIEN, ENNE adj. Relatif aux théories de l'économiste Keynes.

kF, abrév. de kilofranc.

kg, symbole du kilogramme.

KGB (sigle de *Komitet Gossoudarstvennoï Bezopasnosti,* comité de sécurité de l'État), nom donné de 1954 à 1991 aux services chargés du renseignement et du contre-espionnage à l'intérieur et à l'extérieur de l'U. R. S. S.

KHABAROVSK, v. de Russie, en Sibérie orientale, à la frontière chinoise, sur l'Amour ; 601 000 hab.

KHADIDJA, première femme de Mahomet et mère de Fatima. Deux fois veuve, elle prit celui-ci pour l'aider dans son commerce de caravanes, puis elle l'épousa, bien qu'étant de

quinze ans son aînée. Elle mourut à La Mecque en 619 et elle est vénérée comme une des quatre saintes de l'islam.

KHÂGNE ou **CAGNE** n.f. ARG. SCOL. Classe préparatoire à l'École normale supérieure (lettres) dans les lycées.

KHÂGNEUX, EUSE ou **CAGNEUX, EUSE** n. ARG. SCOL. Élève de khâgne.

KHAJURAHO, site de l'Inde (Bundelkhand, Madhya Pradesh), ancienne capitale de la dynastie Candella. Important ensemble de temples, hindous et jaina (X^e-XIe s.) ; sculpture remarquable, nombreux thèmes érotiques.

KHAJURAHO : temple en grès à sikhara de Parshvanatha. Art Candella, XIe siècle.

KHAKASSES, peuple altaïen de Russie, habitant, à l'est du Kazakhstan, la *République de Khakassie* (569 000 hab. Cap *Abakan*).

KHALIFAT n.m. → CALIFAT.

KHALIFE n.m. → CALIFE.

KHALKHA n.m. Langue officielle de la République de Mongolie. SYN. : **mongol.**

KHAMSIN ou **CHAMSIN** [ramsin] n.m. Vent de sable en Égypte, analogue au sirocco.

1. **KHAN** [kã] n.m. Titre turc équivalant, à l'origine, à celui d'empereur et porté ultérieurement par des dynasties vassales ou des nobles du Moyen-Orient ou de l'Inde.

2. **KHAN** n.m. En Orient, abri pour les voyageurs ; caravansérail.

KHANAT n.m. -1. Fonction, juridiction d'un khan. -2. Pays soumis à cette juridiction.

D   O   S   S   I   E   R

KEYNES
ET LE KEYNÉSIANISME

Courant de pensée économique dominant pendant le troisième quart du XXᵉ siècle, le keynésianisme s'appuie sur la
constatation d'un chômage involontaire permanent – mis en
lumière par la crise de 1929 – qui ne se résorbera pas par le jeu
des mécanismes « classiques » de retour à l'équilibre. Le système keynésien est à l'origine de toutes les politiques économiques occidentales, caractérisées par une intervention de
l'État compatible avec le maintien du libéralisme. En outre, bon
nombre de théories et de politiques orientées vers la croissance sont parties du principe keynésien du multiplicateur de
l'investissement.

La vie et l'œuvre de Keynes.

Né à Cambridge en 1883, John Maynard Keynes y étudie sous
la direction de A. Marshall et passe ensuite deux ans à l'India
Office. Par la suite, il sera président d'une compagnie d'assurances sur la vie et un conseiller, à la fois écouté et contesté, du
gouvernement. Dans son premier livre, *Indian Currency and
Finance* (1913), il examine le fonctionnement du Gold
Exchange Standard. Pendant la Première Guerre mondiale,
Keynes est conseiller auprès du Trésor britannique : il en démissionne avec éclat en 1919, et attaque, dans *Conséquences économiques de la paix,* les dispositions économiques du traité de
Versailles. Il marquera à plusieurs reprises son désaccord avec
la politique de déflation suivie par le gouvernement britan-

❶ John Maynard
Keynes.

KEYNES ET LE KEYNÉSIANISME

LES INTERPRÉTATIONS DU KEYNÉSIANISME

Le processus d'interprétation de la pensée keynésienne commence avec J. R. Hicks, précurseur du courant dit « de la synthèse néoclassique ». Il coexiste dans les années 50-60 avec le courant de l'école de Cambridge. Des divergences sont apparues quant à la nature de l'apport de Keynes à la théorie économique ; ces deux grands courants keynésiens se sont notamment scindés pour former un courant des néokeynésiens, un courant des postkeynésiens, des théoriciens du déséquilibre et, plus récemment, en France, un courant de la régulation.

nique, en même temps que son insatisfaction croissante devant les théories traditionnelles. Il publie alors *A Treatise on Probability* (1921), *A Tract on Monetary Reform* (1923), un pamphlet contre Winston Churchill (*Economic Consequences of Winston Churchill*, 1925), puis ses *Réflexions sur le franc et quelques autres sujets* et, enfin, son grand *Treatise on Money* (1930), première tentative de synthèse de ses idées hétérodoxes. On trouve dans *The General Theory of Employment, Interest and Money* (1936) une explication théorique du chômage quasi permanent qui sévissait en Angleterre, ainsi que les bases d'une interprétation du capitalisme et d'un renouvellement de la théorie économique. Keynes représente son pays à la conférence de Bretton Woods (1944), au cours de laquelle est organisé le système monétaire international de l'après-guerre, d'après le plan du délégué américain, contraire au sien. Anobli en 1942, il devient lord Keynes, baron de Tilton. Il meurt à Firle, dans le Sussex, en 1946.

Le keynésianisme.

Attaquant le libéralisme de ses prédécesseurs, Keynes démontre la possibilité d'un chômage involontaire (non provoqué notamment par un refus de travail des personnes estimant insuffisant le salaire versé) permanent, qui ne se résoudra pas de lui-même, et proclame la nécessité d'une intervention de l'État dans la vie économique. Par opposition au modèle classique (et néoclassique), Keynes propose une analyse macroéconomique, en termes de flux globaux, où la monnaie joue un

❷ Les courants keynésiens.

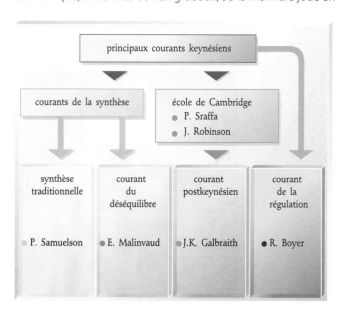

KEYNES ET LE KEYNÉSIANISME

rôle primordial. Pour lui, le chômage provient d'une insuffisance de la demande effective, qui engendre un équilibre de sous-emploi. Il n'existe aucun correctif automatique au chômage. C'est pourquoi l'État doit assumer la responsabilité d'obtenir et de maintenir le plein emploi par une politique appropriée. Cette politique, directement opposée aux techniques déflationnistes utilisées jusqu'alors, est essentiellement monétaire, ce qui permet une intervention efficace de l'État sans porter atteinte à l'autonomie de l'entreprise privée. Elle consiste avant tout en une baisse du taux de l'intérêt, destinée à rendre attrayants les investissements privés. Cependant, on doit envisager aussi l'accroissement des investissements publics, l'augmentation de la propension à consommer par redistribution des revenus au profit des classes aux ressources les moins élevées. Enfin, le protectionnisme douanier apparaît comme un moyen légitime de relever le niveau de l'emploi.

La pensée keynésienne innove tout particulièrement, en ce qui concerne la méthode de l'analyse économique, par son caractère « général » (opposé aux facilités des équilibres partiels), son emploi des quantités globales (opposé au point de vue microéconomique), son insistance sur certaines variables privilégiées (investissement, taux de l'intérêt).

Enfin, c'est surtout dans le domaine de la politique économique que l'on peut parler de « révolution keynésienne ». La préoccupation du plein emploi s'impose à tous les gouvernements ; elle apparaît dans le préambule de la Constitution française de 1946 et dans la Charte des Nations unies : Keynes a ouvert la voie à la « politique interventionniste rationnelle et quantitative ».

L'école keynésienne.

Les économistes que l'on groupe sous l'étiquette d'« école keynésienne » peuvent se classer en deux courants, l'un d'inspiration plus libérale ou traditionnelle (Samuelson, Harrod, Hansen), l'autre plus socialisant (Mrs. Robinson, Lerner, Kalecki). Au reste, les instruments et le cadre de l'analyse keynésienne ont été utilisés soit pour élaborer des théories de la croissance (Hicks, Harrod), soit pour soutenir la thèse de la maturité économique (Hansen, Sweezy), qui, de plus, présente une parenté frappante avec l'explication par Keynes du chômage permanent. La pensée économique contemporaine découle de Keynes dans la mesure où elle utilise largement l'analyse des quantités globales, où elle a remis en honneur les raisonnements monétaires, où elle distingue des variables autonomes et des variables dépendantes.

KHANIÁ ou **LA CANÉE**, port de Grèce, sur la côte nord de la Crète ; 50 077 hab. — Fortifications vénitiennes. Musée archéologique.

KHARAGPUR, v. de l'Inde (Bengale-Occidental) ; 279 736 hab.

KHARBIN → HARBIN.

KHAREZM, ancien État d'Asie centrale, situé sur le cours inférieur de l'Amou-Daria (Oxus). Héritier de la Chorasmie antique, il fut conquis par les Arabes en 712. Il est souvent appelé *khanat de Khiva* (1512-1920).

KHAREZMI (Muhammad ibn Musa al-), mathématicien de langue arabe de la fin du VIIIe siècle et du début du IXe siècle. Il vécut à la maison de la Sagesse, à Bagdad, sous le règne du calife abbasside al-Mamun. Il est l'auteur du *Précis sur le calcul d'al-djabr et d'al-muqabala*, qui enseigne comment résoudre les équations du 1er et du 2e degré. L'expression « al-djabr » s'est étendue rapidement à toute la théorie des équations, donnant le mot « algèbre ». On trouve dans l'ouvrage d'al-Kharezmi tous les éléments d'une théorie des équations du 2e degré dans l'ensemble des nombres positifs. Son nom, déformé par la latinisation, est à l'origine du terme « algorithme ».

KHARG *(île)*, île iranienne du golfe Persique. Terminal pétrolier.

KHARIDJISME n.m. (de l'ar. *kharadja*, sortir). Doctrine religieuse et politique d'une secte musulmane née de la scission de 657.

ENCYCL. Le kharidjisme est la doctrine d'une secte musulmane qui s'est définie, une quarantaine d'années après l'hégire, par des revendications et un rigorisme à l'encontre desquels la majorité de l'islam fit front à travers le sunnisme et le chiisme. Les kharidjites, d'abord partisans de Ali, se séparèrent de lui en 657. Ils devinrent alors les adversaires acharnés des chiites, n'admettant comme califes que ceux qui étaient restés ou se tiendraient dans ce qu'ils considéraient comme la voie droite, le détenteur d'un tel titre « fût-il un esclave noir ». Ils fondèrent d'importantes communautés, dont subsistent aujourd'hui les ibadites du sultanat d'Oman et ceux d'Afrique du Nord (île de Djerba, Mzab). Ils prennent à la lettre les notions et valeurs du Coran en les poussant jusqu'à leurs conséquences extrêmes et considèrent que, dans une communauté musulmane « juste », le pouvoir temporel et le pouvoir spirituel s'identifient.

KHARIDJITE adj. et n. Relatif au kharidjisme ; partisan du kharidjisme.

KHARKOV, v. d'Ukraine (dont elle a été la capitale de 1917 à 1934), sur un affl. du Donets ; 1 611 000 hab. Centre métallurgique. Textile.

KHARTOUM, cap. du Soudan, au confluent du Nil Blanc et du Nil Bleu ; 600 000 hab. — La ville, prise par les mahdistes en 1884-85, fut reconquise par les Britanniques en 1898. — Musée.

KHAT n.m. → QAT.

KHATCHATOURIAN (Aram), compositeur soviétique arménien (Tiflis 1903 - Moscou 1978). Il parvint à concilier le folklore avec un développement symphonique élaboré. Ses partitions les plus célèbres sont les ballets *Gayaneh* (1942), qui contient la célèbre « Danse du sabre », et *Spartacus* (1952-1954).

KHAYBAR ou **KHYBER** *(passe de)*, défilé entre le Pakistan et l'Afghanistan.

KHAYYAM (Omar ou Umar), philosophe, poète et mathématicien persan (Nichapur v. 1047 - *id.* v. 1122). Il a écrit un traité sur les équations du 3e degré, *Démonstrations de problèmes d'al-djabr et d'al-muqabala,* qui comprend une classification des équations. Pour chaque type d'équation du 3e degré, Omar Khayyam indique une construction géométrique des racines. En voulant prouver le 5e postulat d'Euclide, il a reconnu le lien entre ce postulat et la somme des angles du quadrilatère, et par conséquent du triangle. Maître du quatrain persan (*robaiyat,* poème de deux vers à deux hémistiches), Omar Khayyam fut le premier à utiliser cette forme poétique ancienne et populaire pour exprimer la réflexion sceptique.

KHAZARS, peuple turc qui, du VIIe au Xe siècle, domina la région de la mer Caspienne puis de la Crimée et les steppes entre le Don et le Dniepr. Le prince de Kiev Sviatoslav anéantit sa puissance en 969.

KHÉDIVAT n.m. Dignité de khédive.

KHÉDIVE n.m. Titre porté par le vice-roi d'Égypte de 1867 à 1914.

KHEOPS, roi d'Égypte de la IVe dynastie (v. 2600 av. J.-C.). Il fit élever la grande pyramide de Gizeh.

KHEPHREN, roi d'Égypte de la IVe dynastie (v. 2500 av. J.-C.). Successeur de Kheops, il fit construire la deuxième pyramide de Gizeh.

KHERSON, port de l'Ukraine, sur le Dniepr inférieur ; 355 000 hab.

KHI n.m. inv. Vingt-deuxième lettre de l'alphabet grec (X, χ), correspondant à *kh*.

KHINGAN (Grand), massif de Chine, entre le désert de Gobi et la plaine de la Chine du Nord-Est ; 2 091 m. Le *Petit Khingan* sépare cette plaine du bassin de l'Amour.

KHMER, ÈRE adj. et n. Qui appartient aux Khmers, peuple du Cambodge. ◆**khmer** n.m. Langue officielle du Cambodge. SYN. : cambodgien.

KHMERS, peuple majoritaire du Cambodge, habitant également la Thaïlande et le Viêt Nam. Riziculteurs et bouddhistes, ils ont formé un empire important (Angkor) qui fut réduit par les Thaïs et les Vietnamiens tout au long de leur histoire.

Khmers rouges, nom donné aux résistants communistes khmers dans les années 1960, puis aux partisans de Pol Pot et de Khieu Samphan après 1976.

KHODJENT, de 1936 à 1991 **Leninabad,** v. du Tadjikistan ; 150 000 hab.

KHOISAN ou **KHOIN** [kwɛ̃] n.m. Famille de langues parlées par quelques ethnies du sud de l'Afrique (Bochiman, Hottentots).

KHÔL n.m. → KOHOL.

KHOMEYNI (Ruhollah), chef religieux *(ayatollah)* et homme d'État iranien (Khomeyn 1902 - Téhéran 1989). Exilé en Iraq après 1964 puis en France (1978-79), il canalisa l'opposition aux réformes du chah qui triompha avec la révolution de février 1979. Il instaura une république islamique dont il fut jusqu'à sa mort le guide suprême.

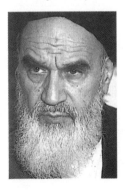

Ruhollah **KHOMEYNI,** chef religieux et homme d'État iranien.

KHORASAN ou **KHURASAN,** région du nord-est de l'Iran. V. princ. *Mechhed.*

KHORRAMCHAHR ou **KHURRAMCHAHR,** port d'Iran, près du Chatt al-Arab ; 147 000 hab.

KHOSRÔ Ier ou **CHOSROÊS Ier,** roi sassanide d'Iran (531-579). Ses guerres contre Justinien se terminèrent en 562 par une paix sans vainqueur ni vaincu. Il réorganisa l'administration de l'empire. **Khosrô II** ou **Chosroês II,** roi sassanide d'Iran (591-628). Il reprit la lutte contre les Byzantins (pillage de Jérusalem en 614, siège de Constantinople en 626), mais fut battu par Héraclius en 628.

KHOTAN, en chin. Hotan, v. de Chine (Xinjiang) ; 134 000 hab. Oasis.

Khotine *(bataille de)* [11 nov. 1673], victoire remportée par Jean Sobieski sur les Turcs en Ukraine, à Khotine (en polon. *Chocim*), sur le Dniestr.

KHOURIBGA, v. du Maroc, sur les plateaux du Tadla ; 127 000 hab. Phosphates.

KHROUCHTCHEV (Nikita Sergueïevitch), homme d'État soviétique (Kalinovka, prov. de Koursk, 1894 - Moscou 1971). Premier secrétaire du Comité central du Parti communiste (1953-1964), président du Conseil des ministres de l'U. R. S. S. de 1958 à 1964, il se fit à partir du XXe Congrès (1956) le champion de la « déstalinisation » et de la coexistence pacifique (avec les États-Unis), et entreprit de vastes réformes économiques. Les revers de sa politique (crise de Cuba en 1962, difficultés agricoles) expliquent sa destitution en 1964.

Nikita **KHROUCHTCHEV,** homme d'État soviétique.

KHULNA, v. du Bangladesh, au sud-ouest de Dacca ; 860 000 hab.

KHURASAN → KHORASAN.

KHURRAMCHAHR → KHORRAMCHAHR.

KHURSABAD ou **KHORSABAD,** village d'Iraq où a été dégagée la ville de Dour-Sharroukên, bâtie par Sargon II vers 713 av. J.-C. et abandonnée après sa mort.

KHUZESTAN ou **KHUZISTAN,** région d'Iran, sur le golfe Persique. Pétrole.

KHYBER → KHAYBAR.

KIBBOUTZ [kibuts] n.m. En Israël, exploitation communautaire, le plus souvent agricole.

KICHENOTTE n.f. → QUICHENOTTE.

KICHINEV → CHIŞINĂU.

KICK n.m. Dispositif de mise en marche d'un moteur de motocyclette, à l'aide du pied.

KIDNAPPER v.t. Opérer un kidnapping.

KIDNAPPEUR, EUSE n. Personne qui commet un kidnapping.

KIDNAPPING [kidnapiŋ] n.m. Enlèvement d'une personne, en partic. pour obtenir une rançon.

KIEL, port d'Allemagne, cap. du Schleswig-Holstein, sur la Baltique ; 243 579 hab. Métallurgie.

KIELCE, v. de Pologne, ch.-l. de voïévodie ; 201 000 hab. — Cathédrale et palais (XVIIe s.).

KIENHOLZ (Edward), artiste américain (Fairfield, État de Washington, 1927 - Hope, Idaho, 1994). À partir de la fin des années 50, il a élaboré des assemblages-environnements grandeur nature, peuplés de figures mi-réalistes, mi-symboliques, « tableaux » porteurs d'un constat sociologique (*Roxy's,* 1961 ; *The Art Show [l'Exposition],* 1967-1977).

KIERKEGAARD (Søren), philosophe et théologien danois (Copenhague 1813 - *id.* 1855). Il mène d'abord une vie libertine, se fiance, puis il rompt brutalement ses fiançailles et se consacre à la méditation religieuse. Selon lui, les chrétiens, notamment l'Église institutionnelle, caricaturent le vrai christianisme. Il s'oppose à l'idéalisme hégélien et cherche un mode de pensée radical, voire tragique, pour saisir, loin de toute voie tracée, l'expérience originelle faisant de l'homme un être « unique » en chacun de ses représentants. C'est pour Kierkegaard l'angoisse qui constitue l'expérience fondamentale de l'homme : c'est par elle que l'homme se découvre comme être unique, irréductible à tout système. Kierkegaard, malgré toutes les dénégations de ses successeurs, est à l'origine de l'existentialisme (*Crainte et Tremblement,* 1843, *Ou bien... ou bien,* 1843 ; *le Journal du séducteur,* 1843).

KIESELGUHR [kizɛlgur] n.m. Masse de silice hydratée, formée par les squelettes de diatomées, très poreuse et absorbante.

KIESÉRITE [kiserit] n.f. Sulfate hydraté naturel de magnésium.

KIESINGER (Kurt Georg), homme politique allemand (Ebingen 1904 - Tübingen 1988). Chrétien-démocrate, il a été chancelier de l'Allemagne fédérale (1966-1969).

KIEŚLOWSKI (Krzysztof), cinéaste polonais (Varsovie 1941 - *id.* 1996). Narrateur exemplaire, il construit une œuvre classique par la structure de ses scénarios, la vérité des personnages et le lyrisme de la mise en scène : *le Personnel* (1975), *le Profane* (1979), *le Hasard* (1981), *le Décalogue* (1988), série de 10 moyens métrages illustrant les Dix Commandements, *la Double Vie de Véronique* (1991). Les trois films

KIEV : une des églises (reconstruites au XVIIe-XVIIIe s.) de la Laure des Grottes, ensemble monastique fondé au XIe siècle. À l'arrière-plan, le Dniepr.

suivants, *Bleu* (1993), *Blanc* (1994), *Rouge* (1994), composent une trilogie *(Trois Couleurs)* illustrant la devise républicaine.

KIEV, cap. de l'Ukraine, sur le Dniepr ; 2 587 000 hab. Endommagée pendant la Seconde Guerre mondiale, la ville a été reconstruite et son patrimoine architectural restauré. Centre administratif et culturel, la ville est aussi industrialisée (constructions mécaniques, fabrications chimiques, textiles et cuirs, industries alimentaires). HIST. Capitale de la « Russie kievienne » (IXᵉ-XIIᵉ s.), centre commercial prospère et métropole religieuse, Kiev est conquise par les Mongols en 1240. Rattachée à la Lituanie (1362) puis à la Pologne (1569), elle revient à la Russie en 1654. Foyer du nationalisme ukrainien, elle devient en 1918 la capitale de la République indépendante d'Ukraine. Intégrée à la République soviétique d'Ukraine en 1920, elle devient sa capitale en 1934. ARTS. Cathédrale Ste-Sophie (XIᵉ-XVIIIᵉ s.), conservant des mosaïques et des peintures byzantines. Laure des Grottes, ensemble monastique remontant lui aussi au XIᵉ siècle, avec plusieurs églises et musées.

KIEV *(État de)* ou **RUSSIE KIÉVIENNE**, premier État des Slaves de l'Est (IXᵉ-XIIᵉ s.), qui se développa sur le cours moyen du Dniepr, autour de Kiev. Bien que cet État se désintègre au milieu du XIIᵉ siècle, certains historiens emploient l'expression de « Russie kiévienne » pour désigner les principautés de cette région jusqu'à la conquête mongole (1236-1240). Les Slaves de l'Est se diviseront par la suite en Russes, Ukrainiens et Biélorusses.

Les débuts de l'État de Kiev sont liés aux princes varègues Riourik, semi-légendaire, et Oleg, qui s'établit à Kiev en 882. Les règnes de Vladimir le Grand (v. 980-1015) et de Iaroslav le Sage (1019-1054) marquent l'apogée de l'État de Kiev. L'adoption du christianisme par Vladimir et le « baptême de la Russie » qu'il impose à ses sujets (988-989) resserrent les liens avec Byzance. Affaibli par son morcellement et les attaques des peuples turcs établis dans les steppes méridionales, l'État de Kiev se désintègre après 1150 en principautés indépendantes.

KIF n.m. Poudre de haschisch mêlée de tabac, en Afrique du Nord.

KIGALI, cap. du Rwanda ; 155 000 hab.

KIKUYU, peuple du Kenya, parlant une langue bantoue. Le système social des Kikuyu repose sur des clans et des lignages patrilinéaires correspondant à des unités territoriales. Le

L'ÉTAT DE KIEV

▢ l'État de Kiev en 912

▢ Expansion de l'État de Kiev en 1054

▢ Limites des territoires russes au début du XIIIᵉ s.

statut de chacun est fixé par avance et la vie religieuse rythme la vie de chaque individu ; cette forte structure a été un appui dans la lutte anticoloniale contre les Britanniques.

KIKWIT, v. de la République démocratique du Congo (anc. Zaïre) ; 172 000 hab.

KILIM [kilim] n.m. Tapis d'Orient tissé.

KILIMANDJARO ou **PIC UHURU**, massif volcanique de l'Afrique (Tanzanie), portant le point culminant du continent ; 5 895 m.

KILLY (Jean-Claude), skieur français (Saint-Cloud 1943), triple champion olympique (descente, slalom spécial, slalom géant) en 1968.

KILO- (gr. *khilioi,* mille), préfixe (symb. k) qui placé devant une unité de mesure la multiplie par 10³.

KILO n.m. (abrév.). Kilogramme.

KILOFRANC n.m. Unité de compte équivalant à 1 000 francs. Abrév. : *kF.*

KILOGRAMME n.m. -1. Unité de mesure de masse (symb. kg), équivalant à la masse du prototype en platine iridié qui a été sanctionné par la Conférence générale des poids et mesures tenue à Paris en 1889, et qui est déposé au Bureau international des poids et mesures. -2. *Kilogramme par mètre,* unité de mesure de masse linéique (symb. kg/m), équivalant à la masse linéique d'un corps homogène de section uniforme dont la masse est 1 kilogramme et la longueur 1 mètre. ‖ *Kilogramme par mètre carré,* unité de mesure de masse surfacique (symb. kg/m²), équivalant à la masse surfacique d'un corps homogène d'épaisseur uniforme dont la masse est 1 kilogramme et la surface 1 mètre carré. ‖ *Kilogramme par mètre cube,* unité de mesure de masse volumique (symb. kg/m³), équivalant à la masse volumique d'un corps homogène dont la masse est 1 kilogramme et le volume 1 mètre cube ; unité de mesure de concentration (symb. kg/m³), équivalant à la concentration d'un échantillon homogène contenant 1 kilogramme du corps considéré dans un volume total de 1 mètre cube. ‖ *Kilogramme-force,* anc. unité de force d'emploi interdit. (→ NEWTON.)

KILOMÉTRAGE n.m. -1. Action de kilométrer. -2. Nombre de kilomètres parcourus.

KILOMÈTRE n.m. -1. Unité pratique de distance (symb. km) valant 1 000 m. -2. *Kilomètre carré,* unité de surface (symb. km²) égale à la surface d'un carré de 1 km de côté, soit un million de mètres carrés. (1 km² vaut 100 ha.) ‖ *Kilomètre cube,* unité de volume (symb. km³) égale au volume d'un cube de 1 km de côté, soit un milliard de mètres cubes. ‖ *Kilomètre par heure* (cour. : kilomètre à l'heure, kilomètre heure), unité de mesure de vitesse (symb. km/h) valant 1/3,6 mètre par seconde.

KILOMÉTRER v.t. [18]. Marquer d'indications kilométriques : *Kilométrer une route.*

KILOMÉTRIQUE adj. Relatif au kilomètre.

KILOTONNE n.f. Unité servant à évaluer la puissance d'une charge nucléaire, équivalant à l'énergie dégagée par l'explosion de 1 000 tonnes de trinitrotoluène (T. N. T.).

KILOTONNIQUE adj. Se dit d'une charge nucléaire dont les effets sont comparables à ceux produits par l'explosion d'une charge de trinitrotoluène d'un poids compris entre 1 000 et 1 million de tonnes.

KILOWATT n.m. Unité de puissance (symb. kW) égale à 1 000 watts.

KILOWATTHEURE n.m. Unité d'énergie ou de travail (symb. kWh), équivalant au travail exécuté pendant une heure par une machine dont la puissance est de 1 kilowatt.

KILT [kilt] n.m. -1. Jupe courte, en tartan, portée par les montagnards écossais. -2. Jupe portefeuille plissée, en tissu écossais.

KIMBANGUISME n.m. (de Simon *Kimbangu* [1889-1951]). Mouvement messianique d'inspiration chrétienne, répandu en Afrique centrale et occidentale.

KIMBERLEY, v. de l'Afrique du Sud, ch.-l. de la prov. du Cap-Nord ; 145 000 hab. Diamants.

KIMBERLITE n.f. Roche magmatique ultrabasique, compacte et sombre, qui peut contenir du diamant.

KIM IL-SUNG ou **KIM IL-SONG,** maréchal et chef d'État nord-coréen (près de Pyongyang 1912 - Pyongyang 1994). Organisateur de l'armée de libération contre l'occupant japonais (1931-1945), fondateur du Parti du travail (1946), il devient Premier ministre de la Corée du Nord en 1948. Il est ensuite chef de l'État de 1972 à sa mort.

KIMONO n.m. -1. Tunique japonaise très ample, d'une seule pièce, croisée devant et maintenue par une large ceinture, l'obi. -2. Vêtement d'intérieur consistant en un peignoir léger dont la coupe ou l'étoffe évoquent le kimono japonais. -3. Tenue composée d'une veste et d'un pantalon amples portée par les judokas, les karatékas, etc. ◆ adj. inv. *Manche kimono,* manche ample taillée d'une seule pièce avec le corsage.

KINABALU, point culminant de Bornéo (Sabah) et de l'Insulinde ; 4 175 m.

KINASE n.f. (du gr. *kinein,* stimuler). Enzyme qui a pour propriété d'activer une autre enzyme, comme l'entérokinase, la thrombokinase.

KINDI (al-), philosophe arabe (fin du VIIIᵉ s. - milieu du IXᵉ s.). Il s'est efforcé d'accréditer les thèses des mutazilites et a fait ériger leur religion en religion d'État grâce à l'appui du calife Mamun, chez qui il vivait. Cette tendance, opposée aux chiites, prônant une morale humaniste, a par la suite été condamnée. Il croit à un accord fondamental entre la raison et la foi au sujet de l'existence de Dieu. Il a essayé de concilier philosophie et religion pour atteindre l'unité divine. Il s'est également intéressé aux problèmes de la traduction (grec-arabe), aux sciences et à la musique.

KINESCOPE n.m. (du gr. *kinesis,* mouvement, et *skopein,* regarder). Appareil constitué d'un récepteur d'images de télévision associé à une caméra cinématographique, qui permet d'enregistrer sur film les images de la télévision, en vue du transfert sur pellicule d'images vidéo.

KINÉSIE n.f. Activité musculaire ; mouvement.

KINÉSITHÉRAPEUTE n. Praticien exerçant professionnellement le massage thérapeutique et la kinésithérapie. (En France, auxiliaire médical, titulaire d'un diplôme d'État.).

KINÉSITHÉRAPIE n.f. Ensemble des traitements qui utilisent la mobilisation active ou passive pour donner ou rendre à un malade, à un blessé, le geste et la fonction des différentes parties du corps.

KINESTHÉSIE ou **CINESTHÉSIE** n.f. (du gr. *kinein,* se mouvoir, et *aisthêsis,* sensation). Perception consciente de la position et des mouvements des différentes parties du corps.

KINESTHÉSIQUE ou **CINESTHÉSIQUE** adj. De la kinesthésie.

KINÉTOSCOPE n.m. Appareil inventé par Edison et W. Dickson, en 1890, et qui permettait la projection de photographies prises à de très courts intervalles, dont le déroulement rapide donnait une impression de mouvement.

KING (Riley Ben, dit B. B.), guitariste et chanteur de blues américain (Itta Bena, Mississippi, 1925). « Blues Boy King » se fait connaître comme guitariste en 1949. Il est un des premiers à avoir électrifié l'instrument. Son influence sera très grande sur le blues de Chicago et la pop music.

KING (Ernest), amiral américain (Lorain, Ohio, 1878 - Portsmouth 1956), chef de l'état-major naval américain pendant la Seconde Guerre mondiale (1942-1945).

KING (Martin Luther), pasteur noir américain (Atlanta 1929 - Memphis 1968). Son action pacifique a visé à l'intégration des Noirs. Il fut assassiné. (Prix Nobel de la paix 1964.)

Martin Luther
KING,
pasteur
américain.

KING (Stephen), écrivain américain (Portland, Maine, 1947), un des maîtres du fantastique et de l'épouvante (*Shining,* 1977 ; *The Dead Zone,* 1979 ; *Minuit 2,* 1990).

KING (William Lyon Mackenzie), homme politique canadien (Berlin, auj. Kitchener, Ontario, 1874 - Kingsmere, près d'Ottawa, 1950). Chef du Parti libéral, Premier ministre de 1921 à 1930 et de 1935 à 1948, il renforça l'autonomie du Canada vis-à-vis de Londres.

KING-CHARLES [kinʃarl] n.m. inv. Épagneul nain anglais, à poil long.

King Kong, film américain de Merian Cooper et Ernest B. Schoedsack (1933). Deux explorateurs accompagnés d'une jeune fille ayant découvert en Malaisie un gorille géant le capturent et l'exhibent à New York. L'animal s'échappe en enlevant la frêle jeune fille terrorisée et se réfugie au sommet de l'Empire State Building, avant d'être abattu. Cet archétype du « film de monstres » doit beaucoup aux décors et aux trucages de W. O'Brien.

KINGSLEY (Charles), pasteur et écrivain britannique (Holne, Devon, 1819 - Eversley 1875), un des promoteurs du mouvement socialiste chrétien.

KINGSTON, v. du Canada (Ontario), sur le Saint-Laurent ; 56 597 hab. École militaire. Archevêché. Université.

KINGSTON, cap. et port de la Jamaïque, sur la côte sud de l'île ; 662 000 hab. Centre commercial, industriel et touristique.

KINGSTON-UPON-HULL ou **HULL,** v. du nord de l'Angleterre, sur l'estuaire du Humber ; 252 200 hab. Port de pêche et de commerce. − Église gothique. Musées.

KINGSTOWN → DUN LAOGHAIRE.

KINKAJOU n.m. Mammifère carnivore des forêts de l'Amérique du Sud. (Long. 35 cm env., sans la queue.)

KINOSHITA JUNJI, auteur dramatique japonais (Tokyo 1914), rénovateur du théâtre japonais contemporain (*Une grue un soir,* 1949).

KINSHASA, anc. Léopoldville, cap. de la République démocratique du Congo (anc. Zaïre) ; 3 500 000 hab. *(Kinois).* Fondée en 1881 par Stanley sur la rive sud du Pool Malebo (lac du fleuve Congo). La ville s'est beaucoup étendue vers le S. et l'E., sous l'effet de l'accroissement naturel et de l'exode rural. Port fluvial, centre commercial, administratif et universitaire, c'est le principal pôle

KINSHASA : le port sur la rive sud du fleuve Zaïre.

industriel du pays (métallurgie, textile, mécanique, alimentation).

KIOSQUE n.m. -1. Petite boutique sur la voie publique pour la vente de journaux, de fleurs, etc. -2. Pavillon ouvert de tous côtés, installé dans un jardin ou sur une promenade publique. -3. Superstructure d'un sous-marin, servant d'abri de navigation pour la marche en surface et de logement pour les mâts pendant la plongée. -4. (Nom déposé). Nom donné à certains services vidéotex accessibles à partir d'un Minitel.

KIOSQUIER, ÈRE ou **KIOSQUISTE** n. Personne qui tient un kiosque à journaux.

KIP n.m. Unité monétaire principale de la République démocratique populaire du Laos.

KIPLING (Rudyard), écrivain britannique (Bombay 1865 - Londres 1936). Ses poésies et ses romans (*le Livre de la jungle,* 1894 [→ LIVRE] ; *Capitaine courageux,* 1897 ; *Kim,* 1901) célèbrent les qualités viriles et l'impérialisme anglo-saxon. (Prix Nobel 1907.)

KIPPA n.f. (mot hébr., *coupole*). Calotte que portent les juifs pratiquants.

KIPPER [kipœr] n.m. Hareng ouvert, légèrement salé et fumé.

KIPPOUR n.m. → YOM KIPPOUR.

Kippour *(guerre du)* → ISRAÉLO-ARABES (guerres).

KIR n.m. (du chanoine *Kir,* anc. maire et député de Dijon). -1. Apéritif constitué par un mélange de liqueur de cassis et de vin blanc. -2. *Kir royal,* kir où le vin blanc est remplacé par du champagne.

KIRCHER (Athanasius), jésuite et savant allemand (Geisa, près de Fulda, 1602 - Rome 1680). Il enseigne la philosophie, les mathématiques, l'hébreu et le syriaque. Nommé professeur de mathématiques au Collège romain (1638), il y crée le « Museum Kircherianum », premier exemple d'un musée public, où il rassemble les objets les plus divers (animaux, pierres, instruments, etc.). Son *Mundus subterraneus* est le premier grand traité de géologie, où il est fait une large place aux volcans.

KIRCHHOFF (Gustav Robert), physicien allemand (Königsberg 1824 - Berlin 1887). Il imagina en 1859 le concept de « corps noir », corps capable d'absorber intégralement les radiations qu'il reçoit. Il inventa le spectroscope, qu'il utilisa, avec Bunsen, pour montrer que

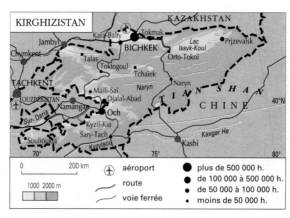

chaque élément chimique possède un spectre caractéristique, fondant ainsi l'analyse spectrale grâce à laquelle il découvrit le césium et le rubidium (1861). En optique, il développa la théorie ondulatoire de Fresnel et, en électricité, énonça les lois générales des courants dérivés.

KIRCHNER (Ernst Ludwig), peintre et graveur allemand (Aschaffenburg, Bavière, 1880 - Frauenkirch, près de Davos, 1938). Un des maîtres de l'expressionnisme, inspirateur de Die Brücke, il s'est exprimé par une palette intense et par un trait aigu, nerveux (*Femme au miroir*, 1912, M. N. A. M., Paris ; *Scène de rue à Berlin*, 1913, Brücke-Museum, Berlin).

KIRGHIZ n.m. Langue turque du Kirghizistan.

KIRGHIZ, peuple musulman de langue turque, vivant principalement au Kirghizistan, en Ouzbékistan, dans les montagnes du Badakhchan au Tadjikistan, et en Chine (Xinjiang, Pamir, Tian Shan).

KIRGHIZISTAN, État d'Asie centrale.

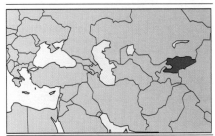

NOM OFFICIEL : République kirghize.
CAPITALE : Bichkek.
SUPERFICIE : 199 000 km².
POPULATION : 4 820 000 hab. *(Kirghiz)*.
LANGUE : kirghiz.
RELIGION : islam.
MONNAIE : som.
RÉGIME : parlementaire.

GÉOGRAPHIE
    Le territoire est presque entièrement montagneux et l'altitude ne descend qu'exceptionnellement au-dessous de 1 000 m. Les cultures se concentrent dans les vallées et les bassins. Le piémont septentrional (site de Bichkek) et les contreforts de la dépression du Fergana, autour du centre régional d'Och, irrigués, fournissent céréales, légumes, fruits, tabac, coton.
    Les deux régions regroupent l'essentiel de la population, composée de Kirghiz (48 %) au fort dynamisme démographique, de Russes (26 %) et d'Ouzbeks (12 %). Aujourd'hui sédentarisés, les Kirghiz possèdent un impor-

tant cheptel, surtout ovin. Le Kirghizistan dispose d'un secteur industriel relativement diversifié (textile, agroalimentaire, métallurgie, machines agricoles), développé par les Russes, dont le poids démographique et surtout économique pose problème.

HISTOIRE
    Conquise par les Russes, la région est intégrée au Turkestan organisé en 1865-1867.
1924 : elle est érigée en région autonome de Kara-Kirghiz, au sein de la R. S. F. S. de Russie.
1926 : elle devient la République autonome de Kirghizie.
1936 : elle reçoit le statut de république fédérée.
1990 : les communistes remportent les premières élections républicaines libres.
1991 : le Soviet suprême proclame l'indépendance du Kirghizistan (août), dont Askar Askaïev est élu président.

KIRIBATI, État de la Micronésie, au cœur de l'océan Pacifique, de part et d'autre de l'équateur, qui comprend l'archipel principal des Gilbert (16 atolls), auquel s'ajoutent les îles de la Ligne, ou Line Islands (Christmas [auj. Kiritimati], Tabuaeran et Teraina), l'archipel des Phoenix (12 atolls isolés) et l'île corallienne soulevée d'Ocean (ou Banaba). [*V. carte* Océanie.] Le tourisme, la vente des droits de pêche dans ses eaux territoriales et les envois des émigrés constituent les principales ressources de l'archipel. Cette ancienne colonie britannique est devenue indépendante en 1979.

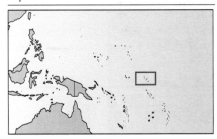

NOM OFFICIEL : République de Kiribati.
CAPITALE : Tarawa.
SUPERFICIE : 900 km².
POPULATION : 80 000 hab. *(Kiribatiens)*.
LANGUE : anglais.
RELIGIONS : protestantisme, catholicisme.
MONNAIE : dollar australien.
RÉGIME : parlementaire.

KIRIKKALE, v. de Turquie, à l'E. d'Ankara ; 185 431 hab.

KIRITIMATI, anc. **Christmas**, atoll du Pacifique, dépendance de Kiribati.

KIRKUK, v. du nord de l'Iraq ; 535 000 hab. Centre pétrolier.

KIROV → VIATKA.

KIROVABAD → GANDJA.

KIROVAKAN, v. d'Arménie ; 159 000 hab.

KIROVOGRAD, anc. Ielizavetgrad, v. d'Ukraine ; 263 000 hab.

KIRSCH [kirʃ] n.m. (all. *Kirsch,* cerise). Eau-de-vie extraite de cerises ou de merises fermentées.

KIŠ (Danilo), écrivain serbe (Subotica 1935 - Paris 1989). Il s'est souvent inspiré dans ses romans (*le Sablier,* 1971) et ses nouvelles (*Un tombeau pour Boris Davidovitch,* 1976) de faits réels, témoignant d'un grand souci de recherche formelle (*la Leçon d'anatomie,* 1978).

KISANGANI, anc. **Stanleyville,** v. de la République démocratique du Congo (anc. Zaïre), sur le fleuve Congo ; 339 000 hab.

KISFALUDY (Sándor), poète hongrois (Sümeg 1772 - *id.* 1844). Son frère **Károly** (Tét 1788 - Pest 1830) a été l'initiateur du théâtre et du romantisme en Hongrie.

KISH, cité ancienne de Mésopotamie (à 15 km à l'E. de Babylone), habitée du IVe millénaire au Ve s. apr. J.-C. Ses rois ont dû, vers le XXVIIe s. av. J.-C., dominer toute la basse Mésopotamie avant l'hégémonie d'Akkad.

Henry
KISSINGER,
homme politique
américain.

KISSINGER (Henry), homme politique américain (Fürth, Allemagne, 1923). Chef du département d'État de 1973 à 1977, il fut l'artisan de la paix avec le Viêt Nam. (Prix Nobel de la paix 1973.)

KISTNA → KRISHNA.

KIT [kit] n.m. Ensemble d'éléments vendus avec un plan de montage et que l'on peut assembler soi-même. Recomm. off. : *prêt-à-monter.*

KITA-KYUSHU, port du Japon, dans le nord de l'île de Kyushu ; 1 026 455 hab. Centre industriel.

KITCHENER, v. du Canada (Ontario) ; 168 282 hab. (332 235 pour l'agglomération).

KITCHENER (Herbert, *lord*), maréchal britannique (Bally Longford 1850 - en mer 1916). Il reconquit le Soudan, occupant Khartoum et Fachoda (1898), et mit fin à la guerre des Boers (1902). Ministre de la Guerre en 1914, il organisa l'armée de volontaires envoyée sur le front français.

Lord **KITCHENER,**
maréchal
britannique.

KITCHENETTE n.f. Petite cuisine souvent intégrée à la salle de séjour. Recomm. off. : *cuisinette.*

Kitchin *(cycles),* cycles économiques mineurs, d'une durée de l'ordre de 40 mois, s'intercalant à l'intérieur des cycles majeurs et mis en évidence par l'économiste américain Kitchin en 1923.

KITSCH ou **KITCH** [kitʃ] adj. inv. et n.m. inv. (all. *kitsch,* toc). **-1.** Se dit d'un objet, d'un décor, d'une œuvre d'art de mauvais goût destinés à la consommation de masse. **-2.** Se dit d'un courant artistique (et des œuvres qu'il produit) procédant d'une outrance volontaire et ironique du mauvais goût.

KITWE-NKANA, centre minier (cuivre) de la Zambie ; 472 000 hab.

KITZBÜHEL, v. d'Autriche (Tyrol) ; 8 000 hab. Station de sports d'hiver (alt. 762-2 000 m). — Églises et maisons anciennes, du gothique au baroque.

K'IU YUAN → QU YUAN.

KIVA n.f. (mot hopi). Chambre cérémonielle, secrète, semi-souterraine, caractéristique des villages pueblos. (Généralement circulaire, sa

KIVA dans le Chaco Canyon
au Nouveau-Mexique (États-Unis) [XIIᵉ-XIIIᵉ s.]

forme symbolise l'univers, et sa fréquentation est strictement réservée aux hommes initiés.)

KIVI (Aleksis **Stenvall**, dit **Aleksis**), écrivain finlandais (Nurmijärvi 1834 - Tuusula 1872). Créateur du théâtre finnois (*Kullervo*, 1859) et auteur d'un roman paysan (*les Sept Frères*, 1870), il est le grand classique de la littérature finlandaise.

KIVU *(lac)*, lac d'Afrique, aux confins de la République démocratique du Congo (anc. Zaïre) et du Rwanda ; 2 700 km².

KIWI [kiwi] n.m. **-1.** Aptéryx. **-2.** Fruit comestible d'un arbuste originaire d'Asie, à peau marron couverte d'une pilosité soyeuse et à pulpe verdâtre riche en vitamine C.

coupe

KIWI

KIZIL IRMAK (le), fl. de Turquie, tributaire de la mer Noire ; 1 182 km.

KJOLEN ou **KÖLEN**, massif du nord de la Scandinavie ; 2 117 m au Kebnekaise.

KLAGENFURT, v. d'Autriche, ch.-l. de la Carinthie ; 87 000 hab. — Ensemble de monuments et de demeures notamment des XVIᵉ et XVIIᵉ siècles. Musée provincial de Carinthie.

KLAIPEDA, en all. Memel, port de Lituanie, sur la Baltique ; 204 000 hab.

KLAPROTH (Martin Heinrich), chimiste et minéralogiste allemand (Wernigerode 1743 - Berlin 1817). Ses analyses de minéraux l'ont conduit à la découverte d'éléments nouveaux : zirconium et uranium (1789), titane (1795) et cérium (1803). Il identifia le strontium et étudia le tellure. Il propagea en Allemagne les théories de Lavoisier.

KLAXON [klaksɔn] n.m. (nom déposé). Avertisseur sonore pour les automobiles, les bateaux.

KLAXONNER v.i. Faire fonctionner un Klaxon, un avertisseur sonore.

KLÉBER (Jean-Baptiste), général français (Strasbourg 1753 - Le Caire 1800). Engagé volontaire en 1792, il participa activement à la défense de Mayence. Général en 1793, il commanda en Vendée, se battit à Fleurus (1794), puis dirigea l'armée de Sambre et Meuse. Successeur de Bonaparte en Égypte (1799), il défit les Turcs à Héliopolis (1800), mais fut assassiné au Caire.

Jean-Baptiste
KLÉBLER,
général français.
Détail
d'un portrait
par Paulin-Guérin.
(Château
de Versailles.)

KLEE (Paul), peintre suisse (Münchenbuchsee, près de Berne, 1879 - Muralto-Locarno 1940). La découverte de Cézanne (1909), puis du cubisme (1912) après la rencontre, à Munich, de Kandinsky et des peintres du Blaue Reiter (1911), enfin la révélation décisive de la lumière en Tunisie (1914) marquent toute son œuvre. Proche de l'abstraction (*Villa R*, 1919, Bâle), se référant à la nature, au cosmos par des allusions oniriques ou humoristiques, il multiplie les manières (« carrés magiques » : *Air ancien*, 1925, Bâle ; mosaïques : *Ad Parnassum*, 1932, Berne), les techniques et les recherches. Il enseigne au Bauhaus de 1921 à 1930. Une volonté d'économie plastique le conduit à un graphisme qui va jusqu'à l'idéogramme, constamment empreint d'une charge poétique et lyrique (*Mine grave*, 1939, Berne). Il a laissé

Paul **KLEE** : *KN le forgeron* (1922).
[M. N. A. M., C. N. A. C. G.-P., Paris.]

un *Journal* et d'autres écrits. Important ensemble de son œuvre au musée de Berne (Fondation Paul Klee).

KLEENE (Stephen Cole), logicien et mathématicien américain (Hartford, Connecticut, 1909). On lui doit une importante contribution à la théorie des fonctions récursives et à la théorie des automates (*Introduction to Metamathematics,* 1952).

KLEENEX [klinɛks] n.m. (nom déposé). Mouchoir jetable en ouate de cellulose.

KLEIN (Felix), mathématicien allemand (Düsseldorf 1849 - Göttingen 1925). Il mit fin à la scission entre géométrie pure et géométrie analytique en présentant, en 1872, le « programme d'Erlangen », remarquable classification des géométries fondée sur la notion de groupe de transformations. Ses autres travaux concernent la théorie des fonctions de la variable complexe, les fonctions modulaires, le groupe de l'icosaèdre régulier.

KLEIN (Lawrence Robert), économiste américain (Omaha, Nebraska, 1920). Conseiller du président Carter (1976-77), il a reçu en 1980 le prix Nobel de sciences économiques pour ses travaux sur la modélisation économétrique.

KLEIN (Melanie), psychanalyste britannique d'origine autrichienne (Vienne 1882 - Londres 1960). Pionnière de la psychanalyse des enfants, elle suppose qu'il existe dès la naissance un Moi beaucoup plus élaboré que ne l'estimait Freud, le complexe d'Œdipe se nouant plus tôt que ce dernier ne l'avait pensé. Pour elle, le refoulement serait secondaire par rapport à l'Œdipe (*la Psychanalyse des enfants,* 1932 ; *Essai de psychanalyse,* 1947 ; *Envie et gratitude,* 1957).

KLEIN (William), photographe et cinéaste américain (New York 1928). Rapidité d'écriture, lecture multiple de l'image et flou font de lui l'un des rénovateurs du langage photographique.

KLEIN (Yves), peintre français (Nice 1928 - Paris 1962). Cherchant le *Dépassement de la problématique de l'art* (titre d'un écrit de 1959) et l'accès à une « sensibilité immatérielle » dans une libération de la couleur (*monochromes* bleus ou roses), dans une appropriation des énergies élémentaires *(peintures de feu, cosmogonies)* et vitales (*anthropométries ;* empreintes de corps nus enduits de peinture) ou dans le rêve d'une *architecture de l'air,* il fut l'un des grands éveilleurs de l'avant-garde européenne.

Yves **KLEIN** : *l'Arbre, grande éponge bleue* (1962). [M. N. A. M., C. N. A. C. G.-P., Paris.]

KLEIST (Ewald **von**), maréchal allemand (Braunfels 1881 - Vladimir 1954). Un des créateurs de l'arme blindée allemande, il dirigea la percée des Ardennes (1940).

KLEIST (Heinrich **von**), écrivain allemand (Francfort-sur-l'Oder 1777 - Wannsee, près de Berlin, 1811). Épris d'idéalisme, influencé par Kant et par Rousseau, il abandonne en 1799 la carrière militaire pour le théâtre (*Robert Guiscard, duc des Normands,* 1803). Arrêté comme espion lors de l'invasion napoléo-nienne (1806), il est interné au fort de Joux. Relâché, il s'installe à Dresde, où il fréquente les milieux romantiques. Il écrit des nouvelles, une comédie (*Amphitryon,* 1807), des tragédies (*Penthésilée,* 1808 ; *Katherine de Heilbronn,* 1808-1810) et deux drames, inspirés des malheurs de sa patrie et qui restent ses chefs-d'œuvre (*la Bataille d'Hermann,* 1808 ; *le Prince de Hombourg,* 1810 [→ PRINCE]). Ruiné et découragé par l'insuccès de ses pièces, il se donne la mort en compagnie de son amie, Henriette Vogel.

KLEMPERER (Otto), chef d'orchestre d'origine allemande, naturalisé israélien (Breslau 1885 - Zurich 1973), spécialiste du répertoire austro-allemand de J. Haydn à G. Mahler.

KLENZE (Leo **von**), architecte allemand (Bockenem, près de Hildesheim, 1784 - Munich 1864). Il a notamment construit à Munich, en style néogrec, la Glyptothèque (v. 1816-1830) et les Propylées.

KLEPHTE ou **CLEPHTE** n.m. (gr. moderne *klephthês,* brigand). Montagnard libre de la région de l'Olympe et du Pinde, dans la Grèce ottomane.

KLEPTOMANE ou **CLEPTOMANE** n. Personne atteinte de kleptomanie.

KLEPTOMANIE ou **CLEPTOMANIE** n.f. (du gr. *kleptein,* voler). Impulsion pathologique qui pousse certaines personnes à voler.

KLESTIL (Thomas), diplomate et homme d'État autrichien (Vienne 1932). Candidat du Parti populiste, il est élu président de la République en 1992.

KLIMT (Gustav), peintre autrichien (Vienne 1862 - *id.* 1918). Il fut parmi les fondateurs de la Sécession viennoise, en 1897, parvenant au tournant du siècle à un art spécifique qui associe réalisme et féerie ornementale au service de thèmes érotico-symbolistes (*le Baiser,* 1908, Vienne).

(Voir illustration p. suivante.)

Klinefelter *(syndrome de),* syndrome associant chez le garçon un développement anormal des seins, une atrophie testiculaire et une absence de formation des spermatozoïdes, et s'accompagnant de diverses anomalies chromosomiques.

KLINGER (Friedrich Maximilian **von**), poète allemand (Francfort-sur-le-Main 1752 - Dorpat 1831). Son drame *Sturm und Drang* (1776) a donné son nom à la période de la littérature allemande qui inaugure la réaction contre le classicisme.

Gustav **KLIMT** : *Salomé* (1909).
[Galerie d'Art moderne, Venise.]

Klingsor, magicien qui apparaît dans le *Parzival* du poète allemand Wolfram von Eschenbach et dans le *Parsifal* de Wagner.

KLIPPE n.f. Lambeau de recouvrement de roche dure sur une roche plus tendre, mis en relief par l'érosion, dans une structure charriée.

KLONDIKE, riv. du Canada, affl. du Yukon (r. dr.) ; 150 km. Gisements d'or découverts en 1896, mais aujourd'hui épuisés.

KLOPSTOCK (Friedrich Gottlieb), poète et auteur dramatique allemand (Quedlinburg 1724 - Hambourg 1803). Luthérien convaincu, il est l'auteur d'une vaste épopée biblique, *la Messiade* (1748-1773). Ses drames (*la Bataille d'Arminius,* 1769), inspirés des mythes de la vieille Germanie, font de lui l'initiateur d'une littérature puisant aux propres sources nationales.

KLOSTERNEUBURG, v. d'Autriche, dans la banlieue de Vienne ; 23 300 hab. — Monastère d'augustins remontant au XIIᵉ siècle (décors baroques ; œuvres d'art, dont le célèbre « retable » émaillé de Nicolas de Verdun [1181]).

KLOTEN, v. de Suisse ; 16 148 hab. Aéroport de Zurich.

KLUCK (Alexander von), général allemand (Münster 1846 - Berlin 1934). Commandant la Iʳᵉ armée allemande, il commit une faute de manœuvre, aussitôt exploitée par l'offensive française de la Marne (sept. 1914).

KLUGE (Hans von), maréchal allemand (Posen, auj. Poznań, 1882 - près de Metz 1944). Il commanda une armée en France (1940), un groupe d'armées en Russie, puis remplaça Rundstedt en Normandie. Après son échec à Mortain (1944), il se suicida.

KLYSTRON n.m. (du gr. *kludzein,* s'agiter). Tube à modulation de vitesse, engendrant ou amplifiant des courants d'hyperfréquences.

km, symbole du kilomètre.

Knesset, Parlement de l'État d'Israël, à chambre unique, composé de 120 députés.

KNICKERS [nikərs] n.m. pl. Pantalon large et court, serré au-dessous du genou.

Knock ou **le Triomphe de la médecine,** comédie en trois actes de Jules Romains (1923). Partant du principe que « tout homme en bonne santé est un malade qui s'ignore », le docteur Knock, nouvellement établi dans une petite bourgade, parvient à amener tous les habitants, y compris son prédécesseur, à se faire soigner par lui.

KNOCK-DOWN [nɔkdawn] n.m. inv. (mot angl., de *knock,* coup, et *down,* par terre). État d'un boxeur envoyé à terre, mais qui n'est pas encore mis hors de combat.

KNOCK-OUT [nɔkawt] n.m. inv. (mot angl., de *knock,* coup, et *out,* dehors). Mise hors de combat d'un boxeur resté au moins dix secondes à terre. ◆ adj. inv. Assommé. Abrév. : K.-O.

KNOKKE-HEIST, comm. de Belgique (Flandre-Occidentale) ; 31 787 hab. Station balnéaire sur la mer du Nord.

KNOUT [knut] n.m. -1. En Russie, fouet constitué de plusieurs lanières de cuir. -2. Châtiment corporel, qui consistait à frapper le dos avec un tel fouet.

Knox *(Fort),* camp militaire des États-Unis (Kentucky), au sud-ouest de Louisville. Abri contenant les réserves d'or des États-Unis.

KNOX (John), réformateur écossais (près de Haddington 1505 ou v. 1515 - Édimbourg 1572). Il établit la Réforme en Écosse en adoptant la doctrine de Calvin. Contraint à l'exil à plusieurs reprises, notamment en 1554 par Marie Tudor, il rentre dans sa patrie en 1559, sous Élisabeth Iʳᵉ, pour contribuer à y établir le presbytérianisme en rédigeant la *Confessio Scotica* et le *Book of Common Order.*

KNUD ou **KNUT LE GRAND** (995 - Shaftesbury 1035), roi d'Angleterre (1016-1035), de Danemark (1018-1035) et de Norvège (1028-1035). Respectueux des lois anglo-saxonnes, il favorisa la fusion entre Danois et Anglo-Saxons. Son empire se disloqua après sa mort. **Knud II le Saint** (1040 - Odense 1086), roi de Danemark (1080-1086), mort martyr, patron du Danemark.

K.-O. [kao] n.m. et adj. (abrév.). Knock-out.

KOALA n.m. Mammifère marsupial grimpeur

KOALA

aux oreilles rondes, vivant en Australie. (Long. env. 80 cm.)

KOB n.m. Antilope des marais d'Afrique australe.

KOBE, important port du Japon (Honshu) sur la côte septentrionale de la baie d'Osaka ; 1 477 410 hab. Centre industriel (chantiers navals). Musées. Séisme en 1995.

KOBOLD [kɔbɔld] n.m. Génie familier de la mythologie germanique.

KOCH (Robert), médecin et microbiologiste allemand (Clausthal, Hanovre, 1843 - Baden-Baden 1910). Il découvrit le bacille de la tuberculose (1882), appelé maintenant *bacille de Koch,* à partir duquel il prépara la tuberculine (utilisée de nos jours dans les tests cutanés diagnostiques). Koch découvrit également le bacille du choléra. (Prix Nobel 1905.)

KOCHANOWSKI (Jan), poète polonais (Sycyna 1530 - Lublin 1584). Ses élégies (*Thrènes,* 1580) sur la mort de sa fille inaugurèrent la poésie lyrique en Pologne.

KÖCHEL (Ludwig von), musicographe autrichien (Stein, Basse-Autriche, 1800 - Vienne 1877). Il a publié, en 1862, le *Catalogue chronologique et thématique des œuvres complètes de W. A. Mozart.*

KOCHER (Theodor Emil), chirurgien suisse (Berne 1841 - *id.* 1917). Il étudia le fonctionnement de la glande thyroïde, en montrant le rôle de l'iode, et créa de plus la chirurgie du goitre, augmentation du volume de cette glande. (Prix Nobel 1909.)

KOCHI, port du Japon (Shikoku) à proximité de la baie de Tosa ; 317 069 hab. — Musée ; château féodal (xviiᵉ s.) ; dans les environs, temple bouddhique « Chikurin ».

KODÁLY (Zoltán), compositeur, folkloriste et pédagogue hongrois (Kecskemét 1882 - Budapest 1967). Il entreprit avec Béla Bartók une collecte de chants populaires. En 1908, il devint professeur de composition à l'académie Franz Liszt. Son œuvre embrasse tous les genres : motets, messes, oratorios (*Psalmus hungaricus,* 1923), œuvres dramatiques, symphoniques, musique de chambre. Kodály s'est illustré aussi par une méthode d'enseignement de la musique.

KODIAK n.m. Ours brun d'une race d'Amérique du Nord, le géant des carnivores actuels (3,60 m de long et 500 kg).

KŒCHLIN (Charles), compositeur et théoricien français (Paris 1867 - Rayol-Canadel-sur-

Mer 1950), auteur d'un *Traité de l'orchestration* (1944), d'œuvres symphoniques et de musique de chambre.

KŒNIG (Marie Pierre), maréchal de France (Caen 1898 - Neuilly-sur-Seine 1970). Vainqueur à Bir Hakeim (1942), il commanda les Forces françaises libres puis les Forces françaises de l'intérieur (1944). Il fut ministre de la Défense en 1954-55.

KOESTLER (Arthur), écrivain hongrois d'expression anglaise, naturalisé britannique (Budapest 1905 - Londres 1983). Ses romans peignent l'individu aux prises avec les systèmes politiques ou scientifiques modernes (*le Zéro et l'Infini,* 1940). Il se suicida.

KOETSU, peintre calligraphe et décorateur japonais (région de Kyoto 1558 - 1637). Superbe calligraphe, il a puisé son inspiration dans la période Heian et a réalisé avec Sotatsu des œuvres d'une parfaite harmonie.

KOFFKA (Kurt), psychologue américain d'origine allemande (Berlin 1886 - Northampton 1941). Il a été avec W. Köhler et M. Wertheimer un des fondateurs de la Gestalttheorie.

KOFU, v. du Japon (Honshu) à l'ouest de Tokyo ; 200 626 hab.

KOHL (Helmut), homme politique allemand (Ludwigshafen 1930). Président de la CDU (union chrétienne-démocrate) depuis 1973, il devient chancelier de la République fédérale en 1982 et fait proclamer l'unification de l'Allemagne en 1990.

Helmut **KOHL,**
homme politique
allemand.

KÖHLER (Wolfgang), psychologue américain d'origine allemande (Reval, auj. Tallinn, 1887 - Enfield, New Hampshire, 1967), l'un des principaux représentants de la Gestalttheorie : *Problèmes psychologiques* (1933).

KOHLRAUSCH (Rudolf), physicien allemand (Göttingen 1809 - Erlangen 1858). Il a défini la résistivité des conducteurs électriques.

KOHOL ou **KHÔL** n.m. (ar. *kuḥl*). Fard noirâtre provenant de la carbonisation de substances grasses, utilisé pour le maquillage des yeux.

KOHOUT (Pavel), écrivain tchèque (Prague 1928). Poète (*le Temps de l'amour et du combat,* 1954) et auteur dramatique (*Auguste, Auguste, Auguste,* 1967), il fut un des signataires de la Charte 77.

KOINÈ [kɔjnɛ] n.f. (gr. *koinê* [dialektos], [langue] commune). -1. Dialecte attique mêlé d'éléments ioniques, qui est devenu la langue commune de tout le monde grec à l'époque hellénistique et romaine. -2. Toute langue commune se superposant à un ensemble de dialectes ou de parlers sur une aire géographique donnée.

KOIVISTO (Mauno), homme d'État finlandais (Turku 1923). Social-démocrate, Premier ministre (1968-1970 ; 1979-1981), il est président de la République de 1982 à 1994.

KOKOSCHKA (Oskar), peintre et écrivain autrichien (Pöchlarn, Basse-Autriche, 1886 - Montreux 1980). D'un expressionnisme tourmenté dans ses figures (*la Fiancée du vent,* 1914, musée des Bx-A., Bâle), il a exalté le lyrisme de la couleur dans ses vues urbaines et ses paysages.

KOLA ou **COLA** n.m. -1. Kolatier. -2. Fruit du kolatier (noix de kola), contenant des alcaloïdes stimulants.

KOLA *(presqu'île de),* péninsule du nord de la Russie, au-delà du cercle polaire. Fer. Nickel. Phosphates. Centrale nucléaire. V. princ. *Mourmansk.* – Bases aérienne et sous-marine.

KOLAMBA → COLOMBO.

KOLATIER n.m. Arbre originaire d'Afrique, qui produit le kola. (Famille des sterculiacées.)

KOLHAPUR, v. de l'Inde (Maharashtra) ; 417 286 hab.

KOLINSKI [kɔlɛ̃ski] n.m. (mot russe). Fourrure d'une sorte de martre, jaune au naturel, et que l'on emploie teinte pour imiter la zibeline.

KOLKHOZ ou **KOLKHOZE** n.m. En U. R. S. S. et dans plusieurs États issus de son démembrement, coopérative agricole de production, ayant la jouissance de la terre qu'elle occupe et la propriété collective des moyens de production.

KOLKHOZIEN, ENNE adj. et n. Relatif à un kolkhoz ; membre d'un kolkhoz.

KOLLÁR (Ján), poète slovaque d'expression tchèque (Mošovce 1793 - Vienne 1852). L'une des figures majeures du renouveau national et

culturel tchèque, il a donné avec les 615 sonnets de la *Fille de Slava* (1824-1852) l'œuvre
majeure du panslavisme.

KOLMOGOROV (Andreï Nikolaïevitch), mathématicien soviétique (Tambov 1903 - Moscou 1987). Il établit les bases axiomatiques du
calcul des probabilités (1933).

KOLOKOTRÓNIS ou **COLOCOTRONIS**
(Theódhoros ou Théodore), homme politique
grec (Ramavoúni 1770 - Athènes 1843) et chef
militaire de la guerre de l'Indépendance (1821-
1831).

KOLTCHAK (Aleksandr Vassilievitch), amiral
russe (Saint-Pétersbourg 1874 - Irkoutsk
1920). Ayant pris à Omsk la tête des Russes
blancs (fin de 1918), il fut battu par l'Armée
rouge et fusillé.

KOLWEZI, v. de la République démocratique
du Congo (anc. Zaïre), dans le Shaba ;
80 000 hab. Centre minier (cuivre, cobalt).

KOLYMA (la), fl. sibérien de Russie, tributaire
de la mer de Sibérie orientale et qui a donné
son nom à une région ; 2129 km.

Kominform (abrév. russe de « Bureau d'information des partis communistes et ouvriers »),
organisation qui regroupa de 1947 à 1956 les
partis communistes des pays de l'Europe de
l'Est, de France et d'Italie.

Komintern (abrév. russe de « Internationale
communiste »), nom russe de la IIIᵉ Internationale (1919-1943).

KOMIS ou **ZYRIANES**, peuple de langue
finno-ougrienne de la Russie, habitant la vallée
de la Petchora. Ils font aujourd'hui partie de
la *République des Komis* (1 263 000 hab. Cap.
Syktyvkar). Leur mode de vie traditionnel
repose sur la chasse et l'élevage. Ils vivent dans
des familles dispersées.

KOMMANDANTUR [-tur] ou [-tyr] n.f.
Commandement militaire local en région occupée par les Allemands, lors des deux guerres
mondiales.

KOM-OMBO, v. d'Égypte, en Haute-Égypte
(prov. d'Assouan), 28 400 hab. − Grand temple fondé par Thoutmosis III, reconstruit à
l'époque ptolémaïque et dédié à Sobek et
Haroëris, bien conservé.

KOMSOMOL n.m. Membre d'une organisation de masse (le *Komsomol*) chargée de former
la jeunesse de l'U. R. S. S. dans l'esprit du
communisme.

KOMSOMOLSK-SUR-L'AMOUR, v. de Russie,
en Extrême-Orient, sur l'Amour ; 315 000 hab.
Elle fut fondée en 1932 par les komsomols.

KONDO n.m. Bâtiment principal d'un ensemble monastique bouddhique, au Japon, abritant le sanctuaire où est révérée l'image du
Bouddha ou du bodhisattva.

KONDRATIEV (Nikolaï Dmitrievitch), économiste russe (1892-1930). Il est l'auteur
d'études sur les cycles économiques qui mi-
rent en valeur l'existence des cycles de longue
durée, dits « cycles Kondratiev ».

KONGO ou **BAKONGO,** population bantoue
du sud du Congo, de l'ouest de la République
démocratique du Congo et du nord de
l'Angola.

KONGO ou **CONGO** *(royaume du),* ancien
royaume africain aux confins du bas Congo et
de l'Angola. Fondé au XIVᵉ siècle, il accueillit
à la fin du XVᵉ les marins portugais, qui y
diffusèrent le christianisme. Il déclina après
1568 au profit du royaume d'Angola.

KONIEV ou **KONEV** (Ivan Stepanovitch),
maréchal soviétique (Lodeïno 1897 - Moscou
1973). Il se distingua devant Moscou (1941)
et s'empara de la Pologne méridionale (1944),
avant de réaliser sa liaison avec les troupes
américaines à Torgau (1945). Il fut commandant des forces du pacte de Varsovie (1955-
1960).

KÖNIGSBERG → KALININGRAD.

KONTCHALOVSKI (Andreï) → MIKHALKOV-
KONTCHALOVSKI.

KONWICKI (Tadeusz), écrivain et cinéaste
polonais (Nowa Wilejka 1926). Romancier
jouant sur différents plans de temporalité
(*l'Ascension,* 1967), il se fait le témoin et le juge
de son temps (*la Petite Apocalypse,* 1979 ; *Fleuve
souterrain, oiseaux de nuit,* 1985).

KONYA, v. de Turquie, au nord du Taurus ;
513 346 hab. **ARTS.** Beaux monuments de
l'époque seldjoukide, parmi lesquels la mosquée d'Ala al-Din (v. 1220) avec un splendide
minbar en bois, et la madrasa (Ince minareli,
1265) ; tombeau de Djalal-Din Rumi, fondateur des derviches tourneurs. Musée.
(Voir illustration p. suivante.)

KONZERN [kɔzɛrn] ou [kɔntsɛrn] n.m. Entente
formée par plusieurs entreprises économiques,
plus étroite que le cartel, mais qui ne consiste
pas en une fusion complète.

KOPECK n.m. Centième partie du rouble.

KÖPRÜLÜ, famille d'origine albanaise, dont
cinq membres furent, de 1656 à 1710, grands
vizirs de l'Empire ottoman.

KORÇË, v. d'Albanie ; 50 000 hab.

La madrasa Ince minareli (1265), à **KONYA**.

KORČULA, en ital. **Curzola,** île croate de l'Adriatique. V. princ. *Korčula.* — Nombreux monuments du Moyen Âge et de la Renaissance.

KORDA (Sándor, devenu *sir* **Alexander**), cinéaste et producteur britannique d'origine hongroise (Pusztaturpaszto, près de Túrkeve, 1893 - Londres 1956). Il contribua à la renaissance de la production britannique et réalisa lui-même plusieurs films historiques (*la Vie privée de Henry VIII,* 1933).

KORDOFAN, région du Soudan, à l'ouest du Nil Blanc. V. princ. *El-Obeïd.*

KORÊ ou **CORÉ** n.f. Statue de jeune fille, typique de l'art grec archaïque, sculptée jusqu'au tout début du Vᵉ s. av. J.-C.

KORIN OGATA, de son vrai nom Ichinojo, peintre japonais (Kyoto 1658 - *id.* 1716). Il est surtout connu pour ses grandes compositions décoratives qui ressuscitent, dans l'esprit élégant et raffiné du XVIIIᵉ siècle, le génie ample et vigoureux de Sotatsu, mais aussi de Koetsu.

KORIYAMA, v. du Japon (Honshu) ; 314 642 hab.

KORNAI (János), économiste hongrois (Budapest 1928). Il est directeur de l'Institut d'économie de l'Académie des sciences de Hongrie depuis 1967. Son ouvrage *Socialisme et économie de la pénurie* (1980) démontre que la pénurie est inhérente au système administratif et centralisé des économies socialistes.

KÖRNER (Theodor), poète allemand (Dresde 1791 - env. de Gadebusch, près de Schwerin, 1813). Auteur dramatique à succès (*la Gouvernante,* 1818), il fut l'un des chantres du soulèvement contre Napoléon (*Lyre et Épée,* 1814).

KORNILOV (Lavr Gueorguievitch), général russe (Oust-Kamenogorsk 1870 - Iekaterinodar 1918). Nommé généralissime par Kerenski (1917), il rompit avec lui et fut tué en luttant contre les bolcheviks.

KOROLENKO (Vladimir Galaktionovitch), écrivain russe (Jitomir 1853 - Poltava 1921). Il est l'auteur de récits et d'une autobiographie, *Histoire de mon contemporain* (1906-1922).

KORRIGAN, E n. Nain ou fée des légendes bretonnes, tantôt bienveillant, tantôt malveillant.

Korsakoff *(syndrome de),* affection neurologique caractérisée par une amnésie de fixation, souvent associée à une polynévrite des membres inférieurs.

KORTRIJK → COURTRAI.

KOŚCIUSZKO (Tadeusz), patriote polonais (Mereczowszczyźna 1746 - Soleure, Suisse, 1817). Il participa à la guerre d'indépendance américaine (1776-1783), s'illustra dans la guerre contre la Russie (1792), se réfugia en France, puis dirigea en 1794 l'insurrection polonaise contre les Russes, qui le gardèrent prisonnier jusqu'en 1796.

Tadeusz **KOŚCIUSZKO,** patriote polonais. Détail d'un portrait par C. Josi. (B. N., Paris.)

KOŠICE, v. de Slovaquie ; 234 800 hab. Centre sidérurgique. — Monuments anciens, dont une cathédrale gothique du style des Parler, des hôtels des XVIIᵉ et XVIIIᵉ siècles.

KOSMA (Jozsef, dit **Joseph**), compositeur hongrois naturalisé français (Budapest 1905 - Paris 1969). Il travailla avec Hanns Eisler et Kurt Weill. Fixé à Paris en 1933, il écrivit avec

J. Prévert plus de 80 chansons (dont *les Feuilles mortes, Barbara*). Il a aussi écrit de la musique de films (*la Grande Illusion*, 1937 ; *les Enfants du paradis*, 1945) et des opéras : *les Canuts* (1959) et *les Hussards* (1969).

KOSOVO, dépendance de la Serbie ; 10 887 km² ; 1 585 000 hab. *(Kosovars)* ; ch.-l. *Priština*. Elle est aujourd'hui peuplée majoritairement d'Albanais (environ 90 % de la population). HIST. Après avoir fait partie de la Serbie à partir de la fin du XIIe siècle, la région fut dominée par les Ottomans de 1389 à 1912. Elle était alors peuplée majoritairement de Turcs et d'Albanais convertis à l'islam. Reconquise en 1912-13 par la Serbie, à laquelle elle est intégrée, la région est dotée en 1945-46 du statut de province autonome. Opposée à la montée du nationalisme serbe et à la réduction de son autonomie, elle s'autoproclame en 1990 République du Kosovo et milite pour son indépendance.

Kosovo *(bataille du)* [15 juin 1389], bataille que remportèrent les Ottomans dans la plaine du Kosovo et qui leur permit de vassaliser la Serbie.

KOSSEL (Walther), chimiste allemand (Berlin 1888 - Kassel 1956). Il créa la théorie de l'électrovalence et étudia la structure des cristaux grâce aux rayons X.

KOSSUTH (Lajos), homme politique hongrois (Monok 1802 - Turin 1894). Pendant la révolution de 1848, il devint président du Comité de défense nationale et proclama la déchéance des Habsbourg et l'indépendance de la Hongrie (1849) ; vaincu par les Russes, il fut contraint à l'exil la même année.

Lajos **KOSSUTH**, homme politique hongrois. Détail d'un portrait par J. Tyroler. (Musée hongrois de la Guerre.)

KOSSYGUINE (Alekseï Nikolaïevitch), homme politique soviétique (Saint-Pétersbourg 1904 - Moscou 1980). Président du Conseil des ministres (1964-1980), il tenta de

réformer l'économie soviétique en accordant une plus grande autonomie aux entreprises.

Kostenki, village de Russie, dans la vallée du Don, près de Voronej. Aux environs, ensemble de gisements de plein air du paléolithique supérieur (22000-12000) avec vestiges d'habitats circulaires ; outillage lithique et statuettes féminines en ivoire.

KOSTROMA, v. de Russie, au confluent de la *Kostroma* et de la Volga ; 278 000 hab. Centre industriel. – Cathédrale de l'Assomption, fondée au XIIIe siècle.

KOSZALIN, v. du nord-ouest de la Pologne, ch.-l. de voïévodie ; 109 800 hab. Centre industriel.

KOT n.m. BELGIQUE. -1. Chambre d'étudiant. -2. Débarras.

KOTA, v. de l'Inde (Rajasthan) ; 536 444 hab.

KOTO n.m. Instrument de musique extrême-oriental à cordes pincées, formé d'une caisse de résonance plate de forme approximativement rectangulaire, sur laquelle sont tendues des cordes possédant chacune leur chevalet.

KOTOR, en ital. **Cattaro**, port de Yougoslavie (Monténégro), sur l'Adriatique, dans un golfe profond appelé *bouches de Kotor ;* 6 000 hab. Tourisme. – Cathédrale des IXe-XIIe siècles.

Kotosh, site archéologique de la région Huánuco, dans les Andes centrales du Pérou. Dix édifices superposés ont été repérés, dont les plus anciens remontent au précéramique (2500-1800 av. J.-C.). La céramique apparaît entre 1800 et 1150 av. J.-C. À partir du Xe s. av. J.-C., Kotosh subit l'influence de Chavín.

KOTZEBUE (August von), écrivain allemand (Weimar 1761 - Mannheim 1819). Il fut l'auteur prolixe de drames et de comédies d'intrigues nourries de l'esprit bourgeois et de la sentimentalité propres à la fin du XVIIIe siècle (*Misanthropie et Repentir*, 1789).

KOTZEBUE (Otto von), navigateur russe d'origine allemande (Tallin 1788 - *id.* 1846), fils du précédent. Il explora la mer de Béring et l'ouest de l'Alaska (1815-1818).

KOUAN-HOUA → GUANHUA.

KOUBA ou **BAKOUBA**, peuple de la République démocratique du Congo (anc. Zaïre).

KOUBAN (le), fl. de Russie qui se jette dans la mer d'Azov par un delta ; 906 km.

KOUBBA n.f. Monument élevé sur la tombe d'un marabout, en Afrique du Nord.

KOUFRA, oasis de Libye. – Elle fut conquise par les Français de Leclerc en 1941.

KOUGLOF [kuglɔf] n.m. Gâteau alsacien en pâte levée, garni d'amandes effilées.

KOUÏBYCHEV → SAMARA.

KOU K'AI-TCHE → GU KAIZHI.

KOULAK n.m. Paysan enrichi de la Russie de la fin du XIXᵉ s. et du début du XXᵉ s.

KOULDJA, en chin. Yining, oasis de Chine (Xinjiang) ; 108 000 hab.

KOULECHOV (Lev Vladimirovitch), cinéaste soviétique (Tambov 1899 - Moscou 1970). Il fonda le Laboratoire expérimental (1920). Ses théories sur le rôle créateur du montage influencèrent profondément les cinéastes soviétiques. Il réalisa lui-même plusieurs films (*le Rayon de la mort,* 1925 ; *Dura Lex,* 1926).

KOULIBIAC n.m. Pâté russe à base de poisson, de viande, de chou, etc.

KOULIKOV (Viktor), maréchal soviétique (prov. d'Orel 1921), commandant en chef des forces du pacte de Varsovie de 1977 à 1989.

KOUMASSI → KUMASI.

KOUMYKS, peuple turc et musulman du Daguestan.

KOUMYS ou **KOUMIS** [kumis] n.m. Lait fermenté de jument, d'ânesse ou de vache, originaire de l'Asie centrale, analogue au képhir.

Kouo-min-tang → GUOMINDANG.

KOUO MO-JO → GUO MORUO.

KOURA (la), fl. qui naît en Turquie, passe à Tbilissi (Géorgie), traverse l'Azerbaïdjan, et se mêle au delta de l'Araxe sur la Caspienne. 1 510 km.

KOURGAN, v. de Russie, en Sibérie occidentale, sur le trajet du Transsibérien ; 356 000 hab. Centre industriel.

KOURILES (les), archipel russe d'Asie, composé de 56 îles formant un long chapelet qui s'étend sur 1 400 km du Kamtchatka à l'île d'Hokkaido. Cet archipel borde, vers le S.-E., l'une des plus profondes fosses du globe (10 542 m). Pêcheries et conserveries. La partie méridionale est revendiquée par le Japon.

KOUROS ou **COUROS** n.m. Statue grecque archaïque représentant un jeune homme nu.

KOUROU, comm. de la Guyane française ; 13 962 hab. Centre spatial guyanais (C. S. G.) du Centre national d'études spatiales (C. N. E. S.) depuis 1968 ; base de lancement des fusées Ariane (près de l'embouchure du petit fleuve *Kourou*).

KOURSK, v. de Russie, au nord de Kharkov ; 424 000 hab. Important gisement de fer. Centre industriel. Centrale nucléaire. – Défaite décisive de la Wehrmacht en juillet 1943.

KOUTAÏSSI, v. de Géorgie, sur le Rioni ; 235 000 hab. Industries textiles et mécaniques.

KOUTOUZOV ou **KOUTOUSOV** (Mikhaïl Illarionovitch), *prince* de Smolensk, feld-maréchal russe (Saint-Pétersbourg 1745 - Bunzlau, Silésie, 1813). Il prit part aux guerres de la fin du règne de Catherine II, en Pologne, en Turquie et en Crimée. Présent à Austerlitz (1805), il commanda victorieusement les forces opposées à Napoléon en Russie (1812).

Mikhaïl Illarionovitch **KOUTOUZOV**, feld-maréchal russe. Détail d'un portrait par Bollinger. (B. N., Paris.)

KOUZBASS, anc. bassin du Kouznetsk, importante région houillère et métallurgique de Russie, en Sibérie occidentale, au pied de l'Altaï. Novokouznetsk et Kemerovo sont les principaux centres industriels du Kouzbass, qui regroupe une population de 3 millions d'hab. sur 26 000 km².

KOVALEVSKAÏA (Sofia ou Sonia Vassilievna), mathématicienne russe (Moscou 1850 - Stockholm 1891). Analyste, élève de Weierstrass, elle fut la première à étudier la rotation d'un corps asymétrique autour d'un point fixe.

KOWEÏT, État de la péninsule arabique, au fond du golfe Persique.

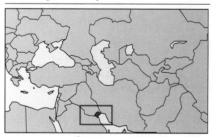

NOM OFFICIEL : État du Koweït.
CAPITALE : Koweït.

SUPERFICIE : 17 800 km².
POPULATION : 1 700 000 hab. *(Koweïtiens)*.
LANGUE : arabe.
RELIGION : islam.
MONNAIE : dinar koweïtien.
RÉGIME : monarchie constitutionnelle
(émirat).

GÉOGRAPHIE

Le Koweït est une plaine désertique ponctuée de rares oasis. Sa capitale concentre nettement plus de la moitié de la population. Le Koweït doit son existence et sa richesse à de considérables réserves de pétrole, dont il est un des grands producteurs mondiaux. L'industrie se consacre essentiellement au raffinage, à la pétrochimie et au dessalement de l'eau de mer. Le pays emploie une main-d'œuvre immigrée plus nombreuse que la population koweïtienne de souche. Les revenus du pétrole ont été largement investis à l'étranger dans un souci de diversification et de sécurité. Ils ont aussi permis de redynamiser l'économie du pays, durement affectée par l'occupation irakienne. *(V. carte Arabie.)*

HISTOIRE

Protectorat britannique en 1914, le Koweït accède à l'indépendance en 1961. Envahi en août 1990 par l'Iraq, il est libéré à l'issue de la guerre du Golfe. (→ GOLFE [guerre du].)

KOWLOON, v. de Chine, sur le continent *(péninsule de Kowloon)*, en face de l'île de Hongkong ; 2 030 000 hab. Cédée aux Britanniques en 1861 et partie du territoire de Hongkong, elle a fait retour à la Chine en 1997.

KOYRÉ (Alexandre), épistémologue et philosophe français d'origine russe (Taganrog 1882 - Paris 1964). Il a étudié Jakob Böhme et a montré l'unité de la pensée cosmologique et scientifique dont Copernic et Kepler furent des étapes indispensables (*Études galiléennes,* 1940). Il a mis en évidence le passage d'un cosmos fini et hiérarchisé à un univers infini et homogène (*Du monde clos à l'univers infini,* 1957).

KOZHIKODE → CALICUT.

Kr, symbole chimique du krypton.

KRA *(isthme de),* isthme de Thaïlande qui unit la péninsule de Malacca au continent.

KRAAL n.m. Village indigène ou enclos pour le bétail, en Afrique du Sud.

KRACH [krak] n.m. (all. *Krach,* craquement). -1. Effondrement des cours des valeurs ou des marchandises, à la Bourse. -2. Débâcle financière, faillite brutale d'une entreprise.

KRAEPELIN (Emil), psychiatre allemand (Neustrelitz 1856 - Munich 1926). Auteur de travaux sur la schizophrénie et sur la psychose maniaco-dépressive, il réalisa également une description générale des maladies mentales et une classification qui conserve son intérêt.

KRAFFT-EBING (Richard von), psychiatre allemand (Mannheim 1840 - Graz 1902). Professeur de psychiatrie à Strasbourg puis à Graz et finalement à Vienne, il est l'auteur d'études sur les perversions sexuelles et sur la criminologie (*Psychopathia sexualis,* 1886).

KRAFT n.m. (all. *Kraft,* force). *Papier kraft* ou *kraft,* papier d'emballage très résistant fabriqué avec de la pâte kraft écrue ou blanchie. ‖ *Pâte kraft,* pâte chimique de résistance mécanique élevée.

KRAK n.m. Ensemble fortifié construit par les croisés en Palestine et en Syrie.

KRAKATAU ou **KRAKATOA,** île de l'Indonésie, partiellement détruite en 1883 par l'explosion de son volcan, le Perbuatan.

KRAKEN [krakɛn] n.m. Monstre marin fabuleux de la légende scandinave, qui ressemble à un poulpe géant.

KRAKÓW → CRACOVIE.

KRASICKI (Ignacy), prélat et écrivain polonais (Dubiecko 1735 - Berlin 1801). Prince-évêque de Warmie (1766) et ami du roi Stanislas Auguste, auteur de poèmes héroï-comiques, de romans (*les Aventures de Nicolas l'Expérience,* 1776) et de *Satires* (1778-1784), il est le meilleur représentant du siècle des Lumières en Pologne.

KRASIŃSKI (Zygmunt, *comte*), poète polonais (Paris 1812 - *id.* 1859). Il a laissé un drame romantique (*la Comédie non divine,* 1835) et un recueil lyrique (*Psaumes de l'avenir,* 1845) où il apparaît comme un patriote ardent.

KRASNODAR, anc. Iekaterinodar, v. de Russie au nord du Caucase, sur le Kouban ; 620 000 hab. Ch.-l. du *territoire de Krasnodar* (pétrole et surtout gaz naturel).

KRASNOÏARSK, v. de Russie, en Sibérie orientale, sur l'Ienisseï et sur le trajet du Transsibérien ; 912 000 hab. Centrale hydroélectrique. Métallurgie. Aluminium. Raffinage du pétrole.

KRAUS (Karl), écrivain autrichien (Jičín 1874 - Vienne 1936). Juge impitoyable de la vie sociale, politique et culturelle de l'Autriche, il fonda la revue *Die Fackel (le Flambeau)* en 1899, et écrivit de nombreuses pièces, dont *les*

Derniers Jours de l'humanité (1919), dénonciation de toutes les formes de discours meurtrier.

KREBS (sir Hans Adolf), biochimiste britannique, d'origine allemande (Hildesheim 1900 - Oxford 1981). Élève de Warburg, il a réalisé des travaux fondamentaux sur le métabolisme des glucides, qui l'ont conduit à décrire un ensemble de phénomènes d'oxydation et de réduction, dénommé depuis *cycle de Krebs*. (Prix Nobel de médecine 1953.)

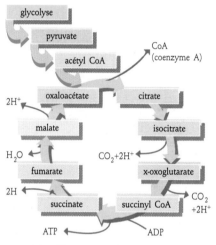

Le cycle de **KREBS**, carrefour métabolique très important permettant la synthèse et la dégradation de nombreux composés.

KREFELD, v. d'Allemagne (Rhénanie-du-Nord-Westphalie), sur le Rhin ; 240 208 hab. Textiles. Métallurgie.

KREISKY (Bruno), homme politique autrichien (Vienne 1911 - *id.* 1990). Chef du parti socialiste (1967-1983), il fut chancelier de la République autrichienne (1970-1983).

KREISLER (Fritz), violoniste autrichien naturalisé américain (Vienne 1875 - New York 1962), auteur du *Tambourin chinois* et de célèbres pastiches.

KREMENTCHOUG, v. d'Ukraine, sur le Dniepr ; 236 000 hab. Port fluvial. Centrale hydroélectrique.

KREMLIN ou **KREML** n.m. Partie centrale, fortifiée, des villes russes anciennes.

Kremlin (le), à Moscou, ancienne forteresse et quartier central de la capitale russe, dominant la rive gauche de la Moskova. Ancienne résidence des tsars, le Kremlin a été le siège du gouvernement soviétique de 1918 à 1991. –

Nombreux monuments, notamment ceux de la fin du XVe et du début du XVIe siècle, dus à des architectes italiens (y compris trois cathédrales de style russo-byzantin et le « palais à Facettes »).

→ • **DOSSIER** LE KREMLIN *page 3070.*

KREMLINOLOGIE n.f. Étude de la politique soviétique, et partic. des luttes pour le pouvoir à l'intérieur des instances dirigeantes.

KRETSCHMER (Ernst), psychiatre allemand (Wüstenrot, près de Heilbronn, 1888 - Tübingen 1964). Il a élaboré un système de caractérologie en établissant des corrélations entre la conformation corporelle (biotype), le tempérament des individus et la propension à un certain type de maladie mentale (leptosome et schizophrénie, pycnique et psychose maniaco-dépressive, en particulier). Ses principaux ouvrages sont : *Körperbau und Charakter* (1921) ; *Hysterie, Reflexe, Instinkt* (1923) ; *Geniale Menschen* (1929) ; *Gestalten und Gedanken* (1963).

KREUGER (Ivar), homme d'affaires suédois (Kalmar 1880 - Paris 1932). Industriel et financier, il s'intéressa à de multiples affaires. Son empire s'effondrant, il se suicida ; sa mort entraîna un krach de la Bourse de Stockholm.

KREUTZER (Rodolphe), violoniste et compositeur français (Versailles 1766 - Genève 1831). Il écrivit des opéras-comiques et *Quarante Études ou Caprices pour violon seul* (1796). Beethoven lui dédia une sonate célèbre dite « à Kreutzer ».

KREUZER [krøtzɛr] ou [-dzɛr] n.m. Anc. monnaie d'Autriche-Hongrie, qui valait 1/100 de florin.

KRILL [kril] n.m. Plancton des mers froides formé de petits crustacés (essentiellement *Euphausia superba*) transparents, et qui constitue la nourriture principale des baleines bleues.

KRIPS (Josef), chef d'orchestre autrichien (Vienne 1902 - Genève 1974). Chef d'orchestre permanent à l'Opéra de Vienne, il rouvrit en 1946 le festival de Salzbourg. Ce fut un grand interprète de Mozart et de Schubert.

KRISHNA ou **KISTNA** (la), fl. de l'Inde péninsulaire. Il atteint le golfe du Bengale par un delta ; 1 280 km.

KRISHNA, une des divinités hindoues les plus populaires, vénérée en tant que huitième avatar du dieu Vishnou. Fils de Vasudeva et de Devaki, Krishna est élevé par des gardiens de troupeaux, accomplissant toutes sortes d'actions miraculeuses et séduisant au son de la flûte les femmes et les filles des bouviers.

Parmi ces *gopi,* sa favorite est Radha. Sa mythologie est particulièrement développée dans la *Bhagavad-Gita,* où, conduisant le char d'Arjuna, il enseigna à celui-ci le détachement des fruits de l'action.

KRISS ou **CRISS** [kris] n.m. Poignard malais à lame ondulée en forme de flamme.

KRISTIANSAND, port du sud de la Norvège ; 66 347 hab. — Vieux quartier du XVIIᵉ siècle. Musée régional.

KRISTIANSTAD, v. de Suède ; 71 750 hab. — Quartier ancien (avec une église du XVIIᵉ s.).

KRIVOÏ-ROG, v. d'Ukraine, dans la grande boucle du Dniepr ; 713 000 hab. Importants gisements de fer. Sidérurgie et métallurgie. — Les Allemands y soutinrent un siège de cinq mois (oct. 1943-févr. 1944).

KRK, en ital. **Veglia,** île de Croatie ; 408 km². — Au chef-lieu, homonyme, cathédrale romane et gothique, maisons anciennes.

KRLEŽA (Miroslav), écrivain yougoslave (Zagreb 1893 - *id.* 1981). Il a dominé la vie culturelle de son pays pendant un demi-siècle, laissant notamment des recueils de poésie, des pièces de théâtre (*Ces Messieurs Glembaïev,* 1929) et des romans (*le Retour de Filip Latinovicz,* 1932).

KROGH (August), physiologiste danois (Grenå 1874 - Copenhague 1949). Il étudia les échanges respiratoires et le rôle des capillaires sanguins. (Prix Nobel 1920.)

KRONCHTADT ou **KRONSTADT,** base navale de Russie de l'île de Kotline, dans le golfe de Finlande, à l'ouest de Saint-Pétersbourg ; 39 000 hab. — Insurrection de marins et d'ouvriers contre le gouvernement soviétique (févr.-mars 1921).

KRONECKER (Leopold), mathématicien allemand (Leignitz, auj. Legnica, 1823 - Berlin 1891). Il fut l'un des principaux algébristes du XIXᵉ siècle. S'opposant aux théories de Cantor, de Dedekind et de Weierstrass, il considéra l'arithmétique, fondée sur les nombres entiers positifs, comme seule véritable « création divine » et chercha à unifier autour d'elle les différents domaines mathématiques. Il a étudié les propriétés des nombres algébriques, et son apport est fondamental pour la théorie des corps.

KRONOS → CRONOS.

KRONPRINZ [krɔnprints] n.m. Titre du prince héritier, en Allemagne et en Autriche.

KRONPRINZ (Frédéric-Guillaume, dit **le**), prince de Prusse (Potsdam 1882 - Hechingen 1951). Fils aîné de l'empereur Guillaume II, il abdiqua en même temps que son père à la fin de 1918.

KROPOTKINE (Petr Alekseïevitch, *prince*), révolutionnaire russe (Moscou 1842 - Dimitrov 1921). Il est un des théoriciens de l'anarchisme (*Paroles d'un révolté,* 1885 ; *la Conquête du pain,* 1888 ; *l'Anarchie, sa philosophie, son idéal,* 1896).

KROUMIR n.m. Chausson bas, en basane, que l'on porte à l'intérieur des sabots pour en atténuer le frottement.

KROUMIRIE, région montagneuse et boisée des confins algéro-tunisiens.

KRU, ensemble de populations du groupe kwa, situées de part et d'autre du Liberia et de la Côte d'Ivoire.

KRÜDENER (Barbara Juliane von Vietinghoff, *baronne* von), mystique russe (Riga 1764 - Karassoubazar 1824). Elle effectua de nombreux voyages en Europe et exerça une forte influence politique, notamment sur le tsar Alexandre Iᵉʳ.

KRUGER (Paul), homme d'État sud-africain (prov. du Cap 1825 - Clarens, Suisse, 1904). Fondateur du Transvaal (1852), il organisa la résistance aux Britanniques après l'annexion du pays par ces derniers (1877). Après la proclamation de la République du Transvaal (1881), il fut président du nouvel État à partir de 1883. Allié à l'État d'Orange, il dirigea la guerre des Boers contre la Grande-Bretagne (1899-1902), puis, vaincu, se retira en Europe.

KRUPP, famille d'industriels allemands. **Alfred** (Essen 1812 - *id.* 1887) mit au point un procédé de production de l'acier (1847), fabriqua les premiers canons lourds en acier dont le tube était coulé d'une seule pièce et introduisit le procédé Bessemer sur le continent (1862). Sa petite-fille **Bertha** (Essen 1886 - *id.* 1957) épousa **Gustav,** *baron* von Bohlen und Halbach (La Haye 1870-Blühnbach, près de Salzbourg, 1950), qui développa l'entreprise.

KRUŠNÉ HORY → ERZGEBIRGE.

KRYLOV (Ivan Andreïevitch), fabuliste russe (Moscou 1769 - Saint-Pétersbourg 1844). Ses fables, dont beaucoup sont imitées de La Fontaine, ont fourni à la langue russe de nombreux proverbes.

KRYPTON n.m. (du gr. *kruptos,* caché). Gaz rare de l'atmosphère, utilisé dans certaines ampoules électriques ; élément (Kr) de numéro atomique 36, de masse atomique 83,80.

Le Kremlin de Moscou

Russie

Une citadelle d'histoire

Entrer dans le Kremlin, c'est pénétrer dans l'histoire. Cette forteresse est l'enceinte sacrée des tsars et, après leur chute, celle du gouvernement soviétique. Là se déroulent les grands événements de l'époque impériale, là se joue l'histoire du communisme – notamment dans l'ancien Sénat, où Lénine vit de 1918 à 1922. Si la « citadelle » (*Kreml*) existe depuis 1156, c'est sous le règne d'Ivan III le Grand (1462-1505) qu'elle prend son essor. En l'espace d'une génération sont érigées l'enceinte de brique rouge de 2,4 kilomètres, ses 19 tours et la majorité des palais et des églises. Sur 28 hectares, une étonnante concentration architecturale et artistique s'offre à nous, où les empreintes byzantine (Xe siècle) et italienne (XVe siècle) sont déterminantes.

Fresques (fin XIVe - début XVe siècle) de la cathédrale de l'Archange-Michel ; le lieu de sépulture des tsars et des princes jusqu'à Pierre Ier. ▶

double page suivante :
Coupoles d'or des cathédrales de la Dormition (à droite) et de l'Annonciation (à gauche), au cœur du Kremlin.

▲ Le Kremlin, vu de la rive droite
de la Moskova.

Le Grand Palais, bâti de 1838 à 1849
par K. A. Ton pour accueillir
les appartements privés de Nicolas Iᵉʳ
ainsi que des salles
▼ d'apparat.

Beffroi d'Ivan le Grand. Achevé sous Boris ▶
Godounov, en 1600, il domine la place des
Cathédrales du haut de ses 81 mètres.
Au pied de la tour, la plus grande cloche
du monde, appelée Tsar Kolokol (« cloche
reine »), qui pèse 200 tonnes et mesure
6 mètres, a été coulée en 1735.

Un aspect de **KUALA LUMPUR.**

KSAR n.m. (pl. ksour). Village fortifié de l'Afrique du Nord.

KSI ou **XI** n.m. inv. Quatorzième lettre de l'alphabet grec (Ξ, ξ), correspondant à l'*x* de l'alphabet français.

KSOUR *(monts des),* massif de l'Atlas saharien (Algérie).

KUALA LUMPUR, cap. de la Malaisie ; 1 103 000 hab.

KUBILAY KHAN (1214-1294), empereur mongol (1260-1294), petit-fils de Gengis Khan, fondateur de la dynastie des Yuan de Chine. Après avoir établi sa capitale à Pékin (1264), il acheva la conquête de la Chine (1279) et réorganisa l'administration du pays. Il se montra tolérant à l'égard du bouddhisme et du christianisme et encouragea la présence d'étrangers, tel Marco Polo.

KUBRICK (Stanley), cinéaste américain (New York 1928). Après avoir dirigé plusieurs films, il devient, avec *Lolita* (1962) puis *Docteur Folamour* (1963), l'un des cinéastes les plus originaux de son époque, ce que confirme *2001, l'Odyssée de l'espace* (1968), film qui retrace l'évolution de l'humanité depuis les origines jusqu'à un futur à la fois proche et inquiétant. Mêlant la satire, le fantastique, l'horreur, son œuvre apparaît comme une création visionnaire et pessimiste : *Orange mécanique* (1971) ; *Barry Lyndon* (1975) ; *Shining* (1979) ; *Full Metal Jacket* (1987).

KUFIQUE adj. et n.m. → COUFIQUE.

KUHLMANN (Frédéric), chimiste et industriel français (Colmar 1803 - Lille 1881). On lui doit la préparation de l'acide sulfurique par le procédé de contact (1833) et celle de l'acide nitrique par oxydation catalytique de l'ammoniac (1838).

KUHN (Thomas Samuel), philosophe américain (Cincinnati 1922 - Cambridge, Massachusetts, 1996). Il a été professeur au M. I. T. (1979-1983). Il soutient que l'histoire des sciences ne repose pas sur la confrontation entre théories, mais sur les relations de chaque théorie avec son contexte et sur la puissance explicative de celle-ci. Il a écrit notamment *la Structure des révolutions scientifiques* (1962) et *la Tension essentielle* (1977).

KUIPER (Gerard Pieter), astronome américain d'origine néerlandaise (Harenkarspel 1905 - Mexico 1973). Il est l'auteur de nombreuses découvertes en planétologie, notamment celles d'un satellite d'Uranus (1948) et d'un satellite de Neptune (1949).

Ku Klux Klan, société secrète des États-Unis, créée après la guerre de Sécession (1867) ; d'un racisme violent, elle combat essentiellement l'intégration des Noirs.

KÜLTEPE, site archéologique de Turquie, près de Kayseri en Cappadoce, où l'on a dégagé les vestiges de Kanesh, un ancien comptoir de marchands assyriens en activité de la fin du IIIe millénaire jusqu'à la constitution, au xviiie s. av. J.-C., de l'Empire hittite. Leurs archives (tablettes d'argile en cunéiforme) sont une mine d'informations sur les échanges commerciaux de l'époque.

Kulturkampf (« combat pour la civilisation »), lutte menée, de 1871 à 1878, par Bismarck contre les catholiques allemands, afin d'affaiblir le parti du Centre, accusé de favoriser le particularisme des États. Cette lutte s'exprima notamment par des lois d'inspiration anticléricale (1873-1875). Après l'avènement du pape Léon XIII (1878), Bismarck fit abroger la plupart de ces mesures (1880-1887).

KUMAMOTO, v. côtière du Japon (Kyushu) ; 579 306 hab. — Musée ; dans les environs, jardin fondé au xviie siècle.

KUMAON, région de l'Himalaya indien. Sources sacrées du Gange.

KUMASI ou **KOUMASSI,** v. du Ghana, anc. cap. des Achanti ; 489 000 hab. La ville s'élève sur le plateau de Kumasi, au cœur d'une région cacaoyère.

KUMMEL n.m. Liqueur alcoolique aromatisée avec du cumin et fabriquée surtout en Allemagne, en Russie.

KUMMER (Ernst Eduard), mathématicien allemand (Sorau, auj. Żary, Pologne, 1810 - Berlin 1893). En 1861, il fonda avec Weierstrass le premier séminaire de mathématiques pures à l'université de Berlin. Ses travaux s'organisent autour de trois thèmes distincts : les séries hypergéométriques ; les surfaces engendrées par les rayons lumineux *(surfaces de Kummer)* ; la généralisation des concepts de l'arithmétique à l'étude des nombres algébriques.

KUMQUAT [kumkwat] n.m. -1. Arbuste du groupe des agrumes, originaire d'Asie. (Famille des rutacées.) -2. Fruit de cet arbuste, ressemblant à une petite orange, et qui se mange souvent confit.

KUN (Béla), révolutionnaire hongrois (Szilágycseh 1886 - en U. R. S. S. 1938). Il instaura en Hongrie une république d'inspiration bolchevique, la « République des Conseils » (1919), qui ne put résister à l'invasion roumaine. Réfugié en U. R. S. S., il y fut exécuté. Il fut réhabilité en 1956.

KUNCKEL (Johann), chimiste allemand (Hütten 1638 - Stockholm 1703). Il prépara le phosphore et découvrit l'ammoniac.

KUNDERA (Milan), écrivain tchèque naturalisé français (Brno 1929). Il s'est imposé par la lucidité et l'humour de son théâtre *(Jacques et son maître,* 1971), de ses romans *(la Plaisanterie,* 1967 ; *La vie est ailleurs,* 1973) et de ses nouvelles *(Risibles Amours,* 1963-1969). Établi en France depuis 1975, poursuivant son analyse de la désagrégation de la vieille Europe, il publie des romans : *la Valse aux adieux* (1976), *le Livre du rire et de l'oubli* (1978), *l'Insoutenable Légèreté de l'être* (1984), *l'Immortalité* (1990), *la Lenteur* (1995) et des essais *(l'Art du roman,* 1986 ; *les Testaments trahis,* 1993).

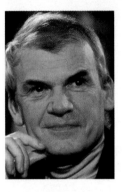

Milan **KUNDERA,** écrivain tchèque naturalisé français.

KUNDT (August), physicien allemand (Schwerin 1839 - Israelsdorf, auj. dans Lübeck, 1894). Il étudia les ondes stationnaires dues aux vibrations d'un fluide.

KÜNG (Hans), théologien catholique suisse (Sursee, canton de Lucerne, 1928). Professeur à l'université de Tübingen, il a publié de nombreux ouvrages, dont certains l'ont exposé à la censure de l'épiscopat allemand et de la Congrégation romaine pour la doctrine de la foi.

KUNG-FU [kuŋfu] n.m. inv. Art martial chinois, assez proche du karaté.

KUNLUN, massif de Chine, entre le Tibet et le Qinghai, culminant à 7 724 m.

KUNMING, v. de Chine, cap. du Yunnan ; 1 480 000 hab. — Vieux quartiers pittoresques. Musée.

Kunsthistorisches Museum (« musée d'histoire de l'art »), à Vienne, un des plus importants musées d'Europe, constitué à partir des collections des Habsbourg (archéologie ; objets d'art ; peintures : les Bruegel, Dürer, Giorgione, Titien, Velázquez, Rubens, etc.).

KUPKA (František, dit **Frank**), peintre, dessinateur et graveur tchèque (Opočno 1871 - Puteaux 1957). Formé à Prague et à Vienne, préoccupé de philosophie, de symbolisme, il se fixe à Paris en 1894 et dessine pour des journaux satiriques. Installé à Puteaux en 1906, touché par la libération chromatique du fauvisme, il est déjà parvenu à l'abstraction au moment de sa participation au groupe cubiste de la Section d'or (*Amorpha, fugue à deux couleurs,* 1912, Prague ; *Plans verticaux I,* même date, M. N. A. M., Paris). Dans les années 30, il participe au groupe Abstraction-Création.

Lignes animées (1921), par Frank **KUPKA.**
(M. N. A. M., C. N. A. C. G.-P., Paris.)

KURASHIKI, v. du Japon (Honshu) ; 414 693 hab. — Musées (arts occidentaux ; archéologie du Japon).

KURDE adj. et n. Du Kurdistan. ◆ n.m. Langue du groupe iranien parlée par les Kurdes.

KURDES, peuple parlant une langue iranienne, réparti aujourd'hui entre la Turquie, l'Iran, l'Iraq, la Syrie, l'Azerbaïdjan et le Liban. En grande partie semi-nomades, les Kurdes sont majoritairement musulmans sunnites (avec des groupes chiites et chrétiens). Les Kurdes créèrent à partir des Xe-XIe siècles des principautés sunnites, dont celle des Ayyubides, fondée par Saladin. Ils sont privés en 1923 (traité de Lausanne) de l'État souverain que leur avait promis le traité de Sèvres (1920) et se révoltent contre le gouvernement de Mustafa Kemal malgré les répressions et les déportations. Ils proclament en 1945 à Mahabad la République démocratique kurde, proté-gée par les Soviétiques, et qui est réduite en décembre 1946 par les armées iranienne et irakienne, soutenues par les Britanniques. Au nombre de plus de 20 millions, les Kurdes s'efforcent d'obtenir des États dont ils dépendent, par la négociation ou la rébellion, une autonomie effective. Le mouvement de résistance nationale se développe surtout en Iraq, avec M. al-Barzani, qui dirige la guérilla contre le gouvernement central (1961-1970). Un statut d'autonomie fixe en 1974 l'organisation du Kurdistan irakien, dont la capitale est Sulaymaniya. En 1988, la rébellion kurde irakienne est victime d'une répression féroce (utilisation d'armes chimiques). Une nouvelle insurrection, après la guerre du Golfe (1991), est d'abord écrasée par les Irakiens. Mais, avec la protection des Occidentaux, les Kurdes finissent par s'emparer de la plus grande partie du Kurdistan. Ils élisent un Parlement qui proclame (mai 1992) un « État fédéré kurde d'Iraq du Nord », non reconnu par la communauté internationale. Mais ces succès sont compromis par la lutte entre factions qui culmine fin 1996. En Turquie, le gouvernement, dont l'objectif reste l'« assimilation des montagnards réfractaires », répond par une répression brutale aux actions séparatistes menées principalement par le P. K. K. (Parti des travailleurs du Kurdistan) et lance, depuis 1995, des opérations militaires contre les bases des Kurdes turcs installés en Iraq.

KURDISTAN (littéralement « pays des Kurdes »), région d'Asie occidentale, composée de montagnes et de plateaux, qui s'étend sur plus de 500 000 km[2]. Elle est en majorité peuplée de Kurdes, qui se partagent aujourd'hui entre la Turquie orientale (la moitié de la communauté), l'Iran (25 %), l'Iraq du Nord et du Nord-Est (20 %) et la Syrie.

KURE, port du Japon (Honshu) sur la mer Intérieure ; 216 723 hab. Base navale.

KURNOOL, v. de l'Inde (Andhra Pradesh) ; 274 795 hab. — Dans les environs, temples (VIIe-VIIIe s.) d'Alampur.

KUROSAWA AKIRA, cinéaste japonais (Tokyo 1910). Avec *Rashomon* (1950), Lion d'or au festival de Venise 1951, l'Occident découvrait l'existence d'un cinéma d'auteur japonais, dont Kurosawa est le maître incontesté. Il a su aborder avec une égale maîtrise les grandes fresques historiques (*les Sept Samouraïs,* 1954 ; *Kagemusha,* 1980 ; *Ran,* 1985), les chroniques intimistes (*Vivre,* 1952 ; *Rhapsodie en août,* 1991), les adaptations de

Une scène de *Ran* (1985), film de **KUROSAWA AKIRA**.

Dostoïevski, Gorki ou Shakespeare (*l'Idiot,* 1951 ; *les Bas-Fonds,* 1957 ; *le Château de l'araignée,* 1957, d'après *Macbeth*), ou les drames sociaux (*l'Ange ivre,* 1948 ; *Chien enragé,* 1949 ; *Barberousse,* 1965 ; *Dodes'kaden,* 1970). Son génie de la composition plastique, sa verve de conteur, le regard juste et généreux qu'il pose sur ses personnages ont été une leçon pour beaucoup de cinéastes occidentaux. Celui qu'on appelle avec un humour non dénué de respect « l'Empereur » fut souvent imité (*les Sept Mercenaires,* entre autres remakes), tandis qu'il surprend toujours par sa faculté de renouvellement (*Dersou Ouzala,* 1975 ; *Rêves,* 1990 ; *Madadayo,* 1993). Il a publié en 1982 ses Mémoires *(Comme une autobiographie),* où il note : « J'aime les caractères qui ne sont pas encore formés, peut-être parce qu'en dépit de mon âge élevé, c'est toujours mon propre cas. »

KUROSHIO, courant chaud de l'océan Pacifique, qui longe la côte orientale du Japon.

KURTÁG (György), compositeur d'origine roumaine naturalisé hongrois (Lugoj, Roumanie, 1926). Son langage, libre et personnel, se situe dans la lignée de Webern : *les Dires de Peter Bornemisza* (1968), *En souvenir d'un crépuscule d'hiver* (1969), *Sept Chants* (1981), *Hölderlin : An...* (1988-89), *Stèle* (1994).

KURU [kuru] n.m. Encéphalopathie due à un prion que l'on a pu observer chez certains peuples de Nouvelle-Guinée qui pratiquaient la consommation rituelle du cerveau des défunts.

KURUME, v. militaire et industrielle du Japon (Kyushu) ; 228 347 hab.

KUSHIRO, port du Japon (Hokkaido) sur le Pacifique ; 205 639 hab.

Kutchuk-Kaïnardji → RUSSO-TURQUES (guerres).

KUTNÁ HORA, v. de la République tchèque, en Bohême, à l'E. de Prague ; 18 100 hab. Ville prospère au Moyen Âge grâce à ses mines d'argent. — Beaux quartiers anciens et importants monuments, dont la cathédrale Ste-Barbe, commencée en 1388 par l'atelier de P. Parler, terminée dans le premier tiers du XVIe siècle par l'architecte Benedikt Ried (voûtes étoilées de la nef).

KUZNETS (Simon), économiste américain (Kharkov 1901 - Cambridge, Massachusetts, 1985). Il a mis au point une analyse quantitative et comparative de la croissance économique des nations en dressant une comptabilité nationale rétrospective des pays disposant de statistiques depuis les XVIIIe et XIXe siècles. (Prix Nobel de sciences économiques 1971.)

KVARNER, en ital. Quarnaro, golfe de l'Adriatique septentrionale, site du port de Rijeka (Croatie).

KWAKIUTL, Indiens du groupe wakash, de la côte du Pacifique, établis sur l'archipel de la Reine-Charlotte et au nord de l'île de Vancouver.

KWANGJU, v. de la Corée du Sud ; 906 000 hab.

KWANZA → CUANZA.

KWAS ou **KVAS** [kvas] n.m. Boisson faite avec de l'orge fermentée, en usage dans les pays slaves.

Kwashiorkor [kwasjɔrkɔr] *(syndrome de),* dénutrition extrême (cachexie) due à une insuffisance alimentaire globale, observée chez certains enfants du tiers-monde.

KWAŚNIEWSKI (Aleksander), homme d'État polonais (Białogard, voïévodie de Koszalin, 1954). Président du parti social-démocrate, il est président de la République depuis 1995.

K-WAY [kawe] n.m. inv. (nom déposé). Coupe-vent qui, replié dans une des poches prévues à cet effet, peut être porté en ceinture.

KWAZULU-NATAL, prov. d'Afrique du Sud, sur l'océan Indien ; 91 481 km² ; 8 549 000 hab. Ch.-l. *Ulundi.*

KYAT n.m. Unité monétaire principale de la Birmanie.

KYD (Thomas), auteur dramatique anglais (Londres 1558 - *id.* 1594). Il fut un des initiateurs du théâtre élisabéthain.

KYLIAN (Jiří), danseur et chorégraphe tchèque (Prague 1947). Formé au Conservatoire de Prague, il est engagé en 1968 comme danseur au Ballet de Stuttgart, où il fait ses débuts de chorégraphe (1970). Directeur artistique du Nederlands Dans Teater depuis 1978, il s'impose avec des créations où s'expriment sa curiosité (*Stamping ground,* 1983), son humour (*Symphony in D,* 1976) et une extrême sensibilité musicale (*Symphonie de psaumes* et *Sinfonietta,* 1978).

KYOKUTEI BAKIN → BAKIN.

KYONGJU, v. de Corée du Sud à l'E. de Taegu ; 9 200 hab. – Anc. capitale du royaume de Silla (668-935). Elle possède l'un des plus anciens (632) observatoires conservés en Asie et plusieurs temples, dont, dans ses environs, l'ensemble du Pulkuk-sa (751), flanqué de deux pagodes reprenant en pierre les modèles de bois chinois. Sanctuaire bouddhique de Syokkulam (751).

KYOTO, v. du Japon (Honshu), anc. capitale et grand centre touristique ; 1 461 103 hab.

Le Ginkaku-ji (« Pavillon d'argent », 1482), à **KYOTO.**

HIST. ET ARTS. Fondée en 794 par l'empereur Kammu et, dès cette époque, carrefour des arts et de l'esprit sous le nom de Heian-Kyo (capitale de la paix), la ville donne son nom à l'une des plus brillantes périodes historiques japonaises, dont témoigne le Byodo-in d'Uji. Centre culturel du pays, elle est de nos jours une véritable ville musée conservant certains des plus beaux exemples de l'architecture religieuse et civile du pays, agrémenté de remarquables décors peints par les Kano. Très beaux jardins dont certains tracés au xvᵉ siècle.

KYRIE ou **KYRIE ELEISON** [kirijeeleisɔn] n.m. inv. (du gr. *Kurie,* Seigneur, et *eleêson,* aie pitié). -1. Invocation grecque en usage dans la liturgie romaine et dans de nombreuses liturgies orientales. -2. Musique composée sur ces paroles.

KYRIELLE n.f. Longue suite ininterrompue : *Une kyrielle d'injures.*

KYSTE n.m. (gr. *kustis,* vessie). -1. Cavité pathologique à contenu liquide ou semi-liquide et limitée par une paroi, se formant dans l'organisme. -2. Forme de résistance et de dissémination de nombreux protozoaires, à paroi épaisse et protectrice.

KYSTIQUE adj. De la nature du kyste.

KYUDO n.m. Tir à l'arc japonais.

KYUSHU, la plus méridionale des quatre grandes îles du Japon ; 42 000 km² ; 13 295 859 hab. V. princ. *Kita-kyushu* et *Fukuoka.* Île montagneuse et volcanique à la végétation tropicale. Le Nord, urbain et industriel, s'oppose au Sud, plus traditionnel.

KYZYLKOUM, région désertique du Kazakhstan et de l'Ouzbékistan, dont le nom signifie « sable rouge ».

KZYL-ORDA ou **KYZYL-ORDA,** v. du Kazakhstan ; 153 000 hab.

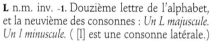

L n.m. inv. -**1.** Douzième lettre de l'alphabet, et la neuvième des consonnes : *Un L majuscule. Un l minuscule.* ([l] est une consonne latérale.)

l Symbole du litre. (Le symbole L est aussi admis pour éviter la confusion avec le chiffre 1.)

L Symbole représentant 50 dans la numérotation romaine.

1. LA art. f. sing. et pron. pers. f. sing. → LE.

2. LA n.m. inv. Note de musique ; sixième degré de la gamme de *do.*

LÀ adv. -**1.** Indique un lieu autre que celui où on se trouve, par opp. à *ici.* -**2.** COUR. Indique un lieu quelconque et le lieu où l'on est. -**3.** Indique un moment précis ou non du temps : *Là, tout le monde a ri. D'ici là, tout ira bien.* -**4.** Indique un renforcement : *Vous dites là des choses incroyables* -**5.** Se met à la suite, et avec un trait d'union, des pronoms démonstratifs et des substantifs précédés eux-mêmes de l'adj. dém. *ce (cet, cette, ces)* pour rendre la désignation plus précise : *Cet homme-là.* -**6.** Se met aussi avant quelques adverbes de lieu : *Là-dessus.*

La, symbole chimique du lanthane.

Laatste Nieuws (Het), quotidien libéral belge de langue flamande créé en 1888 à Bruxelles.

LABAN (Rudolf von), théoricien du mouvement et chorégraphe autrichien d'origine hongroise (Pozsony, auj. Bratislava, 1879 - Weybridge, Surrey, 1958). En prônant une « danse absolue », il élabore une technique qui fait de l'émotion l'origine de tout mouvement. Il fonde, entre 1910 et 1936, plusieurs écoles et compagnies en Suisse, en Allemagne et en Europe du Nord. Fuyant le régime nazi, il se réfugie en Angleterre. Il procède à une vaste recherche pour affiner la compréhension du mouvement, analysant de façon exhaustive les facteurs qui le composent et inventant un système d'écriture – la *cinétographie,* appelée aujourd'hui *labanotation* – surtout utilisé pour la transcription chorégraphique. Chorégraphe, il a signé *Die Erde* (1914), *Die Nacht* (1927) et réalisé d'impressionnantes évolutions de masse telles *Agamemnons Tod* (1924) et *Titan* (1927).

La Barre *(affaire de)* [1765-66], affaire judiciaire dont la victime fut **Jean François Le Febvre,** *chevalier de* La Barre, gentilhomme français (Abbeville 1747 - *id.* 1766). Accusé d'impiété (il aurait mutilé un crucifix et ne se serait pas découvert au passage d'une procession du Saint-Sacrement), il fut décapité. Voltaire réclama sa réhabilitation, qui fut décrétée par la Convention en 1793.

LABARUM [labarɔm] n.m. Étendard impérial sur lequel Constantin aurait fait mettre, après sa victoire sur Maxence, une croix et le monogramme du Christ (312).

LÀ-BAS adv. En un lieu situé plus bas ou plus loin.

LABDANUM [labdanɔm] ou **LADANUM** [ladanɔm] n.m. Gomme-résine utilisée en parfumerie.

LABÉ, v. de Guinée, dans le Fouta-Djalon ; 65 000 hab.

LABÉ (Louise), surnommée la Belle Cordière, poétesse française (Lyon v. 1524 - Parcieux-en-Dombes 1566). Belle et cultivée, elle épousa, après une vie aventureuse, un riche cordier de Lyon, Ennemond Perrin, et anima un cercle mondain et lettré dans son hôtel particulier. Elle écrivit en prose un *Débat de Folie et d'Amour* (1555), 3 élégies et 24 sonnets marqués par l'influence de Pétrarque et de Sannazzaro, où la passion amoureuse, portée à son paroxysme, s'exprime en de fortes antithèses.

LABEL [label] n.m. (mot angl., *étiquette*).
-1. Marque spéciale créée par un syndicat professionnel et apposée sur un produit destiné à la vente, pour en certifier l'origine, les conditions de fabrication. -2. Signe garantissant la qualité de qqch.

LABÉLISER ou **LABELLISER** v.t. Attribuer un label à un article, à un produit.

LABELLE n.m. (lat. *labellum*, petite lèvre). Pétale supérieur de la corolle des orchidées.

LABEUR n.m. -1. LITT. Travail pénible et prolongé. -2. Ouvrage typographique de longue haleine, par opp. aux travaux de ville ou *bilboquets*. -3. *Imprimerie de labeur*, imprimerie spécialisée dans les labeurs, par opp. à *imprimerie de presse*.

LABFERMENT n.m. (de l'all. *Lab*, présure, et *ferment*). Enzyme du suc gastrique, homologue chez l'homme de la présure des ruminants.

LABIAL, E, AUX adj. (du lat. *labium*, lèvre). -1. Relatif aux lèvres. -2. *Consonne labiale* ou *labiale*, n.f., consonne dont l'articulation principale consiste en un arrondissement des lèvres (bilabiales, labiodentales).

LABIALISER v.t. Prononcer un phonème en arrondissant les lèvres.

LABICHE (Eugène), auteur dramatique français (Paris 1815 - *id.* 1888). Dans ses comédies de mœurs et ses vaudevilles, écrits souvent avec des collaborateurs (*Un chapeau de paille d'Italie*, 1851 ; *la Cagnotte*, 1864), le bon sens bourgeois, qui se mêle à l'observation savoureuse des ridicules, aboutit parfois à une certaine philosophie de la vie (*le Voyage de Monsieur Perrichon*, 1860). [Acad. fr. 1880.]

LABIÉ, E adj. (du lat. *labium*, lèvre). Se dit d'une corolle gamopétale et zygomorphe dont le bord est découpé en deux lobes principaux opposés l'un à l'autre comme deux lèvres ouvertes. ◆ **labiée** n.f. *Labiées*, famille de plantes dicotylédones, à fleurs zygomorphes, souvent parfumées, qui comprend le lamier, la sauge, la menthe, la lavande, le thym, le romarin. SYN. : **lamiacée**. (On dit parfois, à tort, *labiacée*.)

LABILE adj. -1. Se dit des composés chimiques peu stables, notamm. à la chaleur, telles certaines protéines, les vitamines, etc. -2. Se dit d'une humeur changeante.

LABILITÉ n.f. -1. Caractère d'un composé labile. -2. Caractère d'une humeur labile.

LABIODENTALE adj.f. et n.f. Se dit d'une consonne réalisée avec la lèvre inférieure et les incisives supérieures : [f], [v].

LABIUM [labjɔm] n.m. Lèvre inférieure des insectes.

LA BOÉTIE (Étienne de), écrivain français (Sarlat 1530 - Germignan 1563). Son œuvre, entièrement posthume, comprend des traductions de Xénophon et de Plutarque, *Vingt-Neuf Sonnets*, que son ami Montaigne insérera dans ses *Essais*, d'autres *Vers françois* et surtout le *Discours sur la servitude volontaire* ou *Contr'un*, dissertation politique sur la tyrannie.

LABORANTIN, E n. Personne employée dans un laboratoire d'analyses ou de recherches.

LABORATOIRE n.m. -1. Local disposé pour faire des recherches scientifiques, des analyses biologiques, des essais industriels, des travaux photographiques, etc. -2. Ensemble de chercheurs effectuant dans un lieu déterminé un programme de recherches. -3. *Laboratoire de langue*, salle insonorisée permettant à l'étudiant de se livrer à la pratique orale d'une langue à l'aide d'un magnétophone sur lequel est enregistré un modèle d'enseignement.

LABORI (Fernand), avocat français (Reims 1860 - Paris 1917). Il s'imposa dans de grands procès d'assises : affaires Humbert, Rochefort, Caillaux, Dreyfus (au cours de laquelle il défendit également É. Zola).

LABORIEUX, EUSE adj. et n. Qui travaille beaucoup, assidûment. ◆ adj. -1. Qui coûte beaucoup de travail, d'efforts : *Une recherche laborieuse*. -2. Qui se fait difficilement : *Digestion laborieuse*. -3. Qui manque de spontanéité, de vivacité : *Plaisanterie laborieuse*. ◆ **laborieusement** adv.

LABORIT (Henri), médecin, biologiste et pharmacologue français (Hanoi 1914 - Paris 1995). Il est l'auteur de recherches sur le système nerveux végétatif et sur l'aspect biologique du comportement humain. Il a introduit en thérapeutique la chlorpromazine, le premier des neuroleptiques.

LABOUR n.m. Façon qu'on donne aux terres en les labourant. ◆ pl. Terres labourées.

LABOURAGE n.m. Action, manière de labourer la terre.

LA BOURDONNAIS (Bertrand François Mahé, *comte* de), marin et administrateur français (Saint-Malo 1699 - Paris 1753). Nommé en 1735 gouverneur de l'île de France (île Maurice) et de l'île Bourbon (la Réunion), il contribua à l'implantation de comptoirs français en Inde.

LABOURER v.t. -1. Ouvrir et retourner la terre avec la charrue, l'araire, la houe, la bêche, afin de l'ameublir ; enfouir ce qu'elle porte en surface et préparer ainsi son ensemencement. -**2**. Creuser profondément le sol, l'entailler. -**3**. Marquer une partie du corps de raies, de stries, d'écorchures profondes.

LABOUREUR n.m. -**1**. LITT. Celui qui laboure, cultive la terre. -**2**. En France, sous l'Ancien Régime, paysan qui possédait charrue et animaux de trait nécessaires pour mettre en valeur les terres qu'il louait ou dont il était propriétaire.

LABOUREUR (Jean Émile), graveur et peintre français (Nantes 1877 - Pénestin, Morbihan, 1943). Il a trouvé son expression la plus originale, influencée par la stylisation cubiste, dans l'emploi du burin (*Petites Images de la guerre,* 1916 ; *le Balcon sur la mer,* 1923). Il a illustré Larbaud, Colette, Maurois, et surtout Giraudoux.

Labour Party ou **Labour,** nom anglais du Parti travailliste.

1. **LABRADOR** n.m. Feldspath plagioclase, répandu dans certaines roches comme la diorite.

2. **LABRADOR** n.m. Retriever d'une race de grande taille, à poil ras, noir ou fauve.

LABRADOR

LABRADOR, nom donné autrefois à la péninsule du Canada comprise entre l'Atlantique, la baie d'Hudson et le Saint-Laurent, et longée par le courant froid du Labrador. — Aujourd'hui, ce nom désigne seulement la partie orientale de cette péninsule (appartenant à la province de Terre-Neuve) ; 292 218 km^2 ; 30 000 hab. Minerai de fer.

LABRE n.m. (lat. *labrum,* lèvre). -**1**. Poisson marin vivant près des côtes rocheuses, paré de couleurs vives, comestible. (Long. jusqu'à 60 cm.) SYN. : **vieille.** -**2**. Lèvre supérieure des insectes.

LABRET n.m. Disque de bois ou d'ivoire que certains peuples, et princ. les femmes, portent dans la lèvre inférieure et/ou supérieure, par exemple en Afrique.

LABRIT n.m. Chien de berger à poil frisé du midi de la France.

LA BROSSE (Gui de), médecin de Louis XIII (Rouen ? -1641). Botaniste, il conseilla la création du Jardin des Plantes, qu'il aménagea.

LABROUSSE (Ernest), historien français (Barbezieux 1895 - Paris 1988). Par ses travaux (*Esquisse du mouvement des prix et des revenus en France au XVIIIe s.* [1932] ; *la Crise de l'économie française à la fin de l'Ancien Régime et au début de la Révolution* ([1944]), il a profondément marqué le renouveau de l'histoire économique et sociale en France.

LABROUSTE (Henri), architecte français (Paris 1801 - Fontainebleau 1875). Chef de l'école rationaliste face à l'éclectisme de l'École des beaux-arts, il utilisa le premier, à la bibliothèque Ste-Geneviève (Paris, 1843), une structure intérieure de fonte et de fer non dissimulée, colonnade et voûtes dont la légèreté contraste avec l'enveloppe de pierre ; il récidiva dans diverses parties de la Bibliothèque nationale.

LA BRUYÈRE (Jean de), écrivain français (Paris 1645 - Versailles 1696), précepteur, puis secrétaire du petit-fils du Grand Condé. Ses *Caractères* (1688-1696), modestement présentés comme une adaptation des *Caractères* du Grec Théophraste, peignent la société de son temps en pleine transformation (décadence des traditions morales et religieuses ; mœurs nouvelles des magistrats ; puissance des affairistes), en un style elliptique, nerveux, qui contraste avec la phrase périodique classique et dans une étonnante variété formelle : maximes, portraits, énigmes, apologues ou dissertations. Reçu à l'Académie française en 1693, il prit parti dans la querelle des Anciens

Jean de
LA BRUYÈRE,
écrivain
français.
(Château
de Versailles.)

Henri **LABROUSTE** : la salle de lecture du département des imprimés à la Bibliothèque nationale de Paris (1858-1868).

et des Modernes, en faisant l'éloge des partisans des Anciens.

LABYRINTHE n.m. -1. Édifice composé d'un grand nombre de pièces disposées de telle manière qu'on n'en trouvait que très difficilement l'issue. -2. Réseau compliqué de chemins où l'on a du mal à s'orienter. -3. Complication inextricable. **ANAT.** Ensemble des parties qui composent l'oreille interne (limaçon ou cochlée, vestibule et canaux semi-circulaires). **ARCHIT.** Composition en méandres, de plan centré, du pavement de certaines cathédrales du Moyen Âge, que les fidèles suivaient à genoux (mimant ainsi un pèlerinage en Terre sainte). **JARD.** Petit bois ou plantation de haies comportant des allées tellement entrelacées qu'on peut s'y égarer facilement.

Labyrinthe, palais de Minos à Cnossos, où, selon la mythologie grecque, résidait le Minotaure et d'où Thésée, après avoir tué le monstre, ne put sortir qu'avec l'aide d'Ariane, de même que celui qui l'avait construit, Dédale, ne réussit à s'en échapper que pourvu d'ailes de plumes et de cire.

LABYRINTHIQUE adj. Relatif à un labyrinthe.

LABYRINTHITE n.f. Inflammation de l'oreille interne.

LABYRINTHODONTE n.m. (du gr. *laburinthos,* labyrinthe, et *odous, odontos,* dent). *Labyrinthodontes,* sous-classe des stégocéphales, comprenant des amphibiens fossiles du trias dont les dents portaient des replis sinueux compliqués.

LAC n.m. Grande étendue d'eau intérieure, génér. douce, souvent qualifiée selon son origine (tectonique, glaciaire, volcanique, etc.).

Lac (le), une des *Méditations* de Lamartine (1820), mise en musique par Niedermeyer.

LAÇAGE ou **LACEMENT** n.m. Action ou manière de lacer.

LA CAILLE (*abbé* Nicolas Louis **de**), astronome et géodésien français (Rumigny 1713 - Paris 1762). Il participa à la vérification de la méridienne de France (1739), et se livra à une étude approfondie du ciel austral, au cap de Bonne-Espérance (1750-1754), relevant les positions de plus de 10 000 étoiles et créant 14 constellations nouvelles.

LA CALPRENÈDE (Gautier de Costes **de**), écrivain français (Toulgou-en-Périgord 1610 - Le Grand-Andely 1663). Il a laissé des tragédies et des romans précieux (*Cassandre,* 1642-1645 ; *Cléopâtre,* 1647-1658).

LACAN (Jacques), médecin et psychanalyste français (Paris 1901 - *id.* 1981). Il a contribué, tout en prônant le retour à Freud, à ouvrir le champ de la psychanalyse, en se référant à la linguistique et à l'anthropologie structurale : pour lui, l'inconscient s'interprète comme un langage. La distinction qu'il a proposée entre *réel, symbolique* et *imaginaire* s'est avérée d'une extrême fécondité. Il a proposé la formalisation logique de quelques positions théoriques freudiennes, cette démarche devant être comprise dans un cadre « didactique » de la psychanalyse. Il s'agissait pour lui de rendre le raisonnement freudien « objectif » et la psychanalyse accessible à ceux qui en ont seulement reçu l'enseignement par l'université. Lacan est de ceux qui ont le plus fait pour approfondir le champ psychanalytique. De nombreuses écoles se rattachent à son « héritage » (*Écrits,* 1966 ; *le Séminaire,* 1975 et suiv.).

LACANAU, comm. de la Gironde, sur l'étang de Lacanau ; 2 414 hab. Station balnéaire et climatique à *Lacanau-Océan.*

LACAUNE *(monts de),* hauts plateaux du sud du Massif central, culminant à 1 259 m, au pic de Montalet.

LACAZE-DUTHIERS (Henri de), zoologiste français (Montpezat 1821 - Las-Fons, Dordogne, 1901), spécialiste des mollusques.

LACCASE n.f. Enzyme oxydante qui existe dans la laque, la carotte, les fruits, etc.

LACCOLITE n.m. (du gr. *lakkos,* fosse, et *lithos,* pierre). Intumescence du relief, d'origine volcanique, provoquée par une montée de lave qui n'atteint pas la surface.

Lac des cygnes (le), ballet de M. Petipa et L. Ivanov, musique de Tchaïkovski, créé à Saint-Pétersbourg en 1895.

LACÉDÉMONE → SPARTE.

LACEPÈDE (Étienne de La Ville, comte de), naturaliste français (Agen 1756 - Épinay-sur-Seine 1825). Il continua l'*Histoire naturelle* de Buffon, se spécialisant dans les reptiles et les poissons.

LACER v.t. [16]. Serrer, maintenir, fermer avec un lacet.

LACÉRATION n.f. Action de lacérer.

LACÉRER v.t. [18]. Mettre qqch en pièces ; déchirer.

LACERIE n.f. Vannerie souple en paille, en osier fin.

LACERTILIEN n.m. *Lacertiliens,* sous-ordre de reptiles saurophidiens, génér. munis de pattes et rarement de grande taille, tels que le lézard, le gecko, le caméléon. SYN. : **saurien.**

LACET n.m. (de *lacs*). -1. Cordon qu'on passe dans des œillets pour serrer un vêtement, des souliers, etc. -2. Nœud coulant pour prendre le gibier. -3. Mouvement d'oscillation d'un véhicule autour d'un axe vertical, passant par son centre de gravité.

LACEUR, EUSE n. Personne qui fait des filets pour la chasse, pour la pêche.

LÂCHAGE n.m. Action de lâcher.

LA CHAISE ou **LA CHAIZE** (François d'Aix de), dit le **Père La Chaise,** jésuite français (château d'Aix, près de Saint-Martin-la-Sauveté, Forez, 1624 - Paris 1709). Il fut le confesseur de Louis XIV (1674-1709). Son nom a été donné au principal cimetière de Paris, créé sur l'emplacement de ses jardins.

LA CHALOTAIS (Louis René de Caradeuc de), magistrat français (Rennes 1701 - *id.* 1785), procureur général au parlement de Bretagne. Adversaire des jésuites, chef de l'opposition parlementaire, il lutta contre le duc d'Aiguillon, gouverneur de Bretagne.

LA CHAUSSÉE (Pierre Claude Nivelle de), auteur dramatique français (Paris 1692 - *id.* 1754). Il est connu comme le créateur de la « comédie larmoyante » (*le Préjugé à la mode,* 1735 ; *Mélanide,* 1741). [Acad. fr. 1736.]

LÂCHE adj. Qui n'est pas tendu, pas serré : *Corde lâche.* ✦ adj. et n. -1. Qui manque de courage, d'énergie ; peureux, poltron. -2. Qui manifeste de la cruauté et de la bassesse, en sachant qu'il n'en sera pas puni. ✦ **lâchement** adv. Sans courage ; avec bassesse.

LÂCHÉ, E adj. En beaux-arts, fait avec négligence, sans fermeté : *Dessin lâché.*

1. **LÂCHER** v.t. -1. Rendre qqch moins tendu, le détendre : *Lâcher un cordage.* -2. Cesser de tenir qqch, de le retenir : *Lâcher sa proie.* -3. En sports, distancer un concurrent, un groupe de concurrents, etc. -4. Quitter brusquement un groupe ; abandonner une activité : *Lâcher ses études.* -5. Laisser échapper malgré soi une parole, un geste : *Lâcher une sottise.* ✦ v.i. Céder, rompre, se casser : *La corde a lâché.*

2. **LÂCHER** n.m. Action de laisser aller, de laisser partir : *Un lâcher de ballons.*

LÂCHETÉ n.f. -1. Manque de courage. -2. Action indigne : *Commettre une lâcheté.*

LÂCHEUR, EUSE n. FAM. Personne qui abandonne ceux avec qui elle était engagée.

LACHINE, v. du Canada (Québec), banlieue de Montréal ; 35 266 hab.

LA CIERVA Y CODORNÍU (Juan de), ingénieur espagnol (Murcie 1895 - Croydon 1936). Il est l'inventeur de l'autogire (1923), qu'il ne cessa de perfectionner et grâce auquel il réussit, en 1934, le décollage sur place à la verticale.

LACIS [lasi] n.m. Réseau de fils, de vaisseaux, de routes, etc., entrelacés.

LACLOS (Pierre Choderlos de), officier et écrivain français (Amiens 1741 - Tarente 1803). Malgré la place importante qu'occupe l'armée dans sa vie, Laclos doit sa gloire à un unique roman par lettres, *les Liaisons dangereuses,* fort critiqué à sa parution en 1782 : le couple de héros libertins (le vicomte de Valmont et la marquise de Merteuil), bien que ses intrigues soient finalement révélées par leur correspondance scandaleuse, illustre la puissance, face à la vertu, de la combinaison de l'intelligence et du mal.

Pierre Choderlos de **LACLOS,** officier et écrivain français. (Musée de Picardie, Amiens.)

LA CONDAMINE (Charles Marie de), géodésien et naturaliste français (Paris 1701 - id. 1774). Avec Bouguer, il dirigea l'expédition du Pérou (1735), qui détermina la longueur d'un arc de méridien. (Acad. fr. 1760.)

LACONIE, contrée du sud-est du Péloponnèse, dont Sparte était le centre.

LACONIQUE adj. Concis, bref : *Réponse laconique.* ◆ **laconiquement** adv.

LACORDAIRE (Henri), religieux français (Recey-sur-Ource, Côte-d'Or, 1802 - Sorèze 1861). Ami et disciple de La Mennais, il milite au premier rang du catholicisme libéral, mais ne suit pas son maître dans sa rupture avec Rome (1832). On lui confie la prédication du carême à Notre-Dame de Paris, où il attire les foules. En 1839, il restaure l'ordre des Dominicains en France. Un moment gagné par le mouvement révolutionnaire de 1848, il fonde avec Maret et Ozanam le journal *l'Ère nouvelle ;* mais les troubles de juin le font renoncer au combat politique. Il se consacre alors à l'enseignement dans le cadre du collège de Sorèze (Tarn). [Acad. fr. 1860.]

LACQ, comm. des Pyrénées-Atlantiques, sur le gave de Pau ; 664 hab. Gisement de gaz naturel et production de soufre.

LACRETELLE (Jacques de), écrivain français (Cormatin, Saône-et-Loire, 1888 - Paris 1985). Dans la tradition du roman psychologique, son œuvre est marquée par une lucidité sombre (*la Vie inquiète de Jean Hermelin,* 1920 ; *Silbermann,* 1922 ; *les Hauts-Ponts,* 1932-1935). [Acad. fr. 1936.]

LACRETELLE (Pierre Louis de), dit l'Aîné, jurisconsulte français (Metz 1751 - Paris 1824). Membre du corps législatif (1801-02), il prit part, avec B. Constant, à la rédaction de *la Minerve française* (1818-1820). [Acad. fr. 1803.]

LACRIMA-CHRISTI [lakrimakristi] n.m. inv. (mots lat., *larme du Christ).* -**1.** Vin provenant des vignes cultivées au pied du Vésuve. -**2.** Cépage qui le produit.

LACROIX (Alfred), minéralogiste français (Mâcon 1863 - Paris 1948). Auteur d'études sur les éruptions de la montagne Pelée (1902) et du Vésuve (1906), il a analysé les effets du métamorphisme et découvert de nombreux minéraux.

LACRYMAL, E, AUX adj. (lat. *lacrimalis,* de *lacrima,* larme). Relatif aux larmes.

LACRYMOGÈNE adj. Qui fait pleurer : *Gaz lacrymogène.*

LACRYMO-NASAL, AUX adj.m. *Canal lacrymo-nasal,* conduit reliant le sac lacrymal aux fosses nasales.

LACS [lɑ] n.m. -**1.** Nœud coulant pour prendre du gibier. -**2.** Ruban de toile solide employé pour exercer des tractions lors de l'accouchement ou pour maintenir une attelle.

LACTAIRE n.m. (du lat. *lac, lactis,* lait). Champignon des bois, à chapeau souvent coloré et à lames, dont la chair brisée laisse écouler un lait blanc ou coloré. (Beaucoup d'espèces sont comestibles ; d'autres sont à rejeter en raison de leur âcreté.)

LACTALBUMINE n.f. Protéine du lait.

LACTAME n.m. Amide interne cyclique souvent formé par élimination d'eau à partir d'un aminoacide (nom générique).

LACTANCE, apologiste chrétien d'expression latine (près de Cirta v. 260 - Trèves v. 325). Rhéteur converti, il a donné dans ses *Institutions divines* le premier exposé d'ensemble de la religion chrétienne.

LACTARIUM [laktarjɔm] n.m. Centre de collectage et de distribution du lait maternel.

LACTASE n.f. Enzyme sécrétée par la muqueuse intestinale, qui convertit le lactose en glucose et en galactose.

LACTATE n.m. Sel de l'acide lactique.

LACTATION n.f. Formation, sécrétion et excrétion du lait ; période pendant laquelle elle a lieu.

LACTÉ, E adj. (du lat. *lac, lactis,* lait). -1. Qui consiste en lait : *Régime lacté.* -2. Qui ressemble au lait : *Suc lacté.* -3. Qui contient du lait : *Farine lactée.* -4. Qui dépend de la sécrétion lactée : *Fièvre lactée.* -5. Qui a l'apparence, la blancheur du lait. -6. *Veines lactées,* vaisseaux lymphatiques de l'intestin. ‖ *Voie lactée,* bande blanchâtre, floue, de forme et d'intensité irrégulières, qui fait le tour complet de la sphère céleste. (C'est la trace dans le ciel du disque de la Galaxie, où la densité d'étoiles apparaît maximale.)

LACTESCENT, E adj. Qui contient un suc laiteux.

LACTIFÈRE adj. Qui conduit le lait.

LACTIQUE adj. -1. Se dit d'un acide-alcool $CH_3–CHOH–COOH$, qui apparaît lors de la fermentation des hexoses sous l'action des bactéries lactiques, et lors de la décomposition du glycogène pendant la contraction musculaire. -2. *Ferments lactiques,* ensemble des bacilles isolés de divers produits laitiers, qui transforment les hexoses en acide lactique.

LACTODENSIMÈTRE n.m. Pèse-lait.

LACTOFLAVINE n.f. (du lat. *lac,* lait, et *flavus,* jaune). Autre nom de la vitamine B2, que l'on trouve dans le lait. SYN. : riboflavine.

LACTONE n.f. Ester interne cyclique fourni par certains acides-alcools (nom générique).

LACTOSE [laktoz] n.m. Sucre de formule $C_{12}H_{22}O_{11}$, contenu dans le lait, et se dédoublant en glucose et en galactose.

LACTOSÉRUM [laktoserɔm] n.m. Petit-lait obtenu lors de la fabrication du fromage.

LACUNAIRE adj. -1. Qui présente des lacunes. -2. *Amnésie lacunaire,* oubli portant sur une ou plusieurs périodes bien circonscrites de la vie passée. ‖ *Système lacunaire,* ensemble des cavités discontinues formant les interstices des cellules des tissus et des organes.

LACUNE n.f. -1. Interruption dans un texte. -2. Espace vide dans l'intérieur d'un corps. -3. Ce qui manque pour compléter qqch ; trou, défaillance, insuffisance : *Les lacunes d'une éducation.* -4. Absence d'une couche de terrain dans une série stratigraphique.

LACUNEUX, EUSE adj. *Tissu lacuneux,* tissu du dessous des feuilles de dicotylédones, où ont lieu les échanges gazeux.

LACUSTRE adj. -1. Qui vit sur les bords ou dans les eaux d'un lac : *Plante lacustre.* -2. *Cité lacustre,* village construit sur pilotis, dans les temps préhistoriques, en bordure des lacs et des lagunes. (Les recherches actuelles des préhistoriens remettent en cause l'existence de telles cités, et la langue scientifique désigne auj. les constructions sur pilotis par le terme de *palafitte.*)

LAD [lad] n.m. Garçon d'écurie qui soigne les chevaux de course.

LADAKH (le), région du Cachemire ; 95 876 km² ; 120 000 hab. ; ch.-l. *Leh.* Plateau ondulé au climat désertique et dont l'altitude varie entre 3 000 et 6 000 m.

LADANG n.m. En Asie du Sud-Est, culture temporaire semi-nomade sur brûlis.

LADANUM n.m. → LABDANUM.

LADIN n.m. Dialecte rhéto-roman parlé dans le Tyrol du Sud.

LADINO n.m. Forme du castillan parlée en Afrique du Nord et au Proche-Orient par les descendants des Juifs expulsés d'Espagne en 1492. SYN. : judéo-espagnol.

LADISLAS II (ou **V**) **JAGELLON Iᵉʳ** (v. 1351 - Gródek 1434), grand-duc de Lituanie (1377-1401), roi de Pologne (1386-1434). Il vainquit les Teutoniques à Grunwald (1410).

LADOGA *(lac),* lac du nord-ouest de la Russie qui communique avec Saint-Pétersbourg et le golfe de Finlande par la Neva ; 17 700 km².

LADOUMÈGUE (Jules), athlète français (Bordeaux 1906 - Paris 1973). Spécialiste de demifond, deuxième du 1 500 m olympique en 1928, il fut disqualifié en 1932 pour professionnalisme.

LADRE n. et adj. -1. LITT. Avare. -2. Se dit d'un porc ou d'un bœuf qui a des cysticerques de ténia dans les muscles ou sous la langue. ◆ n.m. *Taches de ladre,* parties de la peau du cheval dépigmentées, rosâtres, dégarnies de poils autour des yeux, des naseaux et des parties génitales.

LADRERIE n.f. -1. LITT. Avarice. -2. Maladie du porc ou du bœuf ladres.

LADY [lɛdi] n.f. (pl. ladys ou ladies). Femme de haut rang, en Angleterre.

LAENNEC (René), médecin français (Quimper 1781 - Kerlouanec, Finistère, 1826). Professeur d'anatomie pathologique (étude des lésions des organes), il fonda la méthode anatomo-clinique, qui devint une des bases de la médecine : les signes des maladies correspondent à des lésions définies des organes. Il est aussi connu pour avoir inventé le stéthoscope.

LAETHEM-SAINT-MARTIN, en néerl. Sint-Martens-Latem, comm. de Belgique (Flandre-Orientale) ; 8 203 hab. **ARTS.** À la fin du XIXe siècle s'y constitua un groupe de tendance symboliste avec, notamment, l'écrivain Karel Van de Woestijne (1878-1929), son frère Gustaaf, peintre (1881-1947), et le sculpteur G. Minne. Un second groupe, après la Première Guerre mondiale, marque l'essor de l'expressionnisme pictural belge, avec notamment Permeke, d'une âpre puissance, Gustave De Smet (1877-1943), aux sujets populaires et mélancoliques, et F. Van den Berghe, dont l'art coloré se teinte de fantastique.

LAFARGUE (Paul), homme politique français (Santiago de Cuba 1842 - Draveil 1911). Disciple et gendre de Karl Marx, il fonda avec J. Guesde le Parti ouvrier français (1882).

LAFAYETTE, v. des États-Unis, dans le sud de la Louisiane ; 94 440 hab. Principal foyer francophone de la Louisiane.

Le marquis de **LA FAYETTE**, général et homme politique français. Détail d'un portrait par J. D. Court. (Château de Versailles.)

LA FAYETTE (Marie Joseph Gilbert **Motier**, *marquis* de), général et homme politique français (Chavaniac, Haute-Loire, 1757 - *id.* 1834). Dès 1777, il prend une part active à la guerre de l'Indépendance en Amérique aux côtés des insurgés. Député aux États généraux (1789), commandant de la Garde nationale, il apparaît comme le chef de la noblesse libérale, désireux de réconcilier la royauté avec la Révolution. Émigré de 1792 à 1800, il refuse tout poste officiel sous l'Empire. Député libéral sous la Restauration, mis à la tête de la Garde nationale en juillet 1830, il permet l'accession au trône de Louis-Philippe, avant de devenir un opposant de la monarchie de Juillet.

LA FAYETTE ou **LAFAYETTE** (Marie-Madeleine **Pioche de La Vergne**, *comtesse* de), femme de lettres française (Paris 1634 - *id.* 1693). Elle tint salon rue de Vaugirard, où elle reçut, outre son amie Mme de Sévigné, La Fontaine, Ménage, Segrais et La Rochefoucauld. Elle débuta par deux nouvelles, *la Princesse de Montpensier* (1662) et *Zayde* (1669-1671), la seconde écrite en collaboration et signée par Segrais, et donna avec *la Princesse de Clèves* (1678) [→ PRINCESSE] le premier roman psychologique moderne. On lui doit aussi des *Mémoires de la cour de France pour les années 1688 et 1689* (1731).

La comtesse de **LA FAYETTE**, femme de lettres française. Détail d'une gravure de E. J. Desrochers. (B. N., Paris.)

LAFFEMAS (Barthélemy de), *sieur* de Beausemblant, économiste français (Beausemblant, Drôme, 1545 - Paris v. 1612). Contrôleur général du commerce (1602), il favorisa, sous le règne d'Henri IV, l'établissement de nombreuses manufactures (Gobelins), politique dont s'inspira Colbert.

LAFFITTE (Jacques), banquier et homme politique français (Bayonne 1767 - Paris 1844). Gouverneur de la Banque de France (1814-1819), député libéral sous la Restauration, il joua un rôle actif dans la révolution de 1830 et forma le premier ministère de la monarchie de Juillet. Écarté par Louis-Philippe en 1831, il devint le chef de l'opposition de gauche à la Chambre des députés.

LA FONTAINE (Jean de), poète français (Château-Thierry 1621 - Paris 1695). Maître des Eaux et Forêts (1652), il écrit des ballades et des madrigaux, devient le protégé de Fouquet et, au moment de la disgrâce du surintendant, témoigne de sa douleur et de son courage dans l'*Élégie aux nymphes de Vaux* (1661). Il trouve cependant une nouvelle protection en Madame, veuve de Gaston d'Orléans, et publie ses premiers recueils de *Contes* (1665-1671), ainsi que les six premiers livres des *Fables* (1668). La suppression de ses charges et la mort de la duchesse d'Orléans le laissent sans ressources, lorsque Mme de La Sablière le recueille (1672-1693). De cette époque datent deux nouvelles séries de *Contes* (1671-1674), qui lui ouvrent les portes de l'Académie française ; mais il devra attendre l'approbation de Louis XIV (1684), qui lui préfère Boileau. La Fontaine prend parti pour les Anciens contre les Modernes (*Épitre à Huet,* 1687) et dédie au duc de Bourgogne un dernier livre de *Fables* (1694), alors qu'il a trouvé chez le financier d'Hervart un dernier asile. (→ FABLES).

Jean
de **LA FONTAINE,**
poète français.
Détail
d'un portrait
par H. Rigaud.
(Château
de Versailles.)

LAFONTAINE (*sir* Louis Hippolyte), homme politique canadien (Boucherville 1807 - Montréal 1864), chef du premier ministère parlementaire du Canada (1848-1851).

LA FORCE (Jacques Nompar, *duc* de), maréchal de France (1558 - Bergerac 1652). Protestant, compagnon d'Henri IV, il se mit au service de Louis XIII, contre lequel il avait d'abord défendu Montauban révoltée.

LAFORGUE (Jules), poète français (Montevideo 1860 - Paris 1887). Alliant le dandysme à l'obsession de la mort, en un style précieux et impressionniste, il fut un des créateurs du vers libre. Deux recueils parurent de son vivant (*les Complaintes,* 1885 ; *l'Imitation de Notre-Dame la Lune,* 1886), mais ses amis publièrent les contes en prose des *Moralités légendaires* (1887) et le recueil des *Derniers Vers* (1890).

LA FOSSE (Charles de), peintre français (Paris 1636 - *id.* 1716). Élève de Le Brun, au style souple et brillant, il a contribué à infléchir la doctrine de l'Académie en matière de peinture d'histoire (influence de Rubens et des Vénitiens : victoire de la couleur sur le dessin, à la fin du siècle). Il est l'auteur de tableaux mythologiques ou religieux et de plusieurs grandes décorations d'églises (*Résurrection* à l'abside de la chapelle du château de Versailles, 1709).

LA FRESNAYE [-frene] (Roger **de**), peintre français (Le Mans 1885 - Grasse 1925). Après avoir côtoyé le cubisme (*l'Homme assis,* 1913-14, M. N. A. M., Paris), il est revenu à une sorte de réalisme stylisé.

LAGACHE (Daniel), psychiatre et psychanalyste français (Paris 1903 - *id.* 1972). Il fonde, en 1953, avec J. Lacan et F. Dolto, la Société française de psychanalyse, qui, en 1963, après le départ de Jacques Lacan, devient l'Association psychanalytique de France, dont il est le premier président. Ses travaux, orientés par l'enseignement de Freud, concernent surtout la psychologie clinique, la psychologie sociale et la criminologie.

LA GALISSONIÈRE (Roland Michel **de**), marin français (Rochefort 1693 - Montereau 1756). Gouverneur de la Nouvelle-France de 1747 à 1749, il dirigea ensuite l'attaque de Minorque (1756) à la veille de la guerre de Sept Ans.

LAGASH, auj. **Tell al-Hiba,** ancienne cité-État de Mésopotamie, près du confluent du Tigre et de l'Euphrate (Iraq). Les fouilles, pratiquées à partir de 1877, y ont fait découvrir la civilisation sumérienne du IIIe millénaire av. J.-C.

LAGERKVIST (Pär), écrivain suédois (Växjö 1891 - Stockholm 1974). Il a proclamé, dès son premier recueil poétique (*Angoisse,* 1916), son désespoir face à la cruauté du monde. Malgré une certaine foi en l'homme, ses romans

Déification d'Énée, par Charles de **LA FOSSE.**
(Musée des Beaux-Arts, Nantes.)

restent empreints de pessimisme (*le Nain,* 1944 ; *Barabbas,* 1950 ; *la Sibylle,* 1956). [Prix Nobel 1951.]

LAGERLÖF (Selma), femme de lettres suédoise (Mårbacka 1858 - *id.* 1940). On lui doit des romans d'inspiration romantique (*la Saga de Gösta Berling,* 1891 ; *le Charretier de la mort,* 1912) et des romans pour enfants (*le Merveilleux Voyage de Nils Holgersson à travers la Suède,* 1906-07). [Prix Nobel 1909.]

LAGHOUAT, oasis du Sahara algérien, ch.-l. de wilaya ; 59 000 hab.

LAGIDES, dynastie qui a régné sur l'Égypte hellénistique de 305 à 30 av. J.-C. Tous ses souverains mâles ont porté le nom de Ptolémée (du nom du fils de Lagos, lieutenant d'Alexandre).

LAGNY-SUR-MARNE, ch.-l. de c. de Seine-et-Marne ; 18 804 hab. (*Latignaciens* ou *Laniaques*). Imprimerie. Constructions mécaniques.

LAGOMORPHE n.m. *Lagomorphes,* ordre de mammifères classés autref. parmi les rongeurs, et qui comprend le lièvre et le lapin.

LAGON n.m. Étendue d'eau à l'intérieur d'un atoll ou fermée vers le large par un récif corallien.

LAGOPÈDE n.m. (du gr. *lagôs,* lièvre, et *pous, podos,* pied). Oiseau gallinacé habitant les hautes montagnes et le nord de l'Europe. (Le lagopède des Alpes est entièrement blanc en hiver ; le lagopède d'Écosse, ou *grouse,* n'a pas le plumage blanc hivernal.)

LAGOS, anc. cap. du Nigeria, sur le golfe du Bénin ; 4 500 000 hab. Principal port du pays.

– National Museum (riche collection d'art ancien du Nigeria, du Bénin, etc.).

LAGOTRICHE [lagɔtriʃ] n.m. (du gr. *lagôs,* lièvre, et *thrix, trikhos,* cheveu). Singe de l'Amérique du Sud, appelé aussi *singe laineux.* (Long. env. 50 cm sans la queue.)

LAGOYA (Alexandre), guitariste égyptien naturalisé français (Alexandrie 1929), professeur au Conservatoire de Paris et soliste international.

LAGRANGE (Albert), en relig. frère Marie-Joseph, dominicain et exégète français (Bourg-en-Bresse 1855 - Saint-Maximin-la-Sainte-Baume 1938). Il fonda en 1890 l'École d'études bibliques de Jérusalem, reconnue en 1921 comme École archéologique française de Jérusalem, puis, en 1892, la *Revue biblique.* Son œuvre renouvela les méthodes de l'exégèse catholique et donna aux études scripturaires une impulsion décisive.

LAGRANGE (Joseph Louis de), mathématicien français (Turin 1736 - Paris 1813). Frédéric II de Prusse l'invita en 1766 à diriger la section mathématique de l'Académie des sciences de Berlin. Après la mort de son protecteur, il enseigna l'analyse à l'École normale et à Polytechnique, présida la Commission des poids et mesures et appartint au Bureau des longitudes (1795).

Une œuvre fondée sur l'analyse. Son mémoire de 1770-71 sape l'espoir de pouvoir résoudre algébriquement une équation générale de degré n, ce qui le conduit à démontrer plusieurs théorèmes relatifs à la théorie des groupes qui préparent les travaux de Galois.

Vue de **LAGOS.**

La *Mécanique analytique* (1788), dépourvue de toute référence à la géométrie, illustre la remarquable adéquation de la théorie newtonienne au mouvement des planètes et unifie les fondements de la mécanique. Ses méthodes purement analytiques font du calcul des variations une branche autonome du calcul infinitésimal. Dans la *Théorie des fonctions analytiques* (1797), il tente de définir toute fonction par son développement en série de Taylor ; il en déduit ses « dérivées » successives, fonctions notées $f'(x)$, $f''(x)$, etc. Il veut fonder le calcul différentiel et intégral indépendamment de toute référence aux notions d'infiniment petit, de limite et de mouvement. Profondément nourrie par la pensée d'Euler et la conception newtonienne de l'Univers, son œuvre donne à l'analyse une importance considérable en mathématiques.

LAGRANGE (Léo), homme politique français (Bourg-sur-Gironde 1900 - Evergnicourt, Aisne, 1940). Sous-secrétaire d'État aux Sports et aux Loisirs (1936-37 et 1938), il favorisa le développement du sport populaire.

LAGUIOLE [lajɔl] n.m. -**1.** Fromage voisin du Cantal, fabriqué dans l'Aubrac. -**2.** Couteau de poche à manche légèrement recourbé et à lame allongée.

LAGUIS [lagi] n.m. Cordage terminé par un nœud qui se serre par le seul poids du corps qu'il entoure.

LA GUMA (Alex), écrivain sud-africain d'expression anglaise (Cape Town 1925 - La Havane 1985). L'un des responsables du Coloured People's Congress, il évoque dans ses romans la vie des ghettos noirs des faubourgs du Cap (*Nuit d'errance,* 1962).

LAGUNAGE n.m. Création de bassins pour l'épuration des eaux.

LAGUNAIRE adj. Relatif aux lagunes.

LAGUNE n.f. Étendue d'eau marine retenue derrière un cordon littoral.

LA HARPE (Frédéric César de), homme politique suisse (Rolle, Vaud, 1754 - Lausanne 1838). Membre du Directoire de la République helvétique (1798-1800), il obtint en 1815 l'émancipation du canton de Vaud.

LA HARPE (Jean François Delharpe ou Delaharpe, dit de), critique français (Paris 1739 - *id.* 1803). Il est l'auteur du *Lycée ou Cours de littérature ancienne et moderne* (1799), d'esprit classique. (Acad. fr. 1776.)

LÀ-HAUT adv. -**1.** En un lieu plus haut, au-dessus. -**2.** Au ciel, dans la vie future, par opp. à *ici-bas.*

LA HIRE (Étienne de Vignolles, dit), gentilhomme français (Vignolles, Charente, v. 1390 - Montauban 1443). Il fut le fidèle compagnon de Jeanne d'Arc. Le valet de cœur, dans les jeux de cartes, porte son nom.

LA HIRE ou **LA HYRE** (Laurent de), peintre français (Paris 1606 - *id.* 1656). D'abord tenté par des effets larges et contrastés issus du maniérisme et du caravagisme, il adopta vers 1640 un style délicat et mesuré, d'inspiration élégiaque : grandes toiles pour les couvents de Paris ; tableaux destinés aux amateurs, où le paysage idéalisé reflète une influence de Poussin (*la Mort des enfants de Béthel,* 1653, musée d'Arras).

Putto jouant de la basse de viole, par Laurent de **LA HIRE.** (Musée Magnin, Dijon.)

LA HIRE (Philippe de), astronome et mathématicien français (Paris 1640 - *id.* 1718), fils du précédent. Son nom est resté attaché aux grands travaux géodésiques entrepris à l'époque par J. Picard ou Cassini. En mathématiques, il étudia les coniques ; en mécanique, il développa la théorie des engrenages épicycloïdaux.

LA HONTAN (Louis Armand de Lom d'Arce, *baron de*), voyageur et écrivain français (Lahontan 1666 - Hanovre v. 1715). Ses voyages au Canada lui inspirèrent trois ouvrages dans lesquels il mêle récit et utopie sociale (*Dialogues curieux entre l'auteur et un sauvage de bon sens,* 1703).

LAHORE, v. du Pakistan, cap. du Pendjab ; 2 922 000 hab. Centre religieux et culturel. – Nombreux monuments de l'époque des Grands Moghols (fort, 1565 ; Grande Mosquée, 1627 ; tombeau de Djahangir, 1627, et célèbre jardin Chalimar Bagh).

LAHTI, v. de Finlande, sur le lac Vesijärvi ; 93 000 hab. Industries du bois. Centre touristique. – Églises modernes. Musée.

1. **LAI** [lɛ] n.m. Au Moyen Âge, petit poème narratif ou lyrique, à vers courts, génér. de huit syllabes, à rimes plates.

2. **LAI, E** adj. (lat. *laicus*). *Frère lai, sœur laie,* religieux non prêtre, religieuse non admise aux vœux solennels, qui assuraient des services matériels dans les couvents.

LAÏC adj.m. et n.m. → LAÏQUE.

LAÏCAT n.m. Ensemble des laïques dans l'Église catholique.

LAÎCHE [lɛʃ] n.f. Plante vivace, très commune au bord des eaux, dans les marais, où elle forme des touffes ayant l'aspect de grandes herbes à feuilles coupantes. (Les laîches, ou *Carex,* de la famille des cypéracées, ont des tiges de section triangulaire.)

LAÏCISATION n.f. Action de laïciser.

LAÏCISER v.t. -1. Rendre laïque. -2. Soustraire à l'autorité religieuse, organiser selon les principes de la laïcité.

LAÏCISME n.m. Doctrine des partisans de la laïcisation des institutions.

LAÏCITÉ n.f. -1. Système qui exclut les Églises de l'exercice du pouvoir politique ou administratif et, partic., de l'organisation de l'enseignement public. -2. Caractère de ce qui est laïque, indépendant des conceptions religieuses ou partisanes.

ENCYCL. Dans le cadre des rapports généralement complexes entre le religieux et le politique, la laïcité est une valeur fondamentale pour tout État qui entend défendre son autonomie par rapport à quelque confession que ce soit et laisser chacun décider de sa propre appartenance à tel ou tel culte. Elle est souvent inscrite dans la Constitution des nations modernes, notamment lorsque, comme en France en 1905, se trouve décrétée la séparation des Églises et de l'État. Mais la reconnaissance du principe de la laïcité entraîne alors de violents combats idéologiques ou conflits particuliers, comme à propos de la question scolaire.

L'hostilité des catholiques. Ainsi, lors de la consolidation de la IIIe République, les Français se sont profondément divisés : d'un côté, les catholiques, qui jugeaient l'Église spoliée et les « droits de Dieu » bafoués par les lois de la séparation ; de l'autre, les républicains – et parmi eux les protestants et les israélites –, qui saluaient l'officialisation de la liberté de conscience et de la neutralité de la société en matière religieuse, en attendant de passer, face aux anathèmes de l'Église et de la droite anti-dreyfusarde, au laïcisme militant et à l'anticléricalisme. Ce fut alors comme une guerre entre deux France, qui ne se réveilla ensuite que de manière épisodique, mais comme en ravivant des blessures profondes.

La laïcité reconnue. Au cours du xxe siècle, les Républiques successives en sont venues à prendre en compte les apports communautaires, éducatifs et culturels de la religion, tandis que, pour sa part, le catholicisme français comprenait les avantages spirituels qu'il pouvait tirer du régime d'une laïcité entendue comme respect d'autrui. Le IIe concile du Vatican devait, d'ailleurs, se prononcer solennellement en faveur de la liberté et des droits de la conscience individuelle ainsi qu'en faveur d'une conception des rapports entre l'Église et les États souverains toute différente de celle sur laquelle reposaient les anciens concordats.

LAID, E adj. -1. Dont l'aspect heurte le sens esthétique, l'idée qu'on a du beau. -2. Qui s'écarte des bienséances, de ce que l'on pense être bien, moral, honnête. ◆ **laid** n.m. Ce qui est laid, inesthétique. ◆ **laidement** adv.

LAIDERON n.m. Jeune fille, jeune femme laide.

LAIDEUR n.f. -1. Fait d'être laid ; caractère de ce qui est laid. -2. Caractère de ce qui est bas, vil. -3. Chose laide ; action vile.

1. **LAIE** [lɛ] n.f. Femelle du sanglier.

2. **LAIE** n.f. Sentier rectiligne percé dans une forêt.

3. **LAIE** n.f. → LAYE.

LAIMARGUE n.f. (gr. *laimargos,* vorace). Requin du Groenland, chassé pour son huile et son cuir.

LAINAGE n.m. -1. Étoffe de laine. -2. Vêtement en laine. -3. vx. Toison des moutons. -4. Opération qui donne aux tissus de laine et de coton un aspect pelucheux et doux.

LAINE n.f. -1. Fibre épaisse, douce et frisée, provenant de la toison des moutons et autres ruminants. -2. Vêtement de laine tissé ou tricoté ; lainage. -3. Substance fibreuse évoquant la laine. -4. *Laine crue,* non apprêtée. ‖ *Laine à tricoter,* en pelote, en écheveau. BOT. Duvet qui recouvre certaines plantes. CÉRAM., VERR. *Laine de laitier* ou *laine minérale,* produit préparé par projection de vapeur d'eau sur un jet de laitier fondu, utilisé comme isolant calorifique. ‖ *Laine de verre,* fibre de verre de très faible diamètre, utilisée pour l'isolation thermique.

LAINÉ, E adj. *Peau lainée,* peausserie ayant conservé sa laine ; vêtement fait dans cette peausserie.

LAINER v.t. Opérer le lainage d'une étoffe.

LAINEUR, EUSE n. Ouvrier qui laine le drap, les étoffes. ◆ **laineuse** n.f. Machine à lainer.

LAINEUX, EUSE adj. -1. Pourvu de laine. -2. Qui a l'apparence de la laine. -3. *Plante laineuse,* plante couverte de poils.

LAING (Ronald), psychiatre britannique (Glasgow 1927 - Saint-Tropez 1989). Il est un des fondateurs, avec D. Cooper, de l'antipsychiatrie, mouvement apparu dans les années 1960 et qui s'interrogeait sur les méthodes de la psychiatrie traditionnelle (enfermement, médication, etc.) et sur la nature biologique et/ou sociale de la maladie mentale (*le Moi divisé,* 1960 ; *l'Équilibre mental, la folie et la famille,* 1964).

LAINIER, ÈRE adj. Qui concerne la laine. ◆ **lainier** n.m. -1. Ouvrier qui laine le drap. -2. Manufacturier, marchand de laine.

LAÏQUE ou **LAÏC, ÏQUE** adj. et n. (bas lat. *laicus,* gr. *laikos,* qui appartient au peuple). Qui n'appartient pas au clergé. ◆ adj. -1. Indépendant des organisations religieuses ; qui relève de la laïcité : *État laïque.* -2. *École laïque,* école publique distribuant un enseignement neutre sur le plan confessionnel. -3. Qui est étranger à la religion, au sentiment religieux : *Un mythe laïque.*

LAIRD [lɛrd] n.m. Grand propriétaire foncier en Écosse.

LAIS [lɛ] n.m. pl. Terrains que la mer, en se retirant, laisse à découvert. (Ils appartiennent au domaine public.)

1. **LAISSE** [lɛs] n.f. Corde, lanière servant à mener un chien.

2. **LAISSE** n.f. Suite de vers qui constitue une section d'un poème médiéval ou d'une chanson de geste.

3. **LAISSE** n.f. Ligne, sur une plage, atteinte par la mer, génér. jalonnée des débris que celle-ci abandonne au jusant.

LAISSÉES n.f. pl. Fiente des sangliers.

LAISSÉ-POUR-COMPTE n.m. (pl. laissés-pour-compte). Marchandise dont on a refusé de prendre livraison. ◆ **laissé-pour-compte, laissée-pour-compte** n. (pl. laissés-, laissées-pour-compte). Personne rejetée par un groupe social.

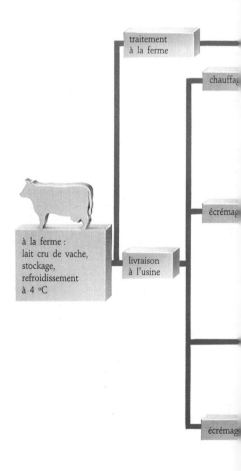

LAIT : traitement du lait et produits finis

LAISSER v.t. -**1.** Ne pas prendre, ne pas employer, ne pas consommer qqch dont on pourrait disposer. -**2.** Ne pas emmener qqn ; ne pas prendre qqch avec soi. -**3.** Abandonner qqch involontairement, par oubli : *J'ai laissé mon parapluie chez toi.* -**4.** Quitter volontairement qqn ou qqch : *Laisser sa famille.* -**5.** Remettre, confier qqch à qqn : *Laisser une lettre à la concierge.* -**6.** Abandonner à qqn qqch qui lui revient : *Laisser un pourboire.* -**7.** Abandonner, réserver qqch à qqn : *Laisser sa part à un ami.* -**8.** Être enlevé par la mort à qqn qui survit ; être l'auteur de qqch qui subsiste après sa mort : *Il laisse une œuvre considérable.* -**9.** Être la cause de qqch qui se forme ou qui subsiste : *Le produit*

a laissé une auréole. -**10.** Perdre qqch dans telles circonstances, en tel lieu : *J'y ai laissé beaucoup d'argent.* -**11.** Maintenir qqch dans le même état, la même situation, la même position : *Laisser un champ en friche.* -**12.** (Suivi d'un inf.). Ne pas empêcher de faire qqch ; permettre : *Je les ai laissés sortir.* ➤ **se laisser** v.pr. Être, volontairement ou non, l'objet d'une action : *Se laisser surprendre.*

LAISSER-ALLER n.m. inv. Négligence dans la tenue, dans les manières.

LAISSEZ-PASSER n.m. inv. Permis de circuler délivré par écrit. SYN. : **sauf-conduit.**

LAIT n.m. -**1.** Liquide blanc sécrété par les glandes mammaires de la femme et des femelles

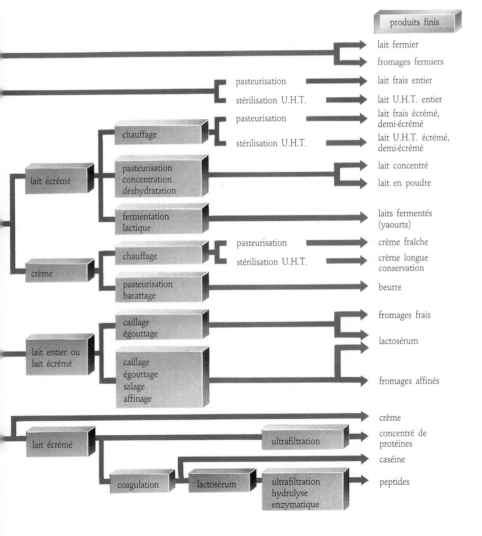

des mammifères, aliment très riche en graisses émulsionnées, en protides, en lactose, en vitamines, en sels minéraux et qui assure la nutrition des jeunes au début de leur vie. (V. ENCYCL.) -2. Liquide qui ressemble au lait : *Lait d'amande, de coco, de chaux.* -3. Préparation plus ou moins fluide, souvent parfumée, pour les soins de la peau ou le démaquillage. -4. *Frère, sœur de lait,* enfant qui a été nourri du lait de la même femme qu'un autre. ‖ *Lait de poule,* jaune d'œuf battu dans du lait chaud avec du sucre.

ENCYCL.

Les caractéristiques du lait. Les propriétés physiques du lait et sa composition sont variables quantitativement et qualitativement suivant l'espèce, la race, les aptitudes individuelles, l'alimentation et les conditions de vie des animaux. Les composants du lait s'y trouvent sous différents états physiques : solution vraie (lactose, albumine, globuline), émulsion (matières grasses), suspension colloïdale (caséine), etc. La couleur normale du lait (blanc mat) peut varier en fonction de la teneur en matière grasse et de l'alimentation des animaux. C'est, en effet, dans la matière grasse qu'est dissous un pigment (le carotène) abondant dans l'herbe jeune.

Le lait n'est pas un liquide stérile. Dans la mamelle même, il contient une flore microbienne composée surtout de ferments lactiques. La présence de germes pathogènes dans cette flore initiale du lait est extrêmement rare. Au moment de la traite vient s'ajouter une flore de contamination, dont on inhibe le développement en procédant au refroidissement du lait dès qu'il est trait.

La sécrétion et la traite. La sécrétion du lait par la mamelle démarre au moment de la mise bas et se poursuit pendant un nombre de mois variable selon le potentiel de production de l'animal et ses conditions d'exploitation : pour la vache, de 3 à 4 mois à plus de 15 mois. Pendant cette période, dite *de lactation,* la production augmente au tout début, passe par un maximum puis diminue. L'arrêt de la lactation est provoqué par la rétention du lait dans la mamelle, soit au moment du sevrage du jeune, soit lors de l'arrêt de la traite. Lactation et reproduction se trouvent ainsi étroitement liées.

Durant la lactation, la sécrétion du lait est continue. Stocké dans les sinus, les canaux et les alvéoles sécrétrices de la mamelle, le lait ne sera vidangé qu'au moment de la traite ou de la tétée. Il est extrait grâce aux différences de pression provoquées de part et d'autre du sphincter du trayon par la bouche de l'animal, par la machine ou par la main.

Les laits de consommation. À partir des laits de compositions différentes fournis par les éleveurs, l'industrie laitière élabore trois catégories de lait : du *lait écrémé* à 0 % de matières grasses, du *lait demi-écrémé* à 15,5 g de matières grasses par litre et du *lait entier* à 36 g de matières grasses par litre. Le lait subit ensuite un traitement par la chaleur : soit une *pasteurisation-chauffage* autour de 80 °C pendant 15 à 30 secondes, soit une *stérilisation,* aujourd'hui pratiquée majoritairement sous forme U. H. T. (ultra haute température), par laquelle le lait est soumis à une température de 140 °C pendant 2 à 3 secondes dans un stérilisateur à serpentin. Il doit être ensuite conditionné d'une manière stérile dans une bouteille operculée ou dans un emballage étanche et stérile appelé « brique ». L'industrie laitière produit également des *laits en poudre* et des *laits concentrés,* stérilisés ou sucrés.

Les autres produits laitiers. Citons d'abord la *crème,* qu'on émulsionne sous la forme de *beurre.* Les beurreries modernes sont équipées de *butyrateurs,* ou barattes continues, pouvant fournir des rendements de 10 à 12 tonnes/ heure. Le beurre *demi-sel* contient de 2 à 5 % de sel ; le *beurre salé,* de 5 à 10 %. Outre de l'eau (15-16 % pour 82 à 84 % de lipides), le beurre comprend de la vitamine A et du carotène, du cholestérol (250 mg pour 100 g). La richesse calorique est de 750 kcal pour 100 g. Les « beurres allégés » contiennent 41 % de matière grasse. Parmi les autres dérivés du lait, on trouve les fromages (→ FROMAGE) et divers autres produits. *(Voir schéma p. précédente.)*

LAITAGE n.m. Aliment à base de lait.

LAITANCE n.f. Sperme de poisson.

LAITÉ, E adj. Qui a de la laitance : *Hareng laité.*

LAITERIE n.f. -1. Usine où le lait est traité pour sa consommation et pour la production de produits dérivés (crème, beurre, fromage, yaourts). -2. Local où l'on conserve le lait et où l'on fait le beurre, dans une ferme. -3. Industrie, commerce du lait.

LAITERON n.m. Plante à fleurs jaunes, contenant un latex blanc et constituant une excellente nourriture pour les porcs et les lapins. (Famille des composées.)

LAITEUX, EUSE adj. Qui ressemble au lait, de couleur blanchâtre : *Teint laiteux.*

LAITIER, ÈRE n. Commerçant détaillant en produits laitiers. ◆ adj. -1. Qui concerne le lait et ses dérivés : *Industrie laitière.* -2. *Vache laitière* ou *laitière,* n.f., vache élevée pour la production du lait. ◆ **laitier** n.m. Sous-produit métallurgique essentiellement composé de silicates et formé au cours des fusions d'élaboration. ◆ **laitière** n.f. -1. Vache laitière. -2. Pot à lait à anse et à couvercle.

LAITON n.m. (ar. *lāṭūn,* cuivre). Alliage de cuivre et de zinc (jusqu'à 46 p. 100), ductile et malléable. SYN. (vx) : **cuivre jaune.**

LAITONNAGE n.m. Déposition, par voie électrolytique, d'une couche de laiton à la surface d'une pièce.

LAITONNER v.t. -1. Effectuer le laitonnage. -2. Garnir de fils de laiton.

LAITUE n.f. Plante herbacée annuelle, à végétation rapide, la plus cultivée des plantes consommées en salade.

LAIZE n.f. Lé.

LA JONQUIÈRE (Pierre Jacques de **Taffanel,** *marquis* **de**), marin français (château de Lasgraïsses, près de Graulhet, 1685 - Québec 1752). En 1747, il livra contre les Anglais une bataille au cap Finisterre et, en 1749, devint gouverneur du Canada.

LAKANAL (Joseph), homme politique français (Serres, comté de Foix, 1762 - Paris 1845). Membre de la Convention, il attacha son nom à de nombreuses mesures relatives à l'instruction publique (1793-1795).

LAKE DISTRICT, région touristique, parsemée de lacs, du nord-ouest de l'Angleterre.

LAKE PLACID, station de sports d'hiver des États-Unis dans le massif des Adirondack (État de New York).

LAKISTE n. et adj. Se dit des poètes romantiques anglais (Wordsworth, Coleridge, Southey) qui fréquentaient le district des Lacs, au nord-ouest de l'Angleterre (fin du XVIIIe-début du XIXe s.).

LAKSHADWEEP, territoire de l'Inde dans l'océan Indien, regroupant les archipels des Laquedives, Minicoy et Amindives ; 51 681 hab.

LALANDE (Joseph Jérôme **Lefrançois de**), astronome français (Bourg-en-Bresse 1732 - Paris 1807). On lui doit l'une des premières mesures précises de la parallaxe de la Lune (1751), des travaux de mécanique céleste et un catalogue d'étoiles (1801). Il s'illustra aussi comme vulgarisateur de l'astronomie.

LA LANDE (Michel Richard **de**) → DELALANDE.

LA LAURENCIE (Lionel **de**), musicologue français (Nantes 1861 - Paris 1933), auteur d'études sur la musique française du XVIe au XVIIIe siècle.

LALIBELA ou **LALIBALA,** cité monastique du N. de l'Éthiopie (prov. de Wollo). Elle est

La Maison de saint Georges (Beta Giyorgis), l'une des onze églises taillées dans le rocher à **LALIBELA.** (XIIIe s.)

célèbre pour ses 11 églises taillées dans le rocher. Ces monuments, exécutés à partir du XIIIᵉ siècle, ont été peints plus tardivement.

LALIQUE (René), joaillier et verrier français (Ay, Marne, 1860 - Paris 1945). Après s'être illustré dans le bijou, d'un style Art nouveau raffiné, il se consacra entièrement à la production d'objets en verre ou en cristal (en général moulé). La production de la cristallerie Lalique se poursuit de nos jours.

LALLATION n.f. -1. Défaut de prononciation de la consonne *l*. -2. Ensemble des émissions vocales des nourrissons. SYN. : babil, babillage.

LALLEMAND (André), astronome français (Cirey-lès-Pontailler, Côte-d'Or, 1904 - Paris 1978). Auteur de nombreuses recherches sur les applications de la photoélectricité à l'astronomie, il a inventé la caméra électronique (1936).

LALLY (Thomas, *baron* de Tollendal, *comte* de), officier et administrateur français (Romans 1702 - Paris 1766). Gouverneur général des Établissements français dans l'Inde à partir de 1755, il capitula devant les Anglais à Pondichéry en 1761. Accusé de trahison, il fut condamné à mort et exécuté. Voltaire participa à sa réhabilitation.

LALO (Édouard), compositeur français (Lille 1823 - Paris 1892), auteur du ballet *Namouna* (1882) et de l'opéra *le Roi d'Ys* (1888). Son œuvre, d'inspiration surtout romantique (*Concerto* pour violoncelle, 1877) ou folklorique (*Symphonie espagnole,* 1875), vaut par la richesse de l'orchestration.

LAM (Wifredo), peintre cubain (Sagua la Grande 1902 - Paris 1982). Influencé par le surréalisme, il a élaboré une œuvre faite de créatures hybrides, qui transpose en les universalisant l'exubérance, le mystère, la violence d'un monde primitif (*la Jungle,* 1943, musée d'Art moderne, New York).

1. **LAMA** n.m. Moine bouddhiste, au Tibet ou en Mongolie.

2. **LAMA** n.m. Mammifère ruminant de la cordillère des Andes, dont il existe deux races sauvages (*guanaco* et *vigogne)* et deux races domestiques (*alpaga* et *lama* proprement dit) élevées pour leur chair et leur laine et utilisées comme bêtes de somme. (Famille des camélidés.)

LAMAGE n.m. Action de lamer.

LAMAÏQUE adj. Relatif au lamaïsme.

LAMAÏSME n.m. Forme particulière du bouddhisme au Tibet et en Asie centrale, consé-

cutive à l'établissement du pouvoir temporel des dalaï-lamas (XVIIᵉ s.). [→ BOUDDHISME.]

LAMANAGE n.m. Opération d'amarrage d'un navire à quai, faisant l'objet d'une concession.

LAMANEUR n.m. Ouvrier employé dans un port pour l'amarrage des navires.

LAMANTIN n.m. Mammifère herbivore au corps massif atteignant 3 m de long et pesant jusqu'à 500 kg, vivant dans les fleuves d'Afrique et d'Amérique tropicales. (Ordre des siréniens.)

LA MARCHE (Olivier de), poète français, chroniqueur de la cour de Bourgogne (v. 1425-1502). Ses poèmes (*le Chevalier délibéré, le Parement des dames)* comme ses *Mémoires,* qui racontent les événements de 1435 à 1488, célèbrent le faste et la force des « grands ducs d'Occident ».

LA MARCK (Guillaume de), en néerl. Willem Van der Mark, surnommé le Sanglier des Ardennes, baron flamand (v. 1446 - Utrecht ou Maastricht 1485). Il souleva les Liégeois (1468) en faveur du roi de France Louis XI. Puis, l'ayant trahi, il fut livré à l'empereur Maximilien, qui le fit décapiter.

LAMARCK (Jean-Baptiste de Monet, *chevalier* de), naturaliste français (Bazentin, Somme, 1744 - Paris 1829). Il se fit connaître par une *Flore française* (1778) et publia l'*Encyclopédie botanique* et l'*Illustration des genres* (1783-1817). Il créa le système de la division dichotomique et fut nommé au Muséum professeur du cours

Wifredo **LAM :** *le Présent éternel* (1944). [Museum of Art, Providence.]

sur les « animaux sans vertèbres ». Par ses deux ouvrages la *Philosophie zoologique* (1809) et l'*Histoire naturelle des animaux sans vertèbres* (1815-1822), il apparaît comme le fondateur des théories de la génération spontanée et du transformisme, dont l'ensemble a été appelé *lamarckisme.*

LAMARCKISME n.m. Théorie exposée par Lamarck dans sa *Philosophie zoologique* (1809), qui explique l'évolution des êtres vivants par l'influence des variations de milieu sur le comportement puis sur la morphologie des organismes.

LAMARQUE (Jean Maximilien, *comte*), général et homme politique français (Saint-Sever 1770 - Paris 1832). Après avoir combattu de 1794 à 1815, il fut élu député en 1828 et milita dans l'opposition libérale. Ses obsèques donnèrent lieu à une insurrection républicaine.

LAMARTINE (Alphonse de Prât de), poète et homme politique français (Mâcon 1790 - Paris 1869). Après avoir voyagé en Italie, servi dans les gardes du corps de Louis XVIII et vécu une liaison passionnée et tragique avec Julie Charles — qui lui inspirera *le Lac* –, il publie son premier recueil lyrique : *les Méditations poétiques* (1820), qui le rend aussitôt célèbre. Salué comme un maître par la jeune génération romantique, il choisit néanmoins la carrière

Alphonse
de **LAMARTINE**,
poète
et homme
politique
français.
Détail
d'un portrait
par F. Gérard.
(Château
de Versailles.)

diplomatique et part pour Naples en compagnie de son épouse anglaise, Elisa Birch. Il revient à la poésie et publie les *Nouvelles Méditations poétiques* (1823), *la Mort de Socrate* (1823), *le Dernier Chant du pèlerinage d'Harold* (1825) et les *Harmonies poétiques et religieuses* (1830). Il abandonne toute fonction diplomatique lors de l'avènement de Louis-Philippe. Son voyage en Orient est assombri par la mort de sa fille Julia ; il publie deux chants d'une vaste composition épique (*Jocelyn,* 1836 [→ JOCE-LYN.] ; *la Chute d'un ange,* 1838) ainsi que ses

Recueillements poétiques (1839). Député opposé au régime, il publie en 1847 une *Histoire des Girondins.* C'est lui qui proclame la république à l'Hôtel de Ville le 24 février 1848. Membre du gouvernement provisoire (1848), ministre des Affaires étrangères, il perd de son influence après les journées de Juin et essuie un échec retentissant aux élections présidentielles. Abandonnant la politique, il publie des travaux historiques, des récits autobiographiques (*Raphaël, les Confidences, Graziella,* 1849) et, pour payer ses dettes, son *Cours familier de littérature* (1856-1869). [Acad. fr. 1829.]

LAMASERIE n.f. Couvent de lamas.

LAMB (Charles), écrivain britannique (Londres 1775 - Edmonton 1834). Ami de Coleridge, il sortit les dramaturges élisabéthains de l'oubli (*Spécimens des poètes dramatiques anglais au temps de Shakespeare,* 1808) et écrivit en collaboration avec sa sœur Mary des *Contes tirés de Shakespeare* (1807). Ses *Essais d'Elia* (1823-1833), exemple même de l'humour, lui valurent la célébrité.

LAMBALLE ch.-l. de c. des Côtes-d'Armor ; 10 078 hab. *(Lamballais).* Haras.

LAMBALLE (Marie-Thérèse Louise de Savoie-Carignan, *princesse* de) [Turin 1749 - Paris 1792], amie de Marie-Antoinette, victime des massacres de Septembre.

LAMBARÉNÉ, v. du Gabon, sur l'Ogooué ; 24 000 hab. Centre hospitalier créé par le docteur A. Schweitzer.

LAMBDA n.m. inv. Onzième lettre de l'alphabet grec (Λ, λ), correspondant au *l* français.

LAMBDOÏDE adj. Se dit de la suture entre l'occipital et les pariétaux.

LAMBEAU n.m. -1. Morceau d'étoffe, de papier, d'une matière quelconque déchiré, détaché, arraché : *Vêtement en lambeaux.* -2. Fragment d'un ensemble, partie détachée d'un tout : *Un lambeau de peau.*

LAMBEL n.m. En héraldique, traverse horizontale placée en chef, d'où se détachent des pendants rectangulaires ou trapézoïdaux.

LAMBERSART comm. du Nord, banlieue de Lille ; 28 462 hab. *(Lambersartois).* Textile.

LAMBERT (Anne Thérèse de Marguenat de Courcelles, *marquise* de), femme de lettres française (Paris 1647 - *id.* 1733). Elle tint un salon célèbre, que fréquentèrent notamment La Motte, Fontenelle et Montesquieu.

LAMBERT (Johann Heinrich), mathématicien d'origine française (Mulhouse 1728 - Berlin

1777). Il démontra que π est irrationnel (1768), développa la géométrie de la règle, calcula les trajectoires des comètes et s'intéressa à la cartographie. Il fut l'un des créateurs de la photométrie et l'auteur de travaux innovateurs sur les géométries non euclidiennes. Il a joué un rôle précurseur dans la logique symbolique.

LAMBERT (John), général anglais (Calton, West Riding, Yorkshire, 1619 - île Saint-Nicholas 1684). Lieutenant de Cromwell, il fut emprisonné lors de la restauration de Charles II (1660).

Lambert *(projection),* représentation plane conique conforme directe d'une sphère ou d'un ellipsoïde, introduite par J. H. Lambert en 1772 et utilisée dans de nombreux pays pour le calcul des triangulations géodésiques et pour l'établissement des cartes topographiques.

Lambeth *(conférences de),* assemblées des évêques anglicans qui se tiennent, tous les dix ans depuis 1867, dans le palais londonien de Lambeth, résidence de l'archevêque de Canterbury.

LAMBI n.m. ANTILLES. Strombe.

LAMBIC ou **LAMBICK** n.m. Bière forte fabriquée en Belgique, préparée avec du malt et du froment cru par fermentation spontanée.

LAMBLIASE n.f. Parasitose intestinale due à un protozoaire flagellé, le *Lamblia.*

LAMBOURDE n.f. -1. Rameau d'un arbre fruitier, terminé par des boutons à fruits. -2. Poutre fixée le long d'un mur et sur laquelle s'appuient les extrémités des solives d'un plancher. -3. Pièce de bois de petit équarrissage (27 ou 34 mm × 80 mm) reposant sur les solives et sur laquelle sont clouées les lames d'un parquet.

LAMBREQUIN n.m. -1. Bande d'étoffe festonnée par le bas dont on décore les cantonnières de baies, les ciels de lit. -2. Motif décoratif capricieux, à symétrie axiale, employé en céramique, en reliure. ◆ pl. En héraldique, longs rubans partant du heaume et entourant l'écu.

LAMBRIS [lɑ̃bri] n.m. (lat. *labrusca,* vigne sauvage). -1. Revêtement des parois d'une pièce, d'un plafond, d'une voûte. -2. Matériau constitué de lames de bois profilées et rainurées, destiné au lambrissage.

LAMBRISSAGE n.m. Ouvrage du menuisier ou du maçon qui lambrisse.

LAMBRISSER v.t. Revêtir d'un lambris.

LAMBSWOOL [lɑ̃bswul] n.m. (de l'angl. *lamb,* agneau, et *wool,* laine). -1. Laine très légère

provenant d'agneaux de 6 à 8 mois. -2. Tissu fabriqué avec cette laine.

LAME n.f. -1. Morceau de métal ou d'autre matière dure, plat et étroit : *Une lame d'acier.* -2. Partie métallique d'un instrument ou d'un outil propre à couper, à trancher, à scier, à raser, à gratter : *Lame de couteau, de rasoir.* -3. Vague de la mer, forte et bien formée. -4. *Lame de fond,* lame de forte amplitude ; phénomène brutal et violent. ANAT. Partie osseuse mince, longue et plate. ‖ *Lame vertébrale,* partie osseuse formant l'arc postérieur des vertèbres, entre l'apophyse articulaire et l'apophyse épineuse. BOT. Membrane sous le chapeau de certains champignons. GÉOL. *Lame mince,* tranche de roche à faces parallèles, assez mince (0,03 mm), obtenue par sciage et polissage et destinée à l'observation microscopique. SYN. : plaque mince. OPT. Rectangle de verre sur lequel on dépose les objets à examiner au microscope, recouverts d'une lamelle. OUTILL. Outil à large arête coupante. PRÉHIST. Éclat de pierre dont la longueur excède le double de la largeur. TEXT. Cadre supportant les lisses du métier à tisser. ‖ Bande continue relativement étroite d'une matière apte à un usage textile.

LAMÉ, E adj. et n.m. *Tissu lamé,* tissu orné de minces lames d'or ou d'argent (ou d'imitation) ou dont le tissage comporte des fils de métal.

LAMELLAIRE adj. Dont la structure présente des lames, des lamelles.

LAMELLE n.f. -1. Petite lame, feuillet : *Des lamelles de mica.* -2. Fine tranche. -3. Chacune des lames rayonnantes qui portent l'hyménium des champignons, au-dessous du chapeau. -4. Mince lame de verre, de forme génér. carrée ou ronde, utilisée pour recouvrir les préparations microscopiques et appelée également *couvre-objet.*

LAMELLÉ, E ou **LAMELLEUX, EUSE** adj. Garni ou constitué de lamelles.

LAMELLÉ-COLLÉ n.m. (pl. lamellés-collés). Matériau formé de lamelles de bois assemblées par collage.

LAMELLIBRANCHE n.m. Bivalve.

LAMELLICORNE adj. et n.m. Se dit d'un coléoptère dont les antennes sont formées de lamelles pouvant s'écarter comme un éventail (scarabée, hanneton, cétoine, etc.).

LAMELLIFORME adj. En forme de lamelle.

LAMELLIROSTRE adj. Qui a le bec garni sur ses bords de lamelles transversales, en parlant d'un oiseau, tel le canard.

LA MENNAIS ou **LAMENNAIS** (Félicité de), prêtre et écrivain français (Saint-Malo 1782 - Paris 1854). Après avoir publié son *Essai sur l'indifférence en matière de religion* (1817-1823), il apparaît comme le prophète d'une Église ébranlée par la secousse révolutionnaire et comme le leader d'un catholicisme libéral et ultramontain : il veut « l'Église libre dans l'État libre ». Des disciples le rejoignent, tels Lacordaire et Montalembert ; après 1830, ils animent avec lui le journal *l'Avenir*. Mais l'épiscopat gallican et la police contre-révolutionnaire s'acharnent contre La Mennais, qui, blâmé par Grégoire XVI dans l'encyclique *Mirari vos* (1832), rompt avec l'Église (*Paroles d'un croyant*, 1834) et s'isole dans un socialisme évangélique et romantique.

LAMENTABLE adj. Qui fait pitié ; navrant, pitoyable. ◆ **lamentablement** adv.

LAMENTATION n.f. Plainte prolongée et accompagnée de gémissements et de cris.

LAMENTER (SE) v.pr. Se plaindre ; se désoler, récriminer.

LAMENTIN (Le), comm. de la Martinique ; 30 596 hab. Aéroport.

LAMENTO [lamento] n.m. Chant de tristesse et de déploration, souvent utilisé dans le madrigal, la cantate, l'opéra italien.

LAMER v.t. Dresser une surface, notamm. une surface perpendiculaire à l'axe d'un trou, au moyen d'une lame tournante ou avec une fraise ou un foret spéciaux.

LAMETH (Alexandre, *comte* de), général et homme politique français (Paris 1760 - *id.* 1829). Il forma avec Barnave et Du Port un « triumvirat » qui prit parti contre Mirabeau, puis émigra avec La Fayette. Fonctionnaire sous l'Empire, il fut député libéral sous la Restauration.

LA METTRIE (Julien Offroy de), médecin et philosophe français (Saint-Malo 1709 - Berlin 1751). La publication de son ouvrage matérialiste *Histoire naturelle de l'âme* (1745) lui fit perdre sa place ; il ne trouva un refuge qu'auprès de Frédéric II. La Mettrie a écrit des ouvrages de médecine, dont *Politique de médecine* (1746), brûlé sur l'ordre du parlement. Il appliquait aux hommes la théorie cartésienne de l'animal-machine (*l'Homme-machine*, 1748).

LAMÍA, v. de Grèce, en Phtiotide, près du *golfe de Lamía ;* 43 898 hab. — La *guerre lamiaque,* insurrection des cités grecques après la mort d'Alexandre (323-322 av. J.-C.), se termina par la défaite des Grecs.

LAMIACÉE n.f. (du lat. *lamium,* ortie). Labiée.

LAMIE n.f. -**1.** Dans la mythologie antique, monstre femelle à queue de serpent qui dévore les enfants. -**2.** Requin de l'Atlantique Nord atteignant 4 m de long, appelé aussi *requin taupe* ou *touille.*

LAMIER n.m. Plante commune au bord des chemins et dans les bois, appelée cour. *ortie blanche, jaune* ou *rouge.* (Famille des labiées.)

LAMIFIÉ, E adj. Stratifié. ◆ **lamifié** n.m. Matériau stratifié décoratif (appellation commerciale).

LAMINAGE n.m. Action de laminer.

1. **LAMINAIRE** adj. *Régime laminaire,* régime d'écoulement d'un fluide qui s'effectue par glissement des couches de fluide les unes sur les autres sans échange de particules entre elles, par opp. à *régime turbulent.*

2. **LAMINAIRE** n.f. Algue brune des côtes rocheuses, dont le thalle peut atteindre plusieurs mètres de long et qui peut servir d'engrais ou fournir de l'iode, de la soude, de la potasse. (Sous-classe des phéophycées.)

LAMINECTOMIE n.f. Résection des lames vertébrales, premier temps de toute intervention neurochirurgicale sur la moelle épinière.

LAMINER v.t. -**1.** Faire subir à un produit métallurgique une déformation permanente par passage entre deux cylindres d'axes parallèles et tournant en sens inverse. -**2.** Rogner qqch, le diminuer : *Laminer les salaires.* -**3.** Ruiner la santé de qqn, ses forces physiques ou psychiques.

LAMINEUR n.m. Ouvrier employé au laminage des métaux. ◆ adj.m. Qui lamine : *Cylindre lamineur.*

LAMINEUX, EUSE adj. *Tissu lamineux,* tissu conjonctif disposé en lames parallèles.

LAMINOIR n.m. Machine pour laminer un produit métallurgique par passage entre deux cylindres ; installation métallurgique comprenant un certain nombre de ces machines.

LAMOIGNON (Guillaume de), magistrat français (Paris 1617 - *id.* 1677). Premier président au parlement de Paris (1658-1664), il présida avec impartialité au procès de Fouquet. Il joua un rôle capital dans l'unification de la législation pénale.

LAMORICIÈRE (Louis Juchault de), général français (Nantes 1806 - près d'Amiens 1865). Il reçut en Algérie la soumission d'Abd el-Kader (1847) ; ministre de la Guerre (1848), il fut exilé pour son opposition à l'Empire

(1852) puis commanda les troupes pontificales (1860).

LA MOTHE LE VAYER (François de), écrivain français (Paris 1588 - *id.* 1672). Précepteur du Dauphin, historiographe de France, il prôna le scepticisme (*Cinq Dialogues faits à l'imitation des Anciens,* 1631) et s'opposa à Vaugelas et aux puristes. (Acad. fr. 1639.)

LA MOTTE (Jeanne de Saint-Rémy, *comtesse de*), aventurière française (Fontette, Aube, 1756 - Londres 1791). Elle fut impliquée dans l'affaire du Collier de la reine Marie-Antoinette.

LA MOTTE-FOUQUÉ (Friedrich, *baron* de), écrivain allemand (Brandebourg 1777 - Berlin 1843). Il fut l'auteur de drames, de romans et de contes romantiques (*Ondine,* 1811).

LA MOTTE-PICQUET (Toussaint, *comte* Picquet de La Motte, connu sous le nom de), marin français (Rennes 1720 - Brest 1791). Il se signala à la prise de la Grenade, puis à la Martinique contre les Anglais, et fut nommé en 1781 lieutenant général des armées navales.

LAMOURETTE (Adrien), prélat et homme politique français (Frévent, Pas-de-Calais, 1742 - Paris 1794). Membre de la Législative, il demanda, face au péril extérieur, l'union de tous les députés, qu'il amena à se donner l'accolade (7 juill. 1792) ; cette fraternité sans lendemain est restée célèbre sous le nom de *baiser Lamourette.*

LAMOUREUX (Charles), violoniste et chef d'orchestre français (Bordeaux 1834 - Paris 1899), fondateur des concerts qui portent son nom.

LAMPADAIRE n.m. Dispositif d'éclairage d'appartement ou de voie publique, à une ou plusieurs lampes montées sur un support élevé.

LAMPANT, E adj. (provenç. *lampan,* de *lampa,* briller). Se dit d'un produit pétrolier propre à alimenter une lampe à flamme.

LAMPARO n.m. Lampe placée à l'avant du bateau, dans la pêche à feu.

LAMPAS [lɑ̃pa] ou [lɑ̃pas] n.m. -1. Tissu d'ameublement en soie orné de grands motifs décoratifs en relief, obtenus grâce à une armure différente de celle du fond. -2. Gonflement inflammatoire de la membrane qui tapisse le palais des jeunes chevaux.

LAMPE n.f. -1. Appareil d'éclairage fonctionnant à l'électricité ; luminaire. -2. Ampoule électrique. -3. Récipient contenant un liquide

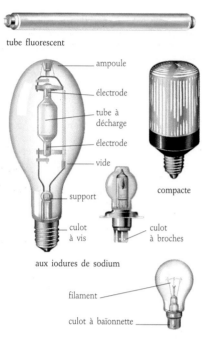

tube fluorescent

ampoule
électrode
tube à décharge
électrode
vide
support
culot à vis
aux iodures de sodium

compacte
culot à broches

filament
culot à baïonnette

à incandescence

quelques types de **LAMPES**

ou un gaz combustible pour produire de la lumière : *Lampe à huile, à pétrole.* -4. Dispositif produisant une flamme et utilisé comme source de chaleur : *Lampe à alcool. Lampe à souder.* -5. *Lampe de poche,* boîtier équipé d'une pile et d'une ampoule électrique. ‖ *Lampe témoin,* lampe signalant le fonctionnement et la mise en marche d'un appareil en s'allumant ou en s'éteignant. ‖ *Lampe tempête,* lampe dont la flamme est parfaitement protégée contre le vent. ÉLECTR. *Lampe à incandescence,* lampe dans laquelle l'émission de la lumière est produite au moyen d'un corps porté à l'incandescence par le passage d'un courant électrique. ‖ *Lampe à vapeur de mercure,* tube contenant de la vapeur de mercure et qui, traversé par une décharge électrique, émet une vive lueur bleuâtre. ÉLECTRON. VIEILLI. Tube à vide. MIN. *Lampe de sûreté,* lampe que l'on peut utiliser dans une atmosphère grisouteuse.

LAMPEDUSA, île italienne de la Méditerranée, entre Malte et la Tunisie.

LAMPION n.m. -1. Petit récipient contenant une matière combustible et une mèche, qui sert aux illuminations (encore en usage dans certaines localités, lors de fêtes traditionnelles). -2. Lanterne vénitienne.

LAMPISTE n.m. -1. ANC. Personne chargée de l'entretien des lampes et des lanternes dans un établissement ou une exploitation industrielle. -2. FAM. Employé subalterne.

LAMPISTERIE n.f. VX. Lieu où l'on garde et répare les appareils d'éclairage, partic. dans les gares.

LAMPOURDE n.f. Plante dont une espèce, appelée *petite bardane* ou *herbe aux écrouelles,* est dépurative. (Famille des composées.)

LAMPRILLON n.m. Larve de la lamproie, commune dans le sable des rivières.

LAMPROIE n.f. Vertébré aquatique sans mâchoires, très primitif, de forme cylindrique et allongée, à peau nue et gluante. (Classe des agnathes, ordre des cyclostomes.)

LAMPROPHYRE n.m. Roche éruptive, génér. filonienne, caractérisée par sa richesse en minéraux ferromagnésiens (mica noir).

LAMPYRE n.m. (du gr. *lampein,* briller). Coléoptère dont la femelle, sans ailes et lumineuse, est connue sous le nom de *ver luisant.*

LAMY (François), officier et explorateur français (Mougins 1858 - Kousseri 1900). Il explora la région du lac Tchad et fut tué en la pacifiant. Il donna son nom à la ville de *Fort-Lamy* (auj. N'Djamena).

LANÇAGE n.m. Injection dans un sol d'eau ou d'air comprimé, au moyen de tuyaux métalliques appelés *lances,* pour faciliter l'enfoncement des pieux.

LANCASHIRE, comté d'Angleterre, sur la mer d'Irlande. Ch.-l. *Preston.*

LANCASTRE, famille anglaise titulaire du comté, puis du duché de Lancastre et qui fut en possession de la couronne d'Angleterre à partir de 1399, sous les règnes d'Henri IV, d'Henri V et d'Henri VI. Portant dans ses armes la rose rouge, elle fut la rivale de la maison d'York dans la guerre des Deux-Roses. Avec l'exécution en 1471 d'Édouard, fils unique d'Henri VI, s'éteignit la lignée directe des Lancastres.

LANCASTRE (Jean de), *duc* de Bedford (1389 - Rouen 1435), frère d'Henri V. Il fut lieutenant en Angleterre (1415) puis régent de France pour son neveu Henri VI (1422). La réconciliation des Bourguignons avec le roi de France, scellée par le traité d'Arras (1435), ruina ses entreprises en France.

LANCE n.f. -1. Arme d'hast à long manche et à fer pointu. -2. Autref., cavalier armé d'une lance ; groupe de quelques combattants atta-

chés à son service. -3. Tuyau muni d'un ajutage ou d'un diffuseur servant à former et à diriger un jet d'eau : *Lance d'incendie.* -4. Long bâton garni d'un tampon pour jouter sur l'eau.

LANCE-AMARRE adj. et n.m. (pl. lance-amarres ou inv.). Appareil (pistolet, fusil, etc.) pour lancer une amarre soit à terre, soit d'un navire à un autre.

LANCE-BOMBE(S) n.m. (pl. lance-bombes). Appareil installé sur un avion pour le largage des bombes.

LANCÉE n.f. Élan pris par qqn, qqch en mouvement.

LANCE-FLAMME(S) n.m. (pl. lance-flammes). Appareil employé au combat pour projeter des liquides enflammés.

LANCE-FUSÉE(S) n.m. (pl. lance-fusées). VIEILLI. Lance-roquettes multiples.

LANCE-GRENADE(S) n.m. (pl. lance-grenades). Appareil lançant des grenades.

LANCELOT (*dom* Claude), l'un des Messieurs de Port-Royal (Paris v. 1615 - Quimperlé 1695). Il contribua à la fondation des Petites Écoles de Port-Royal et écrivit avec Arnauld une *Grammaire générale et raisonnée,* dite *Grammaire de Port-Royal* (1660).

Lancelot du lac, un des chevaliers de la Table ronde. Élevé par la fée Viviane au fond d'un lac, il s'éprit de la reine Guenièvre, femme du roi Arthur, et subit par amour pour elle toutes sortes d'épreuves, contées par Chrétien de Troyes dans *Lancelot ou le Chevalier à la charrette.*

LANCEMENT n.m. -1. Action de lancer. -2. Publicité faite pour promouvoir un produit : *Prix de lancement.* -3. BELGIQUE. Élancement.

LANCE-MISSILE(S) n.m. (pl. lance-missiles). Engin servant à lancer des missiles.

LANCÉOLÉ, E adj. -1. Se dit d'un organe végétal terminé en forme de lance : *Feuille lancéolée.* -2. *Arc lancéolé,* arc brisé aigu, en lancette.

LANCE-PIERRE(S) n.m. (pl. lance-pierres). Dispositif à deux branches, muni de deux élastiques et d'une pochette, dont les enfants se servent pour lancer des pierres. SYN. : fronde.

1. **LANCER** v.t. [16]. -1. Imprimer à qqch un vif mouvement qui l'envoie à travers l'espace. -2. Mouvoir les bras, les jambes d'un geste vif dans une direction. -3. Dire qqch de manière soudaine ou assez violente ; émettre des sons avec force : *Lancer un cri de terreur.* -4. Faire connaître ou reconnaître qqch d'un large public : *C'est ce livre qui l'a lancé.* -5. Donner

l'élan nécessaire à qqch : *Lancer une entreprise.* -**6.** Envoyer qqch contre qqn : *Lancer un ultimatum.* -**7.** Faire parler qqn de qqch qu'il aime, amener la conversation sur l'un de ses sujets favoris : *Quand on le lance sur l'automobile, il est intarissable.* -**8.** Mettre à l'eau un navire par glissement sur sa cale de construction. -**9.** *Lancer un cerf,* le faire sortir de l'endroit où il est. ◆ v.i. BELGIQUE. Élancer. ◆ **se lancer** v.pr. -**1.** Se précipiter, se jeter dans une direction déterminée. -**2.** S'engager impétueusement dans une action : *Se lancer dans des dépenses excessives.*

2. **LANCER** n.m. -**1.** Épreuve d'athlétisme consistant à projeter le plus loin possible un engin (poids, disque, javelot, marteau). -**2.** *Pêche au lancer,* pêche à la ligne consistant à envoyer loin devant soi un appât ou un leurre qu'on ramène grâce à un moulinet.

LANCE-ROQUETTE(S) n.m. (pl. lance-roquettes). Arme tirant des roquettes.

LANCE-TORPILLE(S) n.m. (pl. lance-torpilles). Dispositif servant à lancer des torpilles.

LANCETTE n.f. -**1.** Petit instrument de chirurgie qui était utilisé pour la saignée, la vaccination et l'incision de petits abcès. -**2.** Arc brisé plus aigu que le tiers-point, dans l'architecture gothique.

LANCEUR, EUSE n. Personne qui lance : *Un lanceur de javelot.* ◆ **lanceur** n.m. -**1.** Véhicule propulsif capable d'envoyer une charge utile dans l'espace. -**2.** Sous-marin porteur de missiles stratégiques.

→ ● DOSSIER LES LANCEURS SPATIAUX page 3109.

LANCIER n.m. -**1.** Soldat d'un corps de cavalerie, armé de la lance. -**2.** *Quadrille des lanciers* ou *les lanciers,* variante du quadrille, dansée en France v. 1856.

LANCINANT, E adj. Qui lancine.

LANCINER v.t. et i. Faire souffrir par des élancements répétés. ◆ v.t. Tourmenter de façon persistante ; obséder.

LANÇON n.m. Équille.

LANCRET (Nicolas), peintre français (Paris 1690 - *id.* 1743). Il travailla avec brio dans le goût de Watteau (*la Camargo dansant,* v. 1730, diverses versions).

LAND [lɑ̃d] n.m. (pl. Länder). -**1.** Chacun des États de la République fédérale d'Allemagne. -**2.** Province, en Autriche.

LANDAIS, E adj. et n. -**1.** Des Landes. -**2.** *Course landaise,* jeu traditionnel des Landes dans lequel un homme (l'écarteur) doit éviter la charge d'une vache.

LAND ART [landart] n.m. (pl. land arts). Tendance de l'art contemporain apparue aux États-Unis v. 1967, caractérisée par un travail dans et sur la nature.

ENCYCL. Généralement dans des sites d'accès difficile (montagne, désert, mer, etc.), les artistes du land art pratiquent des excavations (Michael Heizer, *Double Négative,* 1969-70), des déplacements de roches et de terre (Robert Smithson [1938-1973], *Spiral Jetty,* 1970), des traces dans la neige, dans les cultures (Dennis Oppenheim) ou sur le sol (Walter De Maria), des marquages de lieux (Douglas Huebler), etc. L'œuvre, douée d'une vie propre, est soumise à la détérioration ; elle échappe au rapport traditionnel créateur-spectateur, mais sa réalisation et son évolution dans le temps s'accompagnent de divers documents (textes, croquis, photos, films) présentés au public. Une démarche plus « romantique » dans l'approche de la nature est caractéristique des Britanniques Richard Long ou Hamish Fulton, qui pratiquent des marches balisées dans des paysages sauvages ou désertiques.

LANDAU n.m. (pl. landaus). -**1.** Voiture d'enfant composée d'une nacelle rigide à capote mobile, suspendue dans une armature de métal à roues et à guidon. -**2.** Véhicule hippomobile découvert à quatre roues et quatre places disposées vis-à-vis.

LANDAU ou **LANDAOU** (Lev Davidovitch), physicien soviétique (Bakou 1908 - Moscou 1968). Il fut un spécialiste de la théorie quantique des champs et l'auteur d'une théorie de la superfluidité. (Prix Nobel 1962.)

LANDAULET n.m. Ancienne carrosserie automobile ayant l'aspect d'un coupé à conduite extérieure et dont la partie postérieure (custode) pouvait se rabattre à la manière d'une capote.

LANDE n.f. Formation végétale de la zone tempérée où dominent bruyères, genêts et ajoncs ; terrain recouvert par cette végétation.

LANDERNEAU ou **LANDERNAU** n.m. (de *Landerneau,* v. du Finistère). Milieu étroit et fermé ; microcosme : *Le landerneau des bouilleurs de cru.*

LANDES, région du Sud-Ouest de la France, sur l'Atlantique, entre le Bordelais et l'Adour, s'étendant essentiellement sur les dép. des *Landes* et de la Gironde (14 200 km²). Le tourisme estival, la pêche, l'ostréiculture (Arcachon, Capbreton, Hossegor, Mimizan, Seignosse) animent localement le littoral, rectiligne, bordé de cordons de dunes qui enserrent des étangs. L'intérieur est une vaste plaine triangulaire, dont les sables s'agglutinent parfois en un grès dur, l'alios, qui retient l'eau en marécages insalubres. Cette plaine, autrefois déshéritée, a été transformée à la fin du xviiie siècle, par Brémontier et, sous le second Empire, par J. Chambrelent, au moyen de plantations de pins fixant les dunes littorales avant de coloniser l'intérieur et par drainages systématiques, devenant ainsi la plus grande forêt de France. Une partie de la forêt (exploitée surtout pour la papeterie) est englobée dans le *parc naturel régional des Landes de Gascogne,* créé en 1970 et qui correspond approximativement au bassin de l'Eyre.

LANDES [40], dép. de la Région Aquitaine, sur l'Atlantique ; ch.-l. de dép. *Mont-de-Marsan ;* ch.-l. d'arr. *Dax ;* 2 arr., 30 cant., 331 comm. ; 9 243 km² ; 311 461 hab. *(Landais).* Il est rattaché à l'académie de Bordeaux, à la cour d'appel de Pau et à la région militaire Atlantique.

LANDGRAVE [lãdgrav] n.m. (de l'all. *Land,* terre, et *Graf,* comte). -1. Titre porté au Moyen Âge par des princes germaniques possesseurs de terres relevant directement de l'empereur (comtes d'Alsace, de Hesse et de Thuringe). -2. Magistrat qui rendait la justice au nom de l'empereur.

LANDGRAVIAT n.m. -1. Dignité du landgrave. -2. Pays gouverné par un landgrave.

LANDIER n.m. Chenet surmonté d'un panier métallique pour maintenir au chaud un récipient.

LANDINI (Francesco), compositeur italien (Florence ou Fiesole v. 1325 - Florence 1397), principale figure de l'*ars nova* florentine. Il a écrit surtout des *ballate,* la plupart à deux voix.

LANDOLPHIA n.f. Plante de Madagascar dont le latex fournit du caoutchouc. (Famille des apocynacées.)

LANDON (Howard Chandler Robbins), musicologue américain (Boston, Massachusetts, 1926), spécialiste de Mozart et surtout de Haydn.

LANDOUZY (Louis), neurologue français (Reims 1845 - Paris 1917). Il est connu pour ses travaux sur les signes des lésions cérébrales ainsi que sur les myopathies (maladies héréditaires des muscles).

LANDOWSKA (Wanda), claveciniste polonaise (Varsovie 1877 - Lakeville, Connecticut, 1959), à qui l'on doit le renouveau du clavecin.

LANDOWSKI (Marcel), compositeur français (Pont-l'Abbé 1915). Il est l'auteur de 4 symphonies, d'œuvres lyriques (*le Fou,* 1954 ; *Montségur,* 1985 ; *Galina,* 1996), de musique de ballets (*les Hauts de Hurlevent,* 1982).

Landru *(affaire),* grand procès criminel (1921). Après la découverte de restes humains calcinés dans sa villa, Henri Désiré Landru (1869-1922) fut accusé du meurtre de dix femmes et d'un jeune garçon. Il nia toujours ces meurtres, mais reconnut avoir escroqué les victimes présumées. Il fut condamné à mort et exécuté.

LANDRY (Adolphe), économiste et homme politique français (Ajaccio 1874 - Paris 1956). Ardent promoteur de la lutte contre la dénatalité, il a écrit un *Traité de démographie* (1945).

LAND'S END, cap de l'extrémité sud-ouest de l'Angleterre, en Cornouailles.

LANDSGEMEINDE [lãdsgemajndə] n.f. (mot all.). Assemblée législative réunissant tous les citoyens, dans certains cantons de Suisse alémanique.

LANDSTEINER (Karl), médecin américain d'origine autrichienne (Vienne 1868 - New York 1943). Il découvrit l'existence des groupes sanguins, identifia en particulier les systèmes ABO (en 1900) et Rhésus, en déduisit certaines conséquences pathologiques. Il fit également des recherches en immunologie et en bactériologie. (Prix Nobel 1930.)

LANDSTURM [lãdʃturm] n.m. Subdivision du recrutement militaire comprenant les réservistes âgés dans les pays germaniques et en Suisse.

LANDTAG [lãdtag] n.m. Assemblée délibérante, dans les États germaniques.

LANDWEHR [lãdvɛr] n.f. Subdivision du recrutement militaire comprenant la première réserve dans les pays germaniques et en Suisse.

LANERET n.m. Mâle de faucon lanier.

LANESTER ch.-l. de c. du Morbihan, banlieue de Lorient ; 23 163 hab. *(Lanestériens).*

LANFRANC, archevêque de Canterbury (Pavie v. 1005 - Canterbury 1089). Prieur et écolâtre de l'abbaye normande du Bec, dont il fit un grand centre intellectuel, ami de Guillaume le Conquérant, il devint archevêque de Canterbury (1070) et primat d'Angleterre.

LANFRANCO (Giovanni), peintre italien (Terenzo, près de Parme, 1582 - Rome 1647). Aide et émule des Carrache, puis assimilant la leçon du Corrège, il est l'auteur de tableaux

Une scène de *Metropolis* (1927), film de Fritz **LANG**.

d'autels et de grandes décorations qui préludent à l'art baroque (coupole de S. Andrea della Valle, Rome, 1625).

LANG (Fritz), cinéaste autrichien naturalisé américain (Vienne 1890 - Hollywood 1976). **La carrière allemande.** D'abord scénariste, il réalise son premier film, *le Métis,* en 1919. Plusieurs de ses œuvres des années 20, aujourd'hui des classiques, reflètent ses sujets de prédilection – l'obsession de la fatalité, le goût des sociétés secrètes, des sciences occultes, l'enfer de la volonté de puissance – et proches par certains aspects du courant expressionniste : *les Araignées* (1919-20), *les Trois Lumières* (1921), *le Docteur Mabuse* (1922), *les Niebelungen* (1923-24), *Metropolis* (1927), vaste fresque aux décors futuristes où des travailleurs-esclaves dans une ville souterraine sont poussés à la révolte par une femme-robot, *les Espions* (1928), *la Femme sur la lune* (1929). Il tourne *M. le Maudit* en 1931 (un assassin d'enfants, traqué par la police et la pègre, est condamné à mort par celle-ci dans une parodie de procès), *le Testament du docteur Mabuse* en 1932-33 et émigre aux États-Unis après avoir mis en scène, en France, *Liliom* (1934).

La carrière américaine et le retour en Europe. Ayant peu de prise sur ses réalisations, il ruse avec la machine hollywoodienne et s'impose avec *Furie* (1936) et *J'ai le droit de vivre*

(1937). Au cours des années 40 et 50, il réalise certaines œuvres majeures comme *Chasse à l'homme* (1941), *Les bourreaux meurent aussi* (1943), *la Femme au portrait* (1944), *la Rue rouge* (1945), *l'Ange des maudits* (1952) et *Règlement de comptes* (1953), exploitant les genres dramatiques du western et du film policier. Il rentre en Europe en 1956. Il dirige en Inde une coproduction inspirée de ses scénarios de jeunesse *(le Tigre du Bengale, le Tombeau hindou)* et, en 1960, son dernier film en Allemagne : une « suite » de Mabuse *(le Diabolique Dr Mabuse).*

LANG (Jack), homme politique français (Mirecourt 1939). Socialiste, ministre de la Culture (1981-1986 ; 1988-1993), il élargit les cadres traditionnels de la culture par des manifestations populaires (fêtes de la musique, du cinéma, etc.).

LANGAGE n.m. **-1.** Faculté propre à l'homme d'exprimer et de communiquer sa pensée au moyen d'un système de signes vocaux ou graphiques ; ce système. (→ LANGUE.) **-2.** Système structuré de signes non verbaux remplissant une fonction de communication : *Langage gestuel.* (V. ENCYCL.) **-3.** Manière de parler propre à un groupe social ou professionnel, à une discipline, etc. : *Le langage administratif.* **-4.** Expression propre à un sentiment, à une attitude : *Le langage de la raison.* -5. Ensemble des procédés utilisés par un artiste dans l'expression de ses sentiments et de sa conception du monde : *Le langage de la peinture.* -6. Ensemble de caractères, de symboles et de règles permettant de les assembler, utilisé pour donner des instructions à un ordinateur. -7. *Langage évolué,* langage proche de la formulation logique ou mathématique des problèmes et indépendant du type d'ordinateur. ‖ *Langage machine,* langage directement exécutable par l'unité centrale d'un ordinateur, dans lequel les instructions sont exprimées en code binaire.

ENCYCL. INFORMATIQUE

Les langages de programmation permettent d'écrire les programmes dont l'exécution est confiée aux ordinateurs. Le *langage machine* est le seul langage directement assimilable par un ordinateur. Cependant, les difficultés de programmation directe en langage machine ont conduit à définir d'autres langages. Les *langages d'assemblage* utilisent un codage symbolique des instructions et des données. Les programmes écrits dans ces langages doivent, préalablement à leur exécution, être traduits en langage machine. Cette tâche est assurée par un programme appelé *assembleur.* Les langages d'assemblage ont l'inconvénient d'être étroitement liés au type d'ordinateur sur lequel ils sont utilisés. Cet inconvénient disparaît avec les *langages évolués,* ou *de haut niveau,* dont l'objectif idéal est d'offrir un moyen d'exprimer un algorithme à l'aide de notations précises, non ambiguës mais le plus proches possible de l'expression habituelle. Bien que les langages actuels soient encore contraignants par leur syntaxe et la faiblesse de leur sémantique, ils permettent l'écriture de programmes très complexes, indépendants des machines sur lesquelles ils seront exécutés. Leur transcription en langage machine s'effectue par *compilation,* ou par *interprétation.*

PSYCHOLOGIE

L'apprentissage du langage. *De la naissance à 12 mois.* Le langage n'apparaît chez l'enfant qu'au cours de la deuxième année. Mais la structure sensorimotrice qui va permettre la parole s'édifie au cours de la première année (cris et gazouillis). Le cri devient un moyen d'expression servant de relation entre l'enfant et la mère, qui répond à la demande en l'accompagnant de marques affectives (sourires, caresses).

12-18 mois. Apparaissent d'abord des émissions sonores qui désignent des personnes, des choses ou des relations entre choses : « papa » peut désigner le père mais peut également signifier « cette voiture est à papa ».

18-24 mois. La combinatoire apparaît sous forme de liaison en deux « mots », mais qui constituent déjà des constructions syntaxiques (« papa parti », « maman sac »).

24-36 mois. Les morphèmes, les mots outils, les flexions et surtout les désinences marquant la personne, le temps, etc., font leur apparition. L'accès au « je » et au « mien » est un moment particulièrement important dans la prise de conscience de soi-même en tant que distinct des autres.

3-5 ans. La structure du langage apparaît avec la capacité que montre progressivement l'enfant à produire des phrases originales et non plus de simples « imitations ».

Les troubles du langage. Certains troubles du langage sont consécutifs à une atteinte cérébrale : ce sont les *aphasies.* D'autres apparaissent au cours de maladies mentales. On distingue : 1. les *troubles du langage oral,* qui affectent l'activité de communication (*logorrhée, mutisme,* etc.), qui touchent la réalisation du langage (*bégaiement,* etc.) ou qui touchent à la compréhension ; 2. les *troubles du langage écrit,* quelquefois parallèles à ceux du langage oral. La dyslexie et la dysorthographie sont fréquentes chez les enfants.

LANGAGIER, ÈRE adj. Relatif au langage.

LANGDON (Harry), acteur américain (Council Bluffs, Iowa, 1884 - Hollywood 1944). Incarnation du rêveur, lunaire et insolite, il fut un des grands comiques du muet (*Sa dernière culotte,* de F. Capra, 1927).

LANGE n.m. Rectangle de tissu pour emmailloter un nourrisson.

LANGER v.t. [17]. Mettre des couches à un bébé, l'emmailloter dans un lange.

LANGEVIN (André), écrivain canadien d'expression française (Montréal 1927). Il peint dans ses romans la solitude et l'incompréhension des hommes (*Évadé de la nuit,* 1951 ; *l'Élan d'Amérique,* 1972).

LANGEVIN (Paul), physicien français (Paris 1872 - id. 1946). Spécialiste de la théorie de la relativité, il s'est intéressé à des domaines variés de la physique (ionisation des gaz, magnétisme, thermodynamique) et a mené des recherches appliquées (utilisation des ultrasons pour la détection sous-marine). Il s'est efforcé d'améliorer l'enseignement des sciences et de populariser les théories de la relativité (paradoxe des *jumeaux de Langevin*) et de la physique quantique.

LANGLADE → SAINT-PIERRE-ET-MIQUELON.

LANGLAND (William), poète anglais (dans le Herefordshire v. 1332 - v. 1400). Son poème allégorique *la Vision de Pierre le Laboureur* (1362), tableau satirique de la société de son temps, exerça une profonde influence sur l'opinion publique, dont le mécontentement éclata dans la révolte des travailleurs (1381).

LANGLOIS (Henri), cofondateur et secrétaire général de la Cinémathèque française (Smyrne 1914 - Paris 1977) avec G. Franju et P. A. Harlé. Son action en faveur de la connaissance du cinéma et de la sauvegarde du patrimoine mondial fit de lui une personnalité marquante de l'histoire du cinéma.

LANGMUIR (Irving), chimiste et physicien américain (Brooklyn 1881 - Falmouth 1957). Il inventa les ampoules électriques à atmosphère gazeuse (1913), perfectionna la technique des tubes électroniques, créa les théories de l'électrovalence et de la catalyse hétérogène et découvrit l'hydrogène atomique. (Prix Nobel de chimie 1932.)

LANGON, ch.-l. d'arr. de la Gironde, sur la Garonne ; 6 322 hab. *(Langonais)*. Vins.

LANGOUREUX, EUSE adj. Qui exprime la langueur ; alangui. ◆ **langoureusement** adv.

LANGOUSTE n.f. Crustacé à fortes antennes, mais sans pinces, atteignant 40 cm de long, très apprécié pour sa chair. (Ordre des décapodes.)

LANGOUSTE

LANGOUSTIER n.m. **-1.** Filet en forme de balance profonde pour prendre les langoustes. **-2.** Bateau équipé pour la pêche à la langouste.

LANGOUSTINE n.f. Crustacé décapode de la taille et de la forme d'une grosse écrevisse, pêché sur les fonds de vase, au large des côtes atlantiques européennes et de la Méditerranée.

LANGRES n.m. Fromage au lait de vache de forme tronconique, à pâte molle et fermentée, fabriqué en Haute-Marne.

LANGRES, ch.-l. d'arr. de la Haute-Marne, sur le *plateau de Langres,* qui sert de limite de partage des eaux entre les tributaires de la Manche et ceux de la Méditerranée ; 11 026 hab. *(Langrois).* Évêché. Constructions mécaniques. Matières plastiques. — Restes de fortifications (depuis l'époque romaine). Cathédrale romano-gothique de type bourguignon. Demeures anciennes. Musées.

LANG SON, v. du nord du Viêt Nam (Tonkin), près de la frontière chinoise ; 7 400 hab. — La ville fut occupée en 1885 par les Français, qui l'évacuèrent bientôt sous la pression des Chinois (l'incident provoqua la chute du cabinet Jules Ferry).

LANGTON (Étienne ou Stephen), prélat anglais (v. 1150 - Slindon 1228). Archevêque de Canterbury (1207), opposé à l'arbitraire de Jean sans Terre, il participa à l'établissement de la *Grande Charte* (1215).

LANGUE n.f. **-1.** Corps charnu, allongé, mobile, situé dans la cavité buccale et qui, chez l'homme, joue un rôle essentiel dans la déglutition, le goût et la parole. **-2.** Ce qui a la forme allongée et étroite d'une langue : *Langue de terre.* **-3.** Système de signes verbaux propre à une communauté d'individus qui l'utilisent pour s'exprimer et communiquer entre eux : *La langue anglaise. La langue du XVIe siècle, du barreau.* **-4.** *Langue formelle,* système de symboles conventionnels défini par les seules règles de formation de ses énoncés sans référence au signifié des symboles. ‖ *Langue mère,* celle qui est à l'origine d'autres langues. ‖ *Langue morte,* langue qui n'est plus parlée. ‖ *Langue verte,* l'argot. ‖ *Langue vivante,* langue actuellement parlée. CUIS. Langue de certains animaux (bœuf, veau) préparée pour la table. ‖ *Langue écarlate,* langue de bœuf saumurée, cuite puis introduite dans une baudruche de bœuf et dont la coloration est obtenue grâce au carmin de cochenille. **IN-FORM.** *Industries de la langue,* ensemble des activités concernant les traitements informatiques de textes ou de discours, regroupant notamment la conception et la réalisation des interfaces d'interrogation des banques de données en langage naturel, la traduction assistée par ordinateur (T. A. O.), l'analyse de contenu, l'aide à la rédaction de textes, la reconnaissance de la parole. **ZOOL.** Chez les insectes hyménoptères, modification du labium, velu, creusé d'une gouttière pour lécher et aspirer le nectar des fleurs.

→ ● **DOSSIER** LA LANGUE ET LE LANGAGE *page 3114.*

D O S S I E R

LES LANCEURS SPATIAUX

On distingue deux grands types de lanceurs spatiaux. Les lanceurs traditionnels, ou *fusées,* sont dits « consommables » : ils ne servent qu'une seule fois et aucun de leurs éléments n'est récupéré. Les *navettes spatiales,* au contraire, sont totalement ou partiellement réutilisables.

Les fusées.

Leur silhouette est celle d'un long cylindre, haut de 30 à 60 m, avec, au sommet, protégée par une coiffe, la charge utile, composée de un ou de plusieurs satellites et, à la base, un groupe de *moteurs-fusées* assurant la propulsion dans l'atmosphère et dans le vide. Les fusées décollent toujours verticalement, leur déplacement étant obtenu par éjection, vers l'arrière, à vitesse très élevée, d'importantes quantités de gaz produits par les moteurs. Ceux-ci brûlent divers ergols, solides (poudres) ou liquides selon les modèles. Les ergols constituent l'essentiel de la masse d'une fusée au moment de son décollage, par exemple 90 % pour Ariane 4 (contre 9 % pour les structures et 1 % seulement pour la charge utile). Pour des raisons d'effica-

❶ Décollage
de la navette spatiale
(orbiteur *Discovery*)
à cap Canaveral.

cité, une fusée comprend toujours plusieurs *étages,* le plus souvent trois, qui fonctionnent successivement et sont largués une fois vides. Elle est d'autant plus puissante qu'elle est plus lourde au décollage et qu'elle emploie des ergols plus performants. Afin d'accroître les performances, des *propulseurs* d'appoint (à liquides ou à poudre) peuvent être ajoutés latéralement contre l'étage de base. Une autre particularité des fusées est la brièveté de leur fonctionnement (de dix à vingt minutes selon les missions).

La gamme des lanceurs consommables disponibles au cours des années 90 s'échelonne entre le petit lanceur israélien Shavit (20 t environ au lancement), capable de satelliser une charge utile de 160 kg en orbite basse autour de la Terre, et le très gros lanceur russe Energia (2 000 t au décollage), qui peut emporter jusqu'à une centaine de tonnes de charge utile.

LES LANCEURS SPATIAUX

❷ Décollage
d'un lanceur Ariane 4
à Kourou
(Guyane française).

❸ Principaux lanceurs
spatiaux des années
1990.

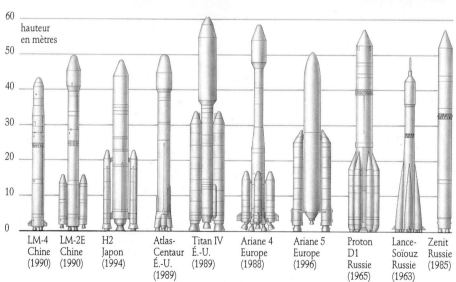

60
hauteur
en mètres
50

40

30

20

10

0

LM-4	LM-2E	H2	Atlas-Centaur	Titan IV	Ariane 4	Ariane 5	Proton D1	Lance-Soïouz	Zenit
Chine	Chine	Japon	É.-U.	É.-U.	Europe	Europe	Russie	Russie	Russie
(1990)	(1990)	(1994)	(1989)	(1989)	(1988)	(1996)	(1965)	(1963)	(1985)

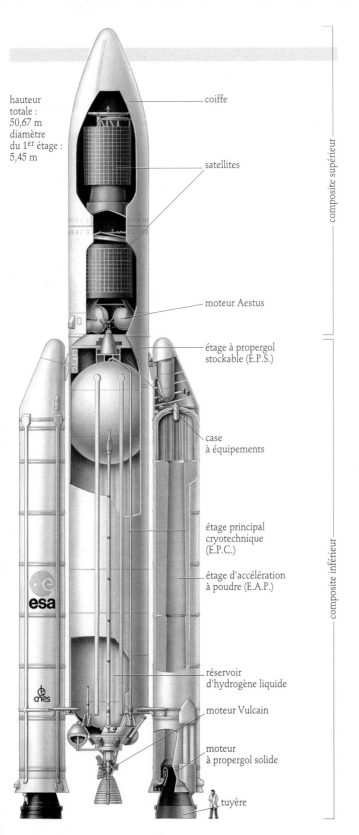

hauteur
totale :
50,67 m
diamètre
du 1er étage :
5,45 m

coiffe

satellites

composite supérieur

moteur Aestus

étage à propergol
stockable (E.P.S.)

case
à équipements

étage principal
cryotechnique
(E.P.C.)

étage d'accélération
à poudre (E.A.P.)

composite inférieur

réservoir
d'hydrogène liquide

moteur Vulcain

moteur
à propergol solide

tuyère

UNE ÂPRE CONCURRENCE

Consommables, comme les fusées ❷, ❹, ou réutilisables, comme les navettes ❶, les lanceurs spatiaux actuels utilisent la propulsion chimique. Les plus puissants disposent de propulseurs cryotechniques, alimentés par un mélange d'hydrogène et d'oxygène liquides. Depuis les années 80, la fusée européenne Ariane ❷, ❹, disponible en plusieurs versions, et la navette américaine ❶ se partagent les lancements de la plupart des satellites commerciaux (télévision, télécommunications, etc.). Pour rester compétitive face à la concurrence accrue des lanceurs américains, russes, japonais et chinois ❸, l'Europe développe la grosse fusée Ariane 5 ❹. Après l'échec du vol inaugural du 4 juin 1996, le second vol s'est déroulé avec succès le 30 octobre 1997.

❹ Structure du lanceur spatial européen Ariane 5.

LES LANCEURS SPATIAUX

Les navettes spatiales.

En 1981, les États-Unis ont mis en service un véhicule spatial d'un type nouveau, la *navette*, à la fois lanceur et vaisseau habité, dont le principal avantage est d'être en grande partie réutilisable. L'élément principal de la navette est l'*orbiteur*. En forme d'avion à aile delta, il est long de 37 m et possède une envergure de 24 m. Son fuselage comprend à l'avant un habitacle pressurisé, à deux niveaux, de 71 m³, pour l'équipage (jusqu'à 8 astronautes), au centre une vaste soute de 4,5 m de diamètre et de 18 m de longueur, pouvant accueillir des charges utiles d'une masse allant jusqu'à 29,5 t ; à l'arrière se trouvent les trois principaux moteurs-fusées de l'engin et deux moteurs de manœuvre. Sa masse « à sec » (réservoirs vides et sans charge utile) est de 68 t. Ce véhicule spatial est conçu pour des missions en orbite basse (300 à 400 km d'altitude) et peut revenir se poser au sol comme un planeur. Mais il ne peut aller seul dans l'espace : au décollage lui sont adjoints deux propulseurs auxiliaires à propergol solide (chacun contient 500 t de poudre) et un énorme réservoir extérieur de 47 m de long et de 8,4 m de diamètre, non réutilisable, contenant 703 t d'hydrogène et d'oxygène liquides, pour l'alimentation des moteurs principaux. Pour les lancements vers l'orbite des satellites géostationnaires (ou d'autres trajectoires lointaines), la navette doit embarquer dans sa soute un propulseur supplé-

LES BASES DE LANCEMENT DANS LE MONDE

Pays	Base	Latitude	Longitude	Date du premier lancement réussi (satellite mis en orbite)
C.E.I. (Kazakhstan)	Tiouratam (Baïkonour)	45,6° N.	63,4° E.	4 octobre 1957 (Spoutnik 1)
C.E.I. (Russie)	Kapoustine Iar	48,4° N.	45,8° E.	16 mars 1962 (Cosmos 1)
C.E.I. (Russie)	Plessetsk	62,8° N.	40,1° E.	17 mars 1966 (Cosmos 112)
États-Unis (Floride)	Cap Canaveral, Centre spatial Kennedy	28,5° N.	80,6° O.	1er février 1958 (Explorer 1)
États-Unis (Californie)	Vandenberg	34,7° N.	120,6° O.	28 février 1959 (Discoverer 1)
États-Unis (Virginie)	Wallops Island	37,9° N.	75,5° O.	16 février 1961 (Explorer 9)
France et Europe	Centre spatial guyanais, Kourou	5,2° N.	52,8° O.	10 mars 1970 (Dial)
Italie	San Marco (Kenya)	2,9° N.	40,3° E.	26 avril 1967 (San Marco 2)
Japon	Kagoshima	31,2° N.	131,1° E.	16 février 1970 (Ohsumi)
	Tanegashima	30,4° N.	131,0° E.	9 février 1975 (Kiku 1)
Chine	Jiuquan	40,6° N.	99,8° E.	24 avril 1970 (Dong Fang Hong)
	Xichang	28,1° N.	102,3° E.	29 avril 1984 (STW 1)
	Taiyuan	37,5° N.	112,7° E.	6 septembre 1988 (Feng Yun 1)
Inde	Sriharikota	13,9° N.	80,4° E.	18 juillet 1980 (Rohini RS1)
Israël	Palmachin	31,6° N.	34,4° E.	19 septembre 1988 (Offeq 1)

LES LANCEURS SPATIAUX

mentaire. Outre le véhicule *Enterprise,* qui effectua en 1979 les premiers essais d'atterrissage en vol plané, 5 orbiteurs ont été construits : *Columbia,* qui accomplit les premiers vols dans l'espace, *Challenger,* qui explosa en vol en 1986, *Discovery, Atlantis* et *Endeavour,* inauguré en 1992 pour remplacer *Challenger.*

L'ex-U.R.S.S. a aussi construit une navette spatiale. Celle-ci a été testée sans équipage en 1988, puis abandonnée. Elle se réduisait à un orbiteur, *Bourane,* analogue aux orbiteurs américains à une différence notable près : doté seulement de moteurs de manœuvre et de contrôle d'attitude, il se comportait au décollage comme une charge utile passive (pesant 105 t) accrochée au lanceur Energia. Le Japon développe le projet d'une petit navette (*Hope*) nécessitant le recours à une fusée pour son lancement ; l'Europe, qui avait engagé un projet comparable (*Hermes*), l'a abandonné en 1992 pour des raisons budgétaires.

Les modes de propulsion.

À l'heure actuelle, les systèmes propulsifs de la plupart des véhicules spatiaux utilisent une énergie d'origine chimique.

Les *propergols liquides* sont les plus largement employés. Ils se composent généralement de deux ergols (un comburant et un combustible), stockés dans des réservoirs distincts. Leurs principaux avantages tiennent à leur impulsion spécifique élevée, à leur souplesse d'utilisation (possibilité de moduler la poussée, d'éteindre et de rallumer le moteur) et à leur aptitude à un fonctionnement prolongé.

Les *propergols solides,* dits « à poudre», sont moins énergétiques et souvent plus chers que les précédents. Par contre, leur stockage est plus aisé et les moteurs qui les utilisent sont moins complexes. Mais ils ne sont pas rallumables : une fois amorcée, la combustion se poursuit jusqu'à l'épuisement du propergol. Pour toutes ces raisons, on les réserve généralement à des fonctions annexes : propulseurs d'appoint ou étages supérieurs de certains lanceurs.

Les lanceurs futurs.

Pour réduire les coûts, on songe à utiliser au siècle prochain des lanceurs entièrement réutilisables : avions orbitaux ou lanceurs « biétages », dont chaque étage serait une sorte d'avion capable de revenir au sol. Mais cela impose au préalable la maîtrise de la propulsion hypersonique et la mise au point de moteurs combinés (à propulsion aérobie ou anaérobie) se comportant successivement comme des turboréacteurs, des statoréacteurs et des moteurs de fusée.

Voir aussi : SATELLITE, SPATIALE (exploration).

LA LANGUE ET LE LANGAGE

La constitution de la langue, en tant que telle, en objet d'étude, n'a rien de spontané. La première tentative de description de la langue comme système de signes est due à F. de Saussure, dont le *Cours de linguistique générale* (1916) propose un système d'oppositions conceptuelles qui sous-tendent la plupart des travaux linguistiques modernes.

La langue.

La plus importante de ces oppositions est celle du couple *langue/parole,* lui-même articulé sur toute une série de dichotomies permettant de l'enrichir. Ainsi, la langue est envisagée comme un système fermé dont les unités se définissent les unes par rapport aux autres ; c'est donc un code, une organisation virtuelle, dont la mise en œuvre concrète par les sujets parlants ressortit à la parole. C'est pourquoi la *langue* est considérée comme un produit social, une sorte de contrat collectif entre individus appartenant à une même communauté ; elle est extérieure aux sujets, qui n'ont ni le pouvoir de la créer ni celui de la modifier. La *parole,* acte de volonté et d'intelligence, représente la composante individuelle du langage.

Synchronie et diachronie. Cette conception permet, en outre, de dissocier radicalement d'une part l'étude *synchronique,* qui décrit et classe les unités de la langue à un moment donné de son histoire ; d'autre part une *étude diachronique,* qui décrit la langue dans son évolution, considérée alors comme une succession de synchronies.

Le point de vue synchronique permet de cerner l'une des propriétés fondamentales de la langue, à savoir qu'elle est constituée par un système d'unités (les *signes*), unités purement différentielles qui ne sont pas définissables en tant que telles mais seulement en vertu de rapports d'équivalence, d'opposition et d'association. Le signe est lui-même considéré comme une unité à deux faces (le *signifiant,* ou image acoustique, et le *signifié,* ou concept), dont l'association est arbitraire.

La sémantique. Les travaux de la *sémantique structurale* visent à donner du lexique une structuration en éléments minimaux de signification. Les recherches de la grammaire générative et transformationnelle, avec les travaux de N. Chomsky notamment, visent à dépasser l'étape classificatoire et à rendre compte, à l'aide de règles formalisées, de l'ensemble infini des phrases d'une langue. Il s'agit alors de décrire la *compétence* des sujets parlant une langue, compétence qui constitue un système virtuel se manifestant dans la *performance,* ensemble de productions concrètes.

Enfin, la linguistique contemporaine, dans son souci accru de mettre en relation la forme et le sens, en est venue à intégrer des aspects que Saussure et les structuralistes avaient écartés. Ainsi, la problématique du signe prend en compte un autre type de relation : celle des signes aux entités concrètes du monde (ou *dénotation*). En outre, les nombreux phénomènes liés à l'énonciation et qui impliquent un recours aux locuteurs et à la situation semblent aujourd'hui devoir ressortir de l'étude de la parole et non plus de celle de la langue.

Le langage.

On parle de langage dès que l'on considère un ensemble de symboles (dessinés, écrits, parlés, etc.) concaténés en suites de phrases, selon un nombre fini de règles servant à distribuer de façon acceptable et significative ces symboles. Le langage est donc un *système,* qui a pour finalité de réaliser un message d'un émetteur vers un récepteur. Cela permet d'englober plusieurs modes de communication formalisés : langue naturelle, langages artificiels (de programmation informatique, par ex.), ou tout autre code : code de la route, langage des fleurs, etc. Chaque langue naturelle est un code original propre à l'espèce humaine ; les langages artificiels proviennent de simplifications et de conventions à partir des langues naturelles.

Le langage comme système. Ce système est dit « articulé » (A. Martinet), ce qui signifie que tout énoncé langagier doit pouvoir s'analyser à deux niveaux. Au niveau de la production de chaque langage, chaque unité s'articule en deux unités non significatives mais distinctives, par exemple entre le *phonème* (son émis) et le *morphème* (forme minimale de signification : exemple le pluriel en -*s*), entre le morphème et le *syntagme* (unité dans une organisation phrastique ; exemple : « le chien » dans « le chien dort »), etc. La combinaison des morphèmes, liée à la syntaxe (L. Bloomfield, Z. S. Harris), et l'assemblage des syntagmes forment une structuration hiérarchisée d'éléments constituants. C'est là que se situe la spécificité du langage humain, par opposition à un « langage » animal, dont on ne peut parler que par métaphore. Les abeilles communiquent c'est certain, mais leur mode de communication est exclusivement signalétique ; ce n'est donc pas un langage articulé.

Différentes écoles ont tenté de décrire l'intégration systémique du langage humain : les structuralistes (Saussure, L. T. Hjelmslev) ont mis l'accent sur les oppositions et les complémentarités dans les distributions de phonèmes, morphèmes, lexèmes, etc., d'où résulterait le fonctionnement du système langagier. Les dernières théories de Chomsky ont permis d'avancer l'hypothèse d'une organisation en modules, c'est-à-dire en petites unités de traitement distribuées en réseaux réglés pour permettre la communication de l'information.

S'agissant enfin de son acquisition, le système, aux yeux de la psychologie, apparaît « précâblé ». L'enfant naîtrait avec la faculté de parler comme il naît avec celles de voir ou d'entendre (qu'il lui reste à acquérir comme systèmes perceptifs).

Les fonctions du langage. Le linguiste R. Jakobson a distingué six fonctions qui, dans toute langue, se rapportent chacune à l'un des pôles fondamentaux de la communication linguistique. Toute communication fait en effet intervenir six facteurs : l'émetteur, le message, le destinataire, le contexte, ou référent, le code commun à l'émetteur et au destinataire, le canal (le support physique) de la communication. Jakobson distingue la *fonction référentielle,* qui renvoie au contexte, la *fonction phatique,* qui renvoie au canal, ou au contact (ex. : « Allo, ne coupez pas »), la *fonction conative,* qui vise à influencer le destinataire (ex. : « Corrige-moi si je me trompe »), la *fonction émotive,* qui centre le message sur l'émetteur (ex. : « Quel sale temps ce week-end ! »), la *fonction poétique,* qui concerne le message en lui-même, la *fonction métalinguistique,* qui renvoie au code lui-même (ex. : « Porte-manteau est invariable »).

Les universaux du langage. On peut dénombrer dans le langage un certain nombre d'*universaux,* parmi lesquels on peut distinguer des *universaux substantiels* et des *universaux conditionnels.*

Dans la catégorie des *universaux substantiels* entreraient le prédicat (ce qu'on dit d'un sujet dans un énoncé quelconque) ainsi que les mots fonctionnels. En effet, dans toutes les langues du monde, existent des formes (noms ou verbes) susceptibles de recevoir la fonction prédicative, et se trouvent également des morphèmes ne désignant rien par eux-mêmes (ils ne renvoient pas aux choses), mais dont la fonction est d'établir tel ou tel rapport entre les unités du lexique : les prépositions, les postpositions, les conjonctions, etc.

Les *universaux conditionnels* mettent en relation deux phénomènes : ils sont formulés sous une forme d'implication (si *p,* alors *q*). Ainsi, dans les langues à prépositions, le génitif suit presque toujours le nom régissant ; dans les langues à postpositions, il le précède presque toujours. Les langues à ordre PSO (prédicat-sujet-objet) sont toujours à prépositions (ex. l'arabe). Avec une fréquence qui ne peut être due au hasard, les langues à ordre SOP (sujet-objet-prédicat) sont postpositionnelles (ex. le japonais, les langues altaïques, le birman).

LANGUÉ, E adj. En héraldique, se dit d'un oiseau dont la langue est d'un émail particulier.

LANGUE-DE-BŒUF n.f. (pl. langues-de-bœuf). Fistuline.

LANGUE-DE-CHAT n.f. (pl. langues-de-chat). Petit gâteau sec en forme de languette arrondie.

LANGUE-DE-SERPENT n.f. (pl. langues-de-serpent). Ophioglosse.

LANGUEDOC, pays du sud de l'ancienne France, englobant les territoires compris entre le Rhône et la Garonne, entre la Méditerranée et le Massif central (départements actuels de la Haute-Garonne, de l'Aude, du Tarn, de l'Hérault, du Gard, de l'Ardèche, de la Lozère et de la Haute-Loire). Sa capitale était *Toulouse.* Il tire son nom de la langue parlée autrefois par ses habitants (langue d'oc) et qui en faisait l'unité. (Hab. *Languedociens.)* **GÉOGR.** Aujourd'hui, le terme s'applique seulement au Languedoc méditerranéen, ou bas Languedoc, qui s'étend entre les Corbières, le Massif central, la Camargue et la Méditerranée et qui constitue la majeure partie de l'actuelle Région *Languedoc-Roussillon.* **HIST.** Vers 120 av. J.-C., les Romains fondent la province de Narbonnaise. Après avoir subi une profonde romanisation, la région est occupée par les Wisigoths (413) et conquise par les Francs (507). Au xe siècle, elle se morcelle entre principautés féodales, dont la plus vaste est le comté de Toulouse. Centre de la poésie occitane (troubadours), le Languedoc est aussi la terre d'élection de l'hérésie cathare. À la suite de la croisade contre les albigeois (1208-1244), le Languedoc est rattaché à la Couronne. Il sera à partir du xvie siècle un des foyers du protestantisme.

Languedoc (*parc naturel régional du* **Haut-**), parc régional créé en 1973 et couvrant environ 140 000 ha sur les dép. du Tarn et de l'Hérault.

LANGUEDOC-ROUSSILLON, Région du midi de la France, qui regroupe 5 départements (Lozère, Gard, Hérault, Aude, Pyrénées-Orientales) ; 27 376 km² ; 2 114 985 hab. Ch.-l. *Montpellier.* Du Massif central (Causses et Cévennes notamment) au littoral bordé d'étangs et des Pyrénées à la basse vallée du Rhône, la Région s'étend principalement sur les plateaux des Garrigues et surtout sur la plaine languedocienne. Le climat méditerranéen, aux étés chauds et secs, explique en partie les spécialisations agricoles et la nécessité du recours à l'irrigation.

Malgré l'extension des cultures fruitières et maraîchères, l'agriculture, qui occupe encore environ 10 % de la population active, reste dominée par la viticulture de masse (dont l'écoulement est souvent difficile). L'élevage (ovins surtout) se maintient difficilement sur les plateaux des Causses et des Garrigues. L'industrie, si l'on excepte le bâtiment et l'agroalimentaire, est peu active (guère plus de 20 % des actifs), sinon dans la technopole qu'est Montpellier (électronique). Le tourisme s'est fortement développé avec l'aménagement du littoral.

La vie urbaine s'est épanouie un peu en retrait d'une côte longtemps malsaine, assez inhospitalière. Entre les pays du Rhône et la Catalogne, une autoroute relie les quatre plus grandes villes de la Région, desservant Nîmes et Montpellier (métropoles d'un Languedoc oriental aujourd'hui plus dynamique) puis Béziers et Perpignan (dans des régions demeurées plus rurales, véritablement sous-industrialisées). La croissance de ces villes ou agglomérations, proches du littoral, explique largement la rapide augmentation de la population (près de 10 % entre 1982 et 1990, le plus fort taux régional). La densité globale reste toutefois au-dessous de 80 hab. au km², sensiblement inférieure à la moyenne française. L'arrière-pays (la Lozère notamment) continue de se dépeupler et le taux de chômage demeure plus élevé que la moyenne nationale.

LANGUETTE n.f. **-1.** Objet de forme mince, étroite et allongée : *Languette de chaussure.* **-2.** Aiguille du fléau d'une balance. **MENUIS.** Tenon découpé à l'extrémité d'une planche, destiné à entrer dans une mortaise. **TECHN.** Petite pièce plate, fixée à l'une de ses extrémités, génér. par encastrement.

LANGUEUR n.f. **-1.** Abattement physique ou moral, qui se manifeste par un manque d'énergie, de dynamisme. **-2.** Mélancolie douce et rêveuse.

LANGUIR v.i. **-1.** LITT. Se morfondre, souffrir de qqch et dépérir. **-2.** S'étioler, dépérir, en parlant de végétaux. **-3.** Traîner en longueur, manquer d'animation : *La conversation languit.* **-4.** Attendre vainement : *Ne me fais pas languir.* ◆ **se languir** v.pr. S'ennuyer du fait de l'absence de qqch ou de qqn.

LANGUISSANT, E adj. Morne ; qui languit. ◆ **languissamment** adv.

LANIER n.m. Faucon d'Italie du Sud et des Balkans, ressemblant au pèlerin. (Famille des falconidés.)

LANIÈRE n.f. Courroie ou bande longue et étroite de cuir ou d'une matière quelconque.

LANIGÈRE ou **LANIFÈRE** adj. -1. Qui porte de la laine ou un duvet cotonneux. -2. *Puceron lanigère,* puceron recouvert d'une sécrétion cireuse et qui s'attaque aux pommiers.

LANISTE n.m. Celui qui formait, louait ou vendait des gladiateurs à Rome.

Lann-Bihoué, aéroport de Lorient. Base aéronavale.

LANNES (Jean), *duc* de Montebello, maréchal de France (Lectoure 1769 - Vienne 1809). Vo-

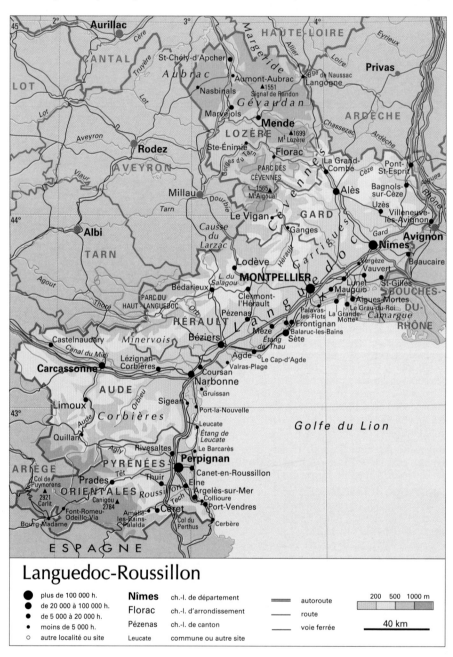

Languedoc-Roussillon

● plus de 100 000 h.
● de 20 000 à 100 000 h.
● de 5 000 à 20 000 h.
• moins de 5 000 h.
○ autre localité ou site

Nîmes ch.-l. de département
Florac ch.-l. d'arrondissement
Pézenas ch.-l. de canton
Leucate commune ou autre site

━━━ autoroute
──── route
──── voie ferrée

200 500 1000 m

40 km

lontaire en 1792, général dans l'armée d'Italie (1796) et en Égypte, il commanda la Garde consulaire (1800) et contribua à la victoire de Marengo. Il se distingua à Austerlitz (1805) et à Iéna (1806), mais fut mortellement blessé à Essling (1809).

LANNION, ch.-l. d'arr. des Côtes-d'Armor, port sur le Léguer ; 17 738 hab. *(Lannionnais).* Centre national d'études des télécommunications (C. N. E. T.). — Église de Brélévenez, surtout romane.

LANOLINE n.f. Graisse de consistance solide, jaune ambré, retirée du suint du mouton et employée comme excipient pour les crèmes et les pommades.

LA NOUE (François de), dit **Bras de Fer,** gentilhomme français (Nantes 1531 - Moncontour 1591). Calviniste, il fut lieutenant de Coligny, se rallia à Henri IV et rédigea les *Discours politiques et militaires* (1587), histoire des trois premières guerres de Religion.

LANREZAC (Charles), général français (Pointe-à-Pitre 1852-Neuilly-sur-Seine 1925). Commandant la Vᵉ armée en 1914, il fut remplacé par Franchet d'Esperey en raison de sa mésentente avec French.

LANSING, v. des États-Unis, cap. du Michigan ; 432 674 hab. Université.

LANSQUENET n.m. (all. *Landsknecht,* serviteur du pays). Mercenaire allemand au service de la France et du Saint Empire (xvᵉ-xviiᵉ s.).

LANTANIER n.m. Arbuste grimpant des régions chaudes, cultivé dans les jardins. (Famille des verbénacées.)

LANTERNE n.f. -1. Boîte à parois transparentes qui abrite une lumière. -2. ANC. Réverbère. -3. Signal lumineux à l'avant ou à l'arrière de certains véhicules. ‖ *Lanterne sourde,* lanterne dont on occulte la lumière à volonté. ‖ *Lanterne vénitienne,* lanterne en papier translucide et colorié, employée dans les fêtes, les illuminations. ‖ *Mettre à la lanterne,* pendre à un réverbère, pendant la Révolution. **ARCHÉOL.** *Lanterne des morts,* dans certains cimetières, pilier creux au sommet ajouré où l'on plaçait le soir un fanal, au Moyen Âge. **ARCHIT.** Construction circulaire percée de baies, sommant un bâtiment ou une partie de bâtiment. **OPT.** *Lanterne magique,* instrument d'optique utilisé autref. pour projeter sur un écran l'image agrandie de figures peintes. **ZOOL.** *Lanterne d'Aristote,* appareil masticateur des oursins. ◆ pl. Feux de position d'un véhicule automobile. SYN. : **veilleuses.**

LANTERNON surmontant le dôme de la Sorbonne, à Paris (xviiᵉ s.)

Lanterne (la), pamphlet politique hebdomadaire créé en 1868 par H. Rochefort. Le journal cessa de paraître en 1928.

LANTERNEAU n.m. Construction basse en surélévation sur un toit, pour l'éclairage ou la ventilation.

LANTERNON n.m. Petite lanterne placée au sommet d'un dôme, d'un comble, pour l'éclairage ou l'aération.

LANTHANE n.m. Métal du groupe des terres rares ; élément (La) de numéro atomique 57, de masse atomique 138,90.

LANTHANIDE n.m. Chacun des éléments appartenant à la série des terres rares, dont le premier est le lanthane.

LANUGINEUX, EUSE adj. (du lat. *lanugo,* duvet). Couvert de duvet.

LANZAROTE, l'une des îles Canaries ; 845 km² ; 42 000 hab.

LANZHOU ou **LAN-TCHÉOU,** v. de Chine, cap. du Gansu, sur le Huang He ; 1 450 000 hab. Chimie. Métallurgie. — Musée provincial (riches coll. archéologiques).

LAO n.m. Langue thaïe, l'une des langues officielles du Laos. SYN. : **laotien.**

LAOCOON, héros de la légende troyenne, prêtre d'Apollon, qu'Athéna fit étouffer, avec ses deux fils, par deux serpents monstrueux, lors d'un sacrifice.

LAODICÉE, nom de plusieurs villes hellénistiques de Syrie et d'Asie Mineure, telle l'actuelle Lattaquié.

LAON [lɑ̃], anc. cap. du Laonnois, ch.-l. du dép. de l'Aisne, sur une butte allongée ;

28 670 hab. *(Laonnois).* **ARTS.** Remparts et portes (XIIIe s.) de la ville haute, qui possède divers monuments élevés au milieu du XIIe siècle (chapelle octogonale des Templiers) ou entrepris à la même époque (église St-Martin ; anc. évêché, auj. palais de justice) et surtout une insigne cathédrale gothique, entreprise v. 1160 et complétée au début du XIIIe siècle (nouveau chœur allongé [vitraux] ; façade d'une superbe plasticité, comme les quatre tours). Musée (archéologie méditerranéenne et locale ; Moyen Âge).

LAOS, État de l'Asie du Sud-Est.

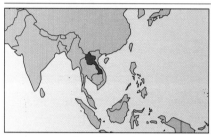

NOM OFFICIEL : République démocratique populaire lao.
CAPITALE : Vientiane.
SUPERFICIE : 236 800 km².
POPULATION : 5 020 000 hab. *(Laotiens).*
LANGUE : laotien.
RELIGION : bouddhisme.
MONNAIE : kip.
RÉGIME : parlementaire.

GÉOGRAPHIE

Enclavé dans la péninsule indochinoise, le Laos est en grande partie formé de plateaux (haut Laos et Cordillère annamitique) et reçoit en été les abondantes pluies de la mousson. Bien que partiellement défrichée par la pratique du ray (culture sur brûlis), la forêt recouvre encore plus de la moitié du territoire et est largement exploitée (teck). La vallée du Mékong concentre l'essentiel des terres cultivables, et donc des hommes, dans un pays à vocation presque exclusivement agricole. Le riz est la base de l'alimentation. Le carcan collectiviste survit sous l'influence pesante du Viêt Nam. *(V. carte Asie du Sud-Est.)*

HISTOIRE

L'histoire du Laos jusqu'au XIVe siècle reste mal connue. Fa Ngum fonde en 1353 un royaume lao indépendant, où il introduit le bouddhisme de rite cinghalais. À la fin du XVIe siècle, le royaume lao subit quelque temps la suzeraineté de la Birmanie. Après la restauration du XVIIe siècle, les luttes dynastiques aboutissent, au début du XVIIIe, à la division du pays en trois royaumes rivaux (Luang Prabang, Vientiane, Champassak).

1778 : le Siam impose sa domination au pays entier.

Convoité par le Siam et le Viêt Nam, le Laos attire aussi la France.

1893 : un traité franco-siamois reconnaît l'autorité de la France sur la rive gauche du Mékong.

1899 : début de l'organisation de l'administration coloniale française.

1949 : le royaume lao devient indépendant dans le cadre de l'Union française.

Le Laos est progressivement entraîné dans la guerre d'Indochine (1946-1954). Le Pathet Lao, mouvement nationaliste soutenu par les forces communistes du Viêt-minh, occupe le nord du pays.

1953 : indépendance totale du Laos.

1962 : le prince Souvanna Phouma devient le chef d'un gouvernement de coalition.

À partir de 1964, le Laos, impliqué dans la guerre du Viêt Nam, est partagé entre les forces de droite installées à Vientiane, soutenues par les Américains, et les forces de gauche provietnamiennes du Pathet Lao.

1975 : les révolutionnaires s'imposent dans tout le pays et abolissent la monarchie. La République populaire démocratique du Laos est proclamée, présidée par Souphanouvong (à titre personnel jusqu'en 1986).

Kaysone Phomvihane (secrétaire général du parti unique depuis 1975) engage progressivement le pays sur la voie de l'ouverture économique.

1992 : après la mort de Kaysone Phomvihane, Nouhak Phoumsavane devient président de la République et Khamtay Siphandone président du Parti.

LAO SHE (Shu Qingchun, dit), écrivain chinois (Pékin 1899 - *id.* 1966). L'un des principaux romanciers modernes (*la Cité des chats,* 1930), il se suicida lors de la Révolution culturelle.

LAOTIEN, ENNE adj. et n. Du Laos. ◆laotien n.m. Lao.

LAOZI ou **LAO-TSEU,** philosophe taoïste chinois, considéré comme un contemporain plus âgé de Confucius (VIe-Ve s. av. J.-C.). Mais le *Daodejing,* ou *Tao-tö-king,* qui lui a longtemps été attribué, est en fait bien postérieur, même s'il rapporte quelques paroles du maître. On ne connaît rien de sa vie avec certitude ; il aurait effectué un voyage en Occident.

LA PALICE (Jacques II de Chabannes, *seigneur de*), maréchal de France (v. 1470 - Pavie 1525). Il participa aux guerres d'Italie de Louis XII et de François Ier. Ses soldats composèrent en son honneur une chanson *(Un quart d'heure avant sa mort, Il était encore en vie...)*, ce qui voulait dire que jusqu'à sa dernière heure La Palice s'était bien battu ; mais la postérité n'a retenu que la naïveté des vers.

LAPALISSADE n.f. Affirmation d'une évidence niaise ; vérité de La Palice.

LAPAROSCOPIE n.f. Examen endoscopique de la cavité abdominale.

LAPAROTOMIE n.f. (du gr. *lapara,* flanc, et *tomê,* section). Ouverture chirurgicale de l'abdomen.

LA PASTURE (Rogier de) → VAN DER WEYDEN.

LAPEMENT n.m. Action de laper ; bruit que fait un animal qui lape.

LAPER v.i. et t. Boire en prenant le liquide avec la langue, en parlant des animaux.

LAPEREAU n.m. Jeune lapin.

Le comte de **LA PÉROUSE,** navigateur français. Détail d'un portrait par N. Monsiau. (Château de Versailles.)

LA PÉROUSE (Jean François de Galaup, *comte de*), navigateur français (château du Guo, près d'Albi, 1741 - île de Vanikoro 1788). Chargé par Louis XVI de reconnaître les parties septentrionales des rivages américains et asiatiques (1785), il aborda à l'île de Pâques et aux Hawaii (1786), d'où il gagna les Philippines, la Corée et le Kamtchatka (1787). Il fit naufrage alors qu'il redescendait vers le sud. Les vestiges de son bateau, l'*Astrolabe,* furent recueillis par Dumont d'Urville en 1828 et ceux de la *Boussole,* autre frégate de l'expédition, furent retrouvés en 1962.

LAPERRINE (Henry), général français (Castelnaudary 1860 - au Sahara 1920). Ami du P. de Foucauld, il pacifia les territoires des Oasis, puis les territoires sahariens (1902-1919).

LAPIAZ n.m. → LAPIÉ.

LAPICIDE n.m. Ouvrier qui grave des inscriptions sur la pierre.

LAPICQUE (Louis), physiologiste français (Épinal 1866 - Paris 1952). Il étudia le fonctionnement du système nerveux, en particulier les conditions d'excitation des neurones (cellules nerveuses). Son fils **Charles,** peintre (Theizé, Rhône, 1898 - Orsay 1988), est parvenu à une expression dynamique et lyrique personnelle par une étude scientifique des pouvoirs de la couleur.

LAPIDAIRE n.m. (lat. *lapidarius,* de *lapis, lapidis,* pierre). -1. Professionnel qui taille et polit les pierres précieuses et fines, spécialisé soit dans le diamant, soit dans les autres gemmes ; commerçant qui vend ces pierres. -2. Traité sur les vertus magiques et médicinales des pierres précieuses, au Moyen Âge. -3. Meule utilisée pour le dressage des surfaces planes. ◆ adj. -1. Relatif aux pierres fines et précieuses, à leur taille ; qui concerne la pierre. -2. D'une concision brutale : *Formule lapidaire.* -3. *Inscription lapidaire,* inscription gravée sur la pierre. ‖ *Musée lapidaire,* musée consacré à des sculptures sur pierre provenant de monuments.

LAPIDATION n.f. Action de lapider.

LAPIDER v.t. Attaquer, poursuivre, tuer qqn à coups de pierres.

LAPIÉ ou **LAPIAZ** [lapja] n.m. Ciselure superficielle d'un relief, résultant du ruissellement dans les roches calcaires.

LAPILLI n.m. pl. Projections volcaniques de petites dimensions (entre 1 et 64 mm de diamètre).

LAPIN, E n. -1. Mammifère lagomorphe, sauvage ou domestique, très prolifique. (Le lapin

sauvage

domestique

LAPINS

sauvage, ou *lapin de garenne,* qui est un gibier apprécié, vit sur les terrains boisés et sableux, où il creuse des terriers collectifs. Le lapin domestique est élevé princ. pour sa chair, parfois pour sa fourrure.) *Le lapin clapit,* pousse son cri. -2. Chair comestible du lapin. -3. Fourrure de lapin.

LAPINER v.i. Mettre bas, en parlant de la lapine.

LAPINIÈRE n.f. Endroit où l'on élève des lapins.

LAPIS-LAZULI [lapislazyli] ou **LAPIS** [lapis] n.m. inv. (du lat. *lapis,* pierre, et *lazuli,* d'azur). Pierre d'un bleu intense, composée de lazurite, employée en bijouterie et en ornementation.

LAPLACE (Pierre Simon, *marquis* de), astronome, mathématicien et physicien français (Beaumont-en-Auge, Normandie, 1749 - Paris 1827). Professeur à l'École normale, puis examinateur à Polytechnique, il est nommé, par le Premier consul, ministre de l'Intérieur. Peu fait pour la politique, il est remplacé par Lucien Bonaparte. Entré en 1799 au Sénat, comblé d'honneurs par Napoléon, Laplace vote cependant en 1814 la déchéance de l'Empereur et se rallie à Louis XVIII, qui le fait marquis et pair de France.

La mécanique céleste. L'*Exposition du système du monde* (1796) contient la célèbre hypothèse cosmogonique de Laplace selon laquelle le système solaire actuel serait issu d'une nébuleuse en rotation enveloppant un noyau fortement condensé et de température très élevée. Cette hypothèse connut un immense succès, et les théories actuelles de la formation du système solaire s'en inspirent encore. Dans sa *Mécanique céleste* (1798-1825), Laplace a réuni, en un seul corps de doctrine homogène, tous les travaux jusque-là épars de Newton, Halley, Clairaut, d'Alembert et Euler sur les conséquences du principe de la gravitation universelle.

Le calcul des probabilités. En 1812 parut la *Théorie analytique des probabilités,* dont l'introduction à la seconde édition (1814) expose, sans aucun appareil mathématique, les principes et les applications de la géométrie du hasard.

La physique. Laplace fit, avec Lavoisier, les premières mesures calorimétriques relatives aux chaleurs spécifiques et aux réactions chimiques (1780). Il établit la formule des transformations adiabatiques d'un gaz et l'utilisa à l'expression de la vitesse de propagation du son. Il est aussi l'auteur d'une théorie générale

Pierre Simon de **LAPLACE,** astronome, mathématicien et physicien français. Détail d'un portrait par A. Carrière. (Observatoire de Paris.)

de la capillarité. Enfin, il formula les deux lois élémentaires de l'électromagnétisme.

LAPLANCHE (Jean), médecin et psychanalyste français (Paris 1924). Il a établi avec J.-B. Pontalis un *Vocabulaire de la psychanalyse* (1967) ; depuis 1988, il dirige une nouvelle traduction des œuvres de S. Freud.

LAPON, ONE ou **ONNE** adj. et n. De Laponie. ◆ **lapon** n.m. Langue finno-ougrienne parlée en Laponie.

LAPONIE, région la plus septentrionale de l'Europe, au nord du cercle polaire, partagée entre la Norvège, la Suède, la Finlande et la Russie. Les Lapons (env. 45 000) vivent de l'élevage, de plus en plus sédentarisé, du renne.

LA POPELINIÈRE ou **LA POUPLINIÈRE** (Alexandre Joseph Le Riche de), financier français (Chinon 1693 - Passy 1762). Fermier général, il reçut dans sa maison de Passy écrivains et musiciens.

LAPPARENT (Albert Cochon de), géologue et géographe français (Bourges 1839 - Paris 1908). Il participa à l'élaboration de la carte géologique de la France puis contribua par de nombreux ouvrages ou articles au développement de la géologie, de la minéralogie et de la géomorphologie. Il est l'auteur d'un *Traité de géologie* (1882).

LAPPING [lapiŋ] n.m. Finition par rodage d'une surface métallique au moyen d'une poudre abrasive.

LAPS [laps] n.m. *Laps de temps,* intervalle de temps.

LAPSI n.m. pl. Chrétiens qui, au temps des persécutions, avaient renié ou fait semblant de renier leur foi.

LAPSUS [lapsys] n.m. (mot lat., *glissement*). Faute commise en parlant *(lapsus linguae)* ou en écrivant *(lapsus calami)* et qui consiste à substituer au terme attendu un autre mot : *Freud voit dans le lapsus l'émergence de désirs inconscients.*

LAPTEV *(mer des)*, partie de l'océan Arctique bordant la Sibérie.

LAQUAGE n.m. -1. Action de laquer. -2. *Laquage du sang,* destruction des hématies libérant leur contenu en hémoglobine, qui se répartit de façon homogène dans le milieu.

LAQUAIS n.m. Valet de pied qui porte la livrée.

LAQUE n.f. -1. Gomme-résine rouge-brun, fournie par plusieurs plantes d'Orient de la famille des térébinthacées ; vernis noir ou rouge préparé, en Chine surtout, avec cette résine. -2. Produit qui, vaporisé sur la chevelure, la recouvre d'un film qui maintient la coiffure. -3. Vernis à ongles non transparent. -4. Matière alumineuse colorée, employée en peinture. ◆ n.m. Objet d'Extrême-Orient revêtu de nombreuses couches de laque, éventuellement peint, gravé, sculpté.

LAQUÉ, E adj. -1. Se dit d'une volaille (canard), d'une viande (porc) enduite, entre deux cuissons, d'une sauce aigre-douce. (Cuisine chinoise.) -2. *Milieu laqué,* milieu dans lequel s'est produit le laquage du sang.

LAQUEDIVES *(îles),* archipel indien de la mer d'Oman.

LAQUER v.t. Couvrir une surface de laque, d'une couche de laque.

LAQUEUR n.m. Ouvrier qui décore des ouvrages en bois par application de laques et de vernis.

LA QUINTINIE (Jean de), agronome français (Chabanais, Charente, 1626 - Versailles 1688). Ses travaux permirent d'améliorer la culture des arbres fruitiers et il créa des potagers rattachés à des châteaux célèbres, dont le potager du roi, à Versailles.

LARAIRE n.m. Petit sanctuaire domestique destiné au culte des dieux lares. (Des laraires se trouvaient aussi aux carrefours de Rome.)

LARBAUD (Valery), écrivain français (Vichy 1881 - *id.* 1957). Grand voyageur, il fit connaître à l'étranger la littérature française contemporaine et révéla aux Français des écrivains comme S. Butler, W. Whitman, H. von Hofmannsthal et J. Joyce, qu'il traduisit. Son humour et son cosmopolitisme se manifestèrent dans les *Poèmes par un riche amateur* (1908), *Fermina Marquez* (1911), *A. O. Barnabooth, poésies et journal intime* (1913), dans ses essais critiques et dans son *Journal* (1954-55).

LARCHE *(col de),* col des Alpes-de-Haute-Provence, à la frontière italienne, entre Barcelonnette et Cuneo ; 1991 m.

LARCIN n.m. Petit vol commis sans effraction et sans violence ; produit de ce vol.

LARD n.m. -1. Tissu adipeux sous-cutané du porc et de certains animaux. -2. *Lard gras* ou *gros lard,* graisse de porc prélevée entre les couennes et la chair, le long de l'échine. ∥ *Lard maigre* ou *petit lard,* graisse de la poitrine du porc entremêlée de chair musculaire, qui peut être salée ou fumée.

LARDER v.t. Piquer une viande de petits morceaux de lard : *Larder un rôti de bœuf.*

LARDOIRE n.f. Grosse aiguille creuse utilisée pour larder les viandes.

LARDON n.m. Petit morceau de lard pour accommoder un plat.

LARE n.m. et adj. À Rome, dieu protecteur du foyer domestique.

LA RÉVELLIÈRE-LÉPEAUX (Louis Marie de), homme politique français (Montaigu, Vendée, 1753 - Paris 1824). Conventionnel, puis membre du Directoire (1795-1799), il lutta contre la réaction royaliste, contribua au coup d'État du 18 fructidor et protégea la secte déiste des théophilanthropes.

LA REYNIE (Gabriel Nicolas de), premier lieutenant de police de Paris (Limoges 1625 - Paris 1709). À partir de 1667, il contribua à l'organisation de la police et à l'assainissement de Paris.

LARGAGE n.m. Action de larguer, notamm. à partir d'un aéronef.

LARGE adj. -1. Qui a une certaine étendue dans le sens perpendiculaire à la longueur, à la hauteur. -2. Qui n'est pas serré ; ample : *Vêtement large.* -3. Qui occupe un vaste espace : *Un large cercle de curieux.* -4. Qui est grand, important en quantité : *Faire de larges concessions.* -5. Qui est généreux ; qui est fait avec générosité. -6. Qui n'est pas borné ; qui est sans préjugés : *Des idées larges.* ∥ *De large,* en largeur. ◆ n.m. -1. Largeur : *Se promener en long et en large.* -2. La haute mer. -3. *Au large (de),* dans les parages ; à une certaine distance. ◆ adv. De manière large : *Mesurer large.* ◆ **largement** adv. -1. Amplement ; abondamment : *Gagner largement sa vie.* -2. Au minimum : *Il était largement onze heures.*

LARGENTIÈRE ch.-l. d'arr. de l'Ardèche ; 2 117 hab. — Église (XIIIe s.), château (XVe s.).

LARGESSE n.f. LITT. Libéralité, générosité. ◆ pl. Dons généreux : *Répandre ses largesses.*

LARGET n.m. Demi-produit sidérurgique de section rectangulaire, d'une largeur minimale de 150 mm et d'une épaisseur au plus égale au quart de la largeur.

LARGEUR n.f. -1. Dimension d'un corps dans le sens perpendiculaire à la longueur. -2. Caractère de ce qui n'est pas mesquin, pas étroit : *Largeur d'idées, de vues.*

LARGHETTO [largɛto] adv. En musique, un peu moins lentement que largo. ◆ n.m. Morceau exécuté dans ce mouvement.

LARGILLIÈRE ou **LARGILLIERRE** (Nicolas de), peintre français (Paris 1656 - *id.* 1746). Formé à Anvers, il collabora à Londres avec Peter Lely (émule de Van Dyck et peintre de la Cour). De retour en France (1682), il devint le portraitiste favori de la grande bourgeoisie, au style souple et brillant. Le Louvre conserve notamment le grand *Portrait de Le Brun,* son morceau de réception à l'Académie (1686), et un *Portrait de famille.*

LARGO adv. En musique, lentement et avec ampleur. ◆ n.m. Morceau exécuté dans un mouvement lent.

LARGO CABALLERO (Francisco), homme politique espagnol (Madrid 1869 - Paris 1946). Socialiste, il fut l'un des artisans du Front populaire (1936) et chef du gouvernement républicain de septembre 1936 à mai 1937.

LARGUE adj. -1. VX. En marine, qui n'est pas tendu : *Cordage largue.* -2. VX. *Vent largue* ou, MOD., largue, n.m., vent portant oblique par rapport à l'axe du bateau. ◆ n.m. -1. Allure du navire qui reçoit le vent largue. -2. *Grand largue,* allure portante se rapprochant du vent arrière.

LARGUER v.t. -1. Détacher, lâcher, laisser aller une amarre, une voile, etc. -2. Lâcher d'un aéronef des parachutistes ou du matériel attaché à un parachute.

LARGUEUR n.m. Spécialiste chargé, à bord d'un aéronef, du parachutage de personnel ou de matériel.

LARIBOISIÈRE (Jean Ambroise Baston, *comte* de), général français (Fougères 1759 - Königsberg 1812). Il commanda l'artillerie de la Garde impériale et celle de la Grande Armée (1812) et mourut durant la retraite de Russie. Son fils **Charles,** député et pair de France (Fougères 1788 - Paris 1868), épousa Élisa Roy, qui devait fonder à Paris, rue Ambroise-Paré, l'*hôpital Lariboisière* (1846).

LARIFORME n.m. *Lariformes,* ordre d'oiseaux palmipèdes aquatiques comme la mouette et le goéland.

LARIGOT n.m. -1. VX. Petite flûte pastorale. -2. Jeu d'orgue qui sonne une octave au-dessus du nasard.

LARIONOV (Mikhaïl), peintre russe naturalisé français (Tiraspol 1881 - Fontenay-aux-Roses 1964). Avec sa femme, Natalia Gontcharova (1881-1962), il créa en 1912 l'abstraction « rayonniste » puis collabora, de 1918 à 1922, à Paris, aux Ballets russes.

LÁRISSA, v. de Grèce (Thessalie) ; 113 426 hab. – Musée archéologique.

LARIVEY (Pierre de), écrivain français (Troyes v. 1540 - v. 1612). Il écrivit des comédies inspirées du théâtre italien (*les Esprits,* 1579).

LARME n.f. -1. Liquide salé produit par deux glandes (glandes lacrymales) situées sous les paupières, au-dessus des globes oculaires, qui humecte la conjonctive et pénètre dans les fosses nasales par les caroncules lacrymales. -2. Petite quantité d'un liquide : *Une larme de lait.* -3. Liquide sécrété par le larmier des cervidés.

LARME-DE-JOB n.f. (pl. larmes-de-Job). Plante cultivée dans le Midi, à grains luisants en forme de larme. (Famille des graminées.)

LARMIER n.m. -1. Angle interne de l'œil. -2. Tempe du cheval. -3. Orifice situé au-dessous de l'angle interne de l'œil des cervidés et par où s'écoule un liquide gras et odorant. -4. Membre horizontal en saillie sur le nu d'un mur, ou formant la partie médiane d'une corniche, creusé par en dessous d'une rainure qui écarte les eaux pluviales.

LARMOIEMENT n.m. Écoulement continuel de larmes.

LARMOYANT, E adj. -1. Dont les yeux sont humides de larmes : *Vieillard larmoyant.* -2. Qui cherche à attendrir : *Ton larmoyant.*

LARMOYER v.i. [13]. -1. Être plein de larmes, en parlant de l'œil, des yeux. -2. Se lamenter, pleurnicher : *Larmoyer sur son sort.*

LÁRNAKA, v. de Chypre, sur le *golfe de Lárnaka ;* 61 000 hab. Aéroport. – Église St-Lazare, remontant à la fin du IXe siècle.

LA ROCHEFOUCAULD (François, *duc* de), écrivain français (Paris 1613 - *id.* 1680). Il combat en Italie et devient l'un des chefs de la Fronde des princes (1648). Il est grièvement blessé au combat de la Porte Saint-Antoine. Rallié au roi, il mène une vie mondaine, fréquente le salon de Mme de Sablé et, à partir de 1665, celui de Mme de La Fayette. Il doit sa célébrité à ses *Réflexions ou Sentences et Maximes morales* (1664-1678), recueil de constats lapidaires ou d'aphorismes brillants brossant « un portrait du cœur de l'homme » et dont le pessimisme, à propos d'un monde où les meilleurs sentiments sont dictés par l'intérêt, s'atténuera au fil des rééditions.

LA ROCHEFOUCAULD-LIANCOURT (François, duc de), philanthrope et homme politique français (La Roche-Guyon 1747 - Paris 1827). Éducateur pionnier et fondateur d'une ferme modèle, membre du Conseil des hospices en 1816, il développa une activité philanthropique multiforme en faveur des enfants au travail, des vieillards, des esclaves des colonies et des prisonniers.

LA ROCHEJAQUELEIN (Henri du Vergier, *comte* de), chef vendéen (La Durbellière, Poitou, 1772 - Nuaillé, Maine-et-Loire, 1794). Ayant soulevé le sud-ouest de l'Anjou, il fut battu à Cholet (1793). Devenu général en chef des vendéens, en lutte contre le gouvernement révolutionnaire, il échoua devant Kléber à Savenay (auj. Loire-Atlantique) ; dès lors, il se livra à la guérilla et fut tué au combat.

LA ROCQUE (François, *comte* de), homme politique français (Lorient 1885 - Paris 1946). Président de l'organisation nationaliste et anticommuniste des Croix-de-Feu (1931), il créa, en 1936, le Parti social français (P. S. F.). Il fut déporté par les Allemands (1943).

LAROQUE (Pierre), juriste français (Paris 1907 - Paris 1997). Il a joué un rôle essentiel dans l'élaboration du système français de sécurité sociale issu de l'ordonnance de 1945.

LAROUSSE (Pierre), lexicographe et éditeur français (Toucy 1817 - Paris 1875). Il édita des livres scolaires qui renouvelaient les méthodes de l'enseignement primaire. Puis il entreprit la publication du *Grand Dictionnaire universel du XIXe siècle,* en 15 volumes (1866-1876), qui dès 1863 parut en fascicules. La maison d'édition qu'il avait fondée, en 1852, avec Augustin Boyer a fusionné (1996) avec Bordas pour former *Larousse-Bordas,* société contrôlée (depuis 1997) par Havas Publications Éditions.

LARRA (Mariano José de), écrivain espagnol (Madrid 1809 - *id.* 1837). Pamphlétaire et auteur de drames romantiques (*Macías,* 1834), il est le véritable créateur du journalisme moderne dans son pays.

LARREY (Dominique, *baron*), chirurgien militaire français (Beaudéan, près de Bagnères-de-Bigorre, 1766 - Lyon 1842). Chirurgien en chef de la Grande Armée, il suivit Napoléon dans toutes ses campagnes.

LARRON n.m. -1. LITT. Voleur. -2. Trou, fissure par où fuit l'eau d'une digue, d'un canal. -3. *Le bon et le mauvais larron,* les deux voleurs qui, selon les Évangiles, furent mis en croix avec Jésus-Christ et dont le premier se repentit avant de mourir.

LARSA, auj. Senkerah, cité ancienne de Mésopotamie, au S.-E. d'Ourouk. Attestée dès le XXIVe s. av. J.-C., elle devint, en 2025, la ville la plus importante du sud de la Mésopotamie et resta célèbre jusqu'à la fin de l'Antiquité par son temple de Shamash, le dieu Soleil ; elle a livré nombre de tablettes.

LARSEN [larsɛn] n.m. Oscillation parasite se manifestant par un sifflement lorsque la sortie d'une chaîne électroacoustique, par ex. le haut-parleur, réagit sur son entrée (le microphone). [On dit aussi *effet Larsen.*]

LARTET (Édouard Armand Isidore Hippolyte), géologue et préhistorien français (Saint-Guiraud, Castelnau Barbarens, Gers, 1801 - Seissan, Gers, 1871). Il a jeté les bases de la paléontologie humaine et présenté la première chronologie paléontologique de l'homme fossile.

LARTIGUE (Jacques Henri), photographe français (Courbevoie 1894 - Nice 1986). Toute son œuvre demeure le reflet de l'insouciance, de la joie de vivre et de la spontanéité de l'enfant qu'il était lorsqu'il réalisa ses premières images : *Instants de ma vie* (1973). En 1979, il a fait don à l'État français de l'ensemble de son œuvre.

LARVAIRE adj. -1. Relatif à la larve, à son état : *Formes larvaires des insectes.* -2. Qui en est à son début : *Mouvement de révolte à l'état larvaire.*

LARVE n.f. (lat. *larva,* fantôme). -1. Forme libre apparaissant à l'éclosion de l'œuf et présentant avec l'adulte de son espèce des différences importantes, tant par sa morphologie que par son régime alimentaire ou son milieu. -2. Dans l'Antiquité romaine, fantôme malfaisant, spectre d'homme entaché de quelque crime ou victime d'une mort violente.

LARVÉ, E adj. -1. Se dit d'une maladie qui n'est pas encore apparente ou qui ne se manifeste pas complètement. -2. Qui ne s'est pas encore manifesté nettement ; latent.

LARVICIDE adj. et n.m. Se dit d'une substance utilisée pour détruire des larves d'insectes.

LARYNGALE n.f. Consonne articulée au niveau du larynx.

LARYNGÉ, E [larɛ̃ʒe] ou **LARYNGIEN, ENNE** adj. Relatif au larynx : *Spasme laryngé.*

LARYNGECTOMIE n.f. Ablation du larynx, pratiquée notamm. en cas de cancer touchant cet organe.

LARYNGITE n.f. Inflammation du larynx.

ENCYCL. Chez le jeune enfant, la laryngite striduleuse (faux croup) se manifeste par l'apparition brutale, nocturne, d'une toux rauque et d'une respiration sifflante avec fièvre. Les laryngites doivent être surveillées étroitement à cause du risque de gêne respiratoire aiguë.

Chez l'adulte, les *formes aiguës,* après exposition au froid, surmenage vocal, maladie infectieuse, provoquent des modifications de la voix, une toux rauque et douloureuse, des crachats. Les *formes chroniques,* favorisées par le tabagisme, donnent aussi une voix rauque, voire une aphonie totale. Le *croup,* qui est la laryngite de la diphtérie, est devenu très rare.

LARYNGOLOGIE [larɛ̃gɔlɔʒi] n.f. Étude du larynx et des affections dont il peut être atteint.
◆ **laryngologiste** n.

LARYNGOSCOPE n.m. Appareil avec lequel on peut observer le larynx.

LARYNGOSCOPIE n.f. Exploration visuelle, directe ou indirecte, de l'intérieur du larynx.

LARYNGOTOMIE n.f. Ouverture chirurgicale du larynx.

LARYNX n.m. Organe de la phonation, situé sur le trajet des voies respiratoires, entre le pharynx et la trachée.

Larzac *(camp du),* camp militaire (3 000 ha).

LARZAC *(causse du),* haut plateau calcaire du sud du Massif central, dans la région des Grands Causses. Élevage des moutons.

LAS, LASSE [la, las] adj. LITT. Qui éprouve, manifeste une grande fatigue physique : *Geste las.*

LASAGNE [lazaɲ] n.f. (pl. lasagnes ou inv.). Pâte italienne en forme de larges rubans, disposés en couches alternées avec un hachis de viande et gratinés.

LA SALE (Antoine de), écrivain français (v. 1385-1460). Auteur du roman satirique *Jehan de Saintré,* qui parodie les romans de chevalerie, il est l'auteur présumé des *Quinze Joyes de mariage* et des *Cent Nouvelles nouvelles.*

LASALLE, v. du Canada (Québec), banlieue sud de Montréal ; 73 804 hab.

LASALLE (Antoine, *comte* de), général français (Metz 1775 - Wagram 1809). Hussard célèbre par ses faits d'armes, il participa à la plupart des campagnes de la Révolution et de l'Empire.

LA SALLE (Robert Cavelier de), voyageur français (Rouen 1643 - au Texas 1687). Il reconnut le cours du Mississippi et la Louisiane, contrée dont il prit solennellement possession en 1682.

LASCAR n.m. FAM. Individu rusé.

LASCARIS, famille byzantine qui régna sur l'empire de Nicée (1204-1261).

LAS CASAS (Bartolomé de), évêque espagnol (Séville 1474 - Madrid 1566). Prêtre à Cuba v. 1510, il entre en 1522 dans l'ordre dominicain et devient en 1544 évêque de Chiapa au Mexique. Sans relâche, il se fait le défenseur des droits des Indiens et obtient de « nouvelles lois » interdisant les sévices vis-à-vis de ceux-ci et prévoyant la suppression progressive de l'*encomienda,* qui donnait aux conquistadors une autorité discrétionnaire sur la population autochtone. Découragé par l'échec, il rentra en 1547 en Espagne, où il écrivit une *Histoire des Indes.*

LAS CASES (Emmanuel, *comte* de), historien français (château de Las Cases, près de Revel, 1766 - Passy-sur-Seine 1842). Il accompagna Napoléon Iᵉʳ dans l'exil et rédigea le *Mémorial de Sainte-Hélène* (1823).

LASCAUX *(grotte de),* grotte de la comm. de Montignac (Dordogne). Découverte en 1940, elle est l'une des plus importantes grottes ornées paléolithiques du monde appartenant à la fin du solutréen et au début du magdalénien (v. 15000 avant notre ère). La disposition de la grotte, dont les parois sont ornées de bovidés, chevaux, cerfs, bouquetins, félins, etc., permet d'envisager un sanctuaire. Depuis 1963, afin de préserver les peintures, la grotte, fermée au public, a subi plusieurs traitements chimiques, et un fac-similé d'une partie a été réalisé pour le public à proximité de l'original.

LASCIF, IVE [lasif, -iv] adj. -1. Enclin aux plaisirs de l'amour. -2. Qui évoque la sensualité, les plaisirs de l'amour : *Danse lascive.*

LASCIVITÉ ou **LASCIVETÉ** n.f. LITT. Penchant, caractère lascif de qqn, de qqch.

LASER [lazɛr] n.m. (sigle de l'angl. *light amplification by stimulated emission of radiation*). Appareil pouvant engendrer un faisceau de rayonnement spatialement et temporellement cohérent, susceptible de multiples applications.

Peinture rupestre dans la grotte de **LASCAUX**. Magdalénien ancien.

ENCYCL. L'effet laser est fondé sur l'émission stimulée, décrite pour la première fois, sur des bases théoriques, par Einstein en 1917. La première application de ce phénomène a été l'amplification des ondes ultracourtes, qui a donné naissance au *maser* en 1954. (→ MASER.)

Les principes. L'émission d'un photon par un atome ou une molécule est due à la désexcitation du système, qui passe d'un état excité d'énergie E_2 à un état d'énergie inférieure E_1. L'émission stimulée est provoquée par un photon d'énergie $E_2 - E_1$, énergie absorbée par le système et réémise par désexcitation. Le nombre de particules excitées étant négli-

geable dans un système à l'équilibre thermique, il faut réaliser une « inversion de population » à l'aide d'une excitation extérieure : c'est le *pompage* (optique ou électrique), dont le principe a été découvert par A. Kastler.

Les éléments (atomes, molécules ou ions) ainsi excités émettent des photons d'énergie et de longueur d'onde identiques. Ce rayonnement est amplifié par une *cavité résonante,* constituée de deux miroirs parallèles entre eux et perpendiculaires au rayonnement. L'un des miroirs, partiellement transparent, permet la sortie du rayonnement laser. La cohérence spatiale (les photons ont une direction et une

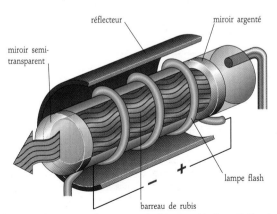

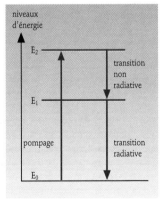

LASER : *ci-dessus, à gauche,* principe du laser à rubis (sous l'effet du rayonnement de la lampe flash, des atomes du barreau de rubis artificiel sont excités ; ils perdent leur excédent d'énergie en émettant une lumière rouge cohérente) ;
à droite, diagramme montrant les niveaux de l'ion chrome Cr^{3+} dans le rubis

longueur d'onde identiques) et temporelle (ils sont émis en phase) de ce rayonnement permet d'obtenir des faisceaux de très faible divergence qui, focalisés, donnent une grande concentration d'énergie par unité de surface. **Les principaux types de laser.** Le premier *laser à solide* réalisé (1960) est un laser à rubis. Essentiellement constitué d'un barreau de rubis artificiel entouré d'une lampe flash de forme hélicoïdale destinée au pompage optique, il émet une lumière rouge. Pour l'émission dans l'infrarouge, on utilise les lasers à verre au néodyme ou les lasers YAG (Yttrium Aluminium Garnet [grenat d'yttrium et d'aluminium]) ; fonctionnant de façon discontinue, ils donnent des émissions très courtes et de forte puissance, intéressantes pour les recherches sur la fusion nucléaire. Les *lasers à gaz,* comme les lasers hélium-néon, sont constitués d'un mélange de gaz, l'un d'eux transférant, par collisions, son excitation à l'autre. Les lasers à gaz carbonique et les lasers ioniques donnent des puissances supérieures. Dans les *lasers à semi-conducteurs,* l'effet laser est obtenu à partir de semi-conducteurs montés en diode à jonction. Les *lasers chimiques* qui utilisent la réaction du fluor atomique sur l'hydrogène ou le deutérium sont parmi les plus puissants réalisés (2,2 MW).

Les applications générales. Outil important de la recherche scientifique, le laser a permis de mieux connaître les phénomènes de diffusion et de diffraction et d'améliorer les mesures de spectroscopie. On l'utilise pour la séparation isotopique de l'uranium et la métrologie de précision ainsi que pour les télécommunications (possibilité de moduler la longueur d'onde d'émission dans les transmissions par fibres optiques), la photocomposition, le soudage et l'usinage industriels, la production d'images (holographie) et, en électroacoustique et informatique, pour la lecture des disques numériques.

Les applications militaires. Le laser est utilisé pour mesurer les distances (télémètre laser) ou les vitesses de rotation (gyromètre laser), pour le guidage des missiles et l'acquisition de cibles. Des recherches s'orienteraient aussi vers une arme laser d'interception capable de détruire les missiles balistiques.

Les applications médicales. On emploie, suivant les disciplines, le laser à l'argon (photocoagulation), le laser au CO_2 (bistouri laser) ou le laser YAG (dont le rayonnement est absorbé par tous les tissus). Leurs principales indications sont en O. R. L., en dermatologie,

en gynécologie. Le laser à l'argon, ou *laser excimer,* qui décompose les cellules sans les brûler, est utilisé dans le traitement de nombreuses affections oculaires. Il permet de prévenir ou de traiter le décollement de rétine, de sculpter la cornée de façon très précise, etc. (→ LUMIÈRE.)

LASHLEY (Karl Spencer), neuropsychologue américain (Davis, Virginie, 1890 - Poitiers 1958). À partir de l'expérimentation animale, il élabora une théorie sur les fonctions mentales supérieures et leurs anomalies.

LASKINE (Lily), harpiste française (Paris 1893 - *id.* 1988). Elle a fait de la harpe un instrument soliste à part entière.

LASSALLE (Ferdinand), philosophe et économiste allemand (Breslau 1825 - Genève 1864). Il milita pour les réformes socialistes, prônant l'association des travailleurs et dénonçant « la loi d'airain des salaires », qui réduit le salaire d'un ouvrier à ce qui lui est strictement nécessaire pour vivre.

LASSANT, E adj. Qui lasse par sa monotonie.

LASSER v.t. Rendre qqn las, l'excéder, l'ennuyer. ◆ **se lasser** v.pr. Devenir las, dégoûté de qqch, de qqn, de faire qqch.

LASSIS n.m. Bourre de soie ; étoffe faite de cette bourre.

LASSITUDE n.f. **-1.** Sensation de fatigue physique. **-2.** Dégoût, ennui, découragement.

LASSO n.m. (esp. *lazo,* lacet). Corde ou longue lanière de cuir tressé, terminée par un nœud coulant et utilisée pour capturer les animaux.

LASSUS (Roland de), compositeur francoflamand (Mons, Hainaut, 1532 - Munich 1594), appelé aussi de son vivant **Orlando di Lasso.** Il obtient, vers 1553, le poste de maître de chapelle de St-Jean-de-Latran à Rome. À 24 ans, il se fixe à Anvers. C'est là, en même temps qu'à Venise, qu'il fait éditer, en 1555, ses premières œuvres. Sa renommée lui vaut d'être appelé vers la fin de 1556 à Munich, où il occupe le poste de maître de chapelle du duc de Bavière jusqu'à sa mort. Son œuvre immense est celle d'un génie universel, qui synthétise sans effort toutes les tendances de son temps. Il est capable des plus surprenants contrastes, témoin les *Psaumes de la pénitence,* les villanelles italiennes et les chansons françaises, domaine où il imprègne d'une vie intense les vers de Marot, de Ronsard, de Du Bellay, etc. Il a notamment composé des centaines de motets de 2 à 12 voix, des *Lamentations,* des *Lectiones* d'après Job, un

Roland de **LASSUS,** compositeur franco-flamand. Détail d'un portrait anonyme. (Musée civique, Bologne.)

Stabat Mater, des *Magnificat,* des Passions, 53 messes de 4 à 8 voix.

LASSWELL (Harold Dwight), sociologue américain (Donnellson, Illinois, 1902 - New York 1978). Il affirma très tôt l'importance des moyens de communication dans la diffusion des idées ou des symboles indispensables à la légitimité du pouvoir (*Propaganda Technique in World War,* 1927). Sa formule de 1948 « Qui dit quoi, par quel canal, à qui et avec quels effets » a constitué pour les sociologues un schéma directeur des analyses de contenu.

LASTEX n.m. (nom déposé). Filé de latex recouvert de fibres textiles (coton, rayonne, Nylon, etc.).

LASTING [lastiŋ] n.m. (mot angl., *durable*). Étoffe de laine rase, brillante.

LAS VEGAS, v. des États-Unis (Nevada) ; 258 295 hab. Centre touristique (jeux de hasard).

LATANIER n.m. Palmier des Mascareignes, cultivé parfois comme plante d'appartement.

LATÉCOÈRE (Pierre), industriel français (Bagnères-de-Bigorre 1883 - Paris 1943). Constructeur d'avions, il créa la ligne aérienne reliant Toulouse à Barcelone (1918), puis à Dakar (1925) et à l'Amérique du Sud (1930).

LATENCE n.f. -1. État de ce qui est latent. -2. Temps écoulé entre le début de la présentation d'un stimulus et la réponse correspondante. -3. *Période de latence,* période de la vie sexuelle infantile de 5 ans à la préadolescence, au cours de laquelle les acquis de la sexualité infantile seraient refoulés.

LATENT, E adj. Qui existe de manière non apparente mais peut à tout moment se manifester. ARBOR. *Œil latent,* œil à fruit qui, sur les arbres cultivés, demeure un certain temps à l'état rudimentaire. MÉD. Se dit d'une maladie qui ne présente pas de symptômes apparents.

PHOT. *Image latente,* image d'un film impressionné qui n'est pas encore développé. PSYCHAN. *Contenu latent d'un rêve,* ensemble des désirs inconscients exprimés par le rêve. THERMODYN. *Chaleur latente,* quantité de chaleur nécessaire pour que se produise la fusion, la vaporisation, etc., d'une substance.

LATÉRAL, E, AUX adj. -1. Qui se trouve sur le côté : *Porte latérale.* -2. Qui double une chose ; secondaire, annexe : *Canal latéral à la Garonne.* -3. *Aire latérale,* aire totale d'un solide, déduction faite de celle de sa ou de ses bases. ‖ *Consonne latérale* ou *latérale,* n.f., consonne occlusive caractérisée par un écoulement de l'air de chaque côté de la langue (par ex. *l* en français). ◆ **latéralement** adv. Sur le côté.

LATÉRALISATION n.f. -1. Spécialisation progressive, au cours de la petite enfance, de chacun des hémisphères du cerveau dans leurs fonctions respectives. -2. Résultat de cette spécialisation ; dominance.

LATÉRALISÉ, E adj. -1. Qui présente telle latéralisation. -2. *Enfant bien, mal latéralisé,* enfant qui présente une latéralisation nette dans toutes les tâches *(bien latéralisé)* ou fluctuante selon les tâches *(mal latéralisé).*

LATÉRALITÉ n.f. Dominance fonctionnelle systématisée, droite ou gauche, dans l'utilisation de certains organes pairs (main, œil, pied).

LATERE (A) loc. adj. → A LATERE.

LATÉRITE n.f. (du lat. *later,* brique). Sol rougeâtre de la zone tropicale humide, caractérisé par la présence d'alumine libre et d'oxydes de fer.

LATÉRITIQUE adj. Formé de latérite ; qui en contient : *Sol latéritique.* SYN. : ferrallitique.

LATÉRITISATION n.f. Transformation d'un sol en latérite par migration (lessivage) de la silice.

LATEX n.m. (mot lat., *liqueur*). -1. Émulsion sécrétée par certaines plantes, notamm. les plantes à caoutchouc, et ayant souvent un aspect laiteux. (On tire le caoutchouc du latex de l'hévéa et de certains pissenlits.) -2. Émulsion aqueuse de certaines substances synthétiques, obtenue par polymérisation et utilisée dans les industries du textile, de la peinture, du papier, etc.

LATHAM (Hubert), aviateur français (Paris 1883 - Fort-Archambault 1912). Pilote du monoplan *Antoinette,* il échoua dans la traversée de la Manche (1909) mais réussit le premier vol à plus de 1 000 m d'altitude (1910).

LATICIFÈRE adj. Qui contient, sécrète du latex. ◆ n.m. Tissu végétal sécrétant du latex.

LATICLAVE n.m. -1. Bande pourpre qui ornait la tunique des sénateurs romains. -2. La tunique elle-même.

LATIFOLIÉ, E adj. Qui a de larges feuilles.

LATIFUNDISTE n.m. Propriétaire d'un latifundium.

LATIFUNDIUM [latifɔdjɔm] n.m. Grand domaine agricole exploité extensivement, caractéristique des économies peu développées et à forte concentration de la propriété foncière, dans lequel le travail est princ. fourni par des journaliers ou des métayers.

LATIMER (Hugh), évêque de Worcester (Thurcaston v. 1490 - Oxford 1555). Passé à la Réforme, il devint chapelain d'Henri VIII, fut disgracié en 1539 et brûlé sous Marie Tudor.

LATIN, E adj. et n. -1. Du Latium. -2. D'un pays dont la langue a pour origine le latin ; relatif à ces langues : *Amérique latine.* ◆ adj. -1. Relatif au latin. -2. Relatif à l'Église romaine d'Occident ayant le latin pour langue liturgique : *Rite latin.* -3. *Alphabet latin,* alphabet utilisé pour transcrire les langues romanes et de nombreuses autres langues. ‖ *Bâtiment latin,* bâtiment gréant des voiles latines. ‖ *Voile latine,* voile triangulaire à antenne. ◆ **latin** n.m. -1. Langue des Latins. (V. ENCYCL.) -2. *Bas latin,* latin parlé ou écrit après la chute de l'Empire romain et durant le Moyen Âge. ‖ *Latin populaire,* latin parlé qui a donné naissance aux langues romanes.

ENCYCL. Le latin est une langue indo-européenne, qui fait partie des langues italiques. Il s'est imposé dans la péninsule italienne entre le Vᵉ siècle av. J.-C. et le Iᵉʳ s. av. J.-C. Il présente des traits archaïques communs avec d'autres langues indo-européennes telles que le hittite, le celtique et même le sanskrit (pour les vocabulaires juridique et religieux).

Le vocabulaire a été complété par des mots étrusques, celtiques (gaulois), germaniques. L'apport le plus considérable est celui du grec, particulièrement important dans la latinité tardive (après le Iᵉʳ s.), où les écrivains chrétiens ont eu à pourvoir aux besoins d'expression d'une pensée nouvelle.

Avec le Iᵉʳ s. av. J.-C. commence l'époque du *latin classique,* qui s'achève avec la mort d'Auguste. Grâce à une extraordinaire floraison littéraire, le latin écrit va subsister avec une fixité remarquable.

Le latin marque les rapports entre les différents éléments de l'énoncé par des flexions. Pour les noms et les adjectifs, les désinences indiquent une relation grammaticale (6 cas : nominatif, vocatif, accusatif, génitif, datif, ablatif), le nombre et le genre. Pour les verbes, la désinence indique le nombre (singulier/pluriel), la voix (actif/passif) et la personne. La syntaxe repose sur les flexions et est indépendante, en principe, de l'ordre des mots. Mais très vite l'usage concurrentiel des prépositions et des flexions a réduit dans le parler populaire le nombre de cas à deux (cas sujet, cas régime, comme en ancien français).

Tandis que le latin parlé a évolué continuellement et s'est différencié dans les langues romanes, le latin écrit a conservé son unité comme langue du christianisme en Occident et comme langue de culture, en particulier dans le domaine scientifique et philosophique, et il a survécu comme tel au-delà même du Moyen Âge et de la Renaissance.

LATINA, v. d'Italie (Latium), ch.-l. de prov., dans les anc. marais Pontins, créée en 1932 par Mussolini ; 105 543 hab.

LATIN DE CONSTANTINOPLE *(Empire),* État fondé en 1204 par les chefs de la quatrième croisade, à la suite de la prise de Constantinople, et dont le premier empereur fut Baudouin Iᵉʳ. Menacé par les Byzantins restés maîtres de l'Épire et de la région de Nicée, et affaibli par les rivalités et les partages, l'Empire fut détruit dès 1261 par Michel VIII Paléologue, qui restaura l'Empire byzantin.

LATINI (Brunetto), érudit et homme politique italien (Florence v. 1220 - id. 1294). Ami et maître de Dante, il composa un *Livre du Trésor* (v. 1265), encyclopédie des connaissances scientifiques de son temps.

LATINISANT, E adj. et n. -1. Latiniste. -2. Qui pratique le culte de l'Église latine dans un pays de rite grec.

LATINISATION n.f. Action de latiniser ; fait d'être latinisé.

LATINISER v.t. -1. Donner une forme ou une terminaison latine à un mot. -2. Donner le caractère latin à qqn, à une population. -3. Adapter l'alphabet latin à une langue.

LATINISME n.m. Mot, expression propres à la langue latine.

LATINISTE n. Spécialiste de la langue et de la littérature latines. SYN. : **latinisant.**

LATINITÉ n.f. -1. Caractère latin de qqn, d'un groupe. -2. Le monde latin, la civilisation latine. -3. *Basse latinité,* époque où fut parlé le bas latin.

LATINO n. et adj. Aux États-Unis, immigré originaire d'Amérique latine.

LATINO-AMÉRICAIN, E adj. et n. (pl. latino-américains, es). De l'Amérique latine.

LATINS, nom des habitants du Latium. Les anciens Latins font partie des peuples indo-européens qui, dans la seconde moitié du IIe millénaire, envahirent l'Italie.

latins du Levant *(États),* ensemble des États chrétiens fondés en Syrie et en Palestine par les croisés en 1098 et 1109. Ces États étaient le comté d'Édesse, la principauté d'Antioche, le royaume de Jérusalem et le comté de Tripoli. Ils furent reconquis par les musulmans de 1144 à 1291.

LATINUS, roi légendaire du Latium et héros éponyme des Latins.

LATITUDE n.f. -1. Liberté, pouvoir d'agir à son gré : *Laisser toute latitude à qqn.* -2. Lieu considéré sous le rapport du climat : *Plante qui peut vivre sous toutes les latitudes.* -3. Angle formé, en un lieu donné, par la verticale du lieu avec le plan de l'équateur. (Les latitudes sont comptées à partir de l'équateur vers les pôles de 0 à à 90°, positivement vers le nord, négativement vers le sud.) -4. *Basses latitudes,* latitudes voisines de l'équateur, par opp. aux *hautes latitudes,* voisines du pôle.

LATITUDINAIRE adj. et n. Partisan d'une doctrine religieuse étendant le salut à tout le genre humain.

LATIUM, en ital. Lazio, région de l'Italie centrale limitée à l'O. par la mer Tyrrhénienne et adossée à l'E. à l'Apennin. Elle est formée des prov. de *Frosinone, Latina, Rieti, Rome* et *Viterbe ;* 17 203 km² ; 5 031 230 hab. Cap. *Rome.* **GÉOGR.** Rome regroupe plus de la moitié de la population de la région, où dominent collines et plaines qui portent des plantations d'oliviers et du vignoble ou se consacrent aux cultures (céréales, légumes) et à l'élevage. Le tourisme balnéaire et culturel est localement actif.

LATOMIES n.f. pl. Vastes carrières à ciel ouvert qui servaient de prison à Syracuse.

LATOUCHE (Hyacinthe Thabaud de Latouche, dit Henri de), écrivain français (La Châtre 1785 - Val d'Aulnay 1851). Éditeur d'André Chénier, ami des jeunes romantiques et amant de Marceline Desbordes-Valmore, il fut un précurseur du journalisme moderne.

LA TOUR (Georges de), peintre français (Vic-sur-Seille 1593 - Lunéville 1652). L'œuvre de cet artiste, dont la carrière est mal connue,

Saint Sébastien pleuré par sainte Irène, par Georges de **LA TOUR.** (Musée du Louvre, Paris.)

représente la tendance la plus spiritualisée du caravagisme, auquel il emprunte beaucoup de ses sujets, enracinés dans un quotidien qu'il transcende. Oublié après sa mort, il a été redécouvert par le XXe siècle, que fascinent sa rigueur géométrique, son luminisme voué à l'essentiel, sa dédramatisation des antithèses chères aux émules du Caravage (le vieillard et l'enfant, la flamme et l'obscurité...). Parmi la trentaine d'œuvres aujourd'hui authentifiées, citons deux *Apôtres* (musée d'Albi), *le Joueur de vielle* (Nantes), *le Tricheur* (Louvre) pour les tableaux à éclairage diurne ; *la Madeleine à la veilleuse* et *Saint Sébastien pleuré par sainte Irène* (Louvre), *la Femme à la puce* (Nancy), *les Larmes de saint Pierre* (Cleveland), *le Nouveau-Né* (Rennes) pour les « nocturnes ».

LA TOUR (Maurice Quentin de), pastelliste français (Saint-Quentin 1704 - *id.* 1788). Il est célèbre pour ses portraits pleins de vie (musée de Saint-Quentin, Louvre, etc.).

LA TOUR D'AUVERGNE (Théophile Malo Corret de), officier français (Carhaix 1743 - Oberhausen 1800). Illustre combattant des guerres de la Révolution, tué au combat, il fut surnommé le « premier grenadier de France ».

LA TOUR DU PIN (Patrice de), poète français (Paris 1911 - *id.* 1975). Célèbre dès *la Quête de joie* (1933), poésie terrienne qui salue la volupté du corps au milieu d'une nature divine, il a donné, notamment, *Une somme de poésie* (1946), *le Second Jeu* (1959), *Psaumes de tous mes temps* (1974).

LA TOUR MAUBOURG (Marie Victor Nicolas de Fay, *vicomte,* puis *marquis* de) [La Motte-Galaure, Drôme, 1768 - Farcy-lès-Lys, près de Melun, 1850]. Aide de camp de Kléber en Égypte, il fit toutes les campagnes de l'Empire, puis fut ministre de la Guerre de Louis XVIII (1819-1821).

Latran *(accords du)* [11 févr. 1929], accords passés entre le Saint-Siège et le chef du gouvernement italien, Mussolini. Ils établissaient la pleine souveraineté du pape sur l'État du Vatican et reconnaissaient le catholicisme comme religion d'État en Italie (ce dernier principe a été annulé par le concordat de 1984).

Latran *(conciles du),* nom donné à cinq conciles œcuméniques qui se tinrent dans le palais contigu à la basilique du Latran. Les trois premiers se réunirent au XIIe siècle sous les présidences respectives de Calixte II, d'Innocent II et d'Alexandre III. Le quatrième (11-30 nov. 1215), présidé par Innocent III, promulgua une profession de foi contre les cathares et contre Joachim de Flore, adopta la théorie de la transsubstantiation pour l'eucharistie et rendit obligatoires la confession et la communion annuelles. Le cinquième (1512-1517) fut présidé par Jules II puis par Léon X. (→ CONCILE.)

LATREILLE (André), prêtre et naturaliste français (Brive-la-Gaillarde 1762 - Paris 1833), un des fondateurs de l'entomologie.

LA TRÉMOILLE [-tremuj] famille poitevine, dont le principal représentant fut **Georges de La Trémoille** (1382 - Sully-sur-Loire 1446), chambellan de Jean sans Peur. Rallié à Charles VII, il fut nommé grand chambellan en 1428. Disgracié en 1433, il participa à la Praguerie (1440), soulèvement dirigé contre le roi à l'instigation de son fils, le futur Louis XI. **Louis II,** son petit-fils (Thouars 1460 - Pavie 1525), homme de guerre, fut tué au combat pendant les guerres d'Italie.

LATRIE n.f. *Culte de latrie,* culte d'adoration qui n'est rendu qu'à Dieu seul, par opp. à *culte de dulie.*

LATRINES n.f. pl. Lieux d'aisances dans un camp, une caserne, une prison, etc.

LATRODECTE n.m. (gr. *latris,* captif, et *dêktés,* qui mord). Araignée venimeuse, appelée aussi *veuve noire.*

LATTAGE n.m. Action de latter ; ensemble de lattes, lattis.

LATTAQUIÉ ou **LATAKIÉ,** principal port de Syrie, sur la Méditerranée ; 197 000 hab.

LATTE n.f. **-1.** Planchette de bois servant d'armature ou de couverture. **-2.** BELGIQUE. Règle plate. **-3.** Long sabre droit de cavalerie, au XIXe s.

LATTER v.t. Garnir de lattes.

LATTIS [lati] n.m. Garniture de lattes.

LATTRE DE TASSIGNY (Jean-Marie de), maréchal de France (Mouilleron-en-Pareds 1889 - Paris 1952). Il commanda la Ire armée française, qu'il mena de la Provence au Rhin et au Danube (1944-45), et signa le 8 mai 1945, pour la France, l'acte de reddition des armées allemandes. Il fut ensuite haut-commissaire et commandant en chef en Indochine (1950-1952).

Jean-Marie de **LATTRE DE TASSIGNY,** maréchal de France.

LATTUADA (Alberto), cinéaste italien (Milan 1914). Ses premiers films le rangent au nombre des « calligraphes » (*Giacomo l'idealista,* 1942) puis il fait partie du mouvement néoréaliste (*le Bandit,* 1946), avec des allers et retours entre les chroniques brutales, souvent satiriques, de l'actualité et les adaptations littéraires : *le Crime de Giovanni Episcopo* (1947), *Sans pitié* (1948), *le Moulin du Pô* (1949), *les Feux du music-hall* (en coréalisation avec Federico Fellini, 1950), *le Manteau* (1952), *la Pensionnaire* (1954), *Mafioso* (1962), *la Fille* (1978), *la Cigale* (1980).

LAUBE (Heinrich), écrivain allemand (Sprottau 1806 - Vienne 1884). Un des chefs de la « Jeune-Allemagne » libérale, il fit jouer des drames (*Struensee,* 1847).

LAUBEUF (Maxime), ingénieur français (Poissy 1864 - Cannes 1939). Il réalisa le *Narval,* prototype des submersibles, mis en service en 1904.

LAUD (William), prélat anglais (Reading 1573 - Londres 1645). Évêque de Londres (1628), archevêque de Canterbury (1633), il prétendit imposer la stricte orthodoxie anglicane et défendit avec violence la prérogative royale ; il se heurta à une telle opposition que Charles Ier l'abandonna ; il mourut sur l'échafaud.

LAUDANUM [lodanɔm] n.m. (lat. *ladanum,* résine du ciste). Teinture d'opium safranée, très utilisée autref. en médecine.

LAUDATIF, IVE adj. Qui loue, glorifie, vante : *Article laudatif.*

LAUDES n.f. pl. (bas lat. *laudes,* louanges). Prière liturgique du matin.

LAUE (Max von), physicien allemand (Pfaffendorf 1879 - Berlin 1960). Il organisa, en 1912, les premières expériences de diffraction des rayons X par les cristaux, qui démontrèrent le caractère ondulatoire de ces rayons et permirent de connaître la structure des milieux cristallisés. (Prix Nobel 1914.)

LAUENBURG, ancien duché d'Allemagne, aujourd'hui intégré au Schleswig-Holstein. Il appartint au Danemark (1816-1864) puis fut rattaché à la Prusse (1865) après la guerre des Duchés.

Laugerie, ensemble d'abris préhistoriques de la vallée de la Vézère, sur la commune des Eyzies-de-Tayac-Sireuil (Dordogne), qui présente la plus importante séquence stratigraphique du paléolithique supérieur périgourdin.

LAUGHTON (Charles), acteur britannique naturalisé américain (Scarborough 1899 - Hollywood 1962). Grand acteur de théâtre, monstre sacré de l'écran (*la Vie privée d'Henry VIII,* 1933 ; *les Révoltés du « Bounty »,* 1935 ; *l'Extravagant Mr Ruggles,* 1935 ; *Témoin à charge,* 1958), il réalisa un unique film, ténébreux et onirique, *la Nuit du chasseur* (1955).

LAUNAY (Bernard Jordan de), gouverneur de la Bastille (Paris 1740 - *id.* 1789), massacré lors de la prise de la forteresse.

LAURACÉE n.f. *Lauracées,* famille de plantes comprenant des arbres et des arbustes des régions chaudes, comme le laurier, le camphrier et le cannelier.

LAURAGAIS, petite région du Languedoc et traditionnelle voie de passage entre le bas Languedoc et le bassin d'Aquitaine (reliés par le *seuil du Lauragais*).

LAURANA (Francesco), sculpteur croate de l'école italienne (Zadar v. 1420/1430 - Avi-

gnon ? v. 1502), actif à Naples, en Sicile et en Provence. Ses bustes féminins (princesses d'Aragon, etc.) sont célèbres. L'architecte **Luciano Laurana** (Zadar v. 1420/1425 - Pesaro 1479), qui reconstruisit autour de 1470 le palais d'Urbino, était peut-être son frère. Son répertoire renaissant est d'une grande élégance.

LAURASIE ou **LAURASIA** (la), partie septentrionale de la Pangée qui s'est formée vers la fin du paléozoïque et s'est ensuite divisée en Amérique du Nord et Eurasie.

LAURE ou **LAVRA** n.f. Grand monastère orthodoxe.

Laure, héroïne du *Canzoniere* de Pétrarque, identifiée par les historiens à Laure de Noves, épouse d'Hugues de Sade.

LAURÉAT, E n. et adj. -1. Qui a réussi un examen, a remporté un prix dans un concours. -2. En Grande-Bretagne, titre conféré à vie au poète considéré comme le plus grand de son temps.

LAUREL et **HARDY,** acteurs américains (Arthur Stanley Jefferson, dit Stan Laurel [Ulverston, Lancashire, Grande-Bretagne, 1890 - Santa Monica 1965], et Oliver Hardy [Atlanta 1892 - Hollywood 1957]). Ce tandem, dont l'association dura près de vingt-quatre ans, tourna, dès 1926, une série de films très populaires, d'un comique fondé sur le contraste de leur physique, sur l'absurde et sur les batailles de tartes à la crème.

LAUREL et **HARDY** en 1934.

LAURENCIN (Marie), peintre français (Paris 1883 - *id.* 1956). Amie d'Apollinaire, elle fréquenta les cubistes. On lui doit de nombreuses compositions à figures féminines d'une stylisation gracieuse, aux harmonies de tons pastel.

LAURENS (Henri), sculpteur et dessinateur français (Paris 1885 - *id.* 1954). Parti du cubisme, il a soumis les formes du réel à sa conception de l'harmonie plastique (série des *Sirènes*, 1937-1945).

Le Drapeau, statuette en bronze (1939) de Henri **LAURENS**. (M. N. A. M., C. N. A. C. G.-P., Paris.)

LAURENT *(saint),* diacre romain d'origine espagnole, mort martyr à Rome, étendu sur un gril (v. 210 - v. 258). Dès l'époque de Constantin, une basilique, Saint-Laurent-hors-les-Murs, lui a été dédiée. Son culte se répandit très tôt dans tout l'Occident.

LAURENT (Auguste), chimiste français (La Folie, près de Langres, 1807 - Paris 1853). Il fut l'un des pionniers de la théorie atomique et un précurseur de la chimie structurale.

LAURENT (Jacques), écrivain français (Paris 1919). Essayiste, romancier (*les Bêtises,* 1971), il est l'auteur de la série des *Caroline chérie* sous le nom de **Cécil Saint-Laurent**. (Acad. fr. 1986.)

LAURENT Ier DE MÉDICIS, dit le Magnifique (Florence 1449 - Careggi 1492), prince florentin. Modèle du prince de la Renaissance entouré d'une cour brillante fréquentée par les artistes, les savants et les hommes de lettres, poète lui-même, il dirigea Florence de 1469 à 1492. Il eut à faire face aux intrigues des banquiers florentins et de la papauté (conjuration de 1478). Sa prodigalité et l'intérêt qu'il porta aux affaires politiques ruinèrent le trésor familial. Par ailleurs, l'humanisme païen, qu'il

encouragea, suscita la protestation du prédicateur Savonarole.

LAURENTIDES, ligne de hauteurs du Canada oriental, limitant au sud-est le bouclier canadien. Réserves naturelles. Tourisme.

LAURÉOLE n.f. Plante du genre *Daphne.* (→ DAPHNÉ.)

LAURIER n.m. Arbuste de la famille des lauracées, de la région méditerranéenne, à fleurs blanchâtres et à feuilles persistantes utilisées comme condiment. (Dans l'Antiquité, le laurier était l'emblème de la victoire.) SYN. : laurier-sauce.

LAURIER (*sir* Wilfrid), homme politique canadien (Saint-Lin, Québec, 1841 - Ottawa 1919). Chef du parti libéral à partir de 1887, Premier ministre du Canada de 1896 à 1911, il renforça l'autonomie du pays par rapport à la Grande-Bretagne.

LAURIER-CERISE n.m. (pl. lauriers-cerises). Arbrisseau à feuilles persistantes et à fleurs blanches en grappes, dont les fruits sont toxiques, utilisé dans les haies vives. (Famille des rosacées.)

LAURIER-ROSE n.m. (pl. lauriers-roses). Arbuste à fleurs blanches ou roses, ornemental et toxique. (Famille des apocynacées.)

LAURIER-SAUCE n.m. (pl. lauriers-sauce). Laurier utilisé en cuisine, par opp. au *laurier-rose.*

LAURIER-TIN n.m. (pl. lauriers-tins). Viorne de la région méditerranéenne, dont les feuilles persistantes rappellent celles du laurier. (Famille des caprifoliacées.)

LAURION, région montagneuse de l'Attique, en Grèce, où, depuis l'Antiquité, on exploite des mines de plomb.

LAURISTON (Jacques Law, *marquis* de), maréchal de France (Pondichéry 1768 - Paris 1828). Aide de camp de Napoléon en 1800 et 1805, ambassadeur en Russie (1811), prisonnier à Leipzig (1813), il fut nommé maréchal par Louis XVIII et participa à l'expédition d'Espagne (1823).

LAUSANNE, v. de Suisse, ch.-l. du cant. de Vaud, sur le lac Léman ; 250 000 hab. avec les banlieues *(Lausannois).* Université. Tribunal fédéral. Siège du C. I. O. ARTS. Cathédrale gothique du XIIIe siècle (porche sculpté des Apôtres) et autres monuments. Le palais de Rumine (v. 1900) abrite les musées des Beaux-Arts, d'Archéologie et d'Histoire, des Sciences naturelles ; musée de l'Élysée (estampes ; photographie) ; collection de l'Art brut ; musée romain de Vidy.

Lausanne *(école de)*, groupe d'économistes qui s'insèrent dans le courant de l'école mathématique, illustrée particulièrement par le Français Léon Walras (1834-1910) et l'Italien Vilfredo Pareto (1848-1923), et qui enseignèrent à l'université de Lausanne.

Lausanne *(traité de)* [24 juill. 1923], traité conclu entre les Alliés et le gouvernement d'Ankara, qui avait refusé le traité de Sèvres (1920). Il garantissait l'intégrité territoriale de la Turquie, à laquelle fut attribuée la Thrace orientale.

LAUSE ou **LAUZE** n.f. Pierre plate utilisée comme dalle ou pour couvrir des bâtiments dans le sud de la France.

LAUSSEDAT (Aimé), officier et savant français (Moulins 1819 - Paris 1907). On lui doit l'application de la photographie aux levés topographiques.

LAUTARET *(col du)*, col des Alpes (2 058 m), au nord du Pelvoux, qui relie l'Oisans au Briançonnais.

LAUTRÉAMONT (Isidore Ducasse, dit le comte de), poète français (Montevideo 1846 - Paris 1870). De sa vie, on ne sait à peu près rien, et les documents existants ne présentent pas de coordination absolue. Il est l'auteur des *Chants de Maldoror* (1869), poème en prose en six chants qui tire sa violence et ses images hallucinantes de sa parodie de tous les motifs et registres littéraires (lyrisme romantique, rhétorique classique, roman noir), et de *Poésies* (1870). Les surréalistes virent en lui un précurseur.

LAUTREC (Odet de Foix, *vicomte* de), maréchal de France (1485 - Naples 1528). Gouverneur du Milanais, battu à La Bicoque (près de Milan), il reçut cependant le commandement de l'armée d'Italie en 1527 et mourut au siège de Naples.

LAUZUN (Antonin Nompar de Caumont La Force, *duc* de), officier français (Lauzun 1633 - Paris 1723). Courtisan de Louis XIV, disgracié puis emprisonné de 1671 à 1680, il épousa la duchesse de Montpensier (la Grande Mademoiselle), cousine germaine du roi, en dépit de l'interdiction royale.

LAV n.m. inv. (sigle de *lymphadenopathy associated virus*). Premier nom du V. I. H., isolé en 1983 à l'Institut Pasteur.

LAVABLE adj. Qui peut être lavé.

LAVABO n.m. (mot lat., *je laverai*). -1. Appareil sanitaire en forme de cuvette et alimenté en eau, permettant de faire sa toilette. -2. (Surtout au pl.). Pièce contenant un ou plusieurs de ces appareils, avec water-closets attenants, dans certaines collectivités et lieux publics. -3. Action du prêtre qui se lave les mains à la messe, après présentation des offrandes ; moment de la messe, lieu de l'église où se fait ce geste.

LAVAGE n.m. -1. Action de laver. -2. Élimination des stériles contenus dans le charbon et dans les minerais bruts. -3. *Lavage de cerveau*, action psychologique exercée sur une personne pour anéantir ses pensées et ses réactions personnelles par l'utilisation de coercition physique ou psychologique.

LAVAL, ch.-l. du dép. de la Mayenne, sur la Mayenne, à 274 km à l'ouest de Paris ; 53 479 hab. *(Lavallois)*. Évêché. Constructions électriques. — Vieux-Château des XIIᵉ-XVIᵉ siècles (musée : archéologie, histoire ; collection d'art naïf). Églises romanes et gothiques.

LAVAL, v. du Canada, banlieue nord-ouest de Montréal ; 314 398 hab.

LAVAL (François de Montmorency), prélat français (Montigny-sur-Avre 1623 - Québec 1708). Vicaire apostolique en Nouvelle-France (1658), il fut à Québec le premier évêque du Canada (1674-1688).

LAVAL (Pierre), homme politique français (Châteldon 1883 - Fresnes 1945). Député socialiste (1914-1919), puis socialiste indépendant, deux fois président du Conseil (1931-32, 1935-36), il mena une politique de rapprochement avec l'Italie. Ministre d'État du maréchal Pétain (juin 1940), vice-président du Conseil dès l'établissement du régime de Vichy (juill. 1940), il fut mis à l'écart du pouvoir en décembre. Nommé chef de gouvernement en avril 1942, sous la pression des Allemands, il accentua la politique de collaboration avec l'Allemagne. Condamné à mort, il fut exécuté.

Pierre **LAVAL**, homme politique français (ici, à Londres, en 1935).

La Valette (Jean Parisot de), grand maître de l'ordre de Malte (1494 - Malte 1568), célèbre par sa défense de Malte contre les Turcs (1565).

LAVALLIÈRE n.f. Cravate souple, nouée en deux larges boucles.

La Vallière (Louise de La Baume Le Blanc, *duchesse* de), favorite de Louis XIV (Tours 1644 - Paris 1710). Supplantée par la marquise de Montespan, elle se retira chez les carmélites en 1674 après avoir donné au roi deux enfants légitimés.

Lavan, île et port pétrolier iraniens du golfe Persique.

LAVANDE n.f. -1. Plante aromatique de la région méditerranéenne, à feuilles persistantes et à fleurs bleues ou violettes en épi. (Famille des labiées.) -2. Huile essentielle odorante obtenue à partir de ces fleurs. ◆ adj. inv. *Bleu lavande,* bleu mauve assez clair.

LAVANDIÈRE n.f. -1. LITT. Femme qui lavait le linge à la main. -2. Bergeronnette.

LAVANDIN n.m. Lavande hybride, cultivée pour son essence.

LAVANDOU (Le), comm. du Var ; 5 232 hab. Station balnéaire sur la côte des Maures.

LAVARET [rɛ] n.m. Corégone des lacs alpins.

LAVATER (Johann Kaspar), théoricien, poète, orateur et théologien protestant suisse (Zurich 1741 - id. 1801). Son *Art d'étudier la physionomie* (1772) et ses *Fragments physiognomoniques* (1775-1778) proposent une interprétation de la mobilité du visage.

La Vaulx (*comte* Henry de), aéronaute français (Bierville, Seine-Maritime, 1870 - près de Jersey City, New Jersey, 1930). Célèbre par ses ascensions et voyages en ballon, il fonda l'Aéro-Club de France (1898) et la Fédération aéronautique internationale (1906).

LAVE n.f. -1. Matière en fusion émise par un volcan et qui se solidifie en refroidissant pour former une roche volcanique. -2. *Lave torrentielle,* masse boueuse qui s'écoule dans le lit d'un torrent.

LAVÉ, E adj. -1. Fait au lavis : *Dessin lavé.* -2. Se dit d'une couleur d'un faible degré d'intensité chromatique (mêlée de blanc), par opp. à *saturé.*

LAVE-AUTO n.m. (pl. lave-autos). CANADA. Station de lavage automatique pour automobiles.

LAVE-DOS n.m. inv. Brosse munie d'un long manche pour se laver le dos.

LAVE-GLACE n.m. (pl. lave-glaces). Appareil envoyant un jet de liquide sur le pare-brise d'une automobile pour le laver.

LAVE-LINGE n.m. inv. Machine à laver le linge.

LAVELLI (Jorge), metteur en scène français de théâtre et d'opéra d'origine argentine (Buenos Aires 1932). En Argentine puis en France, il se consacre à la défense du répertoire contemporain (Gombrowicz, Arrabal, Copi). Il a dirigé le Théâtre national de la Colline (1988-1996).

LAVE-MAINS n.m. inv. Petit lavabo d'appoint, partic. dans les toilettes.

LAVEMENT n.m. -1. Injection d'un liquide dans le gros intestin, par l'anus, pour l'évacuation de son contenu ou dans un but thérapeutique. -2. *Lavement des pieds,* cérémonie du jeudi saint célébrée en souvenir de Jésus, qui, d'après saint Jean, lava les pieds de ses douze apôtres avant la Cène.

LAVE-PONT n.m. (pl. lave-ponts). Balai-brosse pour laver le plancher d'un navire.

LAVER v.t. -1. Nettoyer avec de l'eau et un produit déterminé (détergent, etc.). -2. Prouver l'innocence de qqn, le disculper. -3. *Machine à laver,* appareil muni d'un moteur pour laver le linge ou la vaisselle. BX-ARTS. Étendre au pinceau, sur un dessin ou un plan, des teintes plates de couleurs délayées (lavis, aquarelle). MIN. Procéder au lavage du minerai. ◆ **se laver** v.pr. Laver son corps.

LAVER (Rodney, dit Rod), joueur de tennis australien (Rockhampton 1938), vainqueur en 1962 et 1969 des quatre grands tournois mondiaux (Internationaux de France, de Grande-Bretagne, des États-Unis et d'Australie).

LAVÉRA, écart de la comm. de Martigues (Bouches-du-Rhône), sur le golfe de Fos. Port pétrolier. Raffinage du pétrole et chimie.

LAVERAN (Alphonse), savant et médecin militaire français (Paris 1845 - id. 1922). Il découvrit le *Plasmodium,* hématozoaire (parasite du sang) responsable du paludisme. Il fut aussi professeur d'hygiène et de clinique et membre de l'Institut Pasteur. (Prix Nobel 1907.)

La Vérendrye (Pierre Gaultier de Varennes de), explorateur canadien (Trois-Rivières 1685 - Montréal 1749). Il reconnut l'intérieur du continent, et deux de ses fils atteignirent les Rocheuses.

LAVERIE n.f. -1. Blanchisserie équipée de machines à laver individuelles. -2. Atelier de lavage du minerai.

LAVE-TÊTE n.m. inv. Cuvette qui, fixée par un support au dossier d'un siège, permet de laver les cheveux au-dessus d'un lavabo.

LAVETTE n.f. -1. Carré de tissu-éponge servant à laver la vaisselle, à essuyer une table, etc. -2. BELGIQUE, SUISSE. Carré de tissu-éponge pour se laver.

LAVEUR, EUSE n. Personne qui lave : *Un laveur de carreaux.* ◆ **laveur** n.m. Appareil pour nettoyer certains produits industriels.

LAVE-VAISSELLE n.m. inv. Appareil qui lave et sèche automatiquement la vaisselle.

LAVIGERIE (Charles), évêque français (Bayonne 1825 - Alger 1892). Évêque de Nancy (1863), archevêque d'Alger (1867), il fonde la congrégation des Pères blancs (1868) et celle des Sœurs missionnaires d'Afrique (1869). Créé cardinal en 1882, il obtient, après la conquête de la Tunisie, que le nouvel archidiocèse de Carthage (1884) soit uni sous sa responsabilité à celui d'Alger. Véritable chef de l'Église d'Afrique, il s'emploie à lutter contre l'esclavage et acquiert un tel prestige que le pape Léon XIII lui demande son appui en faveur du ralliement des catholiques français à la République.

LAVIS [lavi] n.m. -1. Procédé qui tient du dessin et de la peinture, consistant dans l'emploi de l'encre de Chine ou d'une couleur quelconque unique, étendue d'eau et passée au pinceau. -2. Œuvre exécutée par ce procédé.

LAVISSE (Ernest), historien français (Le Nouvion-en-Thiérache 1842 - Paris 1922). Professeur en Sorbonne (1888), directeur de l'École normale supérieure (1904-1919), il dirigea une vaste *Histoire de France* (10 t., 1900-1912).

LAVOIR n.m. -1. ANC. Lieu public où on lavait le linge. -2. Atelier de lavage pour le charbon.

LAVOISIER (Antoine Laurent de), chimiste français (Paris 1743 - *id.* 1794).
→ ● DOSSIER ANTOINE LAURENT DE LAVOISIER *page 3139.*

LAVRA n.f. → LAURE.

LAVROV (Petr Lavrovitch), théoricien socialiste russe (Melekhovo 1823 - Paris 1900). L'un des principaux représentants du populisme, il participa à la Commune de Paris puis s'établit à Zurich.

LAW (John), financier écossais (Édimbourg 1671 - Venise 1729). Il expose dans *les Considérations sur le numéraire et le commerce* (1705) son système financier, comprenant une banque d'État qui émettrait une quantité de billets proportionnelle aux besoins des activités économiques et qui serait associée à une compagnie de commerce par actions monopolisant le commerce extérieur. Le Régent l'ayant autorisé à appliquer son système en France, il fonde la Banque générale (mai 1716), érigée en Banque royale (déc. 1718), qu'il réunit à la Compagnie d'Occident (créée en sept. 1717), devenue la Compagnie des Indes (mai 1719). Law remporte un énorme succès. Mais les manœuvres des financiers provoquent l'effondrement de son système (oct. 1720).

LAWRENCE (David Herbert), écrivain britannique (Eastwood 1885 - Vence, France, 1930). Il exalte, dans ses romans, les élans de la nature et l'épanouissement de toutes les facultés humaines, à commencer par la sexualité (*Amants et fils,* 1913 ; *l'Amant de lady Chatterley,* 1928).

LAWRENCE (Ernest Orlando), physicien américain (Canton, Dakota du Sud, 1901 - Palo Alto, Californie, 1958). Ses travaux ont porté sur l'effet photoélectrique dans les vapeurs et l'émission thermoélectrique. Il mit au point un procédé de séparation de l'uranium 235. Il est surtout connu pour son invention, en 1930, du cyclotron. (Prix Nobel 1939.)

LAWRENCE (*sir* Thomas), peintre britannique (Bristol 1769 - Londres 1830). Affirmé très tôt, son brio de portraitiste, d'une intensité parfois romantique, lui valut un immense succès (peintre du roi dès 1792).

LAWRENCE (Thomas Edward), dit **Lawrence d'Arabie**, orientaliste et agent politique britannique (Tremadoc, pays de Galles, 1888 - Clouds Hill, Dorset, 1935). Archéologue passionné par les pays du Proche-Orient, il conçut le projet d'un empire arabe sous influence britannique. Il encouragea la révolte des Arabes contre les Turcs (1917-18) et, ayant adopté le mode de vie des Bédouins, participa

Thomas Edward **LAWRENCE,** dit Laurence d'Arabie, orientaliste et agent politique britannique.

à la conquête de la Palestine par les Britanniques. Il démissionna en 1922 et s'engagea dans la Royal Air Force comme simple soldat. Il est l'auteur des *Sept Piliers de la sagesse* (1926).

LAWRENCIUM [lorāsjɔm] n.m. Élément chimique transuranien (Lr), de numéro atomique 103.

LAXATIF, IVE adj. et n.m. Se dit d'une substance qui a une action purgative légère.

LAXISME n.m. -1. Indulgence, tolérance excessive. -2. En théologie, système selon lequel on peut suivre une opinion dès lors qu'elle est un tant soit peu probable.

LAXISTE adj. et n. -1. Qui manifeste du laxisme : *Politique laxiste.* -2. Partisan du laxisme théologique.

LAXNESS (Halldór Kiljan Guðjónsson, dit), écrivain islandais (Reykjavík 1902). Sa carrière littéraire se place sous le signe de la révolte : contre la religion luthérienne d'État, il se convertit un moment au catholicisme ; contre l'esprit bourgeois, il sympathise avec le communisme et prend pour thème de ses romans la lutte sociale (*Salka Valka,* 1931-32), jusqu'aux règlements de comptes après un voyage en U. R. S. S. Il publie par la suite des romans cycliques (*la Cloche d'Islande,* 1943-1946), célébrant l'âme de son pays. (Prix Nobel 1955.)

LAYE ou **LAIE** n.f. Hache à un ou deux tranchants finement dentelés pour dresser la pierre tendre.

LAYE (Camara), écrivain guinéen (Kouroussa 1928 - Dakar 1980). Il fait revivre dans ses romans les croyances et les coutumes traditionnelles (*l'Enfant noir,* 1953).

1. **LAYER** [lɛje] v.t. [11]. Tracer une laie dans une forêt.

2. **LAYER** [lɛje] v.t. [11]. Dresser avec la laye le parement d'une pierre.

LAYETIER n.m. Artisan qui fabrique et vend des layettes, des caisses, des coffres.

LAYETTE [lɛjɛt] n.f. -1. Ce qui sert à habiller un nouveau-né, un bébé. -2. Meuble à tiroirs plats et compartimentés servant à ranger l'outillage et les fournitures en horlogerie et petite mécanique.

LAYON [lɛjɔ̃] n.m. Petit sentier forestier.

LAZARE *(saint),* personnage de l'Évangile de Jean, ami de Jésus, frère de Marthe et de Marie de Béthanie. L'évangéliste rapporte sa résurrection par le Christ à la veille de sa Passion, comme si celui-ci avait voulu à ce moment même manifester qu'il était le maître de la vie.

LAZAREFF (Pierre), journaliste français (Paris 1907 - Neuilly 1972). Chef des Services français du *War Information Office* aux États-Unis pendant la Seconde Guerre mondiale, il rentra en France en septembre 1944 et prit la direction de *France-Soir.*

LAZARET [lazarɛ] n.m. -1. Établissement où l'on isole et où l'on contrôle les arrivants d'un pays infecté par une maladie contagieuse. -2. ANC. Léproserie.

LAZARISTE n.m. (du prieuré *Saint-Lazare*). Membre de la Société des prêtres de la Mission, fondée en 1625 par saint Vincent de Paul.

LAZARSFELD (Paul Felix), sociologue américain d'origine autrichienne (Vienne 1901 - New York 1976). Son apport méthodologique est considérable : analyse statistique, analyse contextuelle, panel, covariance, analyse factorielle, etc., autant de méthodes grâce auxquelles il a essayé de donner aux sciences sociales un caractère scientifique (*Philosophie des sciences sociales,* 1970).

LAZULITE n.f. Phosphate naturel d'aluminium et de magnésium hydraté, de couleur bleue.

LAZURITE n.f. Feldspathoïde d'une variété bleue, constituant principal du lapis-lazuli.

LAZZI [ladzi] ou [lazi] n.m. (pl. lazzis ou inv.). Plaisanterie moqueuse.

L-DOPA n.f. Précurseur de la dopamine, utilisé dans le traitement de la maladie de Parkinson.

LE, LA, LES art. déf. Déterminant défini d'un groupe nominal, dont il indique le genre et le nombre. ◆ pron. pers. Se place avant le verbe, en fonction d'objet direct ou d'attribut.

LÉ n.m. -1. Largeur d'une étoffe entre ses deux lisières. SYN. : laize. -2. Largeur d'une bande de papier peint. -3. Panneau d'étoffe incrusté dans une jupe pour lui donner plus d'ampleur.

LÉA ou **LIA,** première épouse de Jacob.

LEACH (Edmund Ronald), anthropologue britannique (Sidmouth, Devon, 1910 - Cambridge 1989). Il se situe dans le sillage du fonctionnalisme (*les Systèmes politiques des hautes terres de Birmanie,* 1954) puis du structuralisme (*Critique de l'anthropologie,* 1961).

LEADER [lidœr] n.m. (mot angl., *guide*). -1. Personne qui est à la tête d'un parti politique, d'un mouvement, d'un groupe ; chef. -2. Concurrent, équipe qui est en tête d'une compétition sportive. -3. Entreprise, groupe, produit qui occupe la première place dans un domaine. -4. Avion guide d'un dispositif aérien ; son chef de bord.

ANTOINE LAURENT DE LAVOISIER

L'un des plus célèbres chimistes de tous les temps mourut victime de la condamnation expéditive du Tribunal révolutionnaire. Homme de sciences (minéralogie, biologie, agronomie, météorologie), homme politique, administrateur, économiste, il avait auparavant produit une œuvre fondamentale pour le progrès des sciences physiques.

Une vie au service des Lumières.

Jeunesse et formation. Fils d'un procureur au Parlement récemment anobli, Lavoisier naît à Paris en 1743. Il fait ses études au collège Mazarin, fréquente la faculté de droit et, en 1764, se fait inscrire au barreau de Paris. Cependant, il s'intéresse à la chimie, suit des cours de mathématiques, d'astronomie et de botanique. De plus en plus attiré par la science, il accompagne le naturaliste Jean Guettard (1715-1786), chargé de dresser l'atlas minéralogique de la France, et il donne bientôt un *Mémoire sur les couches des montagnes*. Il remporte, à 23 ans, avec un projet d'éclairage urbain, une médaille d'or de l'Académie des sciences, dont il sera élu membre en 1768.

Le fermier général. À partir de 1778, et pendant 23 ans, Lavoisier occupe à la Ferme générale des postes de responsabilité croissante. En 1776, Turgot l'a nommé régisseur des poudres et salpêtres. Cette dernière fonction l'oblige à résider à l'Arsenal, où se trouve aussi son laboratoire. Partageant l'enthousiasme que suscite la Révolution, il devient député suppléant aux États généraux de 1789. En 1790, il est membre de la commission pour l'établissement du nouveau système de poids et mesures. En 1791, il est nommé secrétaire de la Trésorerie nationale et propose un plan pour la perception des impôts.

La condamnation. Après avoir supprimé l'Académie, la Convention décrète, en novembre 1793, l'arrestation de tous les fermiers généraux, et Lavoisier vient lui-même se constituer prisonnier. En dépit des interventions en sa faveur, il est envoyé, le 8 mai 1794, devant le Tribunal révolutionnaire. Il est condamné et guillotiné le jour même.

Une œuvre multiple.

Le chimiste. En définissant la matière par sa propriété d'être pesante, en introduisant l'usage systématique de la balance, en énonçant les lois de conservation de la masse et des éléments, Lavoisier fonde la chimie en tant que science. Il commence par

ANTOINE LAURENT DE LAVOISIER

élucider le mécanisme de l'oxydation des métaux au contact de l'air ; contrairement à l'affirmation des partisans du phlogistique (fluide supposé contenu dans les corps et censé expliquer la combustion), il montre que c'est le métal, et non la « chaux », qui est un corps simple. Ainsi, en 1777, il calcine du mercure dans un vase clos contenant de l'air et constate la constance de la masse globale. Cette expérience est la plus célèbre de toute l'histoire de la chimie. Elle lui permet de faire l'analyse de l'air, d'identifier l'oxygène et l'azote, puis de reconstituer l'air ordinaire en effectuant leur mélange. Il montre aussi, comme Cavendish, que l'eau est obtenue par combustion de l'hydrogène, en déduit qu'elle n'est pas un élément et établit en 1781 la composition du gaz carbonique en faisant brûler du diamant.

Lavoisier participe, avec Guyton de Morveau, Fourcroy et Berthollet, à la création d'une nomenclature chimique rationnelle, fondée sur le concept d'élément chimique (1787), et utilise cette nomenclature dans son *Traité élémentaire de chimie*, paru en 1789. Il s'intéresse également à la chimie appliquée à la biologie. Il montre, le premier, que la chaleur animale résulte de combustions organiques portant sur le carbone et sur l'hydrogène, ce qui constitue un début d'explication des processus métaboliques.

Le physicien. Lavoisier est, avec Laplace, l'auteur d'une étude de

MADAME LAVOISIER

L'épouse de Lavoisier fut souvent associée à ses travaux. Elle avait appris l'anglais pour traduire à son mari les mémoires de Priestley et de Cavendish. Après sa mort, elle s'attacha à défendre sa mémoire en mettant à jour les manuscrits inachevés.

❶ *Antoine de Lavoisier et sa femme* par L. David. (Metropolitan Museum of Art, New York.)

ANTOINE LAURENT DE LAVOISIER

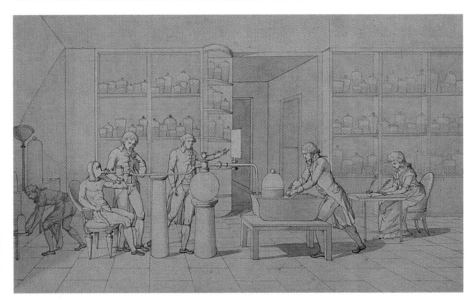

la dilatation des solides ainsi que des premières mesures calorimétriques ; utilisant un calorimètre à fusion de la glace, il donne en 1780, dans son *Mémoire sur la chaleur,* diverses valeurs de chaleurs massiques ou de chaleurs de réactions chimiques.

❷ Lavoisier dicte à sa femme ses observations au cours d'une expérience sur la respiration.

S'intéressant à la prévision rationnelle du temps, il a, dès 1780, un rôle déterminant dans le groupe de savants français qui entreprend d'établir en Europe un réseau international de stations météorologiques dotées d'instruments bien comparables entre eux.

L'administrateur. En tant que fermier général, Lavoisier fait construire par Ledoux autour de Paris un mur – la barrière des fermiers généraux – comportant 45 pavillons d'octroi. Son but étant de mieux contrôler les droits d'entrée de la capitale et d'empêcher la fraude sur les alcools, elle soulèvera l'hostilité générale et contribuera à l'impopularité du savant. À la direction de la Régie des poudres et salpêtres, Lavoisier fait étudier l'amélioration de la qualité des poudres noires puis réussit à quintupler la production du salpêtre en France par le développement des nitrières artificielles. Précurseur de la mécanisation, il suggère l'emploi du vent pour actionner les moulins à poudre, jusqu'alors mus à la main. Ses rapports d'inspection aux Manufactures royales de tabac sont remplis de judicieuses propositions techniques pour le perfectionnement de la préparation des tabacs à priser et à mâcher.

Voir aussi : CHIMIE, GÉOLOGIE, PHYSIQUE.

LEADERSHIP [lidœrʃip] n.m. Fonction de leader ; position dominante.

LEAHY (William Daniel), amiral américain (Hampton, Iowa, 1875 - Bethesda, Maryland, 1959). Ambassadeur à Vichy (1940-1942), il fut chef d'état-major particulier de Roosevelt (1942-1945) et de Truman jusqu'en 1949.

LEAKEY (Louis Seymour Bazett), paléontologue britannique (Kabete, Kenya, 1903 - Londres 1972). Ses campagnes de fouilles au Kenya et en Tanzanie ont renouvelé les connaissances sur l'origine de l'homme.

LEAMINGTON ou **ROYAL LEAMINGTON SPA**, v. de Grande-Bretagne (Warwickshire), sur la Leam ; 43 000 hab. Station thermale.

LEAN (David), cinéaste britannique (Croydon 1908 - Londres 1991). Auteur notamment de *Brève Rencontre* (1945), il a trouvé une consécration internationale avec des productions prestigieuses et spectaculaires : *le Pont de la rivière Kwaï* (1957), *Lawrence d'Arabie* (1962), *Docteur Jivago* (1965), *la Route des Indes* (1984).

LÉANDRE (Charles), peintre et caricaturiste français (Champsecret, Orne, 1862 - Paris 1934). Il est célèbre pour ses portraits-charge féroces parus notamment dans *le Rire* et *le Figaro.*

LEANG KʼAI → LIANG KAI.

LEASING [liziŋ] n.m. (Anglic. déconseillé). Crédit-bail.

LÉAUTAUD (Paul), écrivain français (Paris 1872 - Robinson 1956). Il est l'auteur d'un *Journal littéraire* (19 vol., 1954-1966) d'une grande liberté de ton.

LEAVITT (Henrietta), astronome américaine (Lancaster, Massachusetts, 1868 - Cambridge, Massachusetts, 1921). La relation qu'elle découvrit, en 1912, entre la luminosité des céphéides et leur période de variation d'éclat est à la base d'une méthode d'évaluation des distances des amas stellaires et des galaxies.

LE BAS (Philippe), homme politique français (Frévent, Pas-de-Calais, 1764 - Paris 1794). Député à la Convention, membre du Comité de sûreté générale, ami de Robespierre, il fut envoyé en mission avec Saint-Just aux armées du Rhin (1793-94). Arrêté le 9-Thermidor, il se suicida.

LEBEAU (Joseph), homme politique belge (Huy 1794 - *id.* 1865). Un des promoteurs de la révolution de 1830, il fut président du Conseil en 1840-41.

LEBEL n.m. Fusil de calibre 8 mm, réalisé en 1886, plusieurs fois perfectionné et employé dans l'armée française jusqu'en 1940.

LE BEL (Achille), chimiste français (Pechelbronn 1847 - Paris 1930). Créateur, avec Van't Hoff, de la stéréochimie, il est l'auteur de la théorie du carbone tétraédrique.

LEBESGUE (Henri Léon), mathématicien français (Beauvais 1875 - Paris 1941). Il a fondé une théorie de l'intégration qui généralise celle de Riemann. Outil puissant de l'analyse moderne, l'*intégrale de Lebesgue* a permis d'élargir les hypothèses d'intégrabilité dans la théorie des séries de Fourier et le calcul d'une intégrale multiple.

LEBLANC (Maurice), écrivain français (Rouen 1864 - Perpignan 1941). Il créa, dans ses romans policiers, le type du gentleman cambrioleur, Arsène Lupin.

LE BON (Gustave), médecin et sociologue français (Nogent-le-Rotrou 1841 - Paris 1931). Il s'est intéressé aux comportements collectifs. Les analyses de G. Le Bon ont connu un grand succès chez certains leaders politiques (*la Psychologie des foules,* 1895).

LEBON (Philippe), ingénieur français (Brachay, Champagne, 1767 - Paris 1804). Le premier, il utilisa le gaz provenant de la distillation du bois pour l'éclairage et le chauffage (1799).

LEBRET (Louis-Joseph), religieux et économiste français (Le Minihic-sur-Rance 1897 - Paris 1966). Il fonda, à Lyon, en 1942, la revue *Économie et humanisme* et se spécialisa dans les problèmes du développement.

LE BRIX (Joseph), officier de marine et aviateur français (Baden, Morbihan, 1899 - Oufa, Bachkirie, 1931). Il réussit, avec Costes, le tour du monde aérien par Rio de Janeiro, San Francisco et Tokyo (1927-28) et conquit huit records mondiaux en 1931 avant de périr en tentant de relier Paris à Tokyo sans escale.

LEBRUN (Albert), homme d'État français (Mercy-le-Haut, Meurthe-et-Moselle, 1871 - Paris 1950). Plusieurs fois ministre (1911-1920), président du Sénat (1931), il fut élu président de la République en 1932. Réélu en 1939, il se retira en juillet 1940.

LE BRUN (Charles), peintre et décorateur français (Paris 1619 - *id.* 1690). À Rome de 1642 à 1645, il est marqué par les antiques, par Raphaël, les Carrache, Poussin. Au service de Louis XIV et de Colbert à partir de 1661,

Charles **LE BRUN** : *Passage du Rhin en présence des ennemis.*
Détail du décor de la voûte de la galerie des Glaces à Versailles (commandé par Louis XIV en 1678).

doué d'une grande puissance de travail et sachant animer des équipes nombreuses, il va exercer une véritable dictature sur les arts (premier peintre du roi, chancelier à vie de l'Académie, directeur des Gobelins). C'est lui qui élabore le cadre de grandeur où l'on reconnaît l'expression du siècle de Louis XIV. Il professe l'esthétique de la « belle nature », c'est-à-dire de la réalité corrigée selon les normes antiques, et la primauté du dessin sur la couleur. Il a décoré la voûte de l'hôtel Lambert à Paris (v. 1655), une partie des appartements du château de Vaux-le-Vicomte, la voûte de la galerie d'Apollon au Louvre et celle de la galerie des Glaces à Versailles (1678-1684), etc. Parmi ses tableaux, citons, au Louvre, *le Sommeil de l'Enfant Jésus, le Chancelier Séguier avec sa suite,* les immenses toiles de l'*Histoire d'Alexandre.*

LEBRUN (Charles François), *duc* de Plaisance, homme politique français (Saint-Sauveur-Lendelin, Manche, 1739 - Sainte-Mesme, Yvelines, 1824). Il fut troisième consul après le 18-Brumaire. Grand dignitaire de l'Empire, il créa la Cour des comptes (1807).

LÉCANORE n.f. Lichen crustacé, commun sur les pierres et les écorces.

LE CARRÉ (David John Moore **Cornwell**, dit **John**), écrivain britannique (Poole, Dorset, 1931). Maître du roman d'espionnage, il s'impose comme analyste de la guerre froide (*l'Espion qui venait du froid,* 1963 ; *la Taupe,* 1974 ; *Un pur espion,* 1986 ; *la Maison Russie,* 1989 ; *le Voyageur secret,* 1990) et de l'après-guerre froide (*le Directeur de nuit,* 1994 ; *le Tailleur de Panama,* 1996).

LECCE, v. d'Italie (Pouille), ch.-l. de prov. ; 100 233 hab. — Ruines romaines. Forteresse du XVIe siècle. Ensemble d'édifices d'époque baroque (années 1640-1730) au décor exubérant. Musée provincial.

LÉCHAGE n.m. Action de lécher.

LE CHAPELIER (Isaac René Guy), homme politique français (Rennes 1754 - Paris 1794). Député du tiers état, il présenta la loi portant son nom (14 juin 1791) qui interdit toute coalition et toute association entre gens de même métier.

LE CHATELIER (Henry), chimiste et métallurgiste français (Paris 1850 - Miribel-les-Échelles, Isère, 1936). Il fit les premières études scientifiques de la structure des métaux et alliages, créa l'analyse thermique et la métallographie microscopique. Il énonça la loi générale de déplacement des équilibres physico-chimiques. Enfin, il s'intéressa à l'organisation scientifique des entreprises.

LÈCHEFRITE n.f. Ustensile de cuisine placé sous la broche ou le gril pour recevoir le jus et la graisse d'une pièce de viande mise à rôtir.

LÉCHER v.t. [18]. -**1.** Enlever qqch avec la langue ; passer la langue sur qqch. -**2.** Effleurer légèrement qqn ou qqch, en parlant de l'eau, du feu.

LÉCHEUR adj.m. Se dit d'un insecte possédant des pièces buccales qui lui permettent de lécher le nectar.

LÉCITHINE n.f. (du gr. *lekithos,* jaune d'œuf). Lipide phosphoré, abondant dans le jaune d'œuf, le système nerveux.

LECLAIR (Jean-Marie), violoniste et compositeur français (Lyon 1697 - Paris 1764). Il domine l'école française de violon au XVIIᵉ siècle (sonates, concertos).

LECLANCHÉ (Georges), ingénieur français (Paris 1839 - *id.* 1882). Il inventa, en 1868, la pile électrique qui porte son nom, utilisant comme électrolyte le chlorure d'ammonium et comme dépolarisant le bioxyde de manganèse.

LECLERC (Charles), général français (Pontoise 1772 - Cap-Français, Saint-Domingue, 1802). Compagnon de Bonaparte, mari de sa sœur Pauline (1797), il commanda l'expédition de Saint-Domingue, où il obtint la soumission de Toussaint Louverture.

LECLERC (Félix), auteur-compositeur et interprète canadien (La Tuque 1914 - Saint-Pierre, île d'Orléans, Québec, 1988). Il a été l'un des pionniers de la chanson canadienne francophone. Il a publié quelques ouvrages littéraires (*Théâtre de village,* 1951).

Philippe de Hauteclocque, dit **LECLERC,** maréchal de France.

LECLERC (Philippe de Hauteclocque, dit), maréchal de France (Belloy-Saint-Léonard 1902 - près de Colomb-Béchar 1947). Il se distingua au Gabon, en Tripolitaine et en Tunisie (1940-1943). Débarqué en Normandie (1944), il libéra Paris puis Strasbourg à la tête de la 2ᵉ division blindée, qu'il conduisit jusqu'à Berchtesgaden. Commandant les troupes d'Indochine (1945), il signa pour la France la capitulation du Japon. Inspecteur des troupes d'Afrique du Nord, il périt dans un accident d'avion.

Leclerc AMX, char de combat français de 50 tonnes armé d'un canon de 120 mm avec conduite de tir automatique, monté par un équipage de 3 hommes. Il est mis en service dans l'armée de terre à partir de 1992.

LE CLÉZIO (Jean-Marie Gustave), écrivain français (Nice 1940). Son œuvre narrative et critique campe, au rythme d'une prose poétique qui donne à la réalité quotidienne une coloration fantastique, des personnages en quête d'un impossible prise de conscience de leur destin dans un univers indécis et destructeur (*le Procès-verbal,* 1963 ; *la Fièvre,* 1965 ; *l'Extase matérielle,* 1967). Une réconciliation avec le monde s'opère dans *Terra amata* (1967), *Voyages de l'autre côté* (1975) et se poursuit dans *le Chercheur d'or* (1985), *Onitsha* (1991) et *la Quarantaine* (1995). Il consacre au Mexique un essai (*le Rêve mexicain ou la pensée interrompue,* 1988) et une biographie (*Diego et Frida,* 1993).

Jean-Marie Gustave **LE CLÉZIO,** écrivain français.

LÉCLUSE (Charles de), botaniste français (Arras 1526 - Leyde 1609). Il introduisit en Europe la pomme de terre, qui eut peu de succès en France mais fut largement cultivée dans divers pays.

LECOCQ (Charles), compositeur français (Paris 1832 - *id.* 1918), habile auteur d'opérettes (*la Fille de Mᵐᵉ Angot,* 1872 ; *le Petit Duc,* 1878).

LEÇON n.f. -**1.** Enseignement donné en une séance par un professeur, un maître, à une classe, à un auditoire, à un élève. -**2.** Ce que le

maître donne à apprendre : *Réciter sa leçon.*
-3. Avertissement, réprimande : *Donner une bonne leçon.* **-4.** Enseignement tiré d'une faute ou d'un événement.

LECONTE DE LISLE (Charles Marie), poète français (Saint-Paul, la Réunion, 1818 - Louveciennes 1894). Adepte d'une poésie impersonnelle qui retrouve les grands mythes successifs de l'humanité et entend l'art comme une illustration de la vérité scientifique (*Poèmes antiques,* 1852 ; *Poèmes barbares,* 1862), il groupa autour de lui les écrivains qui constituèrent l'école parnassienne. (Acad. fr. 1886.)

LE CORBUSIER (Charles Édouard Jeanneret, dit), architecte, urbaniste, théoricien et peintre français d'origine suisse (La Chaux-de-Fonds 1887 - Roquebrune-Cap-Martin 1965). Formé par sa fréquentation, notamment, des ateliers d'A. Perret et de Behrens, il eut le souci de renouveler l'architecture en fonction de la vie sociale et d'utiliser des volumes simples, articulés selon des plans d'une grande liberté, qui tendent à l'interpénétration des espaces. Il a exprimé ses conceptions, très discutées, dans des revues comme *l'Esprit nouveau* (1920-1925) et dans une vingtaine d'ouvrages qui ont exercé leur influence dans le monde entier (*Vers une architecture,* 1923 ; *la Ville radieuse,*

1935 ; *la Charte d'Athènes,* 1942 ; *le Modulor,* 1950). Il est passé de l'angle droit (villa Savoye à Poissy, 1929 ; « unité d'habitation » de Marseille, 1947) à une expression plus lyrique (chapelle de Ronchamp [Haute-Saône] ou Capitole de Chandigarh [Pendjab], à partir de 1950).

LECOURBE (Claude, *comte*), général français (Besançon 1758 - Belfort 1815). Il se distingua en Allemagne (1796) puis en Suisse contre Souvorov (1799).

LECOUVREUR (Adrienne), actrice française (Damery, près d'Épernay, 1692 - Paris 1730). Elle fut parmi les premières tragédiennes à s'exprimer, sans déclamer, dans un jeu tout en nuances.

LECTEUR, TRICE n. **-1.** Personne qui lit un livre, un journal, etc. **-2.** Personne qui lit à haute voix, devant un auditoire. **-3.** Collaborateur qui lit les manuscrits envoyés à un éditeur. **-4.** Professeur étranger chargé d'exercices pratiques sur la langue du pays dont il est originaire. **-5.** ANC. Clerc qui avait reçu le deuxième des ordres mineurs. ◆ **lecteur** n.m. **-1.** Appareil qui permet de reproduire des sons enregistrés, des informations codées et enregistrées dans une mémoire électronique : *Lecteur de cassettes.* **-2.** Machine ou dispositif permettant l'intro-

Détail intérieur de la villa Savoye à Poissy (Yvelines), construite par **LE CORBUSIER** de 1929 à 1931.

duction des données dans un ordinateur à partir d'une disquette, d'une bande magnétique, d'un ruban de papier perforé, d'une carte perforée, etc. -3. *Lecteur laser,* dispositif de lecture d'informations enregistrées (sons, images, données) comportant un laser.

LECTORAT n.m. -1. Ensemble des lecteurs d'un quotidien, d'une revue, etc. -2. Fonction de lecteur dans l'enseignement.

LECTURE n.f. -1. Action de lire, de déchiffrer. -2. Fait de savoir lire : *Apprendre la lecture.* -3. Action de lire à haute voix, devant un auditoire. -4. Analyse, interprétation d'un texte, d'une partition, etc. -5. Ce qu'on lit. -6. Restitution, par un lecteur, de signaux enregistrés sous forme acoustique ou électromagnétique. -7. Discussion et vote d'un texte par une assemblée législative ; délibération sur un projet de loi. -8. *Lecture en mémoire,* sortie d'informations enregistrées dans une mémoire électronique. ‖ *Lecture optique,* utilisant un procédé optoélectronique automatique. SYN. : photolecture. ‖ *Tête de lecture,* lecteur ou organe du lecteur qui procède à la lecture.

ENCYCL. L'apprentissage de la lecture passe par plusieurs étapes (liées aux stades de son développement) et utilise à chacune d'elles diverses stratégies pour gérer les données fournies par son environnement. Le premier moment est celui de la *devinette* linguistique : l'enfant reconnaît des mots et demande les mots qu'il ne connaît pas. Quand il se rend compte que cette stratégie produit trop d'erreurs, il passe au stade suivant, celui d'un *réseau de discrimination.* Cela lui est facilité par l'accroissement du vocabulaire visuel. L'enfant devient capable de prêter attention aux sons constitutifs des mots et à leur signification. Il peut alors être initié au principe alphabétique et à la connaissance des invariants graphèmes/phonèmes. Le stade suivant est le *décodage séquentiel,* où les mots connus de vue commencent à être phonétiquement décodés. Cette stratégie s'applique aux mots réguliers non encore rencontrés mais néanmoins connus de l'enfant. Mais il ne sait pas appliquer les règles qui font dépendre le son de la lettre des lettres qui l'entourent (environnement graphémique). Il lit les mots de façon telle qu'il ne les reconnaîtra pas.

Le stade suivant est celui du *décodage hiérarchique :* l'enfant peut mettre en place une nouvelle stratégie, l'utilisation des règles conditionnelles son/environnement graphémique et des règles complexes de l'ortho-

graphe. Mais la découverte de cette stratégie et l'application de ces règles sont soumises à de telles contraintes cognitives qu'il faut attendre l'âge de 8-9 ans pour que l'enfant puisse complètement les mettre en œuvre. Il est probable que les stratégies de lecture changent encore par la suite, notamment avec l'accroissement du stock lexical.

LÉCYTHE n.m. Petit vase à corps cylindrique, à goulot étroit, à anse et à pied, destiné au parfum et devenu, à partir du Ve s. av. J.-C., une offrande funéraire courante en Attique.

LÉDA, personnage de la mythologie grecque, femme de Tyndare, roi de Sparte. Elle fut aimée de Zeus, qui se métamorphosa en cygne pour la séduire. Leur union produisit deux œufs d'où sortirent deux couples de jumeaux, Castor et Pollux, Hélène et Clytemnestre.

LE DAIN ou **LE DAIM** (Olivier), barbier et confident de Louis XI (Tielt ? - Paris 1484). Il fut envoyé en mission à plusieurs reprises, notamment à Gand (1477). Ses exactions lui valurent le gibet sous Charles VIII.

LEDIT adj. → 1. DIT.

LEDOUX (Claude Nicolas), architecte français (Dormans, Marne, 1736 - Paris 1806). Son œuvre, publiée en gravures mais dont il reste peu d'exemples construits (château de Bénouville, près de Caen, 1768 ; quelques pavillons des barrières de Paris, 1783 et suiv.), est dominée par les salines royales d'Arc-et-Senans, dans le Doubs (1775-1779, inachevées), et les plans de la ville qui devait les entourer. Son langage associe répertoire antique, symbolisme des formes géométriques simples et sensibilité préromantique.

LEDRU-ROLLIN (Alexandre Auguste Ledru, dit), homme politique français (Paris 1807 - Fontenay-aux-Roses 1874). Député à partir de 1841, il lança *la Réforme* (1843), organe du radicalisme. Ministre de l'Intérieur après la révolution de février 1848, il dut céder ses pouvoirs à Cavaignac au lendemain des journées de juin. Il tenta d'organiser une manifestation contre l'envoi d'un corps expéditionnaire français à Rome (juin 1849) et dut s'exiler jusqu'en 1870.

LÊ DUAN, homme politique vietnamien (Hâu Kiên 1907 - Hanoi 1986). Secrétaire général du Lao Dông (parti communiste nord-vietnamien), il succéda à Hô Chi Minh (1960-1986).

LEDUC (René), ingénieur et constructeur d'avions français (Saint-Germain-lès-Corbeil 1898 - Istres 1968). Il retrouva, entre 1930 et

1937, le principe du statoréacteur (découvert en 1907 par R. Lorin), qu'il appliqua à partir de 1947 à plusieurs prototypes.

LÊ DUC THO, homme politique vietnamien (prov. de Nam Ha 1911 - Hanoi 1990). L'un des fondateurs du Parti communiste indochinois (1930) et du Viêtminh (1941), il négocia avec les États-Unis le retrait de leurs troupes (1973). Il refusa le prix Nobel de la paix, qui lui avait été attribué en 1973.

LEE (Robert Edward), général américain (Stratford, Virginie, 1807 - Lexington, Virginie, 1870). Chef des armées sudistes pendant la guerre de Sécession, vainqueur à Richmond (1862), battu à Gettysburg, il dut capituler à Appomattox en 1865.

LEEDS, v. de Grande-Bretagne (comté métropolitain du West Yorkshire), au pied oriental de la chaîne pennine ; 709 000 hab. Leeds demeure, avec sa voisine Bradford, une capitale de l'industrie lainière et de la confection ainsi qu'un grand centre de services pour le comté. Université. – Église St John (XVIIe s.). Musées.

LEEUWARDEN, v. des Pays-Bas, ch.-l. de la Frise ; 85 693 hab. – Monuments des XVIe-XVIIIe siècles. Musée de la Frise et Musée municipal.

LEEUWENHOEK (Antonie Van) → VAN LEEUWENHOEK.

LEEWARD ISLANDS → SOUS-LE-VENT (îles).

LEFEBVRE (François Joseph), *duc* de Dantzig, maréchal de France (Rouffach 1755 - Paris 1820). Il se distingua à Fleurus (1794), fit capituler Dantzig (1807) et commanda l'infanterie de la Vieille Garde (1812-1814). Sa femme, **Catherine Hubscher,** ancienne blanchisseuse, fut popularisée par V. Sardou sous le nom de *Madame Sans-Gêne.*

LEFEBVRE (Georges), historien français (Lille 1874 - Boulogne-Billancourt 1959). Il étudia la Révolution française en analysant les structures sociales et les faits économiques qui marquèrent la France rurale (*les Paysans du Nord pendant la Révolution,* 1924).

LEFEBVRE (Henri), philosophe français (Hagetmau 1901 - Pau 1991). Résistant, communiste (de 1928 jusqu'à son exclusion, en 1958), il a approfondi les grandes questions du monde contemporain à la lumière du marxisme (*Critique de la vie quotidienne,* 1947-1962).

LEFEBVRE (Marcel), prélat français (Tourcoing 1905 - Martigny 1991). Archevêque de

Dakar en 1948, fondateur du séminaire d'Écône, en Suisse (1971), il prit la tête du courant intégriste opposé aux réformes de l'Église. Suspendu *a divinis* par Paul VI, il fut excommunié en 1988 après avoir consacré quatre évêques.

LEFÈVRE (Théo), homme politique belge (Gand 1914 - Woluwe-Saint-Lambert 1973). Président du parti social-chrétien (1950-1961), il fut Premier ministre de 1961 à 1965.

LEFÈVRE D'ÉTAPLES (Jacques), humaniste et théologien français (Étaples, Pas-de-Calais, v. 1450 - Nérac, Lot-et-Garonne, 1536). Membre influent du « cénacle de Meaux », il appliqua son savoir philologique et linguistique à l'étude de la Bible et des œuvres patristiques. Soupçonné de favoriser par son retour à l'Écriture la diffusion des idées luthériennes, le groupe de Meaux se dispersa en 1525. Lefèvre devint précepteur des enfants de François Ier à Blois (1526) puis se retira à Nérac auprès de Marguerite de Navarre.

LEFUEL (Hector Martin), architecte français (Versailles 1810 - Paris 1880). Prix de Rome en 1839, il fut de 1853 à la fin de sa vie l'architecte du nouveau Louvre, où, reprenant les plans de Louis Tullius Joachim Visconti (1791-1853), il s'attacha à réaliser une synthèse néo-Renaissance du style de ses prédécesseurs des XVIe et XVIIe siècles.

LÉGAL, E, AUX adj. Conforme à la loi, défini par la loi. ◆ **légalement** adv.

LÉGALISATION n.f. Action de légaliser.

LÉGALISER v.t. -1. Rendre légal. -2. Certifier l'authenticité des signatures apposées sur un acte, en parlant d'un officier public.

LÉGALISME n.m. Souci de respecter minutieusement la loi.

LÉGALISTE adj. et n. Relatif au légalisme ; qui fait preuve de légalisme.

LÉGALITÉ n.f. -1. Caractère de ce qui est légal. -2. Situation conforme à la loi.

LÉGAT n.m. -1. Représentant officiel du pape. -2. À Rome, personnage qui était chargé d'une mission diplomatique (ambassadeur), administrative (adjoint au gouverneur de province) ou militaire (lieutenant des généraux en campagne) ; gouverneur de province impériale ou commandant de légion, sous l'Empire. -3. *Légat a latere,* cardinal de l'entourage immédiat du pape chargé d'une mission extraordinaire.

LÉGATAIRE n. Bénéficiaire d'un legs.

LÉGATION n.f. -1. Représentation diplomatique d'un gouvernement auprès d'un État où il n'a pas d'ambassade. -2. Bâtiment occupé par cette représentation diplomatique. -3. Charge de légat pontifical. -4. Étendue de pays qui constitue le ressort de cette charge.

LEGATO [legato] adv. Terme d'interprétation musicale qui indique que les notes doivent se succéder sans interruption sonore.

LÈGE adj. *Navire lège,* navire n'ayant ni chargement ni cargaison ou naviguant sur lest.

LÉGENDAIRE adj. -1. Qui appartient à la légende ; fabuleux, mythique. -2. Qui est connu de tous ; célèbre : *Une paresse légendaire.*

LÉGENDE n.f. -1. Récit à caractère merveilleux, où les faits historiques sont transformés par l'imagination populaire ou par l'invention poétique. -2. Histoire déformée et embellie par l'imagination. -3. Explication jointe à une photographie, à un dessin, à un plan ou à une carte géographique.

Légende dorée (la), nom donné au XVe siècle au recueil de vies de saints composé par le dominicain italien Jacques de Voragine (v. 1228-1298).

LÉGENDER v.t. Pourvoir une illustration d'une légende.

LEGENDRE (Adrien Marie), mathématicien français (Paris 1752 - *id.* 1833). Pour les opérations géodésiques organisées par les observatoires de Paris et de Greenwich, il élabora de nombreux résultats de trigonométrie. Ses *Éléments de géométrie* (1794) se sont imposés pendant plus d'un siècle dans l'enseignement secondaire. Précurseur de la théorie analytique des nombres, il énonça dans la *Théorie des nombres* (1798) la loi de distribution des nombres premiers. Sa classification des intégrales elliptiques en trois espèces distinctes prépare les travaux d'Abel et de Jacobi.

LEGENDRE (Louis), homme politique français (Versailles 1752 - Paris 1797). Boucher à Paris, député montagnard à la Convention (1792), il fut l'un des chefs de la réaction thermidorienne.

LÉGER, ÈRE adj. -1. Dont la densité est faible : *Gaz léger.* -2. Dont le poids est peu élevé. Dont la texture, l'épaisseur est faible : *Tissu léger.* -3. Qui est peu concentré, peu fort : *Thé léger.* -4. Qui est peu appuyé ; qui a de la finesse : *Une tape légère.* -5. Qui met en œuvre des moyens peu importants : *Chirurgie légère.* -6. Libre de soucis, de responsabilités : *Avoir le cœur léger.* -7. Qui est enjoué, sans gravité : *Musique légère.* -8. Qui est peu important : *Légère différence.* -9. Qui manque de sérieux : *Se montrer*

un peu léger. -10. Dans certains sports individuels, qualifie une catégorie de poids. -11. *Cigarette légère,* cigarette dont la teneur en nicotine et en goudrons a été diminuée. ◆ **légèrement** adv. -1. De façon légère : *S'habiller légèrement.* -2. Un peu : *Il est légèrement éméché.* -3. À la légère : *Se conduire légèrement.*

LÉGER *(saint),* évêque d'Autun (Neustrie v. 616 - Sarcinium, auj. Saint-Léger, Pas-de-Calais, v. 677). Il fut assassiné par le maire du palais Ébroïn.

LÉGER (Fernand), peintre français (Argentan 1881 - Gif-sur-Yvette 1955). Après avoir pratiqué une forme de cubisme (*la Noce,* 1910, M. N. A. M.), il a élaboré un langage essentiellement plastique fondé sur le dynamisme de la vie moderne (*les Disques,* 1918, M. A. M. de la Ville de Paris), sur les contrastes de formes et de signification (*la Joconde aux clés,* 1930, musée national F.-Léger, Biot), pour réintégrer finalement les valeurs sociales en figurant les travailleurs dans leurs *Loisirs* (grande toile de 1948-49, M. N. A. M.) et dans leur travail (*les Constructeurs,* 1950, Biot). Il s'est intéressé au décor monumental (mosaïque, vitrail, céramique).

Fernand **LÉGER** : *le Mécanicien* (1920).
[Musée des Beaux-Arts du Canada, Ottawa.]

LÉGÈRETÉ n.f. -1. Propriété de ce qui est peu pesant, peu dense. -2. Caractère de ce qui est sans gravité. -3. Caractère de ce qui est léger, fin, agile. -4. Manque de sérieux.

LEGHORN [lɛgɔrn] n.f. Poule d'une race obtenue aux États-Unis par sélection, excellente pondeuse.

LÉGIFÉRER v.i. [18]. -1. Établir des lois. -2. Édicter des règles, partic. en matière de grammaire.

LÉGION n.f. -1. Unité fondamentale de l'armée romaine. (V. ENCYCL.) -2. Grand nombre, nombre excessif de personnes.

ENCYCL. À l'origine, la légion romaine représente l'armée dans son ensemble et est uniquement formée de citoyens, auxquels Servius Tullius aurait assigné des fonctions militaires en rapport avec leurs richesses en raison de la nécessité pour chacun de s'équiper (VIᵉ s. av. J.-C.). Au IIIᵉ s. av. J.-C., la légion est divisée en 30 *manipules,* unités tactiques de base. Le manipule est formé de deux *centuries* commandées chacune par un centurion. Les légionnaires, tous citoyens, sont classés selon leur âge et leur armement. Au combat, la légion se forme sur trois lignes : au contact avec l'ennemi, les plus jeunes, les *hastari ;* en deuxième ligne, les *principes ;* enfin, en réserve, les plus anciens des soldats, les *triarii,* plus lourdement armés. La légion compte alors 3 000 hommes, auxquels il faut ajouter un corps de *vélites* (infanterie légère) de 1 200 hommes ainsi qu'un corps de 300 cavaliers. Les tribuns militaires, élus par les comices tributes, commandent chacun à 1 000 hommes environ. Le commandement suprême est détenu par un magistrat possédant l'*imperium* (consul, préteur ou dictateur). Au cours de son premier consulat (107 av. J.-C.), Marius transforme le mode de recrutement : toute notion de richesse est supprimée et les plus pauvres (prolétaires) s'enrôlent en masse ; c'est le début d'une armée de métier. Sur le plan tactique, la légion atteint 6 000 hommes. À dater d'Auguste, le commandement en chef est réservé à un *legatus legionis* d'ordre sénatorial, représentant l'empereur. Les tribuns subsistent sous ses ordres. De 25 au début de l'Empire, le nombre des légions passe à 30 (Marc Aurèle) puis à 33 (Septime Sévère). Leur recrutement est assuré essentiellement par les provinciaux volontaires. Au Bas-Empire, la légion est un corps d'armée parmi d'autres, où les troupes auxiliaires barbares prédominent.

Légion des volontaires français contre le bolchevisme (L. V. F.), organisation militaire fondée en 1941 et rassemblant des Français volontaires pour combattre sur le front russe, dans les rangs et sous l'uniforme de la Wehrmacht.

Légion d'honneur *(ordre de la),* premier ordre national français, institué en 1802 par Bonaparte en récompense de services militaires et civils. Cinq classes : grand-croix, grand officier, commandeur, officier, chevalier. Ruban rouge.

LÉGIONELLOSE n.f. Maladie du légionnaire.

Légion étrangère, formation militaire française composée de soldats volontaires, en majorité étrangers. Créée en Algérie par Louis-Philippe en 1831, elle s'est illustrée depuis sur tous les champs de bataille où la France a été présente. Elle comprend aujourd'hui des régiments d'infanterie, de cavalerie, de parachutistes ainsi que des unités spécialisées (génie, etc.). Ses drapeaux portent la devise « Honneur et Fidélité ».

LÉGIONNAIRE n.m. -1. Soldat d'une légion romaine. -2. Militaire de la légion étrangère. -3. *Maladie du légionnaire,* pneumonie hautement fébrile, d'origine bactérienne, dont les premiers cas furent observés lors d'une réunion de l'American Legion. SYN. : légionellose. ◆ n. Membre de l'ordre de la Légion d'honneur.

LÉGISLATEUR, TRICE adj. et n. Qui a le pouvoir de légiférer. ◆ **législateur** n.m. -1. Autorité qui a mission d'établir des lois ; la loi en général. -2. Personne qui fixe les règles d'un art, d'une science.

LÉGISLATIF, IVE adj. -1. Relatif à la loi, au pouvoir de légiférer. -2. *Corps législatif,* assemblée élue, chargée de voter les lois sous le Consulat et le second Empire. ‖ *Élections législatives* ou *législatives,* n.f. pl., élections destinées à désigner, au suffrage universel, les députés de l'Assemblée nationale (en France).

LÉGISLATION n.f. Ensemble des lois, des dispositions législatives d'un pays ou concernant un domaine particulier.

législative *(Assemblée),* assemblée qui succéda à la Constituante le 1ᵉʳ octobre 1791 et qui fut remplacée par la Convention le 21 septembre 1792. Elle était divisée en plusieurs courants, dont le plus modéré était celui des Feuillants, partisans de la monarchie constitutionnelle. À l'instigation des Girondins, elle vota la déclaration de guerre au « roi de Bohême et de Hongrie » (avr. 1792). Le veto royal aux décrets qu'elle avait adoptés (notamment contre les prêtres réfractaires) provoqua l'insurrection du 10 août 1792.

LÉGISLATURE n.f. Durée du mandat d'une assemblée législative.

LÉGISTE n.m. -1. Spécialiste des lois. -2. Juriste dont le corps apparut dans l'administration royale au XIIIᵉ s. (Les légistes les plus célèbres et les plus efficaces furent ceux de Philippe IV le Bel : Flote, Marigny, Nogaret.) ◆ adj. *Médecin légiste,* médecin chargé d'expertises en matière légale.

LÉGITIMATION n.f. -1. Action de légitimer. -2. Acte légal par lequel on rend légitime un enfant naturel.

LÉGITIME adj. -1. Qui est consacré, reconnu, admis par la loi. -2. Qui est fondé en raison, en droit, en justice : *Demande légitime.* -3. *Légitime défense,* poussant à un acte interdit par la loi pénale (notamm. : homicide, blessures et coups) pour se protéger ou pour protéger autrui contre un acte de violence. ◆ **légitimement** adv.

LÉGITIMÉ, E adj. et n. Qui bénéficie d'une légitimation : *Fils légitimé.*

LÉGITIMER v.t. -1. Conférer la légitimité à un enfant naturel. -2. Faire reconnaître comme légitime un pouvoir, un titre, etc.

LÉGITIMISME n.m. -1. Opinion, attitude de celui qui défend une dynastie légitime, les droits de la naissance au trône. -2. En France, doctrine de la branche aînée des Bourbons après 1830, attachée à une monarchie traditionnelle forte et à l'Église catholique.

LÉGITIMISTE adj. et n. Partisan du légitimisme.

ENCYCL. Après la révolution de 1830, les légitimistes s'opposent au régime de Louis-Philippe (soulèvement de la duchesse de Berry, juin 1832). Regroupés au sein du parti légitimiste, ils se tiennent dans l'opposition sous le second Empire (abstention lors des élections), mais sont largement représentés à l'Assemblée nationale (févr. 1871, 200 députés), où ils s'efforcent de rétablir la monarchie en se conciliant le comte de Paris. L'échec de la tentative de restauration (intransigeance du comte de Chambord, 27 oct. 1873) les rejeta dans l'opposition au régime républicain.

LÉGITIMITÉ n.f. -1. Qualité de ce qui est fondé en droit, fondé en justice, en équité. -2. Qualité d'un enfant légitime.

LEGNICA, v. de Pologne, ch.-l. de voïévodie, en basse Silésie ; 106 100 hab.

LEGO n.m. (nom déposé). Jeu de construction en plastique, à pièces emboîtables.

LE GOFF (Jacques), historien français (Toulon 1924). Il s'est spécialisé dans l'histoire du Moyen Âge (*la Civilisation de l'Occident médiéval,* 1964 ; *Pour un autre Moyen Âge,* 1977 ; *Saint Louis,* 1996) et a ouvert la science historique à d'autres disciplines et aux nouvelles méthodes quantitatives.

LEGRENZI (Giovanni), compositeur italien (Clusone 1626 - Venise 1690). Maître de chapelle de St-Marc de Venise, il écrivit beaucoup de sonates et des opéras.

LEGS [lɛ] ou [lɛg] n.m. -1. Libéralité faite par testament au bénéfice d'une personne. -2. *Legs à titre particulier,* legs de un ou de plusieurs biens déterminés. ‖ *Legs à titre universel,* legs qui porte sur un ensemble de biens, par exemple une quote-part de l'ensemble de la succession ou la totalité des meubles ou des immeubles. ‖ *Legs universel,* legs qui porte sur la totalité de la succession ou de la quotité disponible, lorsque le légataire universel est en concurrence avec des héritiers réservataires.

LÉGUER v.t. [18]. -1. Donner par testament. -2. Transmettre à ceux qui viennent ensuite : *Elle a légué son heureux caractère à ses enfants.*

LÉGUME n.m. -1. Plante potagère dont les graines, les feuilles, les tiges ou les racines entrent dans l'alimentation. (On distingue les *légumes verts* [racine de la carotte, tige et bourgeon de l'asperge, feuilles du poireau, fleurs du chou-fleur, fruit du haricot] et les *légumes secs* [graines du haricot, du pois].) -2. En botanique, gousse.

LÉGUMIER, ÈRE adj. Qui se rapporte aux légumes. ◆ n. BELGIQUE. Commerçant en légumes. ◆ **légumier** n.m. Plat creux, avec couvercle, dans lequel on sert des légumes.

LÉGUMINE n.f. Substance protidique existant dans certaines graines (pois, haricot).

LÉGUMINEUSE n.f. *Légumineuses,* ordre de plantes dicotylédones dont le fruit est une gousse, ou légume, et comprenant trois familles : papilionacées, césalpiniacées et mimosacées. (Ex. : haricot, lentille, luzerne, trèfle.)

LEHÁR (Franz), compositeur austro-hongrois (Komárom 1870 - Bad Ischl 1948). Violoniste de formation, c'est un maître de l'opérette viennoise : *la Veuve joyeuse* (1905), *le Pays du sourire* (1929).

LEHN (Jean-Marie), chimiste français (Rosheim, Bas-Rhin, 1939). Il a contribué à l'étude de la photodécomposition de l'eau et a réalisé la synthèse des *cryptands,* molécules creuses, dont la cavité peut fixer très fortement un ion ou une molécule, employées notamment en pharmacologie. (Prix Nobel 1987.)

LEI [lɛj] n.m. pl. → LEU.

LEIBL (Wilhelm), peintre allemand (Cologne 1844 - Würzburg 1900). Formé à Munich, il passa quelques mois à Paris (1870), s'y lia avec Courbet et devint le chef de file de l'école réaliste dans son pays (*Trois Femmes à l'église*, v. 1880, Kunsthalle de Hambourg).

LEIBNIZ (Gottfried Wilhelm), philosophe allemand (Leipzig 1646 - Hanovre 1716).
→ ● **DOSSIER** LEIBNIZ *page 3153.*

LEIBOWITZ (René), compositeur polonais naturalisé français (Varsovie 1913 - Paris 1972). Il a joué un rôle important pour la connaissance, en France, de la musique dodécaphonique (*Introduction à la musique de douze sons*, 1949) et a laissé une centaine d'œuvres, dont l'opéra *les Espagnols à Venise* (1963).

LEICESTER, v. de Grande-Bretagne, ch.-l. du *Leicestershire* 270 600 hab. Industries mécaniques et chimiques. – Vestiges romains et monuments médiévaux. Musées.

LEIGH (Vivian Mary Hartley, dite Vivien), actrice britannique (Darjeeling, Inde, 1913 - Londres 1967). Elle fut la Scarlett d'*Autant en emporte le vent* (1939), rôle qui lui valut un succès mondial. Parmi ses meilleures créations, citons *Élisabeth d'Angleterre* (1937), *Un tramway nommé Désir* (1951), *la Nef des fous* (1965).

LEINSTER, prov. orientale de la République d'Irlande ; 1 860 037 hab. V. princ. *Dublin.*

LÉIOMYOME n.m. Tumeur bénigne qui se développe à partir de fibres musculaires lisses. (La majorité des tumeurs de l'utérus dites « fibromes » sont en fait des léiomyomes.)

LEIPZIG, v. d'Allemagne (Saxe) sur l'Elster blanche ; 530 010 hab. **GÉOGR.** La ville doit son développement industriel initial à la proximité de mines d'argent (monts Métallifères) et d'un bassin de lignite. À la fonction industrielle s'ajoute un traditionnel rôle commercial (foire internationale) et universitaire. **ARTS.** Église St-Thomas, du type halle, surtout des XIVe et XVe siècles, ancien hôtel de ville Renaissance (musée historique) et autres monuments. Musée des Beaux-Arts et musées Grassi (ethnographie ; instruments de musique ; etc.). Grande bibliothèque et musée du Livre. Archives Bach dans le pavillon Gohlis, rococo.

Leipzig *(bataille de)* [16-19 oct. 1813], défaite de Napoléon devant les Russes, les Autrichiens, les Prussiens, auxquels s'était joint Bernadotte, dite « bataille des Nations ».

LEIRIS (Michel), écrivain et ethnologue français (Paris 1901 - Saint-Hilaire, Essonne, 1990). Il participe au mouvement surréaliste (*Aurora*, écrit en 1927-28, publié en 1946) puis fait partie de la mission Dakar-Djibouti, dont il tient le journal de bord (*l'Afrique fantôme*, 1934). Sa vocation d'ethnologue est confirmée par ses travaux sur l'art et les sociétés africaines. Mais c'est avec *l'Âge d'homme* (1939), suivi des quatre volumes de *la Règle du jeu* (*Biffures*, 1948 ; *Fourbis*, 1955 ; *Fibrilles*, 1966 ; *Frêle Bruit*, 1976), qu'il donne son œuvre majeure et que, à travers le récit biographique, il atteint les mythes collectifs et enracine la littérature dans l'existence.

LEISHMANIA ou **LEISHMANIE** [lɛʃ-] n.f. Protozoaire parasite commun à l'homme et aux animaux, de l'embranchement des flagellés. (Les leishmanias sont surtout connues dans les pays chauds et sont transmises par des insectes, les phlébotomes ; elles déterminent chez l'homme des maladies graves, ou *leishmanioses viscérales* [kala-azar], ou des formes cutanées comme le bouton d'Orient.)

LEISHMANIOSE n.f. Affection causée par les leishmanias.

LEITMOTIV [lajtmɔtif] ou [lɛtmɔtif] n.m. **-1.** Motif, thème caractéristique destiné à rappeler, dans un ouvrage musical, une idée, un sentiment, un personnage. **-2.** Formule, idée qui revient sans cesse dans un discours, une conversation, une œuvre littéraire.

LEITZ (Ernst), opticien allemand (1843-1920). Il créa à Wetzlar une fabrique d'instruments d'optique. La Société Leitz introduisit, avec les appareils « Leica », l'usage du petit format en photographie.

LE JEUNE (Claude), compositeur français (Valenciennes v. 1530 - Paris 1600), auteur de motets, de psaumes et de chansons polyphoniques, dont certaines écrites suivant les lois de la « musique mesurée » (*le Printemps*, 1603).

LEJEUNE (Jérôme), médecin français (Montrouge 1926 - Paris 1994). Professeur de génétique, il étudia en particulier les anomalies des chromosomes et découvrit que le mongolisme est dû à une trisomie 21 (présence de trois chromosomes n° 21 au lieu de deux).

LEK n.m. Unité monétaire principale de l'Albanie.

LEK (le), branche septentrionale du Rhin inférieur, aux Pays-Bas.

LEKAIN (Henri Louis **Cain**, dit), acteur français (Paris 1729 - *id.* 1778). Interprète favori de Voltaire, il introduisit plus de naturel dans la déclamation et la mise en scène.

LEKEU (Guillaume), compositeur belge (Heusy 1870 - Angers 1894), auteur de musique de chambre et symphonique écrite dans un style postromantique.

LELOUCH (Claude), cinéaste français (Paris 1937). Auteur prolifique et populaire, il a réalisé notamment *Un homme et une femme* (1966), *le Voyou* (1970), *les Uns et les Autres* (1981), *Itinéraire d'un enfant gâté* (1988), *les Misérables du XXᵉ siècle* (1995), *Hommes, femmes : mode d'emploi* (1996).

LEMAIRE de Belges (Jean), poète et chroniqueur d'expression française (Belges, auj. Bavay, 1473 - v. 1515). Sa poésie (*la Couronne margaritique*, 1504 ; *Épîtres de l'amant vert*, 1505) marque la transition entre les grands rhétoriqueurs et la Pléiade.

LEMAÎTRE (Antoine Louis Prosper, dit **Frédérick**), acteur français (Le Havre 1800 - Paris 1876). Révélé par son rôle de Robert Macaire dans *l'Auberge des Adrets,* il triompha dans le mélodrame et le drame romantique.

LEMAÎTRE (Mᵍʳ Georges), astrophysicien et mathématicien belge (Charleroi 1894 - Louvain 1966). Auteur d'un modèle relativiste d'Univers en expansion (1927), il formula ensuite la première théorie cosmologique selon laquelle l'Univers, primitivement très dense, serait entré en expansion à la suite d'une explosion (1931).

LÉMAN (*lac*), le plus grand lac des Alpes, au nord de la Savoie ; 582 km² (partagés entre la Suisse [348 km²] et la France [234 km²]). Façonné par les glaciers quaternaires, il est situé à 375 m d'altitude et traversé par le Rhône. Il se divise en deux bassins : à l'E., le *Grand Lac,* à l'O., près de Genève, le *Petit Lac* (parfois appelé « lac de Genève »). Ses rives, étagées en terrasses, sont jalonnées de villes (Genève, Lausanne pour les plus grandes) et bénéficient d'un climat très doux favorable au vignoble. Le développement de l'urbanisation et du tourisme provoque une inquiétante pollution des eaux du lac.

LE MAY (Pamphile), écrivain canadien d'expression française (Lotbinière, Québec, 1837 - Saint-Jean-Deschaillons 1918), auteur de poèmes rustiques (*les Gouttelettes,* 1904) et de contes.

LEMBERG → LVOV.

LEMDIYYA, anc. Médéa, v. d'Algérie, ch.-l. de wilaya ; 72 000 hab.

LEMELIN (Roger), écrivain canadien d'expression française (Québec 1919), peintre satirique du Canada (*les Plouffe,* 1948).

LEMERCIER (Jacques), architecte français (Pontoise v. 1585 - Paris 1654). Né dans une famille d'architectes, il admira à Rome les monuments antiques et classiques (1607-1614), puis devint l'architecte de Louis XIII et de Richelieu (Paris : pavillon de l'Horloge au Louvre, chapelle de la Sorbonne, plans de St-Roch, etc. ; ville de Richelieu).

LEMIRE (Jules), ecclésiastique français (Vieux-Berquin 1853 - Hazebrouck 1928). Prêtre (1878), il encouragea le ralliement des catholiques à la République. Porte-parole de la démocratie chrétienne, il fut député de Hazebrouck à partir de 1893.

LEMME [lɛm] n.m. (gr. *lêmma,* proposition prise d'avance). Proposition déduite de un ou de plusieurs postulats dont la démonstration prépare celle d'un théorème.

LEMMING [lɛmiŋ] n.m. Petit rongeur de Scandinavie, effectuant parfois des migrations massives vers le sud. (Long. 10 cm.)

LEMNISCATE n.f. Courbe plane, ensemble des points dont le produit des distances à deux points fixes est constant.

LEMNOS ou **LÍMNOS**, île grecque de la mer Égée ; 476 km² ; 23 000 hab. Ch.-l. *Kástro.*

LEMONNIER (Camille), écrivain belge d'expression française (Ixelles 1844 - Bruxelles 1913), auteur de romans naturalistes (*Happechair,* 1886).

LÉMOVICES, peuple gaulois établi dans le Limousin actuel.

LEMOYNE, famille de sculpteurs français, dont le plus connu est **Jean-Baptiste II** (Paris 1704 - *id.* 1778). Artiste officiel, de style rocaille, il est l'auteur de monuments (perdus) à la gloire de Louis XV et, surtout, de bustes d'une remarquable vivacité.

LEMOYNE (François), peintre français (Paris 1688 - *id.* 1737). Relayant l'œuvre d'un La Fosse, il donna à la grande décoration française un style plus lumineux, plus frémissant (plafond du salon d'Hercule, à Versailles, 1733-1736) et fut le maître de Boucher et de Natoire.

LE MOYNE DE BIENVILLE (Jean-Baptiste), administrateur français (Ville-Marie, auj. Montréal, 1680 - Paris 1767). Il joua un rôle important dans le développement de la Louisiane, dont il fut plusieurs fois gouverneur entre 1713 et 1743.

LEIBNIZ

Esprit universel, nourrissant son génie encyclopédique de la conviction qu'il n'est rien qui ne renvoie au tout, et que ce tout est bon, Leibniz incarne une raison optimiste, sûre de trouver dans le dépassement des oppositions (entre confessions, entre écoles, entre anciens et modernes...) la clef du progrès spirituel et du mieux-être de l'humanité. Il s'est posé en réconciliateur et promoteur d'une Europe indissolublement chrétienne et savante : il en aura été, avec son contemporain Malebranche, la dernière grande voix. Reste que la puissance de sa réflexion logique et mathématique et, particulièrement, son souci constant de rabattre la pensée sur le calcul sont loin d'être lettre morte aujourd'hui, au siècle de l'ordinateur et de l'intelligence artificielle.

Les premiers travaux.

Quand il entre à quinze ans à l'université de Leipzig, ville où il est né en 1646, Leibniz, outre une parfaite maîtrise du latin et du grec, s'est déjà assuré une solide connaissance de la tradition scolastique, qu'il ne méprisera ni n'oubliera jamais. Il ne tarde pas à s'initier également à la pensée moderne, celle de la Renaissance, celle aussi de Descartes, dans la postérité duquel son œuvre s'inscrira. Sa thèse de baccalauréat soutenue (en 1663), il part pour Iéna, où il se perfectionne en mathématique et travaille l'histoire et la jurisprudence. De retour à Leipzig, il

❶ Leibniz par Ficquet.
Gravure du XVIIIᵉ siècle.

UN PHILOSOPHE AUX MARGES DU POUVOIR
Conseiller des princes, estimé par les plus grands - Pierre le Grand, l'empereur d'Autriche, le Prince Eugène et bien d'autres -, Leibniz s'assura une considérable renommée de savant, de juriste et de philosophe. Mais il ne lui fut pas pour autant donné de jouer un rôle à la mesure des rêves de paix européenne et religieuse qui l'animèrent constamment.

obtient sa maîtrise de philosophie en 1664, avec une thèse où il montre que les questions de droit sont indissociables des deux formes de discours universel que sont la philosophie et la logique. Il achève sa formation juridique à Altdorf, près de Nuremberg, où il devient docteur en droit en 1666 avec une thèse intitulée *De casibus perplexis in jure,* qui fonde le recours au droit naturel dans nombre de cas embarrassants. Sa compétence lui vaut d'être remarqué par un personnage influent, le baron de Boyneburg, qui le fait entrer au service de l'Électeur de Mayence.

En prise sur tout.

Parallèlement, sa *Dissertatio de arte combinatoria* (1666), rouvrant une voie explorée jadis par Raymond Lulle, s'efforce de ramener la philosophie à un calcul logique. C'est là sa première tentative de construction d'une « Caractéristique universelle», idée sur laquelle il reviendra toute sa vie. Il s'agit de créer et de faire jouer l'alphabet des pensées humaines, de façon à unifier les connaissances existantes et à en acquérir de nouvelles avec une fécondité inépuisable : mise en évidence autant que fruit de l'harmonie du savoir et d'un univers où règne le principe de raison suffisante (tout a sa raison d'être et tout est lié).

Cette harmonie est celle de la création divine, où rien n'a été laissé au hasard, où un choix intelligent se manifeste à tous les niveaux : les phénomènes physiques s'expliquent certes par la grandeur, la figure et le mouvement, mais figure, grandeur et mouvement dans leur agencement effectif ne permettent nullement de se passer de Dieu, bien au contraire ; la nature témoigne contre l'athéisme (*Confessio naturae contra atheistas,* 1668). Leibniz, précisant la notion de force et retravaillant celle de substance, rétablit le lien tranché par les modernes entre corporel et spirituel.

Ce faisant, il se munit d'arguments contre une division d'une autre nature, celle qui sépare la chrétienté en deux blocs hostiles : Leibniz, qui restera sa vie durant fidèle au luthéranisme, prétend œuvrer au rapprochement des religions. Par exemple, mettant sa théorie de la substance au cœur du débat philosophico-théologique sur la transsubstantiation — quelle est la nature de la présence divine dans le sacrement de l'eucharistie ? —, il s'adresse dès 1671 au grand Arnauld pour le persuader de la compatibilité de points de vue apparemment inconciliables.

Autre division malheureuse, celle de l'Allemagne. Elle est liée au conflit religieux ainsi qu'à la suprématie française d'alors : Leibniz, qui d'ailleurs écrira en français l'essentiel de son œuvre, appelle à la renaissance culturelle de sa patrie (notamment en préconisant la création d'une Société allemande des arts et des sciences). Et il se charge, à l'instigation de l'Électeur de Mayence et de Boyneburg, d'une mission diplomatique ambitieuse : détourner vers l'Égypte, donc contre les Turcs, les appétits de conquête du Roi-Soleil. Le projet avorte dès son arrivée à Paris, en 1672, et la mort coup sur coup de ses deux protecteurs le laisse libre de consacrer à ses travaux personnels un séjour poursuivi jusqu'en 1676 (entrecoupé et suivi de voyages en Angleterre). Il multiplie les contacts, avec Arnauld, Christiaan Huygens, Malebranche, etc., lit les manuscrits de Pascal, approfondit sa connaissance du cartésianisme. Ses recherches mathématiques vont bon train et, après avoir découvert le calcul différentiel, il invente en 1676, indépendamment de Newton, le calcul infinitésimal ; d'où une vive querelle de priorité.

Devenu cette même année 1676 bibliothécaire et conseiller du duc de Hanovre, il porte sa philosophie à maturité avec, notamment, le *Discours de métaphysique* (1686), qui distingue les vérités nécessaires et les vérités contingentes au sein de l'entendement et de la volonté infinie de Dieu. Parallèlement, il exhorte les Allemands à « mieux cultiver leur raison et leur langue» et continue d'œuvrer pour la création d'une académie des sciences (qui sera fondée en 1700 à Berlin) et pour l'unification des Églises.

Une métaphysique
dont son époque se détachera.

Écrits en 1704, *les Nouveaux Essais sur l'entendement humain* répondent aux thèses empiristes de Locke (leur publication, ajournée par Leibniz à cause de la mort du philosophe anglais, ne se fera qu'en 1765). En 1710, parvenu au faîte de sa notoriété, Leibniz répond par la *Théodicée* à toute tentative de mise en contradiction de la religion et de la raison et justifie le mal existant en montrant qu'il est nécessaire à l'harmonie d'un monde qui est le meilleur possible : optimisme philosophique que Voltaire prendra un malin et facile plaisir à railler dans *Candide*.

La Monadologie, écrite en 1714 et publiée en 1721 après la mort de l'auteur, est un chef-d'œuvre de concision, où se déploie la conception d'un univers composé de monades, atomes spirituels qui sont les éléments irréductibles de toute réalité composée. L'œuvre ne sera pas comprise en son temps. D'ailleurs, ses grands protecteurs disparus, Leibniz ne rencontra plus que l'indifférence de ses contemporains, mise à part la vindicte du clergé que ses derniers jours eurent à supporter.

LE MOYNE D'IBERVILLE (Pierre), marin et explorateur français (Ville-Marie, auj. Montréal, 1661 - La Havane 1706), frère du précédent. Il combattit les Anglais au Canada et à Terre-Neuve (1686-1697) puis fonda en 1698 la colonie de la Louisiane, dont il fut le premier administrateur.

LEMPIRA n.m. Unité monétaire principale du Honduras.

LÉMURE n.m. Chez les Romains, spectre d'un mort, fantôme.

LÉMURIEN n.m. (lat. *lemures,* âmes des morts). *Lémuriens,* sous-ordre de mammifères primates aux lobes olfactifs très développés, comprenant des formes arboricoles et frugivores de Madagascar, d'Afrique et de Malaisie, comme le maki, l'aye-aye et l'indri. SYN. : prosimien.

LENA (la), fl. de Sibérie orientale, tributaire de l'océan Arctique (mer des Laptev) ; 4 270 km (bassin de 2 490 000 km²).

LE NAIN, nom de trois frères, **Antoine** (m. en 1648), **Louis** (m. en 1648) et **Mathieu** (m. en 1677), peintres français nés à Laon, installés à Paris vers 1629. Malgré des différences évidentes de « mains », les historiens d'art ne sont pas parvenus à répartir entre chacun des trois frères les quelque soixante tableaux qui leur sont attribués. Il s'agit d'œuvres mythologiques ou religieuses (*Nativité de la Vierge,* Notre-Dame de Paris), de scènes de genre (*Trois Jeunes Musiciens,* musée d'Art, Los Angeles ; *la Tabagie,* 1643, Louvre), de portraits et surtout de scènes de la vie paysanne, qui représentent un sommet du réalisme français : *le Repas de famille, la Forge,* etc., Louvre ; *Intérieur paysan,* Nat. Gal. of Art, Washington ; *l'Âne,* Ermitage ; *Paysans devant leur maison,* musées des Bx-A., San Francisco. La dignité des personnages le dispute dans ces toiles, d'une haute qualité picturale, au constat de pauvreté de la campagne picarde ruinée par les guerres.

LENARD (Philipp), physicien allemand (Presbourg, auj. Bratislava, 1862 - Messelhausen 1947). Il obtint le prix Nobel en 1905 pour ses travaux sur les rayons cathodiques et l'effet photoélectrique. Dans les années 1930, il fut l'un des rares savants à se rallier au nazisme et soutint la thèse de la « science allemande ».

LENAU (Nikolaus), poète autrichien (Csátad, près de Timişoara, 1802 - Oberdöbling, près de Vienne, 1850). Auteur de poésies élégiaques (*Chants des joncs,* 1832), il a écrit un *Faust*

Famille de paysans dans un intérieur ou *le Repas de famille,* peinture attribuée à Louis ou à Antoine **LE NAIN.** (Musée du Louvre, Paris.)

(1836), poème dramatique qui fait du personnage de Goethe un héros révolté.

LENCLOS (Anne, dite **Ninon de**), femme de lettres française (Paris 1616 - *id.* 1705). Son salon fut fréquenté par les libres-penseurs.

LENDEMAIN n.m. -**1.** Jour qui suit celui où l'on est ou celui dont on parle. -**2.** Avenir plus ou moins immédiat : *Songer au lendemain.*

LENDIT n.m. Importante foire qui se tenait au Moyen Âge dans la plaine Saint-Denis.

LENGLEN (Suzanne), joueuse française de tennis (Paris 1899 - *id.* 1938), vainqueur notamment six fois à Wimbledon (1919 à 1923, 1925) et à Paris (1920 à 1923, 1925 et 1926).

LÉNIFIER v.t. -**1.** Atténuer, apaiser. -**2.** Adoucir une douleur au moyen d'un calmant.

LENINABAD → KHODJENT.

LENINAKAN → GUMRI.

LÉNINE *(pic),* anc. pic Kaufman, sommet du Pamir, à la frontière du Tadjikistan et du Kirghizistan ; 7 134 m.

LÉNINE (Vladimir Ilitch **Oulianov**, dit), homme politique russe (Simbirsk 1870 - Gorki, près de Moscou, 1924).
→ • DOSSIER LÉNINE *page 3161.*

Lénine *(ordre de),* ordre russe. Créé en 1930, il a été le plus élevé des ordres civils et militaires soviétiques.

LENINGRAD → SAINT-PÉTERSBOURG.

LÉNINISME n.m. Doctrine de Lénine, considérée dans son apport au marxisme.

LÉNINISTE adj. et n. Relatif au léninisme ; qui en est partisan.

LENOIR (Étienne), ingénieur français d'origine wallonne (Mussy-la-Ville, Luxembourg, 1822 - La Varenne-Saint-Hilaire 1900). On lui doit la réalisation pratique, à partir de 1860, des premiers moteurs à combustion interne.

LENOIR-DUFRESNE (Joseph), industriel français (Alençon 1768 - Paris 1806). Avec F. Richard, il introduisit en France la filature du coton au moyen de la mule-jenny, connue alors seulement en Angleterre.

LE NÔTRE (André), dessinateur de jardins et architecte français (Paris 1613 - *id.* 1700). Il succéda à son père, jardinier en chef des Tuileries, en 1637. Caractéristiques de ses travaux, le schéma géométrique, les vastes perspectives, l'usage des plans et jeux d'eau ainsi que des statues ont créé le cadre imposant du Grand Siècle et ont fait la célébrité du jardin « à la française » (Vaux-le-Vicomte [1656 et suiv.], Versailles, Sceaux, etc.).

LENS, ch.-l. d'arr. du Pas-de-Calais ; 35 278 hab. *(Lensois)* ; l'agglomération compte 320 000 hab. Métallurgie. – Victoire de Condé sur les Impériaux qui amena la paix de Westphalie (20 août 1648).

LENT, E adj. -**1.** Qui n'agit pas avec rapidité ; qui se fait avec lenteur. -**2.** Dont l'effet tarde à se manifester ; qui est progressif : *Poison lent.* -**3.** *Sommeil lent,* sommeil profond. ◆ **lentement** adv.

LENTE n.f. Œuf que le pou dépose à la base des cheveux.

LENTEUR n.f. Manque de rapidité, d'activité, de vivacité dans les mouvements, dans le raisonnement.

LENTICELLE n.f. Pore traversant le liège d'une écorce et permettant la respiration des tissus sous-jacents.

LENTICULAIRE ou **LENTICULÉ, E** adj. En forme de lentille : *Verre lenticulaire.*

LENTICULE n.f. Lentille d'eau.

LENTIGO n.m. ou **LENTIGINE** n.f. (du lat. *lens, lentis,* lentille). Petite tache pigmentaire de la peau. SYN. (fam.) : **grain de beauté.**

1. **LENTILLE** -**1.** Plante annuelle cultivée pour sa graine, de la famille des papilionacées ; la graine elle-même, consommée comme légume sec et qui a la forme d'un petit disque renflé en son centre. -**2.** Formation géologique d'étendue limitée en raison de l'érosion ou de la localisation de la sédimentation. -**3.** *Lentille d'eau,* plante de la taille d'une lentille, à deux ou trois feuilles, vivant en grand nombre à la surface des eaux stagnantes. (Famille des lemnacées.) SYN. : **lenticule.**

2. **LENTILLE** n.f. -**1.** Verre taillé en forme de lentille, servant dans les instruments d'optique. -**2.** *Lentille cornéenne,* verre de contact qui s'applique sur la cornée. ‖ *Lentille électronique,* dispositif qui joue le même rôle pour les

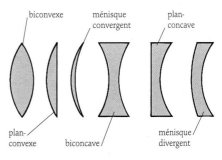

LENTILLES

électrons qu'une lentille optique pour la lumière.

LENTILLON n.m. Lentille qu'on sème à l'automne.

LENTISQUE n.m. Arbrisseau cultivé dans le Proche-Orient et dont le tronc fournit une résine appelée *mastic* et employée comme masticatoire. (Famille des térébinthacées ; genre pistachier.)

LENTIVIRUS n.m. Virus à action lente (par ex. : le LAV, rétrovirus associé au sida).

LENTO [lɛnto] adv. Terme d'interprétation musicale indiquant qu'un morceau doit être joué lentement. ◆ n.m. Mouvement exécuté dans ce tempo.

LENZ (Heinrich), physicien russe d'origine allemande (Dorpat, auj. Tartu, Estonie, 1804 - Rome 1865). Il énonça la loi donnant le sens des courants induits (1833) et observa l'accroissement de résistance électrique des métaux avec la température (1835).

LENZ (Jakob Michael Reinhold), écrivain allemand (Sesswegen 1751 - Moscou 1792). Il fut par ses drames l'un des principaux représentants du *Sturm und Drang* (*le Précepteur,* 1774 ; *les Soldats,* 1776).

LENZ (Siegfried), écrivain allemand (Lyck, Prusse-Orientale, 1926). À travers une œuvre très diverse se font jour les thèmes de l'expérience de la solitude et du renoncement et la nécessité d'assumer le passé (*le Bateau-phare,* 1960 ; *la Leçon d'allemand,* 1968 ; *Heimatmuseum,* 1978).

LEOBEN, v. d'Autriche (Styrie), dans la haute vallée de la Mur ; 32 000 hab. — Édifices de l'époque romane au XVIIIᵉ siècle. Musée.

LEÓN, région du nord-ouest de l'Espagne, conquise aux IXᵉ-Xᵉ siècles par les rois des Asturies, qui prirent le titre de rois de León (914), et réunie définitivement à la Castille en 1230. Elle appartient aujourd'hui à la communauté autonome de *Castille-León.*

LEÓN v. d'Espagne (Castille-León), ch.-l. de prov. ; 144 021 hab. **ARTS.** Collégiale S. Isidoro, foyer précoce de l'art roman, rebâtie à la fin du XIᵉ siècle avec son « panthéon » royal (voûtes peintes au XIIᵉ s.) ; trésor. Cathédrale entreprise en 1255 sur les modèles de Reims et de Saint-Denis (portails sculptés, vitraux et œuvres d'art). Couvent S. Marcos, reconstruit au XVIᵉ siècle (façade de style plateresque), abritant le Musée archéologique provincial.

LEÓN, v. du Mexique central ; 875 453 hab. Métallurgie.

LÉON (le), région de l'extrémité nord-ouest de la Bretagne (Finistère). Cultures maraîchères. (Hab. *Léonards.*)

LÉON Iᵉʳ le Grand *(saint)* [Volterra ? -Rome 461], pape de 440 à 461. Envoyé par l'empereur Valentinien III comme ambassadeur auprès d'Attila, qui ravageait la Vénétie et la Ligurie (452), il persuada le roi des Huns, alors qu'il se préparait à marcher sur Rome, de quitter l'Italie. Mais, en 455, il ne put empêcher les Vandales de piller Rome, où il mourut en 461. Il eut un rôle important dans la controverse christologique déclenchée par le monophysisme d'Eutychès et dans l'organisation de la liturgie romaine.

LÉON IX *(saint)* [Bruno d'Eguisheim-Dagsburg] (Eguisheim, Alsace, 1002 - Rome 1054), pape de 1049 à 1054. Élu pape par la volonté d'Henri III, il lutta pour la réforme des mœurs ecclésiastiques et défendit la suprématie pontificale. La fin de son règne fut marquée par le désastre de ses armées face aux Normands (1053) et par la consommation du schisme

Le « panthéon » royal (1054-1066), jouxtant la collégiale San Isidoro à **LEÓN** (peintures romanes de la seconde moitié du XIIᵉ s.).

avec l'Église d'Orient, dans un affrontement décisif avec le patriarche de Byzance Michel Keroularios (1053-54).

LÉON X (Jean de Médicis) [Florence 1475 - Rome 1521], pape de 1513 à 1521. Fils de Laurent le Magnifique, il se rapproche un moment des Français pour se rallier bientôt à Charles Quint, qu'il soutient dans sa politique italienne. À la fois partisan du népotisme et mécène fastueux (vis-à-vis de Raphaël et de Michel-Ange notamment), il est surtout célèbre par les indulgences qu'il décida d'accorder aux fidèles qui lui apporteraient leurs dons pour payer la construction de la basilique Saint-Pierre de Rome (1517). C'est là l'origine de la révolte de Luther, à qui Léon X riposta en le condamnant par la bulle *Exsurge Domine* (1520).

LÉON XIII (Gioacchino Pecci) [Carpineto Romano 1810 - Rome 1903], pape de 1878 à 1903. Archevêque de Pérouse en 1846 et cardinal en 1853, il est élu pape le 28 février 1878. Il prend à partie le socialisme et le nihilisme, ainsi que le Kulturkampf. Tout en combattant la franc-maçonnerie, il incite les catholiques français à se rallier au régime républicain et favorise le rapprochement entre le catholicisme et l'anglicanisme. Il encourage, notamment en France et aux États-Unis, le mouvement des catholiques sociaux et, par son importante encyclique *Rerum novarum* (15 mai 1891), il définit une doctrine des droits respectifs de la propriété et du monde ouvrier qui aura valeur de charte pendant des décennies.

Le pape
LÉON XIII.

LÉON Ier, empereur byzantin (457-474). Il fut le premier empereur couronné par le patriarche de Constantinople. **Léon III l'Isaurien** (Germaniceia, Commagène, v. 675 - Constantinople 741), empereur byzantin (717-741). Il

rétablit la situation de l'Empire en battant les Arabes (717-718). Il se montra résolument iconoclaste.

LÉON l'Africain, géographe arabe (Grenade v. 1483 - Tunis v. 1552), auteur d'une *Description de l'Afrique* (1550).

LÉONARD (Nicolas Germain), écrivain français (Basse-Terre, Guadeloupe, 1744 - Nantes 1793), auteur de romans sentimentaux (*la Nouvelle Clémentine,* 1774) et de poèmes élégiaques (*les Regrets,* 1782) qui annoncent Lamartine.

LÉONARD DE VINCI (Leonardo da Vinci, en fr.), artiste et savant italien (Vinci, près de Florence, 1452 - château de Cloux, auj. Clos-Lucé, près d'Amboise, 1519).

→ ● **DOSSIER** LÉONARD DE VINCI *page 3169.*

LEONCAVALLO (Ruggero), compositeur italien (Naples 1858 - Montecatini 1919). Représentant du vérisme, il est l'auteur de *Paillasse* (1892).

LEONE (Sergio), cinéaste italien (Rome 1929 - id. 1989). Il dirigea à partir de 1964 une série de westerns à l'italienne (« westerns-spaghettis »), dont *le Bon, la brute et le truand* (1966), *Il était une fois dans l'Ouest* (1968). Aux États-Unis, il a mis en scène *Il était une fois la révolution* (1971) puis *Il était une fois en Amérique* (1984).

LÉONIDAS (m. aux Thermopyles en 480 av. J.-C.), roi de Sparte de 490 à 480, héros du défilé des Thermopyles, qu'il défendit contre les Perses et où il périt avec 300 hoplites.

1. **LÉONIN, E** adj. -1. Propre au lion ; qui rappelle le lion. -2. Se dit d'un partage où qqn se réserve la plus grosse part, d'un contrat qui avantage exagérément l'une des parties : *Conditions léonines.*

2. **LÉONIN, E** adj. Se dit de vers dont les deux hémistiches riment ensemble.

LEONOV (Alekseï Arkhipovitch), cosmonaute russe (Listvianka, région de Novossibirsk, 1934). Il est le premier homme à avoir effectué une sortie en scaphandre dans l'espace (le 18 mars 1965).

LEONOV (Leonid Maksimovitch), écrivain soviétique (Moscou 1899 - id. 1994), auteur de romans qui peignent la société issue de la révolution (*les Blaireaux,* 1924 ; *la Forêt russe,* 1953).

LEONTIEF (Wassily), économiste américain d'origine russe (Saint-Pétersbourg 1906). Ses travaux, consacrés en particulier aux relations interindustrielles, lui valurent, en 1973, le prix Nobel de sciences économiques. Il a mis au point, à la veille de la Seconde Guerre mondiale, le tableau (dit *entrées-sorties*) d'échanges entre les différents secteurs de l'économie.

LÉONURE n.m. Agripaume.

LÉOPARD n.m. (du lat. *leo,* lion, et *pardus,* panthère). -1. Panthère tachetée d'Afrique. (Long. 1,20 m.) -2. Fourrure de cet animal, aux taches en rosettes, très précieuse en pelleterie. **HÉRALD**. Lion représenté la tête de face et, la plupart du temps, passant. **MIL**. *Tenue léopard,* tenue de camouflage dont les taches de diverses couleurs évoquent le pelage du léopard, utilisée par certaines troupes de choc (parachutistes, notamm.). **ZOOL**. *Léopard de mer,* grand phoque carnassier de l'Antarctique.

LEOPARDI (Giacomo), écrivain italien (Recanati, Marches, 1798 - Naples 1837). Considéré comme le plus grand poète italien depuis Pétrarque, il est à l'origine de la poésie moderne italienne. Ses célèbres poésies lyriques *(Canzoni* et *Canti),* publiées entre 1824 et 1835, ne constituent qu'une petite partie de son œuvre d'érudit, de philologue et de journaliste. Cependant, le pessimisme marque son œuvre (À *l'Italie,* 1818 ; *Chant nocturne,* 1830 ; *la Ginestra,* 1836).

Léopold *(ordre de),* ordre belge créé en 1832.

BELGIQUE

LÉOPOLD Iᵉʳ (Cobourg 1790 - Laeken 1865), roi des Belges (1831-1865), fils de François de Saxe-Cobourg. Il fut appelé au trône de Belgique aussitôt après l'indépendance reconnue de ce pays (1831). Tout en renforçant l'amitié des Belges avec la France − il épousa en 1832 Louise d'Orléans, fille de Louis-Philippe −, il s'employa à maintenir la neutralité du royaume. À l'intérieur, il laissa la monarchie constitutionnelle évoluer vers la monarchie parlementaire. **Léopold II** (Bruxelles 1835 - Laeken 1909), roi des Belges (1865-1909), fils du précédent. Il fit reconnaître en 1885 comme étant sa propriété personnelle l'État indépendant du Congo, qu'il céda en 1908 à la Belgique. **Léopold III** (Bruxelles 1901 - *id.* 1983), roi des Belges (1934-1951). Fils de Albert Iᵉʳ, il donna à l'armée, en mai 1940, l'ordre de déposer les armes devant les Allemands, ce qui ouvrit une longue controverse. Déporté en Allemagne (1944-45), il se retira en Suisse et dut, malgré un plébiscite favorable à son retour, déléguer en 1950 ses pouvoirs royaux à son fils Baudouin et abdiquer en 1951.

LÉOPOLD Iᵉʳ, roi des Belges. Détail d'un portrait par P. Beaufaux. (Musée royal de l'Armée, Bruxelles.)

LÉOPOLD II, roi des Belges. Détail d'un portrait par P. Tossyn. (Musée de la Dynastie, Bruxelles.)

EMPIRE GERMANIQUE

LÉOPOLD Iᵉʳ (Vienne 1640 - *id.* 1705), empereur germanique (1658-1705), archiduc d'Autriche, roi de Hongrie (1655-1705), roi de Bohême (1656-1705). Il participe à la guerre de Hollande (1672-1679) et à celle de la ligue d'Augsbourg (1688-1697) afin de combattre les ambitions de Louis XIV. Il arrête les Ottomans, qui avaient repris leurs offensives contre l'Empire, et obtient leur retrait de Hongrie (paix de Karlowitz, 1699). Voulant imposer son fils sur le trône d'Espagne, il engage l'Empire dans la guerre de la Succession d'Espagne (1701-1714). **Léopold II** (Vienne 1747 - *id.* 1792), empereur germanique, archiduc d'Autriche, roi de Bohême et de Hongrie (1790-1792). Fils de François Iᵉʳ et de Marie-Thérèse, frère de Marie-Antoinette, il publie avec Frédéric-Guillaume II, roi de Prusse, la déclaration de Pillnitz (1791) appelant les souverains à agir contre la France révolutionnaire mais meurt avant le début des hostilités.

LÉOPOLDVILLE → KINSHASA.

LÉOVIGILD ou **LIUVIGILD** (m. à Tolède en 586), roi wisigoth (567 ou 568-586). Il a été l'unificateur du territoire espagnol.

D O S S I E R

LÉNINE

Révolutionnaire doué d'un exceptionnel sens tactique, Lénine a réussi à engager la Russie et la majeure partie de l'Empire russe dans la construction du socialisme.

L'engagement révolutionnaire.

Vladimir Ilitch Oulianov naît à Simbirsk en 1870. Après des études de droit à l'université de Kazan puis à celle de Saint-Pétersbourg, il adhère au marxisme. Il rencontre Plekhanov en Suisse et fonde, à son retour en Russie en 1895, l'Union de lutte pour la libération de la classe ouvrière. Aussitôt arrêté, il est emprisonné puis exilé en Sibérie pour trois ans. Il y rédige *le Développement du capitalisme en Russie,* qui paraît en 1899 et doit servir à la critique des théories populistes. À l'issue de son exil forcé, en 1900, il quitte la Russie pour fonder en émigration le journal *Iskra* (« l'Étincelle »), organe de propagande marxiste. Il adopte alors le pseudonyme de Lénine et publie, en 1902, *Que faire ?* Il y expose sa conception d'un parti centralisé, formé de révolutionnaires professionnels, avant-garde de la classe ouvrière dans sa lutte contre la bourgeoisie. Cette conception l'emporte en 1903 au Congrès du parti ouvrier social-démocrate de Russie (P. O. S. D. R.) ; les partisans de Lénine forment désormais la fraction *bolchevique* du parti, opposée à sa fraction *menchevik.*

La direction du parti bolchevik.

Rentré en Russie lors de la révolution de 1905, contraint à un nouvel exil par la réaction menée par P. A. Stolypine, Lénine tente d'imposer sa conception de la lutte révolutionnaire et rompt définitivement avec les mencheviks en 1912. Fixé un temps à Paris (1908-1911), puis à Cracovie, il retourne en Suisse en 1914 et dirige de loin la *Pravda,* journal fondé en Russie en 1912. Lors des conférences de l'Internationale socialiste de 1915-16, il défend ses thèses sur la nécessité de transformer la guerre impérialiste en guerre civile et milite pour une révolution socialiste en Russie. Il expose ces théories dans *l'Impérialisme, stade suprême du capitalisme* (1916).

La prise du pouvoir en Russie.

En avril 1917, Lénine traverse l'Allemagne et rentre à Petrograd, où il impose ses vues au P. O. S. D. R. et aux soviets. Par ses appels en faveur de la paix sans condition et du partage des terres, il gagne peu à peu le soutien populaire et déclenche l'insurrection d'octobre (→ RÉVOLUTION RUSSE DE 1917). Il dirige

LÉNINE

dès lors le gouvernement soviétique, le Conseil des commissaires du peuple, dont les premiers actes sont les décrets sur la paix, sur le droit des peuples à disposer d'eux-mêmes et sur la nationalisation des terres.

Les premières années du régime soviétique.

Après la signature de la paix de Brest-Litovsk (mars 1918), les puissances occidentales interviennent dans la guerre civile, déclenchée dès novembre 1917. Lénine riposte en organisant le « communisme de guerre » (1918-1921), en militarisant l'économie et en créant un appareil d'encadrement coercitif (Tcheka [police politique], camps de travail à partir de 1919) afin de venir à bout de l'anarchie qui suit l'effondrement des structures traditionnelles. Il fonde l'Internationale communiste (1919) afin d'organiser l'expansion de la révolution dans le monde. Mais l'échec des mouvements révolutionnaires en Europe l'amène à se consacrer à la construction du socialisme en Russie puis en U. R. S. S., à la création de laquelle il préside en 1922.

La construction du socialisme.

Le projet de Lénine n'est pas une simple modernisation de la société, mais sa transformation radicale. Au nom du marxisme-léninisme, système à prétention scientifique, il veut imposer à tous une idéologie d'État et préconise la mobilisation permanente des masses. Il met en place un parti unique, qui seul peut

❶ Lénine et Trotski lors du 3ᵉ anniversaire de la révolution d'Octobre (7 nov. 1920).

LÉNINE

assurer la dictature du prolétariat en s'élevant au-dessus des revendications économiques immédiates. En dépit de son intransigeance, il accepte un répit et adopte, devant les difficultés économiques et les résistances intérieures, la Nouvelle Politique économique, ou « N. E. P. ».

La postérité de Lénine.

Frappé d'hémiplégie en 1922, Lénine dicte des notes politiques dans lesquelles il cherche à mettre en garde ses compagnons contre Staline, qu'il juge trop brutal. Ces notes, appelées « testament », seront tenues secrètes jusqu'en 1956. Lénine meurt à Gorki, près de Moscou, en janvier 1924. Une commission d'immortalisation de sa mémoire est aussitôt créée. La momie de Lénine, exposée dans le mausolée de Moscou, devient l'objet d'un véritable culte. Encouragée par Staline, qui se présente comme le plus fidèle de ses compagnons, une véritable religion se développe autour de Lénine. Cette religion apparaît comme un syncrétisme entre d'anciennes traditions russes (culte des reliques, par exemple) et les valeurs nouvelles du communisme.

LÉNINE OMNIPRÉSENT

Le portrait de Trotski a disparu de tous les documents publiés légalement en U. R. S. S. ❶ À l'opposé, l'effigie de Lénine a été partout reproduite. Des statues monumentales furent érigées dans les capitales de toutes les Républiques soviétiques. À Moscou, au temps de la perestroïka lancée par Gorbatchev, une statue géante de Lénine préside aux séances du Congrès des députés du peuple. Lénine y est représenté en titan dont les idées ébranlent le monde ❷. Il incarne la puissance invincible du marxisme-léninisme.

❷ Gorbatchev à la tribune du Congrès des députés du peuple (1989).

L. E. P. [lɛp] n.m. (sigle). ANC. Lycée d'enseignement professionnel, appelé auj. *lycée professionnel.*

Lépante *(bataille de)* [7 oct. 1571], bataille navale que don Juan d'Autriche, à la tête de la flotte chrétienne, remporta sur les Turcs près de Lépante (auj. **Naupacte,** Grèce).

LEPAUTE, famille d'horlogers français. **Jean André** (Mogues, Ardennes, 1720 - Saint-Cloud 1787 ou 1789) construisit des pendules de précision pour la plupart des observatoires d'Europe, inventa l'échappement à chevilles et a laissé un *Traité d'horlogerie* (1755). Sa femme, **Nicole Reine Étable de La Brière** (Paris 1723 - Saint-Cloud 1788), aida Lalande, en 1758, à calculer, d'après les formules établies par Clairaut, la date de retour au périhélie de la comète de Halley en tenant compte de l'attraction de Jupiter et de Saturne.

LEPAUTRE, artistes parisiens des XVIIᵉ et XVIIIᵉ siècles. **Antoine** (1621-1691), architecte et graveur, construisit à Paris la chapelle du couvent (auj. hôpital) de Port-Royal et l'hôtel de Beauvais dans le Marais. Son frère **Jean** (1618-1682), graveur, publia des recueils de modèles d'ornements qui font de lui un des créateurs du style Louis XIV. **Pierre** (1660-1744), sans doute fils du précédent, sculpteur, est l'auteur de l'*Énée et Anchise* du jardin des Tuileries.

LE PELETIER DE SAINT-FARGEAU (Louis Michel), homme politique français (Paris 1760 - *id.* 1793). Député de la noblesse aux États généraux, acquis aux idées de la Révolution, élu à la Convention (1792), il fut assassiné par un royaliste pour avoir voté la mort de Louis XVI (tableau de David, disparu).

LE PEN (Jean-Marie), homme politique français (La Trinité-sur-Mer 1928). Député à l'Assemblée nationale en 1956, de 1958 à 1962 et de 1986 à 1988, il est, depuis 1972, président du Front national, parti d'extrême droite.

LE PICHON (Xavier), géophysicien français (Qui Nhon, Viêt Nam, 1937). Spécialiste de la géodynamique de la croûte terrestre, il est l'un des promoteurs de la tectonique des plaques.

LÉPIDE ou **AEMILIUS LEPIDUS** *(Marcus)* [m. en 13 ou 12 av. J.-C.], collègue de César au consulat (46 av. J.-C.), membre, avec Antoine et Octavien, du second triumvirat (43), dont il fut éliminé progressivement.

LÉPIDODENDRON [-dɛ̃-] n.m. (du gr. *lepis, lepidos,* écaille, et *dendron,* arbre). Arbre de l'ère primaire, qui atteignait 25 à 30 m de haut. (Embranchement des ptéridophytes, ordre des lépidodendrales.)

LÉPIDOLITE n.m. Mica lithinifère, principal minerai du lithium.

LÉPIDOPTÈRE n.m. (gr. *lepis, lepidos,* écaille, et *pteron,* aile). *Lépidoptères,* ordre d'insectes à métamorphoses complètes, portant à l'état adulte quatre ailes membraneuses couvertes d'écailles microscopiques colorées. (La larve du lépidoptère est appelée *chenille,* la nymphe *chrysalide,* l'adulte *papillon.*)

LÉPIDOSIRÈNE n.m. Poisson des marais du bassin de l'Amazone, qui se retire dans un terrier creusé dans la vase pour y mener une vie ralentie pendant la saison sèche et qui respire par des branchies et par des poumons. (Long. 1,20 m ; sous-classe des dipneustes.)

LÉPIDOSTÉE n.m. → LÉPISOSTÉE.

LÉPINE (Louis), administrateur français (Lyon 1846 - Paris 1933). Préfet de police de 1893 à 1913, il se signala par la création des brigades cyclistes et fluviales ainsi que par l'organisation du *concours Lépine* (1902), destiné à récompenser les créations d'artisans ou d'inventeurs.

LÉPINE (Pierre), médecin français (Lyon 1901 - Paris 1989). Spécialiste de virologie à l'Institut Pasteur, il étudia notamment le virus de la rage et réalisa un vaccin contre celui de la poliomyélite.

LÉPIOTE n.f. (gr. *lepion,* petite écaille). Champignon à lames, à chapeau couvert d'écailles, à anneau, mais sans volve, croissant dans les bois, les prés. (La coulemelle, comestible, est la lépiote élevée.)

LÉPISME n.m. Insecte à corps gris argenté, vivant dans les lieux humides des maisons. (Long. 1 cm ; ordre des thysanoures.) Nom usuel : *petit poisson d'argent.*

LÉPISOSTÉE ou **LÉPIDOSTÉE** n.m. Poisson des rivières et des lacs des États-Unis. (Long. 1,50 m ; sous-classe des holostéens.)

LE PLAY (Frédéric), économiste et ingénieur français (La Rivière-Saint-Sauveur, près de Honfleur, 1806 - Paris 1882). Dans son œuvre la plus importante, *la Réforme sociale* (1864), il soutient la nécessité de l'autorité, tant sur le plan de l'entreprise, de l'Église et de l'État que sur celui de la famille, mais une autorité fondée sur l'amour et non sur la coercition. Son influence a été considérable dans l'histoire de l'organisation du travail.

LÉPORIDÉ n.m. (lat. *lepus, leporis,* lièvre). *Léporidés,* famille de mammifères lagomorphes, comprenant les lièvres et les lapins.

LÈPRE n.f. Maladie infectieuse chronique, due au bacille de Hansen, qui se manifeste par des lésions cutanées, ou lépromes (forme lépromateuse), ou par des atteintes du système nerveux (forme tuberculoïde).

ENCYCL. Devenue exceptionnelle en Europe, la lèpre atteint plus de 10 millions d'individus dans les autres continents.

Les deux formes. La *forme lépromateuse,* la plus grave, est très contagieuse. L'atteinte des nerfs périphériques provoque un engourdissement des mains, des pieds et du visage. Ces zones deviennent insensibles et leurs muscles se paralysent. Des lésions de la peau et des os se développent ; la cécité qui les accompagne aggrave l'infirmité du malade. La *forme tuberculoïde,* peu contagieuse, se caractérise par l'importance des manifestations nerveuses, mais elle est moins sévère que la forme lépromateuse.

Le traitement. Les sulfones et certains sulfamides, en traitement de plusieurs années, amènent la guérison ou la stabilisation de la maladie. Les lésions déjà apparues sont irréversibles.

LÉPREUX, EUSE adj. et n. Qui a la lèpre ; qui concerne la lèpre. ◆ adj. Couvert de moisissures : *Murs lépreux.*

LEPRINCE, famille de peintres verriers français du XVIᵉ siècle, dont l'atelier était à Beauvais. Œuvres d'**Engrand Leprince** (m. Beauvais 1531), l'*Arbre de Jessé* de St-Étienne de Beauvais (v. 1522-1524) et les verrières de l'ancienne église St-Vincent de Rouen (1525-26, remontées dans l'église Ste-Jeanne-d'Arc) comptent parmi les chefs-d'œuvre du vitrail Renaissance.

LEPRINCE DE BEAUMONT (Jeanne Marie), femme de lettres française (Rouen 1711-Chavanod 1780). Elle composa des contes pour la jeunesse, dont le plus célèbre est *la Belle et la Bête.*

LEPRINCE-RINGUET (Louis), physicien français (Alès 1901). Spécialiste de l'étude des rayons cosmiques, il a mis au point plusieurs dispositifs expérimentaux pour leur étude. Il a aussi déterminé les masses et les propriétés de plusieurs types de mésons. (Acad. fr. 1966.)

LÉPROLOGIE n.f. Étude de la lèpre.

LÉPROME n.m. Tumeur nodulaire caractéristique de la forme dite *lépromateuse* de la lèpre.

LÉPROSERIE n.f. Hôpital pour les lépreux.

LEPTE n.m. Larve du trombidion.

LEPTIS MAGNA, ancienne cité de la côte méditerranéenne, à l'E. de Tripoli. Colonie de Sidon, tributaire de Carthage, puis des rois de Numidie, elle conserva, sous la tutelle romaine, une large autonomie. Ce fut le pays natal de Septime Sévère, qui l'enrichit de nombreux monuments. Très prospère au IIIᵉ siècle, elle fut saccagée par les Vandales en 455. C'est l'actuelle *Lebda,* en Libye. – Importantes ruines romaines. (*Voir illustration p. suivante.*)

LEPTOCÉPHALE n.m. (du gr. *leptos,* mince, et *kephalê,* tête). Larve de l'anguille, transparente, en forme de feuille de saule, qui traverse l'Atlantique vers les côtes européennes, où elle se transforme en civelle, en trois ans env. (Long. max. : 6 à 7 cm.)

LEPTON n.m. Particule élémentaire ne subissant pas d'interactions nucléaires (électron, neutrino, muon), par opp. aux *hadrons.*

LEPTOSOME adj. et n. Se dit de qqn dont la constitution physique est caractérisée par un corps mince et allongé, par opp. à *pycnique.*

Engrand **LEPRINCE** : l'*Arbre de Jessé,* vitrail (1522-1524) dans l'église Saint-Étienne de Beauvais.

Le théâtre (Ier-IIe s. apr. J.-C.), à **LEPTIS MAGNA**.

LEPTOSPIRE n.m. Bactérie de la famille des spirochètes, responsable des leptospiroses.

LEPTOSPIROSE n.f. Maladie infectieuse due à un leptospire. (La *leptospirose ictéro-hémorragique* est caractérisée par une fièvre élevée, une hépatite avec ictère et des hémorragies.)

LEPTURE n.m. Coléoptère longicorne, qui vit sur les fleurs.

LEQUEL, LAQUELLE, LESQUELS, LESQUELLES pron. relat., génér. précédé d'une prép. : *Le bateau sur lequel nous naviguions.* ◆ pron. interr. Quel (parmi plusieurs) : *Voici deux étoffes, laquelle choisissez-vous ?* (Forme avec à et de les pronoms *auquel, auxquels, auxquelles, duquel, desquels, desquelles.*)

LERICHE (René), chirurgien français (Roanne 1879 - Cassis 1955). Il fut professeur de médecine expérimentale, développa la chirurgie du système nerveux végétatif (qui innerve les viscères), en particulier dans la lutte contre la douleur, et fut un pionnier de la chirurgie des artères.

LE RICOLAIS (Robert), ingénieur français (La Roche-sur-Yon 1894 - Paris 1977). À partir d'études sur les cristaux et les radiolaires, il inventa dans les années 1940 les *structures spatiales* utilisées en architecture.

LÉRIDA, v. d'Espagne (Catalogne), ch.-l. de prov. ; 112 093 hab. − Dans l'enceinte de l'ancienne citadelle, d'origine arabe, majestueuse cathédrale Ancienne, romane (XIIIe s.), et son cloître gothique. Nouvelle cathédrale (XVIIIe s.) et autres monuments.

LÉRINS *(îles de),* îles de la Méditerranée (Alpes-Maritimes), au large de Cannes. Les deux principales sont Sainte-Marguerite et Saint-Honorat. − Centre monastique et théologique important aux Ve et VIe s., elles conservent aujourd'hui un monastère cistercien en activité.

LERMA (Francisco de Sandoval y Rojas, *duc* de), homme d'État espagnol (1553 - Tordesillas 1625). Premier ministre du roi d'Espagne Philippe III (1598-1618), il expulsa les Morisques (1609-10) et conclut avec les Provinces-Unies la trêve de Douze Ans (1609).

LERMONTOV (Mikhaïl Iourievitch), poète russe (Moscou 1814 - Piatigorsk 1841). Ses poèmes unissent la tradition des « bylines » à l'inspiration romantique (*le Boyard Orcha,* 1835 ; *le Démon,* 1841). On lui doit aussi un roman d'aventures psychologique, *Un héros de notre temps* (1839-40).

LEROI-GOURHAN (André), ethnologue et préhistorien français (Paris 1911 - *id.* 1986). Ses travaux sur l'art préhistorique et celui des peuples sans écriture, associés à l'observation, lors de fouilles archéologiques, des matériaux laissés en place, lui ont permis une approche nouvelle des mentalités préhistoriques (*les Religions de la préhistoire,* 1964 ; *le Geste et la Parole,* 1964-65).

LÉROT [lero] n.m. Petit rongeur hibernant de couleur brun rougeâtre, à ventre blanc.

LÉROT

LEROUX (Gaston), journaliste et écrivain français (Paris 1868 - Nice 1927). Il créa dans ses romans policiers le personnage de Rouletabille, reporter-détective (*le Mystère de la chambre jaune,* 1908 ; *le Parfum de la dame en noir,* 1909).

LEROUX (Pierre), socialiste français (Paris 1797 - *id.* 1871). Fondateur du *Globe* (1824), organe du saint-simonisme, il rompit avec Enfantin avant de lancer l'*Encyclopédie nouvelle* (1836-1843) et la *Revue indépendante* (1841-1848), imprégnées de déisme et d'évangélisme. Député en 1848 et 1849, il s'exila après le coup d'État du 2 décembre.

LEROY (André Max), zootechnicien français (Le Raincy 1892 - Eaubonne, Val-d'Oise, 1978). Ses travaux sur l'alimentation et la sélection animales ont reçu de nombreuses applications dans l'élevage.

LE ROY (Julien), horloger français (Tours 1686 - Paris 1759). Il perfectionna les engrenages et l'échappement à cylindres et améliora la marche des montres en compensant les variations de température. Son fils aîné, **Pierre** (Paris 1717 - Vitry 1785), contribua à l'essor de la chronométrie de marine.

LE ROY LADURIE (Emmanuel), historien français (Les Moutiers-en-Cinglais, Calvados, 1929). Utilisant des méthodes quantitatives (séries statistiques), il a enrichi « le territoire de l'historien ». Ses œuvres fondamentales

sont *les Paysans du Languedoc* (1966), *Histoire du climat depuis l'an mil* (1967), *Montaillou, village occitan de 1294 à 1324* (1975).

LÈS prép. → LEZ.

LESAGE (Alain René), écrivain français (Sarzeau 1668 - Boulogne-sur-Mer 1747). Auteur de romans satiriques à succès (*le Diable boiteux,* 1707 ; *Gil Blas de Santillane,* 1715-1735 [→ GIL BLAS]), où il peint avec réalisme les mœurs de son temps, il s'assura également une gloire d'auteur dramatique avec des comédies (*Crispin rival de son maître,* 1707 ; *Turcaret,* 1709).

LESAGE (Jean), homme politique canadien (Montréal 1912 - Sillery 1980). Premier ministre libéral du Québec de 1960 à 1966, il entreprit de moderniser les structures de la province.

LESBIANISME n.m. Homosexualité féminine.

LESBIEN, ENNE adj. et n. De Lesbos. ◆ adj. Relatif au lesbianisme. ◆ **lesbienne** n.f. Femme homosexuelle.

LESBOS ou **MYTILÈNE**, île grecque de la mer Égée, près du littoral turc ; 1 631 km² ; 97 000 hab. *(Lesbiens).* Ch.-l. *Mytilène* (25 440 hab.). Oliveraies. – Aux VIIᵉ-VIᵉ s. av. J.-C., elle fut, avec Alcée et Sappho, la capitale de la poésie lyrique.

LESCOT (Pierre), architecte français (Paris 1515 - *id.* 1578). De formation plus humaniste que technique, il fait une carrière surtout parisienne, liée à celle de J. Goujon : jubé de St-Germain-l'Auxerrois (détruit), hôtel de Ligneris (auj. musée Carnavalet, v. 1545), fontaine des Innocents (très remaniée), Louvre. Ce dernier l'occupe de 1546 à sa mort, notamment le corps de logis (« grand degré », salle des Caryatides, chambre du Roi) s'ouvrant sur la cour Carrée par cette demi-façade sud-ouest qui est le premier chef-d'œuvre, savamment rythmé, de l'âge classique en France. (*Voir illustration p. suivante.*)

LESDIGUIÈRES (François de Bonne, *duc* de), connétable de France (Saint-Bonnet-en-Champsaur 1543 - Valence 1626). Chef des huguenots du Dauphiné, il combattit les catholiques, puis le duc de Savoie. Créé maréchal de France (1609), puis duc (1611), il devint connétable (1622) après avoir abjuré le protestantisme.

LÈSE- (lat. *laesa,* blessée). Élément placé devant un nom, le plus souvent fém., pour indiquer qu'il a été porté atteinte à ce que celui-ci désigne : *Un crime de lèse-société, de lèse-conscience.*

LÈSE-MAJESTÉ n.f. inv. Attentat à la majesté du souverain.

LÉSER v.t. [18]. -1. Faire tort à qqn, à ses intérêts. -2. Produire la lésion d'un organe.

LÉSINE n.f. VIEILLI ou LITT. Ladrerie ; épargne sordide.

LÉSINER v.i. Économiser avec excès ; agir avec une trop grande économie de moyens.

LÉSION n.f. -1. Modification de la structure d'un tissu, d'un organe sous l'influence d'une cause morbide. -2. Préjudice qu'éprouve une partie dans un contrat ou dans un partage.

LÉSIONNAIRE adj. Entaché de lésion : *Contrat lésionnaire.*

LÉSIONNEL, ELLE adj. -1. Caractérisé par une lésion. -2. Qui cause une lésion.

LESKOV (Nikolaï Semenovitch), écrivain russe (Gorokhovo, gouvern. d'Orel, 1831 - Saint-Pétersbourg 1895). Son œuvre compose, dans une langue pleine d'inventions et de pittoresque, une fresque de la Russie profonde (*Lady Macbeth au village,* 1865 ; *Gens d'Église,* 1872 ; *l'Ange scellé,* 1873).

LESOTHO, État d'Afrique australe, indépendant depuis 1966, enclavé dans la République d'Afrique du Sud.

NOM OFFICIEL : Royaume du Lesotho.
CAPITALE : Maseru.
SUPERFICIE : 30 355 km².
POPULATION : 2 100 000 hab. *(Lesothans).*
LANGUES : anglais, sotho.

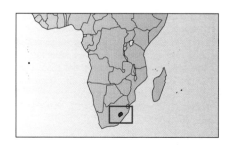

RELIGION : catholicisme, protestantisme.
MONNAIE : loti.
RÉGIME : monarchie.

GÉOGRAPHIE

Les deux tiers du territoire sont à plus de 1 800 m d'altitude (Drakensberg). La population, ethniquement homogène (Sotho), se concentre dans l'ouest, sur les basses terres, où la densité atteint parfois 500 hab./km². Cette surpopulation entraîne le départ d'une part notable de la population active masculine vers les mines d'Afrique du Sud, le puissant voisin. Le Lesotho ne possède que 10 % de terres cultivables (maïs). Son avenir économique dépend en partie de la mise en valeur amorcée d'un énorme potentiel hydraulique. *(V. carte Afrique du Sud.)*

LESPARRE-MÉDOC, ch.-l. d'arr. de la Gironde, dans le Bas-Médoc ; 4 730 hab. *(Lesparrains).* Vins. — Donjon du XIVe siècle.

Pierre **LESCOT** : corps de logis du Louvre, vu de la cour (sculptures de J. Goujon). Gravure de Du Cerceau dans *les Plus Excellents Bâtiments de France* (XVIe s.). [B. N., Paris.]

LÉONARD DE VINCI

Initiateur de la seconde Renaissance, notamment par des peintures dont la mystérieuse profondeur a de tout temps incité le spectateur à la méditation, Léonard fut un esprit universel, anxieux de pénétrer et de traduire l'essence des choses. Passionné de techniques autant que théoricien, projetant architectures, monuments, mais aussi machines de toute sorte, il a observé la nature (anatomie, géologie, météorologie...) avec une acuité de savant dont témoignent ses cahiers de notes et de dessins.

Les débuts du peintre à Florence.

Né en 1452 à Vinci, près de Florence, Léonard était fils naturel de ser Piero, notaire de la seigneurie de Florence. En 1469, celui-ci le confie à Verrocchio, qui lui enseigne la sculpture et la peinture. Dès 1472, Léonard est inscrit sur le registre des peintres florentins. Il habite Florence jusque vers 1481-82. Les peintures de cette époque, l'*Annonciation* (Offices), le *Portrait de Ginevra Benci* (Nat. Gal. of Art, Washington), montrent combien l'esthétique et la subtilité florentines ont marqué le jeune artiste. Dans l'*Adoration des Mages* (Offices), inachevée, Léonard apporte sa solution aux problèmes contemporains : la technique du *sfumato* dilue les contours et les masses plastiques dans une réalité nouvelle, plus suggestive, plus poétique, où jouent les trouvailles expressives des physionomies.

À la cour de Milan : l'artiste, le théoricien, le savant.

En 1482, Léonard se rend à Milan, près de Ludovic le More, à qui il offre ses services comme ingénieur militaire, architecte, peintre et sculpteur. Le duc l'emploie comme organisateur de fêtes et lui commande la statue équestre, de proportions colossales (env. 8 m de haut), de son père, François Sforza, à laquelle l'artiste travaillera plus de seize ans et qui ne sera jamais fondue. Léonard participe aux discussions sur la construction des cathédrales de Milan et de Pavie. En même temps, il poursuit ses recherches de peintre. Dans *la Vierge aux rochers* (v. 1483, Louvre ; autre version à la Nat. Gal. de Londres), il atteint définitivement cette transfiguration du sujet par la lumière diffuse qui est l'une de ses préoccupations majeures. En 1496-1498, pour le réfectoire de S. Maria delle Grazie, il peint *la Cène,* où une ordonnance absolument régulière et symétrique est le support de la plus intense émotion.

LÉONARD DE VINCI

SCIENCE ET POÉSIE

Le grand retable du Louvre ❷, peint pour une église de Milan, fut probablement acquis par le roi Louis XII, vers 1500, lors de sa campagne d'Italie. L'artiste y révèle son intérêt pour la géologie et la botanique et poursuit tant l'étude du clair-obscur et de la perspective aérienne que celle, plus intellectuelle, du groupement équilibré des personnages et du contrepoint gestuel des attitudes. Le dessin allégorique à la plume ❶ pourrait être un hommage au duc de Milan, Ludovic Sforza (dont les armes comportaient un soleil) : on y voit des animaux réels ou fabuleux, sans doute images de forces malfaisantes, qui luttent et sont tenus à distance par les rayons du soleil que le personnage de droite leur envoie à l'aide d'un miroir. Quant au dessin de Windsor ❸, il témoigne du sens cosmique de Léonard dans son observation des reliefs alpins.

Parallèlement, Léonard poursuit un immense travail d'investigation et d'information pour donner à sa doctrine des bases théoriques. Il prévoyait des publications successives de traités consacrés à la perspective, à l'anatomie et, aussi bien, à la mécanique, qui finalement ne virent pas le jour. Cette partie de son œuvre restera cachée jusqu'à la publication des manuscrits. Seul un *Traité de la peinture* sera édité en 1651, d'après une compilation du XVIe siècle. Léonard a également conçu une cosmologie complète, vision d'un univers animé par la lumière irradiante et travaillé par la lutte incessante des éléments.

Les années nomades :
chefs-d'œuvre et travaux divers à Florence.

Lorsque le duché de Milan tombe aux mains des Français, en 1499, Léonard, qui est célèbre dans toute l'Italie, se rend à Mantoue, où il fait le portrait d'Isabelle d'Este, puis revient à Florence, où sa présence va marquer le début d'une ère nouvelle. Il réalise alors des œuvres qui auront un retentissement général : le carton de *la Vierge et Sainte Anne* (Londres ; peinture postérieure au Louvre), le portrait de la *Joconde* (Louvre), où le clair-obscur crée l'unité tonale avec une subtilité inégalée, *la Bataille d'Anghiari,* peinture murale dans la salle du Grand Conseil au Palazzo Vecchio (1503-1505), qui fut un échec technique et n'est connue que par des dessins. L'artiste exécute ensuite la *Léda,* également connue par des dessins (entre 1504

❶ Dessin : allégorie, v. 1494 ? (Musée du Louvre, Paris.) *[Ci-contre].*

LÉONARD DE VINCI

❷ *La Vierge aux rochers,*
v. 1483.
(Musée du Louvre, Paris.)

LÉONARD DE VINCI

et 1508), deux madones commandées par Louis XII (1506-1512, perdues) et le *Saint Jean-Baptiste* du Louvre. On lui confie des travaux d'ingénieur (dont un essai de détournement du cours de l'Arno, qui est un échec).

Léonard retourne ensuite à Milan et compose un monument équestre pour le tombeau du condottiere Giangiacomo Trivulzio (1511-12). C'est à Milan que le peintre aura ses continuateurs les plus directs, tels Bernardino Luini et A. Solario. Après deux années passées à Rome, Léonard, invité par François Ier, part pour la France (1516), où il se livrera surtout à des études d'architecture pour les châteaux royaux.

Une puissance visionnaire.

Léonard, qui était l'héritier de toutes les aspirations du quattrocento florentin, apporta une conclusion géniale aux recherches du siècle, confirmant, en peinture, la conquête du clair-obscur et de l'enveloppe tonale la plus subtile, qui eut une influence décisive, et donnant, en sculpture et en architecture, une impulsion nouvelle au besoin d'expression. Ses dessins (vaste collection au château de Windsor) possèdent tour à tour une précision scientifique et une puissance visionnaire inégalées. Ses écrits, abondants et souvent d'une qualité littéraire remarquable, ont été conservés pour une large part ; mais les cahiers de dessins (*Codex Atlanticus* de la bibliothèque Ambrosienne, à Milan ; manuscrits de l'Institut de France, à Paris ; etc.) ont souffert en partie de l'imprévoyance de l'artiste et de l'incurie des héritiers. Dès le xvie siècle, pourtant, Léonard était considéré comme une sorte de « mage » ; malgré tant de créations perdues ou inachevées, la valeur de son œuvre est immense.

❸ Dessin : étude de stratification, v. 1508-1510 ? (Château de Windsor.)

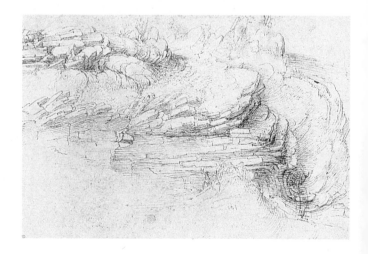

LESPINASSE (Julie de), femme de lettres française (Lyon 1732 - Paris 1776). Dame de compagnie de Mme du Deffand, elle ouvrit à son tour un salon, où se réunirent les Encyclopédistes. Ses *Lettres à M. de Guibert* (1809) composent le tumultueux roman d'un amour impossible.

LESSEPS (Ferdinand, *vicomte* de), diplomate français (Versailles 1805 - La Chênaie, Indre, 1894). Il fit percer le canal de Suez en 1869 puis s'intéressa au projet du canal de Panamá à partir de 1879. L'échec de cette seconde entreprise (1889) provoqua un scandale politique et financier.

Ferdinand, vicomte de **LESSEPS**, diplomate français. Détail d'un portrait par H. Fourau. (Compagnie financière de Suez.)

LESSING (Doris), femme de lettres britannique (Kermanchah, Iran, 1919). Son théâtre et ses récits analysent les conflits humains et sociaux (*les Enfants de la violence*, 1952-1966 ; *la Terroriste*, 1985) à travers l'expérience des minorités raciales (l'apartheid) ou de la condition féminine (*le Carnet d'or*, 1962).

LESSING (Gotthold Ephraim), écrivain allemand (Kamenz, Saxe, 1729 - Brunswick 1781). Désireux de libérer le théâtre allemand de l'imitation de la tragédie française, il publie *Minna von Barnhelm* (1767), comédie sérieuse, et la *Dramaturgie de Hambourg* (1767-1769) [→ DRAMATURGIE], recueil d'articles critiques. Il précise son esthétique dans *Laocoon* (1766) et donne au théâtre une tragédie bourgeoise, *Emilia Galotti* (1772), ainsi qu'un drame philosophique, *Nathan le Sage* (1779), tandis qu'en 1780 paraissent ses maximes, réunies dans *l'Éducation du genre humain*. L'influence de Lessing fut déterminante à un moment où se formait l'esprit national de la littérature allemande.

LESSIVAGE n.m. -1. Action de lessiver. -2. Dans un sol, migration d'argile ou de limon vers un horizon inférieur par dissolution sélective.

LESSIVE n.f. -1. Produit détersif, à base de savon ou de détergents de synthèse, se présentant sous forme de poudre ou de liquide : *Un baril de lessive.* -2. Action de laver le linge ; linge lavé : *Faire la lessive.* -3. Solution alcaline ou saline servant à la fabrication du savon.

LESSIVER v.t. Nettoyer qqch avec de la lessive : *Lessiver les murs, du linge.* **PÉDOL.** Entraîner le lessivage du sol, en parlant de précipitations notamm. **TECHN., CHIM.** Débarrasser des parties solubles à l'aide d'une lessive.

LESSIVEUSE n.f. Récipient en tôle galvanisée pour faire bouillir le linge.

LESSIVIEL, ELLE adj. Relatif à la lessive : *Produits lessiviels.*

LESSIVIER n.m. Fabricant de lessive.

LEST n.m. -1. Matière pesante placée dans les fonds d'un navire ou fixée à sa quille pour lui assurer un tirant d'eau ou une stabilité convenables. -2. Sable qu'un aéronaute emporte dans la nacelle du ballon et qu'il jette pour prendre de l'altitude ou ralentir sa descente. -3. *Navire sur lest,* navire qui navigue sans fret.

LESTAGE n.m. Action de lester.

LESTE adj. -1. Qui se meut avec agilité, aisance ; alerte, vif : *Un vieillard encore leste.* -2. Trop libre ; qui blesse la décence ; gaulois, grivois : *Histoire leste.* ◆ **lestement** adv.

LESTER v.t. Charger de lest un navire, un aérostat.

LE SUEUR (Eustache), peintre français (Paris 1616 - *id.* 1655). Élève de Vouet, admirateur de Raphaël, il exécuta notamment une suite de la *Vie de saint Bruno* pour la chartreuse de Paris (Louvre) et les décors mythologiques de deux pièces de l'hôtel Lambert, dans l'île Saint-Louis (en partie au Louvre). Il fut l'un des douze fondateurs de l'Académie royale de peinture et de sculpture (1648).

LE SUEUR (Jean-François), compositeur français (Drucat, près d'Abbeville, 1760 - Paris 1837), auteur d'opéras (*Ossian ou les Bardes,* 1804) et de musique religieuse. Il eut Berlioz et Gounod pour élèves.

LESUR (Daniel), compositeur français (Paris 1908). Membre du groupe Jeune-France (1936), il a écrit notamment *le Cantique des cantiques* pour 12 voix mixtes (1953) et *Ondine,* opéra d'après Giraudoux (créé à Paris en 1982).

LESZCZYŃSKI, famille polonaise illustrée notamment par le roi Stanislas et par sa fille Marie Leszczyńska.

LET [lɛt] adj. inv. (mot angl., *obstacle*). Au tennis et au tennis de table, se dit d'une balle de service qui touche le filet et retombe dans les limites du court ou de la table, dans le camp adverse. SYN. : **net.** Recomm. off. : *filet.*

LÉTAL, E, AUX adj. -1. Se dit d'un gène qui entraîne la mort plus ou moins précoce de l'individu qui le porte. -2. Se dit de toute cause qui entraîne la mort du fœtus avant l'accouchement. -3. *Dose létale,* dose d'un produit toxique ou d'un rayonnement ionisant qui entraîne la mort.

LÉTALITÉ n.f. -1. Caractère de ce qui est létal. -2. Caractère d'un gène létal. -3. Mortalité : *Tables de létalité.*

LETCHI n.m. → LITCHI.

LE TELLIER (Michel), *seigneur* de Chaville, homme d'État français (Paris 1603 - *id.* 1685). Secrétaire d'État à la Guerre à partir de 1643, il fut nommé chancelier en 1677 ; il signa la révocation de l'édit de Nantes (1685). Avec son fils, Louvois, il fut le créateur de l'armée monarchique.

LÉTHARGIE n.f. (gr. *lêthargia,* de *lêthê,* oubli). -1. Sommeil profond, anormalement continu, sans fièvre ni infection, avec relâchement musculaire complet : *Tomber en léthargie.* -2. Torpeur, nonchalance extrême.

LÉTHARGIQUE adj. Qui tient de la léthargie ; atteint de léthargie : *Sommeil léthargique.*

LÉTHÉ, dans la mythologie grecque, un des fleuves des Enfers. Ses eaux calmes faisaient oublier aux âmes des morts qui en avaient bu leur passé terrestre. Les Grecs ont fait aussi de Léthé une source des Enfers et une divinité de l'oubli.

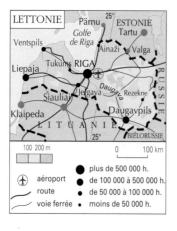

LÉTO, dans la mythologie grecque, mère d'Artémis et d'Apollon, appelée *Latone* par les Romains.

LETTON, ONNE adj. et n. De Lettonie. ◆ **letton** ou **lette** n.m. Langue balte parlée en Lettonie.

LETTONIE, État d'Europe, sur la Baltique.

NOM OFFICIEL : République de Lettonie.
CAPITALE : Riga.
SUPERFICIE : 64 000 km².
POPULATION : 2 540 000 hab. *(Lettons).*
LANGUE : letton.
RELIGION : protestantisme, catholicisme, orthodoxie.
MONNAIE : lats.
RÉGIME : parlementaire.
CHEF DE L'ÉTAT : président de la République élu par la Diète.
CHEF DU GOUVERNEMENT : Premier ministre.
LÉGISLATIF : Diète *(Saeima)* de 100 députés élus pour 3 ans.

GÉOGRAPHIE

Traversée par la Daugava, la Lettonie possède un relief faiblement accidenté et largement couvert de forêts ou d'herbages, sous un climat humide et frais. La population est composée pour moitié de Lettons de souche et pour un tiers de Russes ; 70 % de la population totale résident les villes, dont près de la moitié à Riga, qui est l'un des grands ports de la Baltique et constitue un atout majeur de l'ouverture du pays vers l'Ouest. L'élevage est la principale activité agricole. À côté des industries du bois (papier), le secteur secondaire est représenté par les constructions mécaniques (machines-outils, matériel de transport) et électriques.

HISTOIRE

Au début de l'ère chrétienne, des peuples du groupe finno-ougrien et du groupe balte s'établissent dans la région.
Fin du XIIᵉ - début du XIIIᵉ s. : les chevaliers Porte-Glaive et Teutoniques, d'origine allemande, conquièrent le pays.

Ayant fusionné en 1237 pour former l'ordre livonien, ils gouvernent le pays et le christianisent.
1561 : la Livonie est annexée par la Pologne.
1721-1795 : la totalité du pays est intégrée à l'Empire russe.
1918 : la Lettonie proclame son indépendance.
1920 : l'indépendance est reconnue par la Russie soviétique.
1940 : envahie par les troupes soviétiques, la Lettonie est intégrée à l'U. R. S. S., conformément au pacte germano-soviétique.
1941-1944 : elle est occupée par les Allemands.
1944 : elle redevient une République soviétique.
Juill. 1989 : la Lettonie proclame sa souveraineté.
Sept. 1991 : l'indépendance de la Lettonie est reconnue par les États occidentaux et par l'U. R. S. S.
1994 : les troupes russes achèvent leur retrait du pays.

LETTRAGE n.m. Marquage au moyen de lettres.

LETTRE n.f. **-1.** Signe graphique utilisé pour les écritures alphabétiques et dont l'ensemble constitue l'alphabet. **-2.** Signe alphabétique envisagé dans sa forme, sa taille, etc. : *Lettre minuscule, majuscule.* **-3.** Sens strict des mots d'un texte, d'un discours, etc., par opp. au sens profond, à l'esprit : *Respecter la lettre de la loi.* **-4.** Message personnel écrit adressé à qqn par la poste sous enveloppe. **-5.** BELGIQUE. *Lettre de mort,* faire-part de décès. ‖ *Lettre ouverte,* écrit polémique ou revendicatif adressé à qqn en particulier mais rendu public simultanément. **DR.** *Lettre d'intention,* document dans lequel est déclarée l'intention de passer un contrat, de conclure un accord ultérieur. ‖ *Lettre de voiture,* lettre qui prouve le contrat de transport. **GRAV.** Inscription gravée sur une estampe. ‖ *Épreuve avant la lettre,* épreuve tirée avant gravure de toute inscription. **HIST.** *Lettre de cachet* → CACHET. ‖ *Lettre de marque,* lettre patente, appelée aussi *commission en guerre,* que l'État délivrait en temps de guerre au capitaine d'un navire armé en course. **IMPR.** Caractère représentant une des lettres de l'alphabet. **MIL.** *Lettre de service,* document ministériel conférant à un officier des attributions particulières. **RELIG.** *Lettre pastorale,* mandement. ◆ pl. **-1.** Ensemble des connaissances et des études littéraires, par opp. à *sciences : Faculté des lettres.* **-2.** Culture et activités littéraires. **-3.** *Homme de lettres, femme de lettres,* écrivain.

LETTRÉ, E adj. et n. **-1.** Qui a du savoir, de la culture littéraire. **-2.** BELGIQUE. Personne qui sait lire et écrire.

Lettres de la religieuse portugaise, nom donné à cinq lettres d'amour passionné attribuées à Mariana Alcoforado, religieuse portugaise, et adressées au comte de Chamilly. Présentées comme une traduction (1669), elles sont considérées aujourd'hui comme l'œuvre du comte de Guilleragues (1628-1685).

Lettres de mon moulin (les), recueil de contes d'A. Daudet (1869). Ils ont presque tous pour décor la Provence : *la Chèvre de M. Seguin, l'Élixir du R. P. Gaucher, les Trois Messes basses...*

Lettres persanes, roman philosophique de Montesquieu (1721). L'auteur soumet le monde occidental au regard de deux voyageurs persans, Usbek et Rica, qui font part de leurs impressions à différents correspondants. Cette correspondance imaginaire sert de prétexte à une critique des mœurs parisiennes et de la société française.

Lettres philosophiques sur l'Angleterre ou **Lettres anglaises** → VOLTAIRE.

LETTRE-TRANSFERT n.f. (pl. lettres-transferts). Caractère graphique se reportant sur du papier ou sur une autre surface lisse par pression et frottement.

LETTRINE n.f. Grande initiale, ornée ou non, placée au début d'un chapitre ou d'un paragraphe.

LETTRISME n.m. Mouvement littéraire qui fait consister la poésie dans la seule sonorité ou dans le seul aspect des lettres disposées en un certain ordre ; école picturale qui fait appel à des combinaisons visuelles de lettres et de signes.

1. LEU n.m. *À la queue leu leu,* à la file, à la suite les uns des autres.

2. LEU n.m. (pl. lei). Unité monétaire principale de la Roumanie.

LEUCADE, une des îles Ioniennes (Grèce), auj. rattachée à la terre ; 20 900 hab.

LEUCANIE n.f. Papillon du groupe des noctuelles.

LEUCATE ou **SALSES** *(étang de),* étang de la côte méditerranéenne (Aude et Pyrénées-Orientales) ; env. 11 000 ha. Stations balnéaires et ports de plaisance sur le cordon littoral.

LEUCÉMIE n.f. (du gr. *leukos,* blanc, et *haima,* sang). Maladie se manifestant le plus souvent par la prolifération de globules blancs dans le sang (jusqu'à 500 000 par mm³) et de cellules anormales révélant une altération des organes hématopoïétiques (moelle osseuse, rate, ganglions).

ENCYCL. Maladies malignes, les leucémies sont de cause inconnue bien que, dans certains cas, on évoque le rôle de virus, de substances chimiques ou de facteurs génétiques.

Les leucémies aiguës. Dominées par l'anémie (par insuffisance de formation des globules rouges), les hémorragies (insuffisance des plaquettes), les infections (insuffisance des globules blancs normaux), elles sont majoritaires chez l'enfant.

Les leucémies chroniques. On observe une augmentation de volume de la rate (splénomégalie) ou des ganglions lymphatiques (adénopathies), parfois une diffusion de la maladie à de nombreux organes.

Le traitement. Chimiothérapie (par médicaments) et radiothérapie (par rayonnements ionisants) anticancéreuses permettent de nombreuses guérisons. Elles sont complétées si besoin par des transfusions et des greffes de moelle osseuse.

LEUCÉMIQUE adj. et n. Relatif à la leucémie ; atteint de leucémie.

LEUCINE n.f. Acide aminé, constituant essentiel des protéines sous sa forme lévogyre (L-leucine).

LEUCIPPE, philosophe grec (v. 460-370 av. J.-C.). Il est le fondateur de la théorie atomiste.

1. **LEUCITE** n.m. Plaste.

2. **LEUCITE** n.f. Silicate naturel d'aluminium et de potassium des roches volcaniques.

LEUCOCYTAIRE adj. -1. Qui concerne les leucocytes. -2. *Formule leucocytaire,* formule exprimant les taux respectifs des différentes variétés de leucocytes dans le sang.

LEUCOCYTE n.m. (du gr. *leukos,* blanc, et *kutos,* cavité). Globule blanc du sang et de la lymphe, assurant la défense contre les micro-organismes.

LEUCOCYTOSE n.f. Augmentation du nombre des globules blancs (leucocytes) du sang.

LEUCO-ENCÉPHALITE n.f. (pl. leuco-encéphalites). Atteinte inflammatoire de la substance blanche des hémisphères cérébraux, entraînant des troubles neurologiques et une détérioration intellectuelle.

LEUCOME n.m. Tache blanchâtre sur la cornée.

LEUCOPÉNIE n.f. Diminution du nombre des globules blancs (leucocytes) du sang.

LEUCOPLASIE n.f. Transformation pathologique d'une muqueuse qui se recouvre d'une couche cornée (comme la peau normale) et qui, étant constamment humide, prend un aspect blanchâtre.

LEUCOPOÏÈSE n.f. Formation des globules blancs (leucocytes).

LEUCORRHÉE n.f. Écoulement blanchâtre, muqueux ou purulent, provenant des voies génitales de la femme. SYN. : **pertes blanches.**

LEUCOSE n.f. État leucémique.

LEUCOTOMIE n.f. Lobotomie partielle.

Leuctres *(bataille de)* [371 av. J.-C.], victoire d'Épaminondas sur les Spartiates en Béotie, qui assura à Thèbes l'hégémonie sur la Grèce.

LEUDE n.m. Sous les Mérovingiens, homme libre, riche et puissant, lié au roi par serment.

LEUR pron. pers. de la 3e pers. du pl. À eux, à elles : *Elle leur a donné du chocolat.* (Se place immédiatement devant le verbe.) ◆ **leur, leurs** adj. poss. D'eux, d'elles : *Elles mettent leur bonnet et leurs gants.* ◆ **leur, leurs** pron. poss. -1. (Sans art.). Comme attribut : *Les terres qui étaient leurs.* -2. *Le leur, la leur, les leurs,* ce qui est à eux, à elles : *Nos voisins ont aussi un chat, mais le leur est gris.*

LEURRE n.m. -1. Appât factice attaché à un hameçon. -2. Artifice, moyen d'attirer et de tromper. -3. Moyen destiné à gêner la détection d'un aéronef, d'un navire ou d'un sous-marin ou à faire dévier un armes offensives dirigées contre eux. -4. Morceau de cuir rouge façonné en forme d'oiseau, auquel on attache un appât et que l'on jette en l'air pour faire revenir le faucon.

LEURRER v.t. -1. Attirer qqn par quelque espérance trompeuse. -2. Dresser un oiseau de fauconnerie à revenir au leurre. ◆ **se leurrer** v.pr. Se faire des illusions ; s'illusionner : *Tu te leurres sur ses sentiments.*

LEV [lev] n.m. (pl. leva). Unité monétaire principale de la Bulgarie.

LEVAGE n.m. -1. Action de lever, de déplacer verticalement une charge. -2. Fait de lever, en parlant d'une pâte. SYN. : **levée.**

LEVAIN n.m. -1. Culture de micro-organismes utilisée pour produire la fermentation dans un produit. -2. Morceau de pâte en cours de fermentation qui, mêlé à la pâte du pain, la fait lever et fermenter.

Levallois *(technique),* technique de débitage de la pierre du paléolithique moyen, caractérisée par une préparation du nucléus qui permet d'obtenir des éclats d'une forme prédéterminée. La technique Levallois représente l'un des aspects de l'industrie moustérienne.

LEVALLOIS-PERRET, ch.-l. de c. des Hauts-de-Seine ; 47 788 hab. *(Levalloisiens).* Centre industriel et résidentiel. — Gisement préhistorique de silex éponyme de la technique Levallois.

LEVANT n.m. -**1.** Est, orient. -**2.** ANC. *La flotte du Levant,* la flotte de la Méditerranée, par opp. à la flotte du Ponant (de l'Atlantique). ◆ adj.m. *Soleil levant,* soleil qui se lève, paraît à l'horizon.

LEVANT, nom anciennement donné aux pays de la côte orientale de la Méditerranée.

LEVANT, en esp. Levante, région de l'Espagne orientale, qui abrite un grand nombre de peintures rupestres datées des VIe et Ve millénaires. Scènes de danse et de chasse y abondent avec, dans ces dernières, des représentations d'hommes armés d'arcs et de flèches.

LEVANT *(île du),* une des îles d'Hyères (Var). Centre naturiste. — Centre d'expérimentation des missiles de la marine.

LEVANTIN, E adj. et n. Originaire des pays de la Méditerranée orientale.

LEVASSEUR, famille de sculpteurs québécois du XVIIIe siècle. Le chef-d'œuvre du plus connu d'entre eux, **Noël** (Québec 1680 - *id.* 1740), est le décor intérieur de la chapelle des Ursulines à Québec.

LEVASSOR (Émile), ingénieur et industriel français (Marolles-en-Hurepoix 1843 - Paris 1897). Associé à René Panhard, il créa en France, grâce aux brevets Daimler, l'industrie des moteurs automobiles.

LE VAU (Louis), architecte français (Paris 1612 - *id.* 1670). Après avoir élevé divers hôtels à Paris (dans l'île Saint-Louis : hôtel Lambert), le château de Vaux-le-Vicomte, l'actuel palais de l'Institut, etc., il établit pour Louis XIV les grandes lignes du château de Versailles. Moins raffiné que F. Mansart, il a le sens de la mise en scène somptueuse mais aussi de la commodité.

1. LEVÉ, E adj. -**1.** Soulevé, placé plus haut : *Mains levées.* -**2.** Sorti du lit ; debout. -**3.** Dressé, vertical : *Pierres levées.* ◆ **levé** n.m. *Voter par assis et levé,* manifester son vote en restant assis ou en se levant.

2. LEVÉ ou **LEVER** n.m. Établissement d'un plan, d'une carte, sur le terrain ou à l'aide de photographies aériennes ; plan, carte ainsi tracés.

LEVÉE n.f. -**1.** Action de faire cesser ; fin : *Levée de la séance.* -**2.** Action de recueillir, de collecter ; ce qui a été collecté : *Levée des impôts.* -**3.** Action d'enlever, de retirer : *Levée des scellés.* -**4.** *Levée du corps,* enlèvement du cercueil de la maison mortuaire ; cérémonie qui l'accompagne. DR. *Levée d'option,* acte du bénéficiaire d'une promesse de vente qui déclare se porter acquéreur d'un bien aux conditions convenues. GÉOGR. Remblai formant digue, élevé parallèlement à un cours d'eau pour protéger la vallée des inondations : *Les levées de la Loire.* JEUX. Ensemble des cartes jouées à chaque coup et ramassées par celui qui a gagné. SYN. : **pli.** MIL. Enrôlement. ‖ *Levée en masse,* appel de tous les hommes valides pour la défense du pays. POST. Enlèvement des lettres de la boîte par un préposé de l'administration des postes.

LÈVE-GLACE ou **LÈVE-VITRE** n.m. (pl. lève-glaces, lève-vitres). Mécanisme servant à ouvrir ou fermer les glaces d'une automobile ; bouton servant à actionner ce mécanisme.

1. LEVER v.t. [**19**]. -**1.** Placer verticalement, redresser ce qui était horizontal ou penché : *Lever un pont basculant.* -**2.** Diriger vers le haut, mouvoir de bas en haut une partie du corps. -**3.** Mettre qqch plus haut, à un niveau supérieur : *Lever son verre.* -**4.** Retirer ce qui était posé ; ôter : *Lever les scellés.* -**5.** Abolir, supprimer ce qui fait obstacle : *Lever une difficulté.* -**6.** Soulever qqch en découvrant ce qui était caché : *Lever le rideau.* -**7.** Recueillir, collecter des fonds : *Lever un impôt.* -**8.** Faire sortir un animal de son gîte : *Lever un lièvre.* -**9.** Recruter une armée, des troupes, etc., les mobiliser. -**10.** Faire sortir qqn du lit, le mettre debout : *Lever un enfant.* AGRIC. *Lever une prairie,* la labourer. ‖ *Lever une terre,* donner le premier labour au printemps à une terre destinée à être ensemencée à l'automne. CARTOGR. Effectuer le levé d'un plan, d'une carte. CUIS. Prélever les filets d'une volaille ou d'un poisson. ◆ v.i. -**1.** Sortir de terre ; pousser : *Les blés lèvent.* -**2.** Gonfler sous l'effet de la fermentation : *Le pain lève.* ◆ **se lever** v.pr. -**1.** Quitter la position couchée ou assise ; se mettre debout. -**2.** Sortir du lit. -**3.** Se dresser ; se révolter : *Le peuple s'est levé contre la dictature.* -**4.** Apparaître à l'horizon, en parlant d'un astre. -**5.** Se former, devenir forte, en parlant de la houle, de la mer. -**6.** Commencer à souffler, en parlant du vent. -**7.** S'éclaircir, devenir meilleur, en parlant du temps.

2. LEVER n.m. -**1.** Action de sortir du lit ;

moment où l'on se lève. -2. Instant où un astre apparaît au-dessus de l'horizon. **SPORTS.** *Lever de rideau,* match préliminaire, précédant la rencontre principale. **THÉÂTRE.** *Lever de rideau,* moment où le rideau se lève pour découvrir la scène ; petite pièce en un acte jouée avant la pièce principale d'un spectacle théâtral. **TOPOGR.** Levé.

LEVERKUSEN, v. d'Allemagne (Rhénanie du Nord-Westphalie), sur le Rhin ; 159 325 hab. Centre chimique.

LE VERRIER (Urbain), astronome français (Saint-Lô 1811 - Paris 1877). En étudiant les perturbations du mouvement d'Uranus, il fut conduit à envisager l'existence d'une planète plus lointaine dont il détermina l'orbite et calcula la position dans le ciel, permettant ainsi sa découverte par l'Allemand J. Galle (1846). Cette nouvelle planète reçut le nom de Neptune. Directeur de l'Observatoire de Paris (1854-1870 et 1873-1877), il s'attacha surtout à élaborer une théorie du mouvement de la Lune et il organisa la centralisation et la diffusion des informations météorologiques en France et en Europe.

LÉVESQUE (René), homme politique canadien (New Carlisle, Québec, 1922 - Montréal 1987). Fondateur (1968) et chef du Parti québécois, organisation favorable à l'indépendance politique du Québec, il devint Premier ministre de la province en 1976. Malgré l'échec du référendum sur le projet de « souveraineté-association » (1980), il est reconduit au pouvoir en 1981. Ayant placé au second plan le projet indépendantiste (1984), il doit démissionner du parti et du gouvernement (1985).

René **LÉVESQUE,**
homme politique
canadien.

LÉVI, nom d'une tribu d'Israël dont les membres étaient voués aux fonctions du culte. Le personnage qui porte ce nom et qui est dit fils de Jacob et de Léa n'est que l'ancêtre

éponyme de cette tribu. Elle n'avait pas, en Palestine, de territoire propre, mais ses membres avaient seulement un droit d'habitation et de pâturage dans des villes dites « lévitiques ».

Léviathan, monstre aquatique à plusieurs têtes mentionné par la Bible et connu par des poèmes ougaritiques du XIVe s. av. J.-C. Il représente le chaos (Ps. 74, 14) ou bien apparaît comme le « serpent fuyard » (Is., 27, 1) associé au dragon de la mer. Le livre de Job (40, 25-32) fait de lui un crocodile mythique qui a partie liée avec Béhémoth, l'hippopotame. Le Léviathan symbolise ainsi les grands empires oppresseurs d'Israël, notamment l'Égypte. Il préfigure le Satan de l'Apocalypse de Jean (12, 7-9).

Léviathan (le) → HOBBES.

LEVI BEN GERSON ou **GERSONIDES,** mathématicien et philosophe français (Bagnols-sur-Cèze 1288 - Perpignan v. 1344). Il écrivit un traité de trigonométrie et proposa une philosophie qui fait la synthèse entre Aristote et Maimonide.

LEVI-CIVITA (Tullio), mathématicien italien (Padoue 1873 - Rome 1941). Il fut le créateur, avec Ricci-Curbastro, de l'analyse tensorielle.

LEVIER n.m. -1. Barre rigide pouvant tourner autour d'un point d'appui, pour soulever les fardeaux. -2. Tige de commande d'un mécanisme : *Levier de changement de vitesse.* -3. Ce qui sert à surmonter une résistance : *L'intérêt est un puissant levier.* -4. *Effet de levier,* accroissement sous certaines conditions de la rentabilité des capitaux propres d'une entreprise par l'effet de l'emprunt.

LÉVIGATION n.f. Séparation, par entraînement dans un courant d'eau, des constituants d'un mélange préalablement réduit en poudre.

LEVINAS (Emmanuel), philosophe français (Kaunas, Lituanie, 1905 - Paris 1995). On lui doit une grande part du renouveau de la pensée juive contemporaine (*le Temps et l'Autre,* 1948 ; *Totalité et Infini,* 1961).

LEVINAS (Michael), compositeur français (Paris 1949), fils du précédent. Intéressé par la musique électronique, il a écrit plus d'une vingtaine d'ouvrages, dont deux *Concertos pour un piano-espace* (1977 et 1980), *les Rires du Gilles* (1981) et *GO-gol* (1996).

LÉVIRAT n.m. -1. Loi hébraïque qui obligeait un homme à épouser la veuve de son frère mort sans descendant mâle. -2. Pratique selon laquelle la ou les épouses d'un mari défunt passent à un ou aux frères du mari.

LÉVIS (François Gaston, *duc* de), maréchal de France (Ajac, Languedoc, 1720 - Arras 1787). Il défendit le Canada après la mort de Montcalm (1759).

LÉVI-STRAUSS (Claude), anthropologue français (Bruxelles 1908). Marqué par Durkheim et Mauss, il découvre sa vocation ethnographique lors d'un séjour au Brésil (*Tristes Tropiques,* 1955). En 1941, il rencontre Jakobson à New York ; il a alors l'idée d'appliquer le concept de structure aux phénomènes humains : la parenté dans *les Structures élémentaires de la parenté* (1949), les modes de pensée classificatoire dans la *Pensée sauvage* (1962) ; enfin et surtout, il essaye de construire à partir des mythes (Bororo, grecs, etc.) des modèles récurrents qui établissent des correspondances entre symboles et comportements (*« Mythologiques »*, 1964-1971). Il a donné au structuralisme la dimension d'un humanisme. (Acad. fr. 1973.)

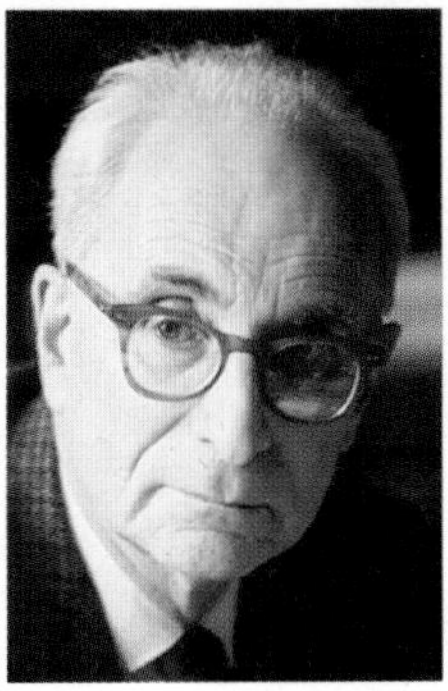

Claude **LÉVI-STRAUSS,** anthropologue français.

LÉVITATION n.f. (du lat. *levitas,* légèreté). -1. État d'un corps restant en équilibre au-dessus d'une surface grâce à une force compensant la pesanteur. -2. Phénomène selon lequel certains êtres seraient soulevés du sol et s'y maintiendraient sans aucun appui naturel.

LÉVITE n.m. Membre de la tribu de Lévi, traditionnellement chargé du service du Temple, dans l'ancien Israël.

Lévitique (le), titre donné par la Septante au troisième livre du Pentateuque. Ce livre traite du culte israélite, dont le soin était confié aux membres de la tribu de Lévi. Il a été composé après l'Exil, en une période où, les prophètes et la royauté ayant disparu, le peuple voit dans le prêtre le gardien de la tradition et des rites.

LÉVOGYRE adj. Se dit des composés chimiques qui font tourner le plan de polarisation de la lumière dans le sens inverse des aiguilles d'une montre. CONTR. : **dextrogyre.**

LEVRAUT n.m. Jeune lièvre.

LÈVRE n.f. Chacune des parties extérieures inférieure et supérieure de la bouche, qui couvrent les dents. **ANAT.** Chacun des replis cutanés de l'appareil génital externe féminin, situés en dehors *(grandes lèvres)* ou en dedans *(petites lèvres).* **BOT.** Lobe de certaines fleurs. **TECHN.** Bord saillant d'une ouverture. ◆ pl. Bords d'une plaie.

LEVRETTE n.f. -1. Femelle du lévrier. -2. *Levrette d'Italie,* femelle du lévrier italien. SYN. : **levron.**

LEVRETTÉ, E adj. Qui a le ventre relevé comme celui d'un lévrier : *Épagneul levretté.*

LÉVRIER n.m. -1. Chien longiligne, à la tête allongée et à la musculature puissante, très

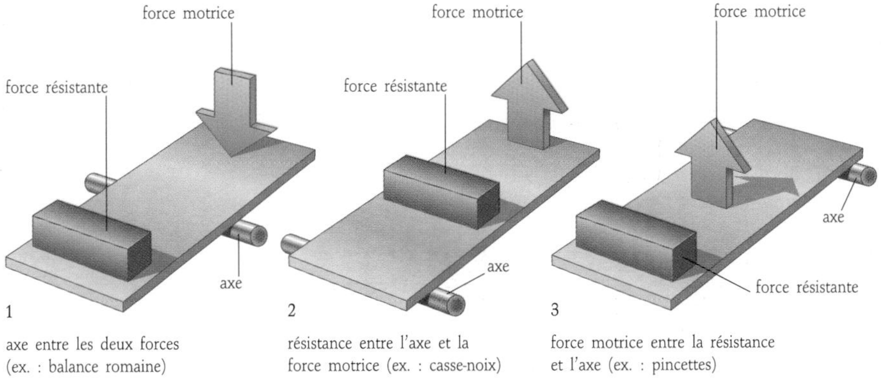
force motrice
force résistante
axe
1
axe entre les deux forces
(ex. : balance romaine)
force motrice
force résistante
axe
2
résistance entre l'axe et la
force motrice (ex. : casse-noix)
force motrice
axe
force résistante
3
force motrice entre la résistance
et l'axe (ex. : pincettes)

les trois modes de mise en œuvre du principe du **LEVIER**

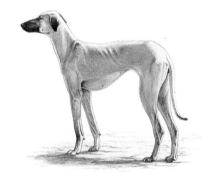

LÉVRIER arabe (ou sloughi)

rapide, propre à la chasse du lièvre. -2. *Lévrier italien,* levron.

LEVRON, ONNE n. -1. Lévrier de moins de six mois. -2. Lévrier de petite taille, la plus petite des espèces. SYN. : **lévrier italien, levrette d'Italie.**

LÉVULOSE n.m. Variété lévogyre du fructose.

LEVURE n.f. -1. Champignon unicellulaire qui produit la fermentation alcoolique des solutions sucrées ou qui fait lever les pâtes farineuses. (Les levures sont des champignons ascomycètes ; le genre le plus important est le *saccharomyces*.) -2. *Levure chimique,* mélange de produits chimiques utilisés en pâtisserie et en biscuiterie pour faire lever la pâte.

LÉVY-BRUHL (Lucien), philosophe français (Paris 1857 - *id.* 1939). Il définit les mœurs en fonction de la morale (*la Morale et la Science des mœurs,* 1903). Il a ainsi défini une « mentalité primitive », de nature mystique et prélogique, et une mentalité moderne, qui exige la détermination préalable des concepts avant leur utilisation et leur lien logique dans leur déduction (*la Mentalité primitive,* 1922). Il a atténué cette thèse dans ses *Carnets.*

LEWIN (Kurt), psychologue américain d'origine allemande (Mogilno 1890 - Newtonville, Massachusetts, 1947). Il a développé la théorie du champ de la personnalité et s'est intéressé à la dynamique des groupes. (*A dynamic Theory of Personality,* 1935 ; *Resolving Social Conflicts,* 1948).

LEWIS (Carl), athlète américain (Birmingham, Alabama, 1961). Il a remporté 9 titres olympiques : 4 en 1984 (100 m, 200 m, longueur et 4×100 m), 2 en 1988 (100 m et longueur), 2 en 1992 (longueur et 4×100 m) et un en 1996 (longueur). Il a obtenu 8 titres de champion du monde.

LEWIS (Clarence Irving), logicien américain (Stoneham, Massachusetts, 1883 - Cambridge 1964), auteur d'une importante théorie de l'implication.

LEWIS (Gilbert Newton), physicien et chimiste américain (Weymouth, Massachusetts, 1875 - Berkeley 1946). Auteur, en 1916, de la théorie de la covalence, il a donné une définition générale des acides et a proposé, en 1926, le terme de « photon » pour désigner le quantum d'énergie rayonnante.

LEWIS (Joseph Levitch, dit Jerry), acteur et cinéaste américain (Newark, New Jersey, 1926). Héritier de la tradition burlesque, il débute au cabaret puis au music-hall et à l'écran avec Dean Martin. Ensemble ils tournent 16 films dont *Artistes et Modèles* (1955). Il devient réalisateur en 1960 tout en poursuivant, seul, sa carrière d'acteur. Parmi ses films, citons : *le Tombeur de ces dames* (1961) et *Dr. Jerry et Mr. Love* (1963).

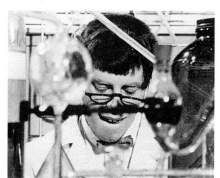

Une scène de *Dr. Jerry et Mr. Love* (1963), de et avec Jerry **LEWIS.**

LEWIS (Matthew Gregory), écrivain britannique (Londres 1775 - en mer 1818). Son roman fantastique *le Moine* (1796) lança la mode du « roman noir ».

LEWIS (Oscar), anthropologue américain (New York 1914 - *id.* 1970). Il a étudié les minorités ethniques aux États-Unis (*les Enfants de Sanchez, autobiographie d'une famille mexicaine,* 1961).

LEWIS (Sinclair), écrivain américain (Sauk Centre, Minnesota, 1885 - Rome 1951). Ses romans donnent une satire de la bourgeoisie américaine et de ses préoccupations sociales et religieuses (*Babbitt,* 1922 ; *Elmer Gantry,* 1927). [Prix Nobel 1930.]

LEWIS (*sir* William Arthur), économiste britannique (Castries, Sainte-Lucie, 1915 - la Barbade 1991). Spécialiste des théories de la croissance et du développement, il a partagé, en 1979, le prix Nobel de science économique avec T. Schultz.

LEXÈME n.m. Élément significatif, appartenant au lexique (morphème lexical), par opp. au morphème grammatical.

LEXICAL, E, AUX adj. Qui concerne le lexique, le vocabulaire d'une langue.

LEXICALISATION n.f. Processus par lequel une suite de morphèmes devient une unité lexicale.

LEXICALISÉ, E adj. Se dit d'une suite de morphèmes fonctionnant comme une unité de lexique et employée comme un mot : « *Petit déjeuner* », « *tout à fait* » *sont lexicalisés.*

LEXICOGRAPHIE n.f. Discipline dont l'objet est l'élaboration des dictionnaires. ➛ **lexicographe** n.

LEXICOGRAPHIQUE adj. Relatif à la lexicographie.

LEXICOLOGIE n.f. Partie de la linguistique qui étudie le vocabulaire, considéré dans son histoire, son fonctionnement, etc. (La lexicologie considère que le *mot* appartient à un ensemble productif, dont les règles constitutives autorisent la formation de certains mots et non d'autres.) ➛ **lexicologue** n.

LEXICOLOGIQUE adj. Relatif à la lexicologie.

LEXIE n.f. (gr. *lexis,* mot). Toute unité du lexique (mot ou expression).

LEXINGTON-FAYETTE, v. des États-Unis (Kentucky) ; 225 366 hab. Centre d'une région d'élevage de chevaux de course.

LEXIQUE n.m. (gr. *lexikon,* de *lexis,* mot). -1. Dictionnaire spécialisé regroupant les termes utilisés dans une science ou une technique. -2. Dictionnaire bilingue succinct. -3. Vocabulaire employé par un écrivain, un homme politique, etc., dans son œuvre, ses discours, étudié sous l'angle de sa diversité, de sa complexité. -4. Glossaire placé à la fin d'un ouvrage. -5. Ensemble des mots formant la langue d'une communauté et considéré comme l'un des éléments constituant le code de cette langue, par opposition à la grammaire. (→ DICTIONNAIRE.)

LEXIS [lɛksis] n.f. Énoncé logique, considéré indépendamment de la vérité ou de la fausseté de son contenu sémantique.

LEYDE, en néerl. **Leiden**, v. des Pays-Bas (Hollande-Méridionale) sur le Vieux Rhin ; 111 949 hab. Université. **ARTS**. Église St-Pierre, reconstruite aux XIVe-XVe siècles en style gothique brabançon, autres monuments et demeures anciennes. Musée municipal De Lakenhal (beaux-arts, arts décoratifs, histoire), musées nationaux des Antiquités (archéologie, notamm. égyptienne), d'Ethnographie, fondé en 1837 (Indonésie et autres civilisations), etc.

LEYTE, île volcanique des Philippines ; 8 003 km² ; 1 362 000 hab. – Occupée par les Japonais de 1942 à 1944, elle vit la défaite de la flotte japonaise (oct. 1944), qui y engagea pour la première fois les avions-suicides kamikazes.

LEZ ou **LÈS** [lɛ] prép. (lat. *latus,* côté). Près de (uniquement dans les noms de lieux) : *Lys-lez-Lannoy. Savigny-lès-Beaune.*

LÉZARD n.m. -1. Reptile commun près des vieux murs, dans les bois, les prés. (Le lézard ocellé peut atteindre 60 cm de long ; type du sous-ordre des lacertiliens.) -2. Peau tannée des grands lézards tropicaux (iguanes, tégus, varans), très appréciée en maroquinerie.

LÉZARD des murailles

LÉZARDE n.f. -1. Crevasse affectant toute l'épaisseur d'un ouvrage de maçonnerie. -2. LITT. Fissure, atteinte qui compromet la solidité d'un état, d'un sentiment. -3. Galon étroit d'ameublement, servant à masquer clous ou coutures.

LÉZARDER v.t. Produire des lézardes. ➛ **se lézarder** v.pr. Se fendre, se crevasser.

LEZGUIENS, peuple caucasien et musulman vivant au Daguestan et en Azerbaïdjan.

LHASSA, cap. du Tibet (Chine), à 3 600 m d'alt. ; 105 000 hab. **ARTS**. Nombreux monuments liés à l'histoire et au bouddhisme tibétain : le *Potala* (actuellement musée), palais du dalaï-lama reconstruit au XVIIe siècle ; le *Jokhang,* grand temple de Lhassa ; le *Norbulingka,* édifié en 1755, résidence d'été du dalaï-lama ; dans les environs, le grand monastère de *Bras-Spungs* et celui de *Sera,* fondé en 1419.

L'HERBIER (Marcel), cinéaste français (Paris 1888 - *id.* 1979). Principal représentant de l'avant-garde impressionniste des années 20, fondateur (1943) de l'Institut des hautes études cinématographiques (I. D. H. E. C.), il réalisa notamment *Eldorado* (1921), *l'Inhumaine* (1924), *Feu Mathias Pascal* (1925), *l'Argent* (1929), *la Nuit fantastique* (1942).

LHOMOND (*abbé* Charles François), grammairien français (Chaulnes 1727 - Paris 1794), auteur de textes latins pour débutants (*De viris illustribus urbis Romae,* v. 1775).

L'HOSPITAL (Guillaume de), marquis de Sainte-Mesme, mathématicien français (Paris 1661 - *id.* 1704). Officier de cavalerie, il fut initié au calcul infinitésimal par Jean Bernoulli et en publia le premier manuel.

L'HOSPITAL (Michel de), homme d'État français (Aigueperse v. 1505 - Belesbat 1573). Magistrat humaniste, nommé chancelier de France en 1560, il s'efforça en vain de réconcilier catholiques et protestants, qu'il convoqua au colloque de Poissy (1561). Son édit de tolérance (1562) ne put empêcher le déclenchement des guerres de Religion et il démissionna en 1573.

LHOTSE, quatrième sommet du monde, dans l'Himalaya central (Népal), proche de l'Everest ; 8 545 m.

Li, symbole chimique du lithium.

LI n.m. (mot chin.). Mesure itinéraire chinoise valant 576 m environ.

LI, peuple du sud de l'île de Hainan (Chine), parlant une langue thaïe et, de plus en plus, le chinois.

LIAGE n.m. Action de lier.

LIAIS [ljɛ] n.m. Calcaire dur, d'un grain très fin, utilisé en dallages et revêtements.

LIAISON n.f. -**1.** Union, jonction de plusieurs choses, de plusieurs corps ensemble. -**2.** Action de maintenir les relations entre différents services, différents organismes. -**3.** Communication régulièrement assurée entre deux ou plusieurs points du globe : *Liaison aérienne.* -**4.** Enchaînement des parties d'un tout : *Liaison dans les idées.* -**5.** LITT. Lien entre deux personnes, reposant sur des affinités de goût, d'intérêt : *Liaison d'affaires.* -**6.** Relation amoureuse suivie. **BÂT.** Action, manière de joindre les matériaux. Mortier utilisé pour la liaison. ‖ *Maçonnerie en liaison,* maçonnerie dans laquelle le milieu de chaque élément (pierre, brique, etc.) pose sur le joint de deux éléments du lit immédiatement inférieur. **CHIM.** Interaction entre atomes différents ou identiques qui conduit à la formation d'agrégats (composés chimiques, corps simples polyatomiques, etc.). [v. ENCYCL.] **CUIS.** Opération consistant à incorporer un ingrédient (jaune d'œuf, farine, etc.) à une préparation pour l'épaissir ; cet ingrédient. **GRAMM.** Prononciation de la der-

Le Potala à **LHASSA,** reconstruit au XVIIᵉ siècle.

nière consonne d'un mot, habituellement muette, avec la voyelle initiale du mot suivant. (Ex. : *les oiseaux* [lɛzwazo].) **MÉCAN.** Ensemble de conditions particulières auxquelles est assujetti un corps solide par rapport à un autre, qui limite les mouvements possibles de l'un par rapport à l'autre et qui détermine leur degré de liberté relatif. **MIL.** Lien permanent établi entre chefs et subordonnés, entre armes, unités différentes. **MUS.** Trait réunissant deux ou plusieurs notes écrites sur le même degré et indiquant que la seconde et, le cas échéant, les suivantes ne doivent pas être attaquées de nouveau ; signe indiquant que l'on ne doit pas détacher les notes les unes des autres.

ENCYCL. CHIMIE

On distingue schématiquement trois types de liaisons chimiques dites fortes, mais la liaison réelle en fait souvent intervenir plusieurs à la fois, selon la nature des espèces chimiques mises en jeu.

La *liaison ionique* unit par attraction électrostatique des ions de signes contraires. Dans le cas du chlorure de sodium $Na^+ Cl^-$ par ex., la formation simultanée des ions est due au transfert d'un électron de Na vers Cl ; le sodium prend la structure électronique stable du gaz rare le plus proche (le néon) et le chlore celle de l'argon. (→ ÉLÉMENT.)

La majorité des solides et des gaz ne sont pas électrolysables et sont constitués d'atomes ou de molécules neutres, unis par une *liaison de covalence*. Cette liaison (notée : —) résulte de la mise en commun de deux électrons (doublet) par chacun des deux atomes, qui acquièrent ainsi la structure électronique plus stable du gaz rare le plus proche. La liaison covalente peut aussi être formée avec deux ou trois doublets (liaison double : ═ ; liaison triple : ≡).

Dans certains composés, les liaisons covalentes ne sont pas toutes localisées ; dans le benzène, par ex., chacun des 6 atomes de carbone donne un électron pour former une *liaison délocalisée* (liaison π), répartie sur l'ensemble du cycle.

La *liaison métallique* est l'exemple d'une délocalisation — non plus à l'échelle d'une molécule — mais d'un cristal tout entier. Les électrons de valence se déplacent librement parmi les cations qui forment les nœuds du réseau cristallin et assurent, par leur interaction avec ces derniers, la forte cohésion du cristal.

À ces trois types de liaisons fortes s'opposent les *liaisons intermoléculaires* par « forces de Van der Walls », prépondérantes dans les gaz sous forte pression, et les *liaisons hydrogène,* de nature électrostatique, responsables de la cohésion de la glace et de l'association entre les diverses molécules des protéines.

LIAISONNER v.t. **-1.** Disposer en liaison des éléments de maçonnerie. **-2.** Remplir des joints de maçonnerie de mortier.

Liaisons dangereuses (les) → LACLOS.

LIAKHOV *(îles),* archipel russe de l'océan Arctique.

LIANE n.f. Plante dont la tige flexible grimpe en s'accrochant à un support (espèces grimpantes : vigne, lierre, clématite) ou en s'enroulant autour (plantes volubiles : liseron, haricot).

LIANG KAI ou **LEANG K'AI,** peintre chinois (originaire de Dongping, Shandong), actif à Hangzhou au milieu du XIIIe siècle. L'un des principaux représentants de la peinture de la secte bouddhique chan (ou zen). Son audace plastique, véhémente explosion de « l'encre éclaboussée », confère à l'œuvre toute sa densité interne. Marginal en Chine, ce courant s'épanouira au Japon.

LIANT, E adj. Qui se lie facilement avec autrui ; sociable : *Caractère, esprit liant.* ◆ **liant** n.m. **-1.** Élasticité : *Le liant de l'acier.* **-2.** Matière ajoutée à une autre, qui, en se solidifiant, en agglomère les parties composantes. **-3.** Constituant, non volatil ou semi-volatil, des peintures, véhiculant et agglutinant les pigments de couleur. **SYN. :** médium. **-4.** *Liant hydraulique,* matériau pulvérulent durcissant à l'abri de l'air, sous la seule influence de l'eau, et capable d'agglomérer des matières inertes (sables, graviers, etc.).

LIAODONG, partie orientale du Liaoning (Chine).

LIAONING, prov. industrielle de la Chine du Nord-Est ; 140 000 km² ; 36 290 000 hab. Cap. *Shenyang.*

LIAOYANG, v. de la Chine du Nord-Est (Liaoning) ; 200 000 hab.

LIARD n.m. Ancienne monnaie de cuivre qui valait 3 deniers, le quart d'un sou.

LIAS [ljas] n.m. Partie inférieure du système jurassique.

LIASIQUE adj. Relatif au lias.

LIASSE n.f. Paquet de papiers, de billets, etc., liés ensemble : *Liasse de lettres.*

LIBAGE n.m. Quartier de roche dont on se sert pour les fondations d'un mur, d'un pilier.

LIBAN *(mont),* montagne de la République du Liban, autrefois renommée pour ses cèdres magnifiques ; 3 083 m.

LIBAN, État du Proche-Orient, sur la Méditerranée.

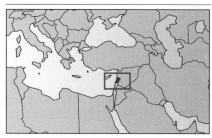

NOM OFFICIEL : République libanaise.
CAPITALE : Beyrouth.
SUPERFICIE : 10 400 km².
POPULATION : 3 100 000 hab. *(Libanais).*
LANGUE : arabe.
RELIGIONS : islam, christianisme.
MONNAIE : livre libanaise.
RÉGIME : parlementaire.
CHEF DE L'ÉTAT : président de la République.
CHEF DU GOUVERNEMENT : Premier ministre.
LÉGISLATIF : Assemblée nationale de 128 députés, où chrétiens et musulmans sont en nombre égal.

GÉOGRAPHIE

Le milieu naturel. Le territoire est dominé par les massifs calcaires du mont Liban et de

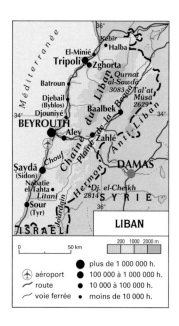

l'Anti-Liban, qui encadrent la dépression aride de la Beqaa. À l'O. s'étire une plaine côtière étroite et discontinue, bordée de plateaux étagés et intensément mise en valeur. Le climat, doux et humide sur la côte, devient plus rude et plus sec vers l'intérieur.

La population et l'économie. Plus de 60 % de la population est musulmane (chiites et sunnites surtout, druzes). La communauté chrétienne est dominée par les maronites (environ un quart de la population), les Arméniens, les Grecs orthodoxes et les Grecs catholiques. En majorité urbaine, la population est regroupée dans la zone côtière, site des principales villes.

L'agriculture domine avec des cultures s'étageant selon l'altitude : agrumes, bananiers et arachide, oliviers et céréales, tabac, pommiers, cerisiers et vigne. L'économie, fondée sur les échanges et une activité de place financière, ruinée par une longue guerre civile ponctuée d'interventions étrangères, est en voie de reconstruction.

HISTOIRE

Le Liban, qui fait partie de la Phénicie, connaît dans l'Antiquité une civilisation brillante. Le pays est ensuite conquis par Alexandre et fait partie du royaume grec des Séleucides, puis de la province byzantine de Syrie.
636 : il est conquis par les Arabes.

Entre le VIIᵉ et le XIᵉ siècle, diverses communautés religieuses, chrétiennes, chiites et druzes, s'y réfugient.
1099-1289/1291 : à la suite des croisades, des États latins dominent le littoral.
1516 : le Liban est annexé à l'Empire ottoman.

Les Turcs se heurtent à une importante résistance, notamment sous le règne de l'émir Fakhr al-Din (1593-1633) qui, le premier, unifie le Liban et cherche à obtenir son autonomie.
1831-1840 : les troupes égyptiennes de Méhémet Ali et d'Ibrahim Pacha occupent le pays.
1861 : la France obtient la création de la province du Mont-Liban, dotée d'une certaine autonomie.

La Première Guerre mondiale met fin à la domination turque.
1920 : le Liban est placé sous mandat français.
1943 : le pays accède à l'indépendance.

Un système politique confessionnel répartit les pouvoirs entre les maronites, les sunnites, les chiites, les druzes et deux autres communautés chrétiennes (grecs orthodoxes et grecs catholiques).
1958 : une guerre civile oppose les partisans de Nasser et les pro-Occidentaux.

Paysage du mont Hermon, dans le sud-est du **LIBAN**, près de la frontière syrienne.

Le gouvernement doit faire face aux problèmes posés par la présence au Liban des réfugiés palestiniens.

1976 : début de la guerre civile et intervention de la Syrie.

La guerre oppose une coalition de « gauche », favorable aux Palestiniens (en majorité sunnite, druze, puis chiite), et une coalition de « droite », favorable à Israël (en majorité maronite).

1982 : Israël envahit le Liban jusqu'à Beyrouth, dont il chasse les forces armées palestiniennes.

1985 : les Israéliens se retirent du Liban.

La guerre civile se poursuit, compliquée par des affrontements à l'intérieur de chaque camp et accompagnée de la prise en otage d'Occidentaux. Parallèlement, l'économie s'effondre.

1987 : retour des troupes syriennes à Beyrouth-Ouest.

1988 : le mandat du président A. Gemayel s'achève, sans que son successeur ait pu être élu. Deux gouvernements parallèles, l'un chrétien, dirigé par le général Michel Aoun, et l'autre musulman, dirigé par Selim Hoss, sont mis en place.

1989 : après plusieurs mois d'affrontements entre chrétiens et musulmans alliés aux Syriens, les députés libanais acceptent un rééquilibrage des pouvoirs en faveur des musulmans.

1990 : l'armée libanaise, aidée par la Syrie, brise la résistance du général Aoun.

1991 : avec l'aide de la Syrie (qui obtient du Liban la signature d'un traité de coopération), les milices sont désarmées et la restauration de l'État, entreprise.

Cependant, les tensions frontalières persistent dans le Sud, où Israël conserve une « zone de sécurité ». En 1993 et 1996 de violentes offensives israéliennes, visant à neutraliser le Hezbollah, groupe libanais chiite hostile à Israël, frappent le Liban.

LIBANISATION n.f. Processus de fragmentation d'un État, résultant de l'affrontement entre diverses communautés. (On dit aussi *balkanisation*.)

LIBATION n.f. Dans l'Antiquité, offrande rituelle à une divinité d'un liquide (vin, huile, lait) que l'on répandait sur le sol ou sur un autel.

LIBBY (Willard Frank), chimiste américain (Grand Valley, Colorado, 1908 - Los Angeles 1980). Spécialiste de la radioactivité, il a créé la méthode de datation des objets par dosage du carbone 14. (Prix Nobel 1960.)

LIBECCIO [libɛtʃjo] n.m. Vent du sud-ouest qui souffle sur la Côte d'Azur et la Corse.

LIBELLE n.m. (lat. *libellus,* petit livre). LITT. Petit écrit satirique, parfois diffamatoire.

LIBELLÉ n.m. Formulation d'un acte, d'un document, manière dont il est rédigé.

LIBELLER v.t. -1. Rédiger un acte dans les formes. -2. Formuler un texte par écrit d'une certaine manière : *Réclamation libellée en termes injurieux.* -3. *Libeller un chèque, un mandat,* en spécifier le montant et la destination.

LIBELLULE n.f. (lat. *libella,* niveau, à cause du vol horizontal de l'insecte). Insecte à quatre ailes transparentes finement nervurées, aux yeux globuleux à facettes, volant rapidement près des eaux en capturant des insectes, et dont la larve est aquatique. (Ordre des odonates ; long. jusqu'à 10 cm.)

LIBELLULE

LIBER [libɛr] n.m. Tissu végétal assurant par ses tubes criblés la conduction de la sève élaborée des plantes vasculaires, et se trouvant dans la partie profonde des racines et des tiges et ou l'écorce du tronc.

LIBERA [libera] n.m. inv. Répons de l'office des morts de la liturgie catholique.

LIBÉRABLE adj. -1. Qui présente les conditions requises pour être libéré : *Prisonnier libérable.* -2. Qui va être rendu à la vie civile : *Militaire libérable.*

LIBÉRAL, E, AUX adj. et n. -1. Qui est favorable aux libertés individuelles, à la liberté de penser, à la liberté politique : *Idées libérales.* -2. Qui appartient au libéralisme économique ; qui en est partisan : *Économie libérale.* -3. Indulgent, tolérant : *Un père libéral.* -4. *Parti libéral,* parti se réclamant du libéralisme politique, notamm. en Grande-Bretagne, en Allemagne, en Belgique, en Italie. ◆ adj. -1. Se dit d'une profession dépendant d'un ordre, d'un organisme professionnel et dont la rémunération ne revêt aucun caractère commercial (avocat, médecin, expert-comptable, etc.). -2. *Arts libéraux,* au Moyen Âge, ensemble des disciplines intellectuelles fondamentales, divisées en deux cycles, le *trivium* (grammaire, rhétorique, dialectique) et le *quadrivium* (arithmétique, musique, géométrie, astronomie) ; à l'époque classique, arts dans lesquels la conception intellectuelle et l'inspiration prédominent, et, spécial., les beaux-arts, par opp. aux arts mécaniques. ◆ **libéralement** adv. Avec libéralité ou avec libéralisme : *Interpréter libéralement une loi.*

LIBÉRALISATION n.f. Action de libéraliser.

LIBÉRALISER v.t. Rendre un régime, une économie, etc., plus libéraux, partic. en diminuant les interventions de l'État.

LIBÉRALISME n.m. -1. Doctrine économique de la libre entreprise, selon laquelle l'État ne doit pas, par son intervention, gêner le libre jeu de la concurrence. (V. ENCYCL.) -2. Doctrine politique visant à limiter les pouvoirs de l'État au regard des libertés individuelles. (V. ENCYCL.) -3. Fait d'être libéral : *Le libéralisme d'un directeur, d'un règlement.*

ENCYCL.

La dimension politique. La doctrine libérale s'est forgée essentiellement au XVIIIᵉ siècle pour s'opposer à l'absolutisme monarchique, mais sans pour autant reprendre à son compte les analyses relatives à la souveraineté populaire (J.-J. Rousseau) et leurs implications. En effet, pour la bourgeoisie libérale montante,

l'action du pouvoir politique doit se limiter à certaines tâches de régulation et de protection des activités individuelles (police, justice, défense) et celui-ci doit se garder de tout interventionnisme qui empiéterait sur l'initiative privée ou la restreindrait, ce qui, sur le plan de l'État, entraîne au moins trois conséquences. D'abord, il doit obéir au principe de séparation des pouvoirs, théorisé par Locke et Montesquieu. La décentralisation que réclamera Tocqueville s'inscrit dans la même optique. Ensuite, s'il y a démocratie, elle sera représentative et parlementaire, car seule cette forme de démocratie permet, tout en donnant fondamentalement le pouvoir au peuple, de le faire exercer par l'élite, l'élection servant de filtre et interdisant toute dictature abusive de la majorité populaire. Enfin, l'État sera soumis au droit, qui garantira solennellement à l'individu des droits et des libertés inaliénables, et notamment le droit de propriété.

Les mouvements libéraux. Utilisé pour la première fois dans un sens politique en Espagne, pour qualifier les partisans du régime constitutionnel de 1812, le terme « libéral » s'est ensuite répandu dans les autres pays européens.

En Grande-Bretagne, patrie des théoriciens du libéralisme, du régime parlementaire et des libertés fondamentales (habeas corpus, liberté de la presse), le libéralisme politique prend son essor après la réforme électorale de 1832. Regroupant la majorité des whigs ainsi que les éléments tories favorables aux réformes, le Parti libéral britannique se fait avant tout le champion du libre-échange. Attaché à la liberté religieuse et partisan de réformes électorales (notamment sous Gladstone), puis, au début du XXᵉ siècle, de mesures sociales, il monopolise le pouvoir, en alternance avec les conservateurs, jusque dans les années 1920.

En France, le libéralisme politique trouve ses racines dans la Révolution de 1789, avec la suppression de l'absolutisme monarchique et l'affirmation de l'égalité des droits, et triomphe sous la monarchie de Juillet avec les orléanistes (Guizot). Défenseurs d'une monarchie parlementaire et censitaire, ceux-ci sont, dans le domaine économique, attachés au protectionnisme, contrairement aux Britanniques. Mais le système censitaire, réservant le droit de vote aux détenteurs de la richesse, et le refus d'accorder le droit de grève et d'association aux travailleurs montrent les limites de cette idéologie. Alliés aux légitimistes sous la IIᵉ République, puis associés au pouvoir sous Napoléon III à l'époque de l'Empire libéral, les libéraux orléanistes se rallient à la IIIe République, à l'instigation de Thiers.

En Allemagne et en Italie, le libéralisme est très tôt associé à la cause nationale, et, dans toute l'Europe, les révolutions de 1848 ont une coloration à la fois libérale et nationale. De caractère nettement républicain à ses débuts, le libéralisme italien devient, après 1840, plus réformiste et se rallie à la monarchie piémontaise. Celle-ci sera l'artisan à la fois de l'unité nationale et des réformes économiques et politiques demandées par la bourgeoisie.

En Allemagne, le libéralisme apparaît dans les années 1830 et prend son essor dans les années 1840 sous la forme d'un grand mouvement national-libéral. Privilégiant la cause nationale au détriment des réformes politiques, les nationaux-libéraux se rallient à l'Empire (1871) mais rompent en majorité avec Bismarck lorsque celui-ci adopte des mesures protectionnistes (1879).

Le libéralisme n'a pas disparu de la scène politique au xxe siècle. En Europe, les partis libéraux, désormais attachés à tous les acquis de la démocratie et favorables à des réformes d'ordre social impliquant une certaine intervention de l'État, sont devenus, après 1945, les champions de l'intégration européenne. Mais, dans de nombreux pays (Grande-Bretagne, Allemagne, notamment), ils ont perdu le poids politique qui était le leur au xixe siècle.

La dimension économique. Le libéralisme a commencé à se répandre à la fin du xviiie siècle avec les physiocrates et surtout avec Quesnay, pour qui la croyance en un ordre naturel voulu par Dieu engendre nécessairement la liberté économique. Cette doctrine individualiste et libérale du « laissez faire » dominera le monde économique jusqu'en 1914, et évoluera vers le néolibéralisme.

L'école libérale a été représentée par les grands économistes classiques du xviiie et du xixe siècle : en Angleterre, Adam Smith, Malthus, Ricardo, John Stuart Mill ; en France, Jean-Baptiste Say, Frédéric Bastiat. La thèse centrale du libéralisme réside dans l'affirmation de l'existence, dans le domaine économique, d'un ordre naturel qui tend à s'établir spontanément. Le rôle des individus doit se borner à découvrir les lois économiques, qui, à l'exemple des lois mécaniques ou physiques, entraînent le système économique vers l'équilibre. Elles sont conformes à la nature de l'homme. La conception libérale de l'homme est celle de l'*homo oeconomicus,* « être de raison

qui n'aspire qu'à se procurer le maximum de gain pour le minimum de peine ». En agissant ainsi librement, il permet la réalisation de l'ordre économique naturel. Les intérêts individuels et l'intérêt général de la société concordent. C'est la conception de la « main invisible » d'A. Smith dans *Recherches sur la nature et les causes de la richesse des nations* (1776). L'individu est donc l'agent économique auquel il convient d'accorder le maximum de liberté. L'État et les groupes privés ne doivent pas, par leur intervention, gêner le libre jeu de la concurrence entre individus. La règle est « laissez faire, laissez passer ».

Ce libéralisme sera très largement appliqué, mais la crise de 1929 fera planer un doute sur le bien-fondé de la doctrine. Apparaît alors, sous l'impulsion de Keynes, l'« interventionnisme », qui justifie l'action de l'État dans une économie de marché pour pallier certains déséquilibres, doctrine à laquelle adhéreront de nombreux pays, mais qui sera tempérée par le néolibéralisme. Avec la crise de 1974, les politiques keynésiennes sont critiquées par le courant des « nouveaux économistes », qui rend l'État essentiellement responsable de la crise du fait de son excessive intervention et qui prône le retour à un libéralisme pur, que certains pays (États-Unis, Grande-Bretagne) tenteront de mettre en place au début des années 80.

Le néolibéralisme. En 1938, un colloque groupant, autour de Walter Lippmann, des économistes connus (Friedrich von Hayek, Ludwig von Mises, Wilhelm Röpke, de l'école autrichienne ; Louis Baudin, Jacques Rueff, Louis Rougier, de l'école française) formule les quatre principes essentiels de la doctrine qui prendra le nom de « néolibéralisme ».

Le néolibéralisme repose sur quatre principes : refus de la croyance à une évolution fatale vers le collectivisme ; priorité donnée à la recherche de l'intérêt personnel dans un cadre légal déterminé, sous la responsabilité sanctionnée par le risque du producteur et du consommateur ; croyance au fait que l'inégalité des conditions humaines développe l'initiative, le goût du risque, le dynamisme productif ; nécessité d'une intervention de l'État. L'intervention juridique a pour objet de créer le cadre légal qui permettra le fonctionnement du libre marché sans entraver le mécanisme des prix. L'intervention économique doit se borner à rétablir la concurrence, l'initiative, l'esprit d'entreprise. Elle ne se justifie pas dans les autres cas.

LIBÉRALITÉ n.f. **-1.** Disposition à donner largement ; générosité : *Agir avec libéralité.* **-2.** (Surtout au pl.). LITT. Don fait avec générosité. **-3.** Acte juridique procurant un avantage sans contrepartie.

LIBÉRATEUR, TRICE adj. Qui libère de contraintes morales ou physiques : *Un rire libérateur.* ◆adj. et n. Qui libère du despotisme, d'une occupation étrangère : *Fêter les libérateurs.*

LIBÉRATION n.f. **-1.** Action de rendre libre une personne prisonnière ; élargissement. **-2.** Action de délivrer un peuple de la servitude, de l'occupation étrangère. **-3.** Affranchissement de tout ce qui limite la liberté de qqn, d'un groupe ; émancipation. **-4.** Action de mettre fin à une réglementation, à un contrôle strict : *Libération des prix.* **-5.** Cessation d'une contrainte matérielle ou psychologique ; délivrance. **ASTRONAUT.** *Vitesse de libération,* vitesse minimale qu'il faut communiquer à un corps au départ d'un astre pour lui permettre d'échapper au champ d'attraction de cet astre. (Pour la Terre, elle est voisine de 11,2 km/s.) **DR.** Acquittement d'une dette. ‖ Paiement du montant d'une action. ‖ *Libération conditionnelle,* mise en liberté d'un condamné avant l'expiration de sa peine, sous certaines conditions. **MIL.** Renvoi d'un militaire, du contingent dans ses foyers après l'accomplissement de son service actif ; démobilisation. **PHYS.** Dégagement d'énergie lors d'une réaction chimique ou nucléaire. **RELIG.** *Théologies de la libération,* courants chrétiens qui se sont développés à partir de 1968 au sein des luttes des nations du tiers-monde (surtout dans l'Amérique latine mais aussi en Afrique noire avec la *Black Theology*) pour la conquête de leur indépendance nationale, économique et politique. (V. ENCYCL.)

ENCYCL. THÉOLOGIE

Les principaux théoriciens des théologies de la libération sont le Péruvien Gustavo Gutiérrez, le franciscain brésilien Leonardo Boff, le jésuite salvadorien Jon Sobrino et le jésuite uruguayen Juan Luis Segundo. Partant de l'engagement concret de chrétiens de différentes Églises et empruntant parfois des éléments de l'analyse marxiste, ces tendances prennent le contre-pied des théologies classiques, considérées comme tributaires de l'impérialisme culturel occidental. Elles ont encouru, de la part des instances romaines, des admonestations parfois proches de l'anathème. Mais elles veulent faire comprendre que les plus démunis, les

exploités et les exclus doivent être les privilégiés de l'Évangile.

Libération, quotidien français créé en 1973, dirigé d'abord par J.-P. Sartre et depuis 1974 par S. July. Il se caractérise par son humour et son souci de lier l'information au vécu quotidien.

Libération (la), en France, période pendant laquelle les Alliés, appuyés par l'action de la Résistance, délivrèrent le territoire national de l'armée allemande d'occupation. Commencée avec le débarquement allié en Normandie (6 juin 1944), elle s'est achevée avec la libération de l'Est (15 sept. 1944-19 mars 1945) et la capitulation des dernières poches de résistance allemande du littoral français (8 mai 1945), la Corse ayant été libérée entre le 11 septembre et le 4 octobre 1943. (→ RÉSISTANCE, GUERRE MONDIALE [Seconde].)

Libération *(ordre de la),* ordre national français créé en novembre 1940 par le général de Gaulle pour récompenser les services exceptionnels rendus dans l'œuvre de délivrance de la France. L'ordre, qui cessa d'être décerné le 24 janvier 1946, comptait 1 057 compagnons, 5 villes et 18 unités combattantes.

LIBÉRATOIRE adj. Qui a pour effet de libérer d'une obligation, d'une dette.

LIBÉRÉ, E adj. et n. Dégagé d'une obligation, d'une peine, d'une servitude. ◆ adj. Affranchi de contraintes sociales ou morales : *C'est une fille assez libérée.*

LIBEREC, v. de la Rép. tchèque ; 101 934 hab. — Vieux château ; église baroque et demeures du XVIIIe siècle.

LIBÉRER v.t. [18]. **-1.** Enlever ce qui retient qqn, un animal prisonnier : *Libérer qqn de ses liens.* **-2.** Mettre en liberté un prisonnier ; élargir. **-3.** Délivrer un pays, un peuple de la domination ou de l'occupation étrangère. **-4.** Soustraire qqn à une contrainte physique ou morale : *Cette nouvelle me libère d'un souci.* **-5.** Décharger qqn d'une obligation, d'une dette. **-6.** Laisser partir qqn, un animal, lui rendre sa liberté d'action. **-7.** Dégager qqch de ce qui l'obstrue : *Libérer le passage.* **-8.** Rendre un lieu libre, disponible : *Libérer un appartement.* **-9.** Dégager qqn, une partie de son corps de qqch qui le coince, le retient, le serre : *Libérer un conducteur de sa voiture accidentée.* **-10.** Rendre libre un mécanisme : *Libérer le cran de sûreté d'une arme.* **-11.** Rendre libre ce qui était soumis à des restrictions : *Libérer les échanges.* **MIL.** Renvoyer une recrue, une classe dans ses foyers. PHYS., CHIM. En parlant d'une réaction chimique ou nucléaire, dégager une certaine énergie ; en parlant d'une réaction chimique, produire un gaz qui se dégage. ◆ **se libérer** v.pr. -**1.** Se rendre libre de toute occupation. -**2.** Acquitter une dette, une obligation.

LIBERIA (le), État de l'Afrique occidentale.

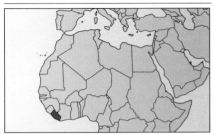

NOM OFFICIEL : République du Liberia.
CAPITALE : Monrovia.
SUPERFICIE : 110 000 km².
POPULATION : 3 140 000 hab. *(Libériens).*
LANGUE OFFICIELLE : anglais.
RELIGIONS : animisme, protestantisme, Églises indépendantes.
MONNAIE : dollar libérien.
RÉGIME : parlementaire.

GÉOGRAPHIE

Le pays s'élève progressivement vers les monts Nimba. Le climat chaud et humide a favorisé le développement d'une forêt dense dans l'intérieur, couvrant un tiers du territoire.

La population. Elle est composée d'une vingtaine d'ethnies (Kpelle, Bassa, Kru, notamment) dont les rivalités expliquent la fragmentation de fait du pays, autrefois dominé par la classe minoritaire des Libéro-Américains. L'anglais n'est parlé en fait que par 15 % de la population.

L'économie. Parallèlement à l'agriculture vivrière (riz, manioc) et aux « plantations paysannes » (café, cacao, hévéa), le pays possède de grandes plantations industrielles, dont la plus importante est la plantation d'hévéas de Firestone. L'exportation de produits miniers (diamants, et surtout fer des monts Nimba) dépasse désormais celle du caoutchouc. L'économie a été ruinée par la guerre civile mais le pays tire d'importants revenus du prêt de son pavillon (la flotte libérienne est la deuxième du monde).

HISTOIRE

Découvert par les Portugais au xve siècle, le Liberia doit son origine à la création, au début du xixe siècle, par des sociétés philanthropiques américaines, d'un établissement permanent pour les esclaves noirs libérés.
1847 : indépendance de la République du Liberia.
L'influence des États-Unis est importante dans la vie économique et politique du pays.

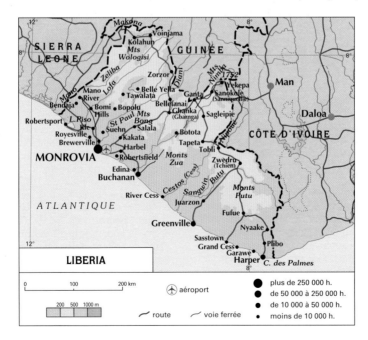

1943-1970 : William Tubman, président de la République.
1980 : coup d'État militaire ; Samuel K. Doe prend le pouvoir.
1990 : la guérilla, conduite notamment par Charles Taylor, a raison du régime de S. K Doe.
Elle débouche sur une guerre civile qui se poursuit pendant sept années.
1997 : C. Taylor est élu à la présidence de la République.

LIBÉRIEN, ENNE adj. Qui appartient au liber.

LIBÉRISTE adj. Relatif au vol à voile pratiqué avec une aile libre. ◆ n. Personne qui pratique ce sport.

LIBERO n.m. Au football, défenseur évoluant librement devant le gardien de but et en couverture de la ligne de défense.

LIBÉRO-LIGNEUX, EUSE adj. (pl. libéro-ligneux, euses). Composé de liber et de bois.

LIBERTAIRE n. et adj. Partisan de la liberté absolue de l'individu en matière politique et sociale ; anarchiste. ◆ adj. Qui relève de la doctrine anarchiste.

LIBERTÉ n.f. -1. État d'une personne qui n'est pas soumise à la servitude. -2. État d'un pays qui se gouverne en pleine souveraineté. -3. Attitude de qqn qui n'est pas dominé par la peur, la gêne, les préjugés : S'expliquer en toute liberté avec qqn. -4. Possibilité d'agir, de penser, de s'exprimer selon ses propres choix ; absence de contrainte. -5. État d'une personne qui n'est liée par aucun engagement professionnel, conjugal, etc. -6. État d'un être qui n'est pas captif ; absence d'entrave : Animal qui vit en liberté. -7. Possibilité de se mouvoir sans gêne ni entrave physique : Recouvrer la liberté de ses mouvements. -8. État de l'homme qui se gouverne selon sa raison, en l'absence de tout déterminisme. -9. Droit reconnu à l'individu d'aller et de venir sans entraves sur le territoire national, d'y entrer et d'en sortir à son gré. -10. Liberté civile ou liberté, faculté pour un citoyen de faire tout ce qui n'est pas contraire à la loi et qui ne nuit pas à autrui. ‖ Liberté de conscience, liberté du culte, droit de pratiquer la religion de son choix. ‖ Liberté d'enseignement, liberté de créer un établissement d'enseignement et, pour l'enseigné, de choisir entre l'enseignement public et l'enseignement privé. ‖ Liberté d'opinion, d'expression, de pensée ou de penser, droit d'exprimer librement ses pensées, ses opinions et de les publier. ‖ Liberté surveillée (des mineurs délinquants), régime dans lequel ceux-ci sont maintenus dans leur milieu et soumis à une surveillance assurée par des délégués à la liberté surveillée sous le contrôle du juge des enfants. ‖ Liberté de réunion (publique), droit accordé aux individus de délibérer des sujets de leur choix dans un local ouvert à tous, sans autorisation préalable. ‖ Liberté syndicale, droit pour les salariés de constituer des syndicats, d'adhérer ou non à un syndicat. ◆ pl. -1. Immunités et franchises : Les libertés municipales. -2. Libertés publiques, ensemble des libertés reconnues aux personnes et aux groupes face à l'État. (V. ENCYCL.)

ENCYCL. Les libertés publiques sont la traduction, en droit français, des Droits de l'homme et du citoyen, que le préambule de la Constitution de 1958 proclame solennellement « tels qu'ils ont été définis par la Déclaration de 1789, confirmée et complétée par le préambule de la Constitution de 1946 ». Le Conseil constitutionnel est ainsi chargé de les protéger contre le législateur lui-même, qui, au terme de l'article 34 de la Constitution, « fixe les règles concernant les droits civiques et les règles fondamentales accordées aux citoyens pour l'exercice des libertés publiques » (principe de constitutionnalité).
Au premier rang des libertés de la personne physique se situe la liberté individuelle. Elle implique la protection du citoyen contre l'arbitraire, notamment en matière d'arrestation et de détention abusives. Viennent ensuite la libre disposition pour chacun de sa propre personne (liberté du mariage, modalités d'internement des aliénés, etc.) et la liberté de circulation (liberté d'aller et venir, etc.). Corrélatives de ces libertés, les libertés de pensée recouvrent les droits intellectuels et moraux de l'être humain. D'abord, liberté d'opinion (liberté de conscience, de religion, de culte), mais aussi liberté d'expression avec toutes ses manifestations (droit d'informer et à être informé, liberté de presse, etc.), auxquelles se rattachent les libertés de communication et de diffusion de la pensée comme l'enseignement, les libertés d'association ou de réunion. Enfin, dernière catégorie, développée surtout depuis la seconde moitié du XXe siècle, les droits économiques et sociaux (liberté syndicale, droit de grève, droit au travail, etc.). Certains auteurs ajoutent une autre génération de droits de l'homme, qu'ils croient reconnaître dans de récentes législations aménageant les relations entre l'État et les citoyens, tels que l'obligation de motiver les actes administratifs, le droit d'accès aux documents administratifs et la réglementation de l'informatique au regard de la protection des libertés publiques.

Liberté éclairant le monde (la), statue géante (93 m avec piédestal) offerte par la France aux États-Unis et érigée en 1886 dans la rade de New York. Due à Auguste Bartholdi, elle est en cuivre martelé sur charpente de fer (due à Gustave Eiffel).

LIBERTIN, E adj. et n. -1. Qui mène une vie dissolue ; qui est de mœurs très libres. -2. Libre-penseur, au XVIIᵉ s. ◆ adj. LITT. Marqué par le libertinage, la licence des mœurs : *Propos libertins.*

LIBERTINAGE n.m. Manière de vivre dissolue du libertin ; inconduite, licence.

LIBERTY [liberti] n.m. inv. et adj. inv. (nom déposé ; du n. de l'inventeur). Tissu fin, le plus souvent en coton, à petites fleurs, employé pour l'habillement et l'ameublement.

LIBERUM VETO [liberɔmveto] n.m. inv. Droit de veto qui appartenait à chaque membre de la Diète polonaise.

LIBIDINAL, E, AUX adj. Relatif à la libido : *Objet libidinal.*

LIBIDINEUX, EUSE adj. LITT. Qui est porté à rechercher sans cesse les plaisirs érotiques.

LIBIDO n.f. (mot lat., *désir*). En psychanalyse, énergie de la pulsion sexuelle qui se réalise en termes de désir et d'aspiration amoureuse.

LI BO ou **LI PO,** dit aussi **Li Taibo**, poète chinois (Turkestan 701 - Jiangsu 762), l'un des grands poètes de la dynastie des Tang.

LIBOURET n.m. Ligne à main, à plusieurs hameçons, utilisée notamm. pour la pêche au maquereau.

LIBOURNE, ch.-l. d'arr. de la Gironde, au confl. de la Dordogne et de l'Isle ; 21 931 hab. *(Libournais).* Centre de recherches du courrier. — Hôtel de ville du XVᵉ siècle, abritant le musée des Beaux-Arts et d'Archéologie.

LIBRAIRE n. Personne qui vend des livres.

LIBRAIRIE n.f. -1. Activité, commerce du libraire. -2. Magasin du libraire. -3. (Dans des noms de firmes). Maison d'édition qui assure la vente directe d'une partie de sa production par l'intermédiaire d'un ou plusieurs magasins qu'elle possède.

LIBRATION n.f. -1. Balancement apparent de la Lune autour de son axe, que l'on perçoit depuis la Terre. -2. Oscillation d'un astre autour d'une position moyenne.

LIBRE adj. -1. Qui n'est pas esclave ; qui n'est pas prisonnier : *L'accusé est libre.* -2. Se dit d'un État, d'un peuple qui exerce le pouvoir en toute souveraineté. -3. Qui n'est pas assujetti à des contraintes fixées par le pouvoir politique : *Une presse libre.* -4. Qui a le pouvoir d'agir, de se déterminer à sa guise : *Vous êtes libre de refuser.* -5. Qui ne comporte pas d'obstacles, de contraintes : *La voie est libre.* -6. Qui n'est pas lié par un engagement ; qui dispose de son temps : *Je suis libre ce soir à cinq heures.* -7. Qui n'est pas marié, engagé dans une relation amoureuse. -8. Qui est sans contrainte, sans souci des règles : *Mener une vie très libre.* -9. Qui n'est pas occupé ou réservé à qqn : *Le taxi est libre.* -10. Qui n'est pas assujetti, retenu : *Laisser ses cheveux libres.* -11. Qui se détermine indépendamment de dogmes, d'idées reçues : *Un esprit libre.* -12. Qui n'éprouve pas de gêne dans ses relations avec autrui : *Être très libre avec qqn.* -13. Qui ne respecte pas la décence, les convenances : *Des plaisanteries un peu libres.* -14. Se dit d'une adaptation, d'une traduction qui n'est pas tout à fait fidèle au texte original. -15. Qui n'est pas défini par un règlement, une convention, un programme, etc. : *Figures libres.* -16. En-trée libre, gratuite et sans formalité. **DR.** *Papier libre,* papier ordinaire, par opp. à *papier timbré.* **MATH.** *Famille libre de vecteurs,* famille de vecteurs linéairement indépendants. **PHILOS.** *Libre arbitre →* 2. ARBITRE. ‖ *Libre-pensée, libre-penseur,* v. à l'ordre alphabétique. ◆ **librement** adv. -1. Sans restriction : *Circuler librement.* -2. En toute liberté de choix : *Président librement élu.* -3. Avec franchise, spontanéité : *Parler librement.*

Libre Belgique (la), quotidien belge de tendance catholique, fondé en 1884.

LIBRE-ÉCHANGE n.m. (pl. libres-échanges). Système économique dans lequel les échanges commerciaux entre États sont libres et affranchis des droits de douane, par opp. à *protectionnisme.*

LIBRE-ÉCHANGISME n.m. (pl. libre-échangismes). Doctrine économique visant à établir le libre-échange.

LIBRE-ÉCHANGISTE adj. et n. (pl. libre-échangistes). Relatif au libre-échange ; qui en est partisan.

LIBRE-PENSÉE n.f. (pl. libres-pensées). -1. Attitude, conceptions d'un libre-penseur. -2. Ensemble des libres-penseurs.

LIBRE-PENSEUR n.m. (pl. libres-penseurs). Personne qui s'est affranchie de toute sujétion religieuse, de toute croyance en quelque dogme que ce soit.

LIBRE-SERVICE n.m. (pl. libres-services). -1. Méthode de vente où le client se sert lui-même, dans un magasin, dans un restaurant. -2. Établissement où l'on se sert soi-même.

LIBRETTISTE n. Auteur du livret d'une œuvre lyrique ou chorégraphique.

LIBREVILLE, cap. et port du Gabon, sur l'estuaire du Gabon ; 352 000 hab. — Elle fut fondée en 1849.

LIBYE, État d'Afrique, sur la Méditerranée.

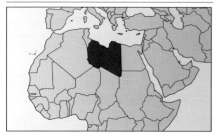

NOM OFFICIEL : Djamahiriyya arabe libyenne populaire et socialiste.
CAPITALE : Tripoli.
SUPERFICIE : 1 760 000 km².
POPULATION : 5 600 000 hab. *(Libyens).*
LANGUE : arabe.
RELIGION : islam.
MONNAIE : dinar libyen.
RÉGIME : socialisme islamique.

GÉOGRAPHIE

Le milieu naturel. Plat et désertique, le pays est parsemé d'oasis. Séparées par 500 km de côte aride (golfe de Syrte), les régions côtières de la Tripolitaine, à l'O., et de la Cyrénaïque, à l'E., sont moins arides.

La population et l'économie. Plus de la moitié de la population, islamisée, est urbanisée et comprend une proportion importante d'étrangers, techniciens le plus souvent.

L'élevage nomade (ovins) est toujours présent. L'agriculture ne progresse guère malgré la réalisation de périmètres irrigués en Tripolitaine, en Cyrénaïque et dans le désert (Sarir, Koufra), auxquels s'ajoute l'ambitieux chantier de la « Rivière artificielle » amenant l'eau de la région de Koufra jusqu'à la Cyrénaïque côtière. L'économie repose sur l'exploitation d'importantes réserves pétrolifères, et le pétrole, en partie seulement raffiné sur place, représente la quasi-totalité des exportations.

HISTOIRE

Dans l'Antiquité, les habitants de la région sont appelés « Libyens » par les Grecs, qui fondent sur le littoral les premières colonies (VIIᵉ s. av. J.-C.).

642-643 : conquête arabe.
La Libye est islamisée.

XVIᵉ s. : les Ottomans s'emparent de la Cyrénaïque puis de la Tripolitaine.
1912 : à l'issue d'une guerre contre l'Empire ottoman, les Italiens occupent la Libye.
Ils doivent lutter jusqu'en 1931 contre la résistance armée des Libyens.
1934 : la Libye devient une colonie italienne.
1940-1943 : la campagne de Libye oppose les forces britanniques aux forces germano-italiennes.
Le pays est ensuite administré par la France et la Grande-Bretagne.
1951 : la Libye devient un royaume indépendant, dont Idris Iᵉʳ est le souverain.
L'Angleterre et les États-Unis utilisent dans le pays de nombreuses bases stratégiques et entreprennent l'exploitation du pétrole.
1969 : un coup d'État militaire dirigé par le colonel Kadhafi renverse la royauté et établit la république.
Le nouveau régime, de tendance socialiste, nationalise les compagnies pétrolières et lance la révolution culturelle islamique. Il intervient au Tchad (1973) et y intensifie son engagement (1980-1987).
1986 : à la suite de la multiplication des attentats terroristes à l'étranger, dans lesquels la Libye est impliquée, les États-Unis bombardent Tripoli et Benghazi.
1992 : le Conseil de sécurité de l'O. N. U. décrète un embargo aérien et militaire à l'encontre de la Libye devant le refus du gouvernement de collaborer aux enquêtes sur les attentats terroristes.
1994 : les Libyens se retirent de la bande d'Aozou, qu'ils occupaient depuis 1973.

1. LICE n.f. -1. Palissade de bois dont on entourait les places ou châteaux fortifiés. -2. Terrain ainsi clos, qui servait aux tournois, aux joutes. -3. Tout champ clos préparé pour des exercices, des joutes de plein air. - 4. Bordure intérieure d'une piste d'athlétisme, de cyclisme.

2. LICE n.f. -1. Femelle d'un chien de chasse. -2. *Lice portière,* chienne destinée à la reproduction.

3. LICE n.f. → 3. LISSE.

LICENCE n.f. (lat. *licentia,* permission). -1. LITT. Liberté excessive qui tend au dérèglement moral ; caractère de ce qui est licencieux, contraire à la décence : *Licence des mœurs.* -2. Permis d'exercer une activité soumise à autorisation préalable ; autorisation délivrée par l'Administration d'importer ou d'exporter divers produits. -3. Diplôme universitaire sanc-

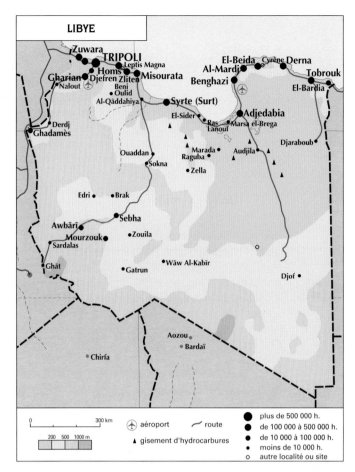

LIBYE

Zuwara
TRIPOLI
Leptis Magna
Gharian Homs Djefren Zliten Misourata
Nalout Beni
Oulid
Al-Qāddahiya
Derdj
Ghadamès
Ouaddan
Sokna
Marada
Raguba
Zella
Edri Brak
Awbārī
Sebha
Mourzouk Zouila
Sardalas
Ghāt Gatrun
Wāw Al-Kabīr
Djof
Aozou
Bardaï
Chirfa

El-Beida Cyrène Derna
Al-Mardj Tobrouk
Benghazi El-Bardia
Syrte (Surt)
El-Sider Adjedabia
Ras Marsa el-Brega
Lanouf
Djaraboub
Audjila

0 300 km	● plus de 500 000 h.
✈ aéroport ⌒ route	● de 100 000 à 500 000 h.
200 500 1000 m	● de 10 000 à 100 000 h.
▲ gisement d'hydrocarbures	• moins de 10 000 h.
	o autre localité ou site

tionnant la première année d'études du second cycle. -**4.** Liberté que prend un écrivain, un poète avec les règles de la grammaire, de la syntaxe, de la versification : *Licence poétique.* -**5.** Document émanant d'une fédération sportive, délivré à titre personnel, et qui permet de prendre part aux compétitions. -**6.** *Licence d'exploitation* ou *licence,* autorisation d'exploiter un brevet d'invention.

1. LICENCIÉ, E n. et adj. -**1.** Titulaire d'une licence universitaire : *Licencié en droit. Licencié ès lettres.* -**2.** Titulaire d'une licence sportive.

2. LICENCIÉ, E adj. et n. Qui est privé de son emploi à la suite d'un licenciement.

LICENCIEMENT n.m. -**1.** Rupture, à l'initiative de l'employeur, d'un contrat de travail à durée indéterminée. -**2.** *Licenciement collectif,* licenciement concernant plusieurs salariés d'une entreprise et génér. décidé pour des motifs d'ordre économique. ‖ *Licenciement individuel,*

licenciement ne concernant qu'un seul salarié et pouvant intervenir pour cause économique ou pour faute professionnelle du salarié.

LICENCIER v.t. Priver d'emploi, renvoyer un salarié, rompre son contrat de travail.

LICENCIEUX, EUSE adj. -**1.** Extrêmement libre dans ses mœurs, ses écrits, ses paroles. -**2.** Contraire à la pudeur, à la décence : *Chanson licencieuse.*

LICHEN [likεn] n.m. (gr. *leikhên,* qui lèche). -**1.** Végétal qui croît sur les sols pauvres, les arbres, les pierres, formé d'un thalle aplati ou rameux, où vivent associés un champignon et une algue. -**2.** *Lichen plan,* dermatose prurigineuse caractérisée par de petites papules violacées, sèches et dures.

→ ● **DOSSIER** LES LICHENS *page suivante.*

LICHETTE n.f. -**1.** FAM. Petite quantité d'un aliment : *Lichette de pain.* -**2.** BELGIQUE. Attache, cordon servant à suspendre un vêtement, une serviette.

LES LICHENS

Le lichen est une véritable curiosité du monde vivant qui résulte de l'étroite association symbiotique entre deux organismes appartenant à des groupes très différents. À cause de cette association bien particulière, les lichens occupent une position tout à fait originale dans la classification des êtres vivants.

STRUCTURE DES LICHENS

Les lichens sont constitués d'un thalle au sein duquel différentes couches peuvent être identifiées ❶. Généralement, les couches externes sont constituées des filaments, ou hyphes, du champignon tandis que la couche interne renferme les cellules de l'algue (ou de la cyanobactérie). Le lichen est fixé à son support par des « crampons» constitués d'hyphes soudées. Le thalle peut présenter des amincissements ou des interruptions du cortex, qui facilitent les échanges gazeux entre l'air extérieur et la couche algale. Cette diffusion gazeuse est indispensable à la photosynthèse (transformation du gaz carbonique en composés organiques) de l'algue.

Un être symbiotique.

Le thalle des lichens consiste en une imbrication des filaments (hyphes) d'un champignon (ascomycète le plus souvent mais parfois basidiomycète) et de cellules d'une algue unicellulaire ou d'une cyanobactérie. Les cellules chlorophylliennes, ou gonidies, de l'algue se distinguent aisément des filaments incolores du champignon. Les filaments mycéliens entourent les gonidies ou appliquent des digitations plus ou moins ramifiées qui peuvent même y pénétrer sous forme de fins suçoirs. Certains lichens montrent une sorte de stratification, les cellules chlorophylliennes ne s'observant que dans la couche intermédiaire du thalle. Dans d'autres, les cellules de l'algue se répartissent de façon homogène. Les lichens forment par nature un ensemble difficile à placer dans la généalogie des végétaux. Leur classification est fondée sur les caractéristiques des champignons qui les composent. Ils sont divisés en deux groupes : les *basidiolichens* (1 % du total) et les *ascolichens* (99 %), divisés eux-mêmes en *pyrénolichens* et en *discolichens*.

La reproduction.

Chez les lichens, la reproduction se fait soit par bouturage, soit par émission de corpuscules spéciaux, les *sorédies,* constituées par quelques cellules d'algues entourées de filaments

❶ Anatomie
du thalle d'un lichen.

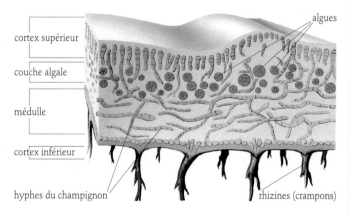

algues

cortex supérieur

couche algale

médulle

cortex inférieur

hyphes du champignon

rhizines (crampons)

de champignon, ou encore par dissémination du champignon à l'aide de spores. Les *isidies* sont des excroissances permettant aussi une multiplication végétative. Présentes chez de nombreuses espèces de lichens, elles se détachent du thalle par cassure pour engendrer de nouveaux thalles. Les sorédies comme les isidies ont des formes et des couleurs particulières qui facilitent l'identification des espèces. Si au cours de leur association le champignon vient à mourir, l'algue, dans certains cas, peut mener une vie autonome et se reproduire toute seule.

Le mode de vie.

Les lichens comptent plus de 20 000 espèces qui se répartissent de façon inégale sur toute la surface du globe. Dans les régions tropicales, on trouve l'espèce de plante supérieure (conifère ou plante à fleur) pour 0,08 espèces de lichen. Par contre, dans les régions polaires, ce rapport atteint 1 pour 3 à 5 et même 1 contre 80 sur le continent Antarctique. Les lichens croissent donc plus au nord et au sud et plus haut en montagne que n'importe quel autre végétal. Ils peuvent supporter des conditions de vie difficiles (rochers en bord de mer, déserts). En contrepartie, les lichens on un rôle très minime dans la production de matière organique de la biosphère.

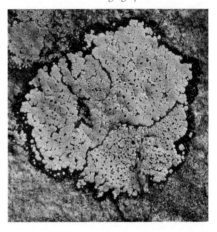

❷ *Rhizocarpum geographicum.*

Les lichens se rencontrent fréquemment sur les troncs des arbres, les roches ou à même le sol. Leurs formes sont très diversifiées, tantôt foliacées, tantôt ramifiées à la manière d'un arbuste ou bien étalées en croûte. Dans la symbiose lichénique, l'algue assure, grâce à sa chlorophylle, la nutrition de l'individu par la synthèse des éléments organiques, tandis que le champignon lui fournit non seulement l'abri mais aussi les sels minéraux et l'eau. Les lichens constituent d'excellents témoins de la pollution, car ils sont très sensibles à leur environnement. Autrefois, ils étaient abondamment utilisés en médecine (*Usnea barbata* contre l'alopécie, par exemple) et parfois même consommés par l'homme comme aliment. Dans les régions nordiques où ils forment de vastes étendues, ils servent de nourriture à des animaux tels que les rennes.

❸ *Parmelia physodes.*

LICHNEROWICZ (André), mathématicien français (Bourbon-l'Archambault 1915). Ses travaux portent sur la physique mathématique, la relativité et la théorie des champs. Il a présidé la commission de réforme de l'enseignement des mathématiques (1967-1972).

LICHTENSTEIN (Roy), peintre américain (New York 1923 - New York 1997). Représentant du pop art, il a transposé dans ses toiles, avec une imitation de trame typographique, des images de bandes dessinées ainsi que des images culturelles (œuvres de Picasso, de Matisse ou de Mondrian, « coups de pinceau » gestuels, motifs Arts déco, etc.).

M-Maybe (A Girl's Picture) [1965], par Roy **LICHTENSTEIN.** (Musée Ludwig, Cologne.)

LICIER n.m. → LISSIER.

LICINIUS LICINIANUS (Flavius Valerius) [Illyrie v. 250 - Thessalonique 324], empereur romain (308-324). Auguste en 308, il devint maître de tout l'Orient en 313, après sa victoire sur Maximin Daia. Persécuteur des chrétiens, il fut tué par Constantin.

LICITATION n.f. Vente aux enchères, par les copropriétaires, d'un bien indivis.

LICITE adj. Permis par la loi : *User de moyens licites.* ◆ **licitement** adv.

LICITER v.t. Vendre par licitation.

LICOL ou **LICOU** n.m. Pièce de harnais qu'on place sur la tête des chevaux et des bêtes de somme pour les attacher, les mener.

LICORNE n.f. (lat. *unicornis,* à une seule corne). Animal fabuleux représenté comme un cheval portant au milieu du chanfrein une longue corne torsadée.

L. I. C. R. A. (Ligue internationale contre le racisme et l'antisémitisme), association fondée en 1927, dans le but de combattre le racisme et l'antisémitisme dans tous les pays du monde.

LICTEUR n.m. Officier qui marchait devant les principaux magistrats de l'ancienne Rome, portant un faisceau de verges qui, dans certaines circonstances, enserrait une hache.

LIDDELL HART (*sir* Basil), historien et théoricien militaire britannique (Paris 1895 - Marlow, Buckinghamshire, 1970). Après avoir servi comme officier pendant la Première Guerre mondiale, il se consacre à l'histoire et à la science militaire. L'expérience et l'étude des deux guerres mondiales le conduisent à rejeter le principe de l'affrontement direct de grandes masses matérielles et humaines et à reconnaître le rôle prépondérant du facteur mécanique pour obtenir la décision tactique. Il estime que la victoire est presque toujours le résultat d'une manœuvre détournée recherchant dans le dispositif ennemi le point de dislocation. Opposé avec virulence à Clausewitz, il s'est efforcé, comme Jomini, de dégager l'essence de la stratégie dans son ouvrage fondamental *Strategy* (1956).

LIDO n.m. (de *Lido,* n.pr.). Cordon littoral en position avancée à l'entrée d'une baie et pouvant isoler une lagune.

LIDO, île allongée près de Venise, qui abrite la rade du Lido. Station balnéaire.

LIE n.f. -1. Dépôt qui se forme dans les liquides fermentés (bière, vin). -2. LITT. Ce qu'il y a de plus vil, de plus mauvais dans une société ; rebut, racaille : *La lie de la populace.*

LIE (Jonas), écrivain norvégien (Eker 1833 - Stavern 1908). Son art impressionniste exerça une grande influence sur le roman scandinave (*le Pilote et sa femme,* 1874).

LIE (Sophus), mathématicien norvégien (Nordfjordeid 1842 - Christiania, auj. Oslo, 1899). Il fit de la théorie des groupes un outil puissant de la géométrie et de l'analyse. Les *groupes de Lie* inspireront topologie et algèbre au XXᵉ siècle.

LIÉ, E adj. *Famille liée,* famille de vecteurs qui n'est pas libre (un des vecteurs de la famille est une combinaison linéaire des autres).

LIEBIG (Justus, *baron* von), chimiste allemand (Darmstadt 1803 - Munich 1873). Liebig fut l'un des premiers chimistes organiciens ; il a eu de nombreux élèves, dont A.W. von Hofmann et Kekulé, et il est à l'origine de l'extraordinaire développement de la chimie en Allemagne.

Liebig imagine, en 1830, la méthode de dosage du carbone et de l'hydrogène dans les corps organiques. Il montre en 1832, ainsi que Wöhler, que des groupes d'atomes, ou radicaux, peuvent se transporter d'un bloc, par réaction chimique, d'un corps dans un autre. Il crée la théorie des cycles du carbone et de l'azote dans la nature. Il isole le titane, à l'état impur, vers 1831, découvre le chloroforme (1831) puis le chloral (1832) ; il prépare le fulminate d'argent et imagine en 1840 la fabrication des superphosphates. Ayant étudié les polyacides organiques (1838), il propose une théorie de la fonction acide, présentée par les corps dont l'hydrogène est remplaçable par un métal. On lui doit encore une méthode pour la fabrication des extraits de viande, à l'origine du développement de l'entreprise agroalimentaire qui porte son nom.

LIEBKNECHT (Wilhelm), homme politique allemand (Giessen 1826 - Charlottenburg 1900). Fondateur (1869) du Parti ouvrier social-démocrate allemand, il fut député au Reichstag (1874-1887 ; 1890-1900). Son fils, **Karl** (Leipzig 1871 - Berlin 1919), fut l'un des leaders du groupe social-démocrate opposé à la guerre. Fondateur avec Rosa Luxembourg du groupe Spartakus, il créa le Parti communiste allemand et prit part à l'insurrection « spartakiste » de 1919, au cours de laquelle il fut assassiné par les troupes gouvernementales.

LIECHTENSTEIN, principauté indépendante de l'Europe centrale, dernier vestige du Saint Empire romain germanique, entre la Suisse et l'Autriche.

NOM OFFICIEL : Principauté de Liechtenstein.
CAPITALE : Vaduz.
SUPERFICIE : 160 km².
POPULATION : 31 000 hab. *(Liechtensteinois).*
LANGUE : allemand.
RELIGION : catholicisme.
MONNAIE : franc suisse.
RÉGIME : monarchie constitutionnelle.

CHEF DE L'ÉTAT : souverain.
CHEF DU GOUVERNEMENT : chef du gouvernement collégial de 5 membres.
LÉGISLATIF : Diète de 25 députés ayant un mandat de 4 ans.

GÉOGRAPHIE

L'extrémité alpestre du Vorarlberg (2 500 m) domine la plaine du Rhin, élargie seulement au N. Le Liechtenstein est industrialisé (grande variété d'industries légères) et son secteur tertiaire est en plein essor (tourisme, commerce, banque, philatélie). Paradis fiscal abritant de nombreuses sociétés holding (la population compte plus de 30 % d'étrangers), la principauté est associée à la Suisse, dans les domaines monétaire, douanier et diplomatique. C'est l'un des pays les plus riches du monde. *(V. carte Suisse.)*

HISTOIRE

Le Liechtenstein, constitué par la réunion des seigneuries de Vaduz et de Schellenberg, est érigé en principauté en 1719. Il est rattaché à la Confédération du Rhin (1806-1814), puis à la Confédération germanique (1815-1866). Doté d'une Constitution démocratique en 1921, il est lié économiquement à la Suisse (Union douanière et financière de 1923). Devenu membre de l'O. N. U. en 1990, le Liechtenstein fait partie de l'A. E. L. E. (1991) et a adhéré à l'E. E. E. (1995).

LIED [lid] n.m. (pl. lieds ou lieder). Poème chanté, à une ou à plusieurs voix, avec ou sans accompagnement, dans les pays germaniques.

ENCYCL. Le lied *(Volkslied)* est né en Allemagne au Moyen Âge. Il fut l'une des sources du choral. Le XVIᵉ siècle a connu un lied polyphonique, le plus souvent religieux. Le lied artistique *(Kunstlied)* se développa au XVIIIᵉ siècle. C'est une mélodie de salon, accompagnée par le luth ou le clavecin. Au XIXᵉ siècle naquit le lied de concert, accompagné par le piano ou l'orchestre. Beethoven fut le premier à écrire un cycle, comprenant plusieurs lieder traitant d'un même sujet *(À la bien-aimée lointaine),* formule reprise par Schubert *(le Voyage d'hiver),* Schumann *(les Amours du poète),* Hugo Wolf, Brahms, Mahler, R. Strauss.

LIE-DE-VIN adj. inv. Rouge violacé.

LIÈGE n.m. (du lat. *levis,* léger). **-1.** Tissu végétal épais, imperméable et léger, à parois imprégnées de subérine, fourni par l'écorce de certains arbres, partic. du chêne-liège. **-2.** Cette partie de l'écorce, propre à divers usages commerciaux (bouchons, flotteurs, etc.).

Vue des quartiers bordant la Meuse, à **LIÈGE**.

LIÈGE, en néerl. Luik v. de Belgique, ch.-l. de la *prov. de Liège,* au confluent de la Meuse et de l'Ourthe ; 194 596 hab. *(Liégeois)* [environ 500 000 hab. dans l'agglomération]. **GÉOGR.** Carrefour routier et ferroviaire, port fluvial relié à Anvers par le canal Albert, Liège est un centre industriel ancien : les charbonnages sont aujourd'hui fermés. La mécanique, l'électronique et la chimie dominent toujours, éclipsées toutefois par le secteur tertiaire (enseignement supérieur et recherche, banques et sièges sociaux, commerce). **HIST.** Port fluvial mérovingien, évêché dès le VIIIᵉ siècle, Liège devint, à la fin du Xᵉ siècle, la capitale d'une importante principauté ecclésiastique. Au patriciat de la ville lainière et au prince-évêque s'opposèrent longtemps les gens de métiers, soutenus par la France. À partir du XVIIᵉ siècle, Liège devint l'une des capitales industrielles de l'Europe. La principauté disparut en 1792. **ARTS.** Nombreuses églises, renfermant des œuvres d'art, dont St-Barthélemy (avec massif occidental de type du roman mosan), St-Paul (XIIIᵉ-XVᵉ s.), auj. cathédrale, St-Jacques (XIᵉ-XVIᵉ s.), de style gothique flamboyant pour l'essentiel. Palais des princes-évêques surtout du XVIᵉ siècle. Nombreux musées, dont ceux de la maison Curtius (v. 1600 ; archéologie, arts décoratifs, musée du Verre), de l'hôtel d'Ansembourg (arts décoratifs liégeois du XVIIIᵉ s.), des Armes, de l'Art wallon, ainsi que le musée en plein air du moderne campus universitaire de Sart Tilman.

LIÈGE *(province de),* prov. de l'est de la Belgique ; 3 876 km² ; 999 646 hab. ; ch.-l. *Liège.* La vallée encaissée de la Meuse, prolongée vers l'E. par la Vesdre, est une artère industrielle où s'étire l'agglomération liégeoise qui concentre plus de la moitié de la population provinciale. Au N. -O., la Hesbaye est une région céréalière et betteravière. Au N. -E., le pays de Herne est à prédominance herbagère. Au sud de l'axe Meuse-Vesdre, l'Ardenne juxtapose sylviculture, élevage et plus localement tourisme.

LIÉGEOIS, E adj. et n. De Liège. ◆ adj. *Café, chocolat liégeois,* glace au café ou au chocolat servie non entièrement prise et nappée de crème Chantilly.

LIEN n.m. **-1.** Ce qui sert à lier pour maintenir ou fermer (ficelle, courroie, etc.). **-2.** Ce qui attache, unit des choses abstraites, et notamm. établit entre elles un rapport logique ou de dépendance : *Lien de cause à effet.* **-3.** Ce qui lie deux, plusieurs personnes ; relation : *Les liens du sang, de l'amitié.*

LIÉNART (Achille), prélat français (Lille 1884 - *id.* 1973). Évêque de Lille de 1928 à 1968, cardinal en 1930, il mena une politique sociale hardie et milita pour un véritable *aggiornamento* de l'Église lors du deuxième concile du Vatican.

LIEPAJA, en all. Libau, port de Lettonie, sur la Baltique ; 108 000 hab.

LIER v.t. **-1.** Attacher, maintenir des choses avec un lien : *Lier une gerbe de fleurs.* **-2.** Joindre des éléments, établir entre eux une continuité : *Lier des lettres par un trait de plume.* **-3.** Maintenir ensemble, réunir des choses à l'aide d'une substance : *Lier des pierres avec du mortier.* **-4.** Attacher qqn par un engagement juridique ou moral. **-5.** Maintenir qqn dans un état de dépendance ; enchaîner : *Être lié par un contrat.*

-**6.** Constituer un lien affectif entre des personnes ; unir par un intérêt, un goût, un rapport quelconque : *L'intérêt nous lie.* **CUIS.** Épaissir une préparation liquide en y ajoutant, au dernier moment, farine, fécule, jaune d'œuf, sang de gibier ou de volaille, etc. **MUS.** Rendre des notes par une seule émission de voix ou de souffle, par un seul coup d'archet, etc. ◆ **se lier** v.pr. Contracter amitié, être uni à qqn, à qqch : *Ils se sont vite liés.*

LIER, en fr. Lierre, v. de Belgique (prov. d'Anvers) ; 31 203 hab. —Église de style gothique flamboyant (jubé, vitraux) et autres monuments. Musée (peinture).

LIERNE n.f. -**1.** Chacune des nervures qui joignent les sommets des tiercerons à la clef, dans une voûte de style gothique flamboyant. -**2.** Dans une charpente métallique, barre reliant les pannes entre elles pour prévenir le flambage.

LIERRE n.m. -**1.** Plante ligneuse grimpante, à feuilles persistantes, à baies noires toxiques, qui se fixe aux murs, aux arbres par des racines crampons. (Famille des hédéracées.) -**2.** *Lierre terrestre,* gléchome.

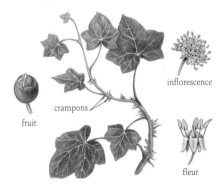

inflorescence

crampons

fruit

fleur

LIERRE

LIESSE n.f. **LITT.** *En liesse,* se dit d'une foule qui manifeste une joie débordante.

LIESTAL, comm. de Suisse, ch.-l. du demi-canton de Bâle-Campagne ; 12 853 hab.

1. **LIEU** n.m. (pl. lieux). -**1.** Partie circonscrite de l'espace où se situe une chose, où se déroule une action : *Lieu de rendez-vous.* -**2.** Localité, pays, contrée : *Un lieu charmant.* -**3.** Endroit, édifice, local, etc., considéré du point de vue de sa destination, de son usage : *Lieu de travail.* -**4.** *Avoir lieu,* se produire, arriver, se dérouler : *La réunion aura lieu à 10 heures.* **DR.** *Lieu public,* endroit où le public a accès (jardin public,

cinéma, café, etc.). [Le caractère public d'un lieu le soumet à une réglementation particulière.] **MATH., VIEILLI.** *Lieu géométrique,* ensemble de points vérifiant une propriété caractéristique. ◆ pl. -**1.** Locaux, propriété : *Faire l'état des lieux.* -**2.** **VIEILLI.** *Lieux d'aisances,* cabinets, toilettes. ‖ *Lieux saints,* les localités et les sanctuaires de Palestine liés au souvenir de Jésus.

2. **LIEU** n.m. (pl. lieus). *Lieu noir* ou *lieu,* colin.

LIEU-DIT n.m. (pl. lieux-dits). Lieu qui porte un nom rappelant une particularité topographique ou historique et qui, souvent, constitue un écart d'une commune.

LIEUE n.f. -**1.** **ANC.** Mesure linéaire, de valeur variable. -**2.** **CANADA.** Mesure linéaire équivalant à 3 milles. -**3.** *Lieue kilométrique,* lieue de 4 km. ‖ *Lieue marine* ou *lieue géographique,* vingtième partie du degré terrestre, soit 3 milles ou env. 5,556 km. ‖ *Lieue de poste,* lieue de 3,898 km. ‖ *Lieue de terre* ou *lieue commune,* vingt-cinquième partie du degré terrestre comptée sur un grand cercle, soit 4,445 km.

LIEUR, EUSE n. Personne qui lie, qui est chargée de lier des gerbes, des bottes. ◆ **lieuse** n.f. Mécanisme conçu pour lier les gerbes ou les bottes derrière un appareil de récolte.

LIEUTENANT n.m. (du lat. *locum tenens,* qui tient un lieu). -**1.** Celui qui seconde et remplace le chef. -**2.** Officier dont le grade se situe entre celui de sous-lieutenant et celui de capitaine. -**3.** **SUISSE.** Sous-lieutenant. (Le lieutenant est appelé *premier lieutenant.*) **DR. ANC.** *Lieutenant criminel,* magistrat établi dans chaque bailliage ou sénéchaussée pour connaître des affaires criminelles. ‖ *Lieutenant général de police,* magistrat qui dirigeait la police à Paris et dans les principales villes du royaume, à partir de la fin du XVIIᵉ s. **HIST.** *Lieutenant général du royaume,* personne que le roi désignait pour exercer temporairement le pouvoir à sa place (le duc de Guise en 1557 ; le comte d'Artois, futur Charles X, en 1814 ; le duc d'Orléans, futur Louis-Philippe, en 1830). **MAR.** *Lieutenant de vaisseau,* officier de marine dont le grade correspond à celui de capitaine dans les armées de terre et de l'air.

LIEUTENANT-COLONEL n.m. (pl. lieutenants-colonels). Officier des armées de terre ou de l'air dont le grade est intermédiaire entre celui de commandant et celui de colonel.

LIÉVIN, ch.-l. de c. du Pas-de-Calais ; 34 012 hab. *(Liévinois).* Engrais.

LIÈVRE n.m. **-1.** Mammifère de l'ordre des lagomorphes, à longues pattes postérieures permettant une course rapide, qui a la pointe des oreilles noire et gîte dans des dépressions du sol. (La femelle du lièvre se nomme hase.) *Le lièvre vagit,* pousse son cri. **-2.** Chair comestible de cet animal. **-3.** Coureur chargé de mener un train rapide au début d'une course, pour faciliter la réalisation d'une performance.

LIFAR (Serge), danseur et chorégraphe français d'origine russe (Kiev 1905 - Lausanne 1986). Interprète dans la compagnie de Diaghilev (1923-1929), il devient maître de ballet à l'Opéra de Paris (1929-1945, puis 1947-1958), où il redonne un éclat éblouissant à la troupe. Promoteur du ballet néoclassique, il codifie deux nouvelles positions (la 6e et la 7e) et impose son style dans une longue suite de créations, dont *Icare* (1935), *le Chevalier et la damoiselle* (1941), *Suite en blanc* (1943), *les Mirages* (1947), *les Noces fantastiques* (1955). Il est l'auteur de nombreux livres sur l'histoire du ballet et de plusieurs ouvrages théoriques de référence.

LIFT n.m. (de l'angl. *to lift,* soulever). Au tennis, effet donné à la balle en la frappant de bas en haut, afin d'en augmenter le rebond.

LIFTER v.t. Donner un effet de lift à une balle. ◆ v.i. Faire un lift.

LIFTIER, ÈRE n. (de l'angl. *lift,* ascenseur). Personne préposée à la manœuvre d'un ascenseur, dans un grand magasin, un hôtel.

LIFTING [liftiŋ] n.m. Intervention de chirurgie esthétique consistant à enlever des bandelettes de peau et à retendre celle-ci pour supprimer les rides. Recomm. off. : *lissage.*

LIGAMENT n.m. (du lat. *ligare,* lier). Ensemble de fibres conjonctives serrées et résistantes, orientées dans le même sens, qui unissent les os au niveau des articulations ou maintiennent des organes en place.

LIGAMENTAIRE adj. Relatif aux ligaments.

LIGAMENTEUX, EUSE adj. De la nature des ligaments.

LIGAND n.m. (lat. *ligare,* lier). Molécule ou ion unis à l'atome central d'un complexe par une liaison de coordination.

LIGASE n.f. Toute enzyme qui catalyse une réaction de synthèse avec formation de liaisons C—O, C—S, C—N ou C—C, en utilisant l'énergie fournie par l'A. T. P.

LIGATURE n.f. **-1.** Opération qui consiste à serrer un lien, une bande autour d'une partie du corps (génér., un vaisseau sanguin) ; le lien lui-même. **-2.** Action d'entourer d'un lien une plante, une greffe, etc. **-3.** Ensemble de lettres liées qui forme un caractère unique. (Ex. : œ.) **-4.** *Ligature des trompes,* méthode anticonceptionnelle irréversible consistant à ligaturer les trompes de Fallope.

LIGATURER v.t. Attacher, serrer avec une ligature : *Ligaturer une artère, les trompes.*

LIGE adj. Se disait d'un vassal lié à son seigneur par une forme d'hommage plus étroite que l'hommage ordinaire.

LIGETI (György), compositeur autrichien d'origine hongroise (Dicsöszentmárton, auj. Tîrnăveni, Transylvanie, 1923). Son écriture est statique (*Atmosphères,* 1961) ou très pointilliste, très « hachée » (*Nouvelles Aventures,* 1966) ou encore une synthèse de ces deux tendances (*Requiem,* 1965 ; *Lontano,* 1967 ; *le Grand Macabre,* opéra, 1978 ; *Concerto pour piano,* 1980 ; *Concerto pour violon,* 1990).

LIGIE n.f. (de *Ligie,* n. myth.). Crustacé voisin des cloportes, vivant sur les côtes, à la limite des hautes mers. (Long. 3 cm.)

1. **LIGNAGE** n.m. Groupe de filiation unilinéaire dont tous les membres se considèrent comme descendants d'un même ancêtre.

2. **LIGNAGE** n.m. Nombre de lignes qui forment un texte imprimé.

LIGNE n.f. **-1.** Trait continu dont l'étendue se réduit pratiquement à la dimension de la longueur. **-2.** Trait réel ou imaginaire qui sépare deux éléments contigus ; intersection de deux surfaces. **-3.** BELGIQUE. Raie des cheveux. **-4.** Forme, contour, dessin d'un corps, d'un objet, etc. : *La ligne d'une voiture.* **-5.** Silhouette fine, élégante : *Faire attention à sa ligne.* **-6.** Trait imaginaire marquant une direction suivie de façon continue : *Aller en droite ligne.* **-7.** Règle de vie ; orientation : *Ligne de conduite.* **-8.** Itinéraire régulier desservi par un service de transport ; ce service : *Ligne aérienne.* **-9.** Installation servant au transport d'énergie électrique, à la communication : *Ligne à haute tension. Ligne téléphonique.* **-10.** Suite, série continue de personnes ou de choses : *Une ligne de peupliers.* **-11.** Ensemble des générations successives de parents. **-12.** Suite de mots écrits ou imprimés sur une longueur déterminée. **-13.** Fil terminé par un ou plusieurs hameçons pour pêcher. **-14.** Cordeau pour aligner : *Ligne de maçon.* **-15.** *En première ligne,* au plus près de l'ennemi. ‖ *Être en ligne,* être branché téléphoniquement avec un correspondant ; en parlant d'un matériel de téléinformatique, fonctionner en relation directe avec un autre. ‖ *Ligne directe,* dont les parents descendent directement les uns des autres, par opp. à *ligne collatérale.* ‖ *Ligne équinoxiale,* équateur. ‖ *Mettre en ligne,* présenter des troupes pour affronter l'ennemi. **ASTRON.** *Ligne des nœuds,* ligne d'intersection du plan de l'orbite d'un astre avec un plan pris pour référence. **COMM.** Série de produits ou d'articles se complétant dans leur utilisation et unis par des qualités communes. **FIN.** *Ligne de crédit,* montant d'un crédit accordé par une banque et que le bénéficiaire peut utiliser au fur et à mesure de ses besoins. **MAR.** *Cargo de ligne,* cargo qui dessert une ligne régulière de navigation. ‖ *Ligne de charge,* ligne apposée sur la coque d'un navire et au-delà de laquelle il ne doit pas s'enfoncer. ‖ *Ligne d'eau,* ligne déterminée sur la coque d'un navire par des plans parallèles à la surface de l'eau. ‖ *La Ligne,* l'équateur. **MATH.** Figure qui peut être matérialisée par un fil assez fin. ‖ Ensemble des éléments se trouvant sur une même horizontale dans un tableau à double entrée (matrice, déterminant, etc.). ‖ *Ligne de niveau,* section d'une surface par un plan horizontal. **MÉCAN.** *Ligne d'arbre,* alignement des supports de vilebrequin d'un moteur. **MÉTROL.** Ancienne mesure française de longueur représentant la douzième partie du pouce (env. 2,25 mm). ‖ CANADA. Mesure de longueur valant 3,175 mm (huitième partie du pouce). **MIL.** Dispositif formé d'hommes, d'unités ou de moyens de combat placés les uns à côté des autres ; cette troupe elle-même. ‖ Suite continue de fortifications permanentes destinées à protéger une frontière. ‖ *Bâtiment de ligne,* grand navire de guerre puissamment armé et formant l'élément principal d'une escadre. ‖ *La Ligne,* avant 1914, ensemble de régiments d'infanterie du corps de bataille. **TÉLÉV.** Segment de droite décrit lors du balayage d'une image en télévision ou en télécopie, à l'émission ou à la réception. **ZOOL.** *Ligne latérale,* organe sensoriel des poissons et des larves d'amphibiens, formé par un canal sous-cutané comportant des cellules sensibles aux vibrations de l'eau.

LIGNE (îles de la) → LINE ISLANDS.

LIGNE (Charles Joseph, *prince* de), maréchal autrichien (Bruxelles 1735 - Vienne 1814). Ami de Joseph II, diplomate et écrivain en français, il a incarné le cosmopolitisme brillant et cultivé du XVIIIᵉ siècle.

LIGNÉE n.f. -1. Descendance, race. -2. Phylum.

LIGNER v.t. Marquer d'une ligne ou de lignes.

LIGNEUL n.m. Fil enduit de poix, à l'usage des cordonniers.

LIGNEUX, EUSE adj. (du lat. *lignum,* bois). -1. De la nature du bois : *Matière ligneuse.* -2. Dont la tige contient suffisamment de faisceaux lignifiés pour devenir résistante, par opp. à *herbacé.* -3. Qui appartient au bois : *Fibre ligneuse.*

LIGNICOLE adj. Qui vit dans le bois des arbres, en parlant d'une espèce animale.

LIGNIFICATION n.f. Phénomène par lequel les membranes de certaines cellules végétales s'imprègnent de lignine.

LIGNIFIER (SE) v.pr. S'imprégner de lignine.

LIGNINE n.f. Substance organique qui imprègne les cellules, les fibres et les vaisseaux du bois, et les rend imperméables, inextensibles et rigides. (La lignine est le constituant principal du bois.)

LIGNITE n.m. (du lat. *lignum,* bois). Roche d'origine organique, résultant de la décomposition incomplète de débris végétaux. (Roche combustible, contenant 70 % de carbone, le lignite a une valeur calorifique trois fois moindre, en moyenne, que celle de la houille.)

LIGNOMÈTRE n.m. Règle graduée servant au comptage des lignes d'un texte composé.

LIGOT n.m. Petite botte de bûchettes enduites de résine à un bout, pour allumer le feu.

LIGOTER v.t. -1. Attacher étroitement qqn à qqch, ou lui lier les membres. -2. Priver qqn de sa liberté d'action, d'expression.

LIGUE n.f. (du lat. *ligare,* lier). -1. Union formée entre plusieurs princes, partic. pour défendre des intérêts politiques, religieux, etc. ; confédération entre plusieurs cités ou États. -2. Association de citoyens unis en vue d'une action déterminée : *La Ligue des droits de l'homme.*

Ligue *(Sainte),* nom donné à plusieurs coalitions formées en Europe aux XVᵉ, XVIᵉ et XVIIᵉ siècles. Les deux premières (1495-96 et 1508-1512) regroupèrent la papauté, les principautés italiennes et l'Espagne, afin de lutter contre les expéditions militaires de Charles VIII et de Louis XII en Italie. Les dernières (1570-71 et 1684-1699) unirent les puissances européennes contre les Turcs et aboutirent à la victoire de Lépante (1571) et à la reconquête de la Hongrie (1699).

Ligue *(Sainte)* ou **Sainte Union** ou **Ligue,** mouvement religieux et politique qui regroupa les catholiques de 1576 à 1594, lors des guerres de Religion. Elle eut pour centre Paris et pour principal animateur Henri Iᵉʳ, duc de Guise, qui obtint l'appui de l'Espagne. Son assassinat à Blois (1588) déclencha la rébellion ouverte contre Henri III, tandis que Paris se donnait un gouvernement révolutionnaire (le conseil des Seize). Le meurtre d'Henri III (1589) divisa la Ligue, mais Paris n'ouvrit ses portes à Henri IV qu'en 1594, après l'abjuration du roi. En province, les derniers chefs de la Ligue se soumirent en 1598.

Ligue arabe → ARABE (Ligue).

Ligue internationale contre le racisme et l'antisémitisme → L. I. C. R. A.

Ligue musulmane, parti politique créé en 1906 et qui défendit les intérêts de la communauté musulmane dans l'Inde britannique avant de militer à partir de 1940 pour la création du Pakistan.

LIGUER v.t. Unir des gens dans une même coalition, une même alliance. ◆**se liguer** v.pr. Unir ses efforts contre qqn, qqch.

LIGUEUR, EUSE n. -1. Membre d'une ligue. -2. Personne qui faisait partie de la Sainte Ligue sous Henri III et Henri IV.

LIGULE n.f. (lat. *ligula,* languette). -1. Petite languette d'un végétal, partic. corolle à 5 pétales soudés des fleurs ligulées des plantes composées. -2. Cette fleur ligulée.

LIGULÉ, E adj. Se dit des fleurs de capitules de composées qui portent une ligule.

LIGULIFLORE n.f. *Liguliflores,* sous-famille de composées dont le capitule comporte des fleurs ligulées toutes semblables et comprenant notamm. le pissenlit, la chicorée, le salsifis.

LIGURES, peuple ancien établi sur la côte méditerranéenne entre les villes actuelles de Marseille et de La Spezia, soumis par les Romains au IIᵉ s. av. J.-C.

LIGURIE, en ital. *Liguria,* région du nord de l'Italie, en bordure du golfe de Gênes ; 5 400 km² ; 1 668 078 hab. *(Liguriens* ou *Ligures).* Elle est formée des prov. de Gênes, Imperia, Savone et La Spezia. Cap. *Gênes.* Région de moyenne montagne, la Ligurie tombe abruptement sur la Méditerranée, formant la Riviera. Aux cultures florales (autour d'Imperia) s'ajoute le tourisme balnéaire. Gênes regroupe presque la moitié de la population ligurienne et est le premier port italien.

LIKASI, anc. Jadotville, v. du Congo (anc. Zaïre), dans le Shaba ; 146 000 hab.

Likoud, coalition politique israélienne regroupant depuis 1973 plusieurs formations du centre et de la droite.

LILAS [lila] n.m. -1. Arbuste originaire du Moyen-Orient, cultivé pour ses grappes de fleurs mauves ou blanches, odorantes. (Famille des oléacées.) -2. Branche fleurie de cet arbre : *Couper des lilas, du lilas.* ◆ adj. inv. D'une couleur mauve rosé.

LILIACÉE n.f. (du lat. *lilium,* lis). *Liliacées,* famille de plantes monocotylédones aux fleurs à six pièces périanthaires, comprenant près de 4 000 espèces, dont le lis, la tulipe, la jacinthe, le muguet, l'ail, le poireau, l'aloès, etc.

LILIENCRON (Detlev, *baron* von), écrivain allemand (Kiel 1844 - Alt-Rahlstedt 1909). Il est connu pour son épopée humoristique *Poggfred* (1896).

LILIENTHAL (Otto), ingénieur allemand (Anklam 1848 - Berlin 1896). Il reste surtout connu comme le précurseur du vol à voile : à partir de 1890, il multiplia les tentatives en se jetant du haut d'une colline accroché à de larges voilures. Au cours de son 2 000ᵉ vol, il effectua une chute mortelle. Les frères Wright tirèrent profit de ses essais pour leurs propres recherches.

LILIIFLORE n.f. *Liliiflores,* ordre de plantes monocotylédones comprenant les liliacées et les familles voisines (plus de 4 000 espèces).

LILLE, ch.-l. de la Région Nord-Pas-de-Calais et du dép. du Nord, en Flandre, sur la Deûle, à 218 km au nord de Paris ; 178 301 hab. (environ 1 million d'hab. avec les banlieues) [*Lillois*]. **GÉOGR.** Véritable métropole régionale, Lille commande une agglomération englobant plus de 50 communes (dont Roubaix et Tourcoing) et débordant sur la Belgique voisine. Outre une tradition industrielle (textile, agroalimentaire), elle bénéficie d'une situation au cœur de la C. E., valorisée par de remarquables liaisons routières, ferroviaires, fluviales et aériennes. Le secteur tertiaire domine (administration civile et militaire, universités, foires internationales). **HIST.** Grande cité drapière dès le XIIᵉ siècle, l'une des capitales des ducs de Bourgogne, place forte, Lille fut incorporée à la France en 1667. En 1792, elle soutint victorieusement un siège contre les Autrichiens. Devenue le chef-lieu du département du Nord (1804), elle prit rang, au XIXᵉ siècle, parmi les grandes métropoles industrielles d'Europe. **ARTS.** La ville conserve un noyau ancien aux maisons en brique et pierre sculptées (XVIIᵉ et XVIIIᵉ s.). Palais Rihour (XVᵉ s.) et

La place du Général-de-Gaulle (Grand'Place), dans le centre de **LILLE.**

église St-Maurice (XVe-XIXe s.), gothiques. Vieille Bourse de 1652 au décor flamand opulent. Citadelle de Vauban (1670) ; porte de Paris (v. 1690). Musées, dont celui des Beaux-Arts, un des plus riches de France (peinture), celui de l'ancien hospice Comtesse (XVe-XVIIe s.) et le Musée industriel et commercial.

LILLEHAMMER, v. de Norvège, au N. d'Oslo ; 23 120 hab. Sports d'hiver. Musée de plein air. Site des jeux Olympiques d'hiver en 1994.

Lilliput, pays imaginaire dans *les Voyages de Gulliver,* de Swift. C'est une Angleterre miniaturisée où les hommes n'atteignent pas six pouces de haut.

LILLIPUTIEN, ENNE [-sjɛ̃, ɛn] adj. et n. (de *Lilliput,* n.pr.). De très petite taille.

LILLO (George), auteur dramatique britannique (Londres 1693 - *id.* 1739), l'un des créateurs du drame moral et bourgeois (*le Marchand de Londres ou l'Histoire de George Barnwell,* 1731), qui inspirera Diderot, puis Büchner et Ibsen.

LILONGWE, cap. du Malawi (depuis 1975) ; 220 000 hab.

LIMA, cap. du Pérou sur le Rimac ; 6 404 500 hab. **GÉOGR.** Créée en 1535 par Pizarro, la ville conserve en son centre le plan en damier de l'époque coloniale. Ceinturée de bidonvilles *(barriadas),* elle regroupe environ le quart de la population du pays. Elle concentre la majeure partie des activités administratives, commerciales, bancaires et industrielles

(textile, alimentation, montage automobile, cimenterie, raffinerie de pétrole) du pays. **ARTS.** Cathédrale entreprise à la fin du XVIe siècle sur le modèle de celle de Jaén ; autres beaux monuments des XVIIe-XVIIIe siècles. Musées, dont celui de l'Or du Pérou.

Bâtiment bordant la place d'Armes, à **LIMA.** (Au fond, clocher de la cathédrale [fin du XVIe-XVIIIe s.].)

LIMACE n.f. -1. Mollusque gastéropode pulmoné terrestre, sans coquille externe.

LIMACE

LIMAÇON n.m. -1. VIEILLI. Mollusque terrestre à coquille enroulée et, partic., escargot. SYN. (vieilli) : **colimaçon**. -2. Organe de l'oreille interne, formé d'un tube enroulé en spirale contenant les terminaisons sensorielles du nerf auditif.

LIMAGE n.m. Action de limer.

LIMAGNES (les), parfois **LIMAGNE** (la), plaines du Massif central, drainées par l'Allier et constituant le cœur économique de l'Auvergne.

LIMAILLE n.f. Matière que forment les parcelles de métal détachées par l'action de la lime.

LIMAN n.m. (du gr. *limên,* port). Lagune isolée par un cordon littoral barrant partiellement l'embouchure d'un fleuve.

LIMANDE n.f. -1. Poisson plat comestible, vivant dans la Manche et l'Atlantique. (Long. 40 cm ; superfamille des pleuronectes.) -2. Biface plat d'une forme ovale très allongée.

LIMASSOL, port de Chypre ; 132 000 hab.

LIMBE n.m. (lat. *limbus,* bord). -1. Couronne circulaire en métal, en verre, etc., portant la graduation angulaire d'un instrument de mesure. -2. Bord lumineux du disque d'un astre. -3. Partie principale, élargie et étalée, génér. riche en chlorophylle de la feuille. -4. Partie large et étalée d'un pétale ou d'un sépale.

LIMBES n.m. pl. -1. Séjour où les justes de l'Ancien Testament attendaient la venue rédemptrice du Christ *(descente du Christ aux limbes)* ; séjour de félicité des enfants morts sans baptême. -2. État vague, incertain : *Projet encore dans les limbes.*

LIMBIQUE adj. *Système limbique,* ensemble de structures situées sous le cortex cérébral, jouant un rôle sensoriel (olfaction) et comportemental (émotions, affectivité), et intervenant dans la mémoire.

LIMBOURG, région historique de l'Europe du Nord-Ouest. Duché acquis en 1288 par le Brabant, le Limbourg fut partagé à la paix de Westphalie (1648) entre les Provinces-Unies et les Pays-Bas espagnols.

LIMBOURG, en néerl. Limburg, prov. du nord-est de la Belgique ; 2 422 km² ; 750 435 hab. Ch.-l. *Hasselt.* Le Nord, industriel, s'oppose au Sud, prolongeant la Hesbaye, à vocation agricole.

LIMBOURG, prov. méridionale des Pays-Bas ; 2 172 km² ; 1 086 000 hab. Ch.-l. *Maastricht.*

LIMBOURG (les frères de) [Pol, Herman et Jean], enlumineurs néerlandais du début du XVᵉ siècle, neveux de J. Malouel. Ils sont les auteurs, notamment, des *Très Riches Heures du duc de Berry* (v. 1413-1416, musée Condé, Chantilly), une des expressions les plus précieuses de l'art gothique international. Ce manuscrit inclut douze images des mois, dont la plupart montrent, sous un demi-cercle zodiacal, les travaux ruraux du moment associés à la vue d'un grand château de l'époque.

Le mois de juin. Miniature des *Très Riches Heures du duc de Berry* (1413-1416) par les frères de **LIMBOURG.** (Musée Condé, Chantilly.)

---

1. **LIME** n.f. -1. Outil à main, en acier trempé, long et étroit, couvert d'entailles, utilisé pour tailler, ajuster, polir les métaux, le bois, etc., par frottement. -2. Mollusque bivalve marin.

-3. *Lime à ongles,* petite lime de métal strié ou de papier émeri destinée à raccourcir, arrondir le bord des ongles.

2. **LIME** ou **LIMETTE** n.f. Petit citron de couleur verte, à peau lisse, à chair sans pépins très juteuse.

LIMER v.t. Travailler un objet, un métal à la lime. ◆ **se limer** v.pr. *Se limer les ongles,* les raccourcir avec une lime à ongles.

LIMERICK n.m. Épigramme burlesque de cinq vers, rimée, en anglais.

LIMERICK, en gaél. Luimneach, port de la République d'Irlande (Munster), au début de l'estuaire du Shannon ; 52 040 hab. – Château fondé vers 1200 ; cathédrale (XIIIe-XVe s.).

LIMES [limɛs] n.m. (mot lat., *frontière*). Sous l'Empire romain, zone de fortifications plus ou moins continues bordant certaines frontières dépourvues de défenses naturelles.

ENCYCL. La notion de « limes » apparaît dès le Ier siècle, manifestation de la préoccupation essentiellement défensive des empereurs, qui établissent aux frontières une ligne de fortifications légères. Le premier, Agricola, entreprend la construction de ce type de ligne en Bretagne. Domitien en fait autant en Rhétie, pour la protection des champs Décumates. Sous les Flaviens s'organise le limes de Numidie, centré sur l'Aurès ; Hadrien fait beaucoup pour la fortification des frontières, en Pannonie, en Bretagne, en Afrique, s'efforçant de rendre le limes aussi puissant et continu que possible. Les travaux se poursuivent encore activement sous les Sévères. Des villes frontières importantes, surtout sur le Danube, s'édifient autour d'un noyau formé par les camps, eux-mêmes permanents et construits en dur dès le IIe siècle.

LIMETTE n.f. → 2. LIME.

LIMETTIER n.m. Agrume du genre *Citrus* dont le fruit est la lime. (Famille des rutacées.)

LIMEUR, EUSE adj. Qui sert à limer.

LIMICOLE adj. Qui vit dans la vase ou qui y cherche sa nourriture : *Oiseau, larve limicoles.*

LIMIER n.m. -1. Chien courant, employé, dans la chasse à courre, pour la recherche du gibier. -2. FAM. Policier : *Les limiers de la P. J.*

1. **LIMINAIRE** adj. Qui est au début d'un livre, d'un poème, d'un débat : *Déclaration liminaire.*

2. **LIMINAIRE** ou **LIMINAL, E, AUX** adj. Relatif au seuil ; au niveau du seuil, en parlant d'un stimulus, d'une perception.

LIMITATIF, IVE adj. Qui limite ; qui fixe ou constitue une limite.

LIMITATION n.f. -1. Action de fixer la limite, la frontière d'un terrain. -2. Action, fait de fixer un terme, des bornes, des restrictions à qqch : *Limitation de vitesse.*

LIMITE n.f. -1. Ligne séparant deux pays, deux territoires, deux terrains contigus. -2. Ligne qui circonscrit un espace, qui marque le début ou la fin d'une étendue. -3. Ce qui marque le début ou la fin d'un espace de temps, ce qui le circonscrit. -4. Borne, point au-delà desquels ne peuvent aller ou s'étendre une action, une influence, un état, etc. : *Ma patience a des limites.* -5. En app., indique un seuil au-delà duquel qqch n'appartient plus à l'ensemble donné : *Date limite d'inscription.* -6. *Limite d'âge,* âge au-delà duquel on ne peut exercer une fonction. MATH. *Limite d'une fonction en un point c de son intervalle de définition,* nombre *l* tel qu'on peut trouver des valeurs de la variable proches de *c* pour lesquelles la différence entre *l* et les valeurs prises par la fonction soit arbitrairement petite. ‖ *Limite d'une suite convergente,* nombre *l* tel qu'on peut trouver un rang à partir duquel la différence entre *l* et le terme général de la suite soit arbitrairement petite. PSYCHIATRIE. *État* ou *cas limite,* borderline.

LIMITÉ, E adj. -1. Restreint ; de peu d'étendue ; de peu d'importance : *Une confiance limitée.* -2. FAM. Sans grands moyens intellectuels ; peu inventif : *Un cinéaste limité.*

LIMITER v.t. -1. Enfermer qqch, en constituer la limite : *L'Atlantique limite la France à l'ouest.* -2. Restreindre qqch dans certaines limites : *Limiter ses dépenses.* ◆ **se limiter** v.pr. -1. S'imposer des limites. -2. Avoir pour limites.

LIMITEUR n.m. Dispositif destiné à empêcher qu'une grandeur, par sa variation au-delà d'une certaine valeur, puisse avoir des conséquences dangereuses : *Limiteur de vitesse d'une turbine.*

LIMITROPHE adj. -1. Situé à la frontière d'un pays, d'une région. -2. Qui a des limites communes avec un lieu : *Pays limitrophes.*

LIMIVORE adj. Qui se nourrit des divers éléments organiques contenus dans la vase, en parlant d'un animal.

LIMNÉE n.f. Mollusque gastéropode d'eau douce, à coquille spiralée et pointue et à respiration pulmonaire. (Long. 5 cm.)

LIMNOLOGIE n.f. (du gr. *limnê,* lac, et *logos,* science). Étude scientifique des lacs et de leurs eaux.

LIMOGEAGE n.m. Action de limoger.

LIMOGER v.t. (de *Limoges,* n.pr.) [17]. Priver un officier, un fonctionnaire de son emploi par révocation ou déplacement.

Vue de la cathédrale Saint-Étienne de **LIMOGES** depuis les bords de la Vienne.

LIMOGES, ch.-l. de la Région Limousin et du dép. de la Haute-Vienne, sur la Vienne, à 374 km au sud de Paris ; 136 107 hab. *(Limougeauds).* Évêché. Académie et université. Cour d'appel. Centre de production de la porcelaine. Industries mécaniques et électriques. Chaussures. – Crypte préromane à l'emplacement de l'ancienne abbaye St-Martial. Cathédrale (surtout des XIIIe-XVIe s.) et autres églises gothiques. Musée municipal (archéologie ; émaillerie limousine) et musée national de Céramique A.-Dubouché.

1. LIMON n.m. Roche sédimentaire détritique, de granulométrie intermédiaire entre celle des sables et celle des argiles, constituant des sols légers et fertiles.

2. LIMON n.m. Citron très acide, fruit du limonier.

3. LIMON n.m. **-1.** Chacune des deux branches de la limonière d'une voiture hippomobile. **-2.** Partie rampante d'un escalier dans laquelle s'assemblent les marches et les contremarches, vers le jour central.

LIMÓN, port du Costa Rica ; 51 000 hab.

LIMÓN (José), danseur, chorégraphe et pédagogue mexicain (Culiacán, Sinaloa, 1908 - Flemington, New Jersey, 1972). Disciple et interprète de Doris Humphrey (dont il prolonge l'enseignement), il fonde sa compagnie aux États-Unis en 1946. Il délivre un message humaniste à travers des ballets inspirés par des thèmes sociaux et des récits historiques ou légendaires *(The Moor's Pavane,* 1949 ; *The*

Emperor Jones et *There is a Time,* 1956 ; *The Unsung,* 1970).

LIMONADE n.f. Boisson gazeuse à base de sucre, d'acides, d'essence de citron, de gaz carbonique.

LIMONADIER, ÈRE n. Personne qui fabrique de la limonade.

LIMONAGE n.m. Action de répandre du limon sur des terres pauvres.

LIMONÈNE n.m. Hydrocarbure de la famille des terpènes, employé comme solvant.

LIMONEUX, EUSE adj. Qui contient du limon.

1. LIMONIER n.m. Citronnier de la variété qui produit les limons.

2. LIMONIER n.m. Cheval que l'on met aux limons.

LIMONIÈRE n.f. **-1.** Brancard d'une voiture hippomobile formé de deux longues pièces de bois. **-2.** Véhicule hippomobile à quatre roues, qui a un brancard à deux limons.

LIMONITE n.f. Minerai de fer (oxyde ferrique hydraté naturel) d'aspect terreux, jaunâtre.

LIMOSELLE n.f. (du lat. *limosus,* bourbeux). Herbe des lieux humides. (Famille des scrofulariacées.)

LIMOSIN, famille de peintres émailleurs français de Limoges, dont le plus connu est **Léonard Ier** (v. 1505 - v. 1577), interprète, pour la cour, des modèles de l'école de Fontainebleau *(Apôtres* de la chapelle d'Anet, v. 1547, musée de Chartres ; portraits ; etc.).

LIMOUSIN, E adj. et n. -1. Du Limousin. -2. *Race limousine,* race de bovins de boucherie.

LIMOUSIN, Région regroupant les départements de la Corrèze, de la Creuse et de la Haute-Vienne ; 16 942 km² ; 722 850 hab. *(Limousins.)* Ch.-l. *Limoges.* **GÉOG.** Dans l'ouest du Massif central, le Limousin est formé de plateaux étagés (entre 200 et 1 000 m) de roches anciennes, souvent entaillés en gorges, humides et frais (exposition aux vents d'ouest océaniques). Le Limousin est, après la Corse, la moins peuplée, en valeurs absolue et relative, des Régions françaises. Les décès, dans une population affectée par l'émigration des jeunes, y sont devenus plus nombreux que les naissances. Entre 1982 et 1990, la population a diminué dans les trois départements et surtout dans la Creuse. La densité est aujourd'hui nettement inférieure à la moitié de la moyenne française. L'industrie (hydroélectricité, porcelaine de Limoges, textile, agroalimentaire) est peu développée et parfois en difficulté. La Région, en dehors de Limoges, est peu urbanisée et située à l'écart des régions dynamiques et des grands axes de circulation si l'on excepte l'itinéraire Paris-Toulouse, en cours de modernisation cependant. L'agriculture, qui occupe encore environ 15 % de la

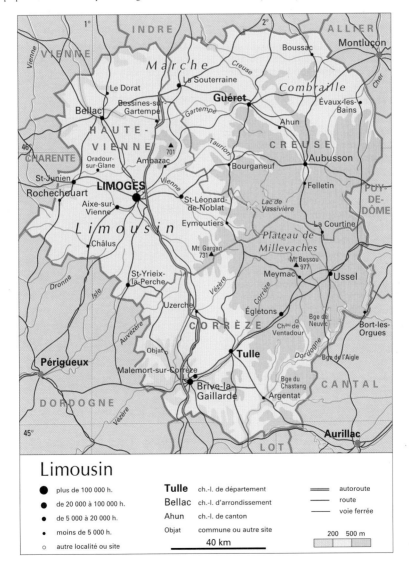

Limousin

● plus de 100 000 h.	**Tulle**	ch.-l. de département		▰▰▰ autoroute
● de 20 000 à 100 000 h.	**Bellac**	ch.-l. d'arrondissement		—— route
● de 5 000 à 20 000 h.	**Ahun**	ch.-l. de canton		—— voie ferrée
• moins de 5 000 h.	Objat	commune ou autre site		200 500 m
○ autre localité ou site		**40 km**		

population active (plus du double de la moyenne nationale), reste essentiellement dominée par l'élevage, celui des bovins pour la viande surtout. S'y juxtapose parfois un tourisme familial, diffus, notamment dans la partie orientale, la plus élevée, la plus dépeuplée également. **HIST.** La province du Limousin fut réunie à la Couronne en 1607.

LIMOUSINAGE n.m. Maçonnerie faite avec des moellons et du mortier.

LIMOUSINE n.f. Automobile à conduite intérieure, possédant quatre portes et six glaces latérales.

LIMOUX, ch.-l. d'arr. de l'Aude, sur l'Aude ; 10 217 hab. *(Limouxins).* Vins blancs mousseux, blanquette et crémant de Limoux. — Église des XIIᵉ-XVIᵉ siècles.

LIMPIDE adj. -1. Clair et transparent : *Une eau limpide.* -2. Simple ; clair ; aisé à comprendre : *Un exposé limpide.*

LIMPIDITÉ n.f. Caractère de ce qui est limpide.

LIMPOPO (le), fl. de l'Afrique australe qui forme la frontière de l'Afrique du Sud avec le Botswana, puis avec le Zimbabwe, avant de pénétrer au Mozambique, où il rejoint l'océan Indien au N.-E. de Maputo ; 1 600 km.

LIMULE n.f. Arthropode marin (mer des Antilles, Pacifique), atteignant 50 cm de long, appelé (abusivement, car ce n'est pas un crustacé) *crabe des Moluques.* (Classe des mérostomes.)

LIN n.m. -1. Plante herbacée, à fleur bleue, cultivée dans les régions tempérées, partic. dans le nord de la France. (La tige fournit, par rouissage, des fibres dont on fabrique un fil utilisé comme textile. La graine fournit une farine dont on fait des cataplasmes émollients, une huile siccative employée notamm. en peinture, et des tourteaux utilisés pour l'alimentation du bétail.) -2. Fibre textile issue de cette plante ; tissu fait de cette fibre.

LINACÉE n.f. *Linacées,* famille de plantes dicotylédones telles que le lin.

LINAIGRETTE n.f. Plante des marais, aux petits fruits secs entourés d'une touppe cotonneuse. (Famille des cypéracées.)

LINAIRE n.f. Plante herbacée à fleurs solitaires ou en grappes jaunes, blanches, pourpres ou violettes, dont une espèce est la *ruine-de-Rome.* SYN. : velvote.

LIN BIAO ou **LIN PIAO,** maréchal et homme politique chinois (Huanggang, Hubei, 1908-

1971). Membre du P. C. C., il fut l'un des chefs militaires de la Longue Marche (1935) et de la guerre civile (1946-1949). Ministre de la Défense (1959), il joua un rôle important pendant la Révolution culturelle. Il disparut en 1971. Son avion aurait été abattu alors qu'il tentait de s'enfuir en U. R. S. S. après une tentative de coup d'État.

LINCEUL n.m. Pièce de toile dans laquelle on ensevelit un mort. SYN. : suaire.

LINÇOIR n.m. Lambourde indépendante recevant un plancher au droit d'un mur affecté d'un percement et reportant les charges de part et d'autre de celui-ci à la façon d'un chevêtre.

LINCOLN, v. des États-Unis, cap. du Nebraska ; 191 972 hab. Université.

LINCOLN, v. de Grande-Bretagne, ch.-l. du Lincolnshire ; 81 900 hab. — Magnifique cathédrale, gothique du XIIIᵉ siècle pour l'essentiel (cloître ; salle capitulaire polygonale). Maisons anciennes. Musées.

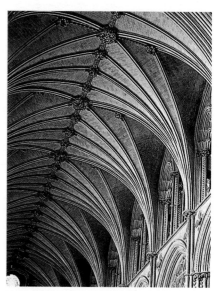

Voûtes de la nef de la cathédrale de **LINCOLN** (XIIIᵉ s.).

LINCOLN (Abraham), homme d'État américain (près de Hodgenville, Kentucky, 1809 - Washington 1865). Issu d'une famille de pionniers, il devient avocat en 1837. Représentant à l'assemblée législative de l'Illinois (1834-1842), puis député au Congrès (1847-1849), il s'oppose vivement à la guerre du Mexique et perd les élections sénatoriales (1849) face au démocrate Stephen Douglas. Hostile à l'extension de l'esclavage dans les Territoires du Nord-Ouest (notamment au Nebraska et au Kansas), il entre dans le tout nouveau Parti républicain (1856) et se rend célèbre, lors des élections sénatoriales de l'Illinois, par une campagne antiesclavagiste retentissante, marquée par un violent débat avec Douglas, qui est cependant élu. Il est alors choisi par la Convention républicaine (1860) comme candidat à la présidence. Mais son élection (il n'obtient que 38 % des voix) provoque la constitution des États du Sud en États indépendants, avant même son entrée en fonctions (4 mars 1861). Il cherche en vain à éviter la guerre civile (→ SÉCESSION [guerre de]) en appelant des adversaires au pouvoir et, une fois les hostilités engagées, offre une solution graduelle pour l'abolition (1862), puis proclame l'émancipation immédiate des esclaves dans tous les États (1er janv. 1863). Réélu en 1864, il établit, après la capitulation de Lee, un programme de « reconstruction », mais il est assassiné au théâtre de Washington par un acteur fanatique.

LINDAU, v. d'Allemagne (Bavière), dans une île du lac de Constance ; 23 999 hab. Centre touristique. – Vieille ville pittoresque.

LINDBERG (Magnus), compositeur finlandais (Helsinki 1958). Il a écrit notamment de la musique pour orchestre ou grand ensemble, dont *Kraft* (1985) et la trilogie composée de *Kinetics* (1989), *Marea* (1990) et *Joy* (1990).

LINDBERGH (Charles), aviateur américain (Detroit 1902 - Hana, Hawaii, 1974). Seul à bord du monoplan *Spirit of Saint Louis,* il réussit le premier, en 1927, la traversée sans escale de l'Atlantique nord, entre Roosevelt Field (New York) et Le Bourget, parcourant 5 800 km en 33 h 27 min.

LINDBLAD (Bertil), astronome suédois (Örebro 1895 - Stockholm 1965). Il a, le premier, envisagé la rotation différentielle de la Galaxie (1921), mise en évidence ensuite par les observations de J. Oort. On lui doit aussi l'explication de la structure spirale des galaxies par la propagation, dans le milieu interstellaire, d'ondes de densité, dont le mouvement s'apparente à celui de la houle.

LINDE (Carl von), industriel allemand (Berndorf, Bavière, 1842 - Munich 1934). Il construisit la première machine de réfrigération à compression (1873) et réussit la liquéfaction de l'air (1895).

LINDEMANN (Ferdinand von), mathématicien allemand (Hanovre 1852 - Munich 1939).

Il démontra la transcendance du nombre π (1882), établissant ainsi l'impossibilité de la quadrature du cercle.

LINDER (Gabriel Leuvielle, dit **Max**), acteur et cinéaste français (Saint-Loubès 1883 - Paris 1925). Première grande vedette comique du cinéma, il imposa son personnage de dandy spirituel et débrouillard dans les nombreux films qu'il tourna en France (série des *Max,* 1910-1917) ou aux États-Unis (*l'Étroit Mousquetaire,* 1922).

LINDSAY (*sir* David) → LYNDSAY.

LÍNEA (La), v. d'Espagne (Andalousie) ; 58 315 hab. Centre commercial à la frontière du territoire de Gibraltar.

1. **LINÉAIRE** adj. **-1.** Qui a l'aspect continu d'une ligne. **-2.** D'une grande simplicité ; sobre : *Un discours linéaire.* **DESS.** *Dessin linéaire,* dessin qui ne reproduit que les seuls contours d'un objet. **MATH.** *Algèbre linéaire,* partie des mathématiques étudiant les structures telles que les espaces vectoriels et les notions associées (applications linéaires, matrices, déterminants, tenseurs, etc.). ‖ *Application* ou *fonction linéaire réelle,* fonction de type $f(x) = a \cdot x$ où *a* est un réel donné. (Sa représentation graphique est une droite passant par l'origine du repère.) ‖ *Application linéaire,* application *f* d'un espace vectoriel sur un autre espace vectoriel vérifiant les égalités $f(x + y) = f(x) + f(y)$ et $f(a \cdot x) = a \cdot f(x)$ pour tous les vecteurs *x* et *y* et pour tout nombre *a.* ‖ *Combinaison linéaire de vecteurs (d'un espace vectoriel),* vecteur obtenu en multipliant chacun de ces vecteurs par un nombre (coefficient) et en additionnant les vecteurs ainsi obtenus. **MÉTROL.** *Mesure linéaire,* mesure de longueur, par opp. à *mesure de surface* ou *de volume.* ◆ **linéairement** adv.

2. **LINÉAIRE** n.m. **-1.** Longueur disponible pour la présentation d'une marchandise dans un magasin de détail, notamm. un libre-service. **-2.** Écriture syllabique de la Grèce archaïque. (→ GREC.)

LINÉAMENT n.m. Élément linéaire presque rectiligne, génér. repérable sur des cartes topographiques à petite échelle ou sur des images satellites en télédétection et qui correspond à la trace en surface d'un accident tectonique profond. ◆ **linéaments** n.m. pl. **LITT.** Ensemble des lignes élémentaires qui définissent le contour général des êtres, des objets : *Les linéaments d'un visage.*

LINÉARITÉ n.f. Caractère de ce qui est linéaire.

LINÉATURE n.f. Nombre de lignes que comporte sur un pouce (25,4 mm) ou sur un centimètre la trame d'un cliché d'impression.

LINÉIQUE adj. Se dit d'une grandeur rapportée à l'unité de longueur.

LINE ISLANDS (« îles de la Ligne [l'équateur] ») ou **SPORADES ÉQUATORIALES**, archipel du Pacifique, de part et d'autre de l'équateur, partagé entre les États-Unis et Kiribati.

LINER [lajnœr] n.m. Cargo, navire de ligne.

LINETTE n.f. Graine de lin.

LING (Per Henrik), poète suédois (Ljunga 1776 - Stockholm 1839). Auteur de poèmes épiques et de drames, il fut également le fondateur de la gymnastique suédoise.

LINGA ou **LINGAM** n.m. Symbole phallique du dieu indien Shiva.

LINGE n.m. -1. Ensemble des objets de tissu à usage vestimentaire ou domestique. -2. Morceau d'étoffe, de tissu. -3. SUISSE. Serviette de toilette. -4. SUISSE. *Linge de bain,* serviette de bain. ‖ *Linge de corps,* ensemble des sous-vêtements. ‖ *Linge de maison,* ensemble des articles de tissu destinés à la literie, la toilette, la table, la cuisine.

LINGÈRE n.f. Personne chargée de l'entretien du linge d'une maison, d'une institution, d'un hôpital, etc.

LINGERIE n.f. -1. Fabrication et commerce du linge. -2. Lieu où l'on range le linge. -3. Ensemble des sous-vêtements et des vêtements de nuit féminins.

LINGONS, ancien peuple de la Gaule, établi dans le pays de Langres.

LINGOT n.m. -1. Masse de métal ou d'alliage ayant conservé la forme du moule dans lequel elle a été coulée. -2. Masse coulée d'un kilogramme d'or fin au titre de 995 millièmes. -3. En typographie, pièce de métal servant à remplir les blancs d'une forme.

LINGOTIÈRE n.f. Moule dans lequel on coule le métal en fusion pour en faire un lingot.

LINGUA FRANCA [lingwa-] n.f. inv. -1. Sabir utilisé dans les ports de la Méditerranée du XIIIe au XIXe s. -2. Langue auxiliaire de relation, utilisée par des groupes de langues maternelles différentes.

LINGUAL, E, AUX [lɛ̃gwal, o] adj. (du lat. *lingua,* langue). -1. Relatif à la langue : *Muscle lingual.* -2. *Consonne linguale* ou *linguale,* n.f., consonne articulée avec la participation de la langue ([d], [t], [l], [n], [r]).

LINGUATULE [-gwa-] n.f. Arthropode vermiforme, parasite des voies respiratoires de certains vertébrés. (Long. 10 cm.)

LINGUE n.f. Poisson de mer comestible, souvent pêché au chalut. (Famille des gadidés.) SYN. : julienne.

LINGUISTIQUE [lɛ̃gɥistik] n.f. Science qui a pour objet l'étude du langage et des langues. (V. ENCYCL.) ◆ adj. -1. Qui concerne la langue comme moyen de communication : *Communauté linguistique.* -2. Qui concerne l'apprentissage d'une langue étrangère : *Séjour linguistique à l'étranger.* -3. Qui concerne la linguistique : *Théorie linguistique.* ◆ **linguistiquement** adv. Du point de vue linguistique. ◆ **linguiste** n.

ENCYCL. La linguistique apparaît avec le *Cours de linguistique générale* de F. de Saussure (1916). Elle est née de la grammaire comparée, puis s'en est éloignée en se séparant de la *philologie,* en intégrant l'étude de la langue parlée et en se transformant en une « science générale des langues ».

Les théories et les écoles. Saussure a montré la voie en établissant la distinction des concepts de « langage » et de « langue ». Il envisage l'étude de celle-ci comme celle d'un système, d'une structure : chacun des éléments du système n'est définissable que par les relations d'équivalence ou d'opposition qu'il entretient avec les autres éléments. C'est le fondement du structuralisme. D'autres écoles vont suivre : l'*école de Prague* (N. Troubetskoï), la *glossématique* (L. Hjelmslev), la *psychosystématique* (G. Guillaume), le *néostructuralisme* (R. Jakobson), le *distributionnalisme* (Z. Harris), le *fonctionnalisme* (A. Martinet), etc., et surtout le *générativisme,* ou *grammaire générative* (Z. Harris, N. Chomsky), qui analyse le langage comme issu d'une structure sous-jacente, la grammaire. Le dernier courant linguistique, le *cognitivisme* (né dans les années 1980 avec J. Fodor et R. Langacker), met en relation les hypothèses générativistes avec la psychologie cognitive, l'informatique et les neurosciences.

Les domaines de la linguistique. Ce sont la phonétique, la morphologie, la syntaxe, la sémantique et la lexicologie (v. ces mots).

LINIMENT n.m. Médicament onctueux ayant pour excipient un corps gras, savonneux ou alcoolique, et avec lequel on fait des frictions.

LINKAGE n.m. (de l'angl. *to link,* lier). Association constante, dans une espèce animale ou végétale, de deux caractères individuels n'ayant aucun lien logique.

LINKÖPING, v. de la Suède méridionale ; 122 268 hab. Constructions aéronautiques. – Cathédrale et château (XIIIe-XVe s.). Musées.

LINKS [links] n.m. pl. Terrain, parcours de golf.

LINNÉ (Carl von), naturaliste suédois (Råshult 1707 - Uppsala 1778). Plus que sa classification des plantes, aujourd'hui abandonnée, c'est la description qu'il fit de plusieurs dizaines de milliers d'espèces et sa nomenclature dite « binominale », appliquée aux deux règnes, végétal et animal, qui lui ont valu la célébrité.

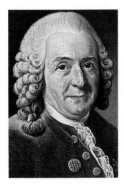

Carl von **LINNÉ,** naturaliste suédois. Détail d'un portrait par A. Roslin. (Nationalmuseum, Stockholm.)

LINNÉEN, ENNE adj. Relatif à Linné ; partisan des théories fixistes de Linné.

LINO n.m. (abrév.). FAM. Linoléum.

LINOLÉINE n.f. Glycéride de l'acide linoléique, contenu dans les huiles siccatives.

LINOLÉIQUE adj. *Acide linoléique,* acide gras diéthylénique $C_{18}H_{32}O_2$.

LINOLÉUM [linɔleɔm] n.m. Revêtement de sol imperméable, composé d'une toile de jute recouverte d'un mélange d'huile de lin, de résine et de poudre de liège agglomérée.

LINON n.m. Batiste ; toile de lin fine.

LINOTTE n.f. Oiseau passereau à dos brun et à poitrine rouge, granivore, chanteur. (Long. 15 cm env. ; famille des fringillidés.)

LINOTYPE n.f. (de l'angl. *line of types,* ligne de caractères ; nom déposé). ANC. Machine de composition mécanique utilisant un clavier pour produire des lignes justifiées fondues en un seul bloc.

LINOTYPIE n.f. ANC. Composition à la Linotype.

LINOTYPISTE n. ANC. Ouvrier, ouvrière qui compose sur une Linotype.

LINSANG [lɛ̃sɑ̃g] n.m. Mammifère carnivore de l'Asie du Sud-Est.

LINTEAU n.m. Pièce allongée horizontale au-dessus d'une baie, reportant sur les côtés de celle-ci la charge des parties supérieures.

LINTER [lintɛr] n.m. Duvet de fibres très courtes, formé de cellulose pure, restant fixé sur les graines de certains cotonniers après l'égrenage.

LINZ, v. d'Autriche, ch.-l. de la Haute-Autriche, sur le Danube ; 200 000 hab. Sidérurgie. – Églises et maisons surtout des époques Renaissance et baroque. Musées, dont celui du Château (reconstruit au début du XIXe s.).

LION, LIONNE n. -1. Grand mammifère carnivore de la famille des félidés, au pelage fauve orné d'une crinière chez le mâle, confiné maintenant dans les savanes d'Afrique après avoir vécu au Proche-Orient et en Europe, et qui s'attaque aux zèbres, aux antilopes, aux girafes. (Long. 2 m env. ; longévité 40 ans.) *Le lion rugit,* pousse son cri. -2. Personne née sous le signe du Lion. -3. *Lion de mer,* otarie mâle d'une espèce à crinière.

LION (le), constellation zodiacale. – Cinquième signe du zodiaque, que le Soleil traverse du 22 juillet au 23 août.

LION *(golfe du),* golfe de la Méditerranée, à l'ouest du delta du Rhône.

LIONCEAU n.m. Petit du lion.

LIONNE (Hugues de), *marquis* de Berny, diplomate français (Grenoble 1611 - Paris 1671). Ministre d'État (1659), puis secrétaire aux Affaires étrangères (1663), il engagea la France dans la guerre de Dévolution (1666).

LIONS (Jacques Louis), mathématicien français (Grasse 1928). Il a été le promoteur en France des mathématiques appliquées et industrielles. Son fils **Pierre-Louis** (Grasse 1956) a renouvelé l'approche de nombreux modèles mathématiques issus de domaines variés des sciences, des techniques ou de l'économie. (Médaille Fields 1994.)

LIOTARD (Jean Étienne), peintre suisse (Genève 1702 - *id.* 1789). Réputé comme portraitiste (pastels, dessins, huiles), il mit son art scrupuleux et raffiné au service de l'aristocratie.

LIOUVILLE (Joseph), mathématicien français (Saint-Omer 1809 - Paris 1882). Il démontra l'existence des nombres transcendants (1851) et étudia les fonctions doublement périodiques.

LIPARI *(île),* la principale des îles Éoliennes, qui donne souvent son nom à l'archipel.

LIPARIS [-ris] n.m. Orchidacée vivace des marais tourbeux.

LIPASE n.f. Enzyme contenue dans plusieurs sucs digestifs et qui hydrolyse les lipides. SYN. : saponase.

LIPATTI (Constantin, dit **Dinu**), pianiste roumain (Bucarest 1917 - Genève 1950). Interprète renommé de Chopin, Grieg, Schumann, il a également enregistré Bach et Mozart.

LIPCHITZ (Jacques), sculpteur d'origine lituanienne (Druskieniki 1891 - Capri 1973), établi en France (1909) puis aux États-Unis (1941). Il est passé de la synthèse cubiste (*le Marin à la guitare*, bronze, 1914 [M. N. A. M., Paris]) à un lyrisme d'une expressivité puissante (*le Chant des voyelles*, 1932).

LI PENG, homme politique chinois (Chengdu 1928), Premier ministre de 1987 à 1998.

LIPETSK, v. de Russie, au sud de Moscou ; 450 000 hab. Métallurgie.

LIPIDE n.m. (du gr. *lipos*, graisse). Corps gras d'origine animale ou végétale, jouant un grand rôle dans les structures cellulaires et dont la fonction énergétique est importante (9 Calories par gramme).

ENCYCL. Les lipides peuvent avoir des structures chimiques relativement variées mais les plus courants sont les *acides gras*, composés d'une longue chaîne carbonée hydrophobe associée à un radical acide hydrophile. Ces acides, groupés par trois avec le glycérol, forment des *triglycérides*. Les lipides sont entreposés dans le cytoplasme de cellules spécialisées (les *adipocytes* du tissu graisseux), sous forme de gouttelettes de triglycérides. Ils fournissent, à poids égal, plus d'énergie que les glucides (9 kilocalories par gramme contre 4) et constituent une forme universelle d'apport énergétique. Sous forme de *phospholipides*, ils jouent un rôle fondamental dans la structure des cellules. De leurs propriétés physico-chimiques, associant des pôles hydrophobes et hydrophiles, résulte la structure en double couche des membranes biologiques.

LIPIDÉMIE ou **LIPÉMIE** n.f. Taux des lipides totaux du plasma sanguin, compris, normalement, entre 5 et 8 g par litre.

LIPIDIQUE adj. Relatif aux lipides.

LI PO → LI BO.

LIPOCHROME [-krom] n.m. Groupe de pigments solubles, colorant les graisses en jaune.

LIPOGRAMME n.m. Œuvre littéraire dans laquelle on s'astreint à ne pas faire entrer une ou plusieurs lettres de l'alphabet.

LIPOÏDIQUE adj. Relatif à la graisse, au tissu adipeux.

LIPOLYSE n.f. Destruction des graisses alimentaires dans l'organisme.

LIPOME n.m. (du gr. *lipos*, graisse, et suffixe *-ome*). Tumeur bénigne constituée de tissu graisseux siégeant sous la peau.

LIPOPHILE adj. Qui a de l'affinité pour les graisses.

LIPOPHOBE adj. Qui n'absorbe pas ou qui absorbe peu les graisses.

LIPOPROTÉINE n.f. Combinaison d'une protéine et d'un lipide.

LIPOSOLUBLE adj. Soluble dans les graisses.

LIPOSOME n.m. Vésicule artificielle microscopique, à membrane lipidique, utilisée comme modèle d'étude des membranes biologiques et pour l'introduction de substances dans les cellules d'un organisme.

LIPOSUCCION n.f. Traitement de certaines surcharges adipeuses par ponction et aspiration sous vide.

LIPOTHYMIE n.f. (du gr. *leipein*, laisser, et *thumos*, esprit). Impression d'évanouissement immédiat ou brève perte de connaissance, avec conservation des mouvements respiratoires et cardiaques.

LIPOTROPE adj. *Facteur lipotrope*, substance chimique qui se fixe sur les graisses ou qui en facilite le métabolisme.

LIPPE n.f. Lèvre inférieure épaisse et proéminente.

LIPPI, peintres italiens du quattrocento. **Fra Filippo** (Florence v. 1406 - Spolète 1469), moine jusqu'en 1457, est l'héritier de Fra Angelico et de Masaccio en même temps que de la tradition gothique (tableaux d'autel comme la *Pala Barbadori* du Louvre ; fresques de la cathédrale de Prato, 1452-1464). Son fils **Filippino** (Prato 1457 - Florence 1504) associe un chromatisme délicat à des rythmes décoratifs issus de Botticelli (fresques de la chapelle Strozzi à S. Maria Novella, Florence).

LIPPMANN (Gabriel), physicien français (Hollerich, Luxembourg, 1845 - en mer, à bord du *France*, 1921). Il étudia les phénomènes électrocapillaires, la piézoélectricité, et inventa un procédé interférentiel de photographie des couleurs. (Prix Nobel 1908.)

LIPPU, E adj. Qui a de grosses lèvres.

LIPSE (Juste), nom francisé de **Joost Lips,** en lat. **Justus Lipsius,** humaniste flamand (Overijse, Brabant, 1547 - Louvain 1606). Converti au calvinisme, en 1590 il retourna dans la communion catholique et enseigna à Louvain. Sa philosophie s'inspire du stoïcisme.

LIQUATION [likwasjɔ̃] n.f. (du lat. *liquare,* fondre). Séparation, par échauffement, de deux métaux alliés de fusibilités différentes.

LIQUÉFACTEUR n.m. Appareil employé pour liquéfier un gaz.

LIQUÉFACTION n.f. **-1.** Action de liquéfier ; fait de se liquéfier. **-2.** Transformation du charbon naturel en produits hydrocarbonés liquides. **-3.** Procédé utilisé pour liquéfier les gaz en les refroidissant au-dessous de leur température critique.

LIQUÉFIABLE adj. Qu'on peut liquéfier.

LIQUÉFIER v.t. Faire passer un gaz, un solide à l'état liquide. ◆ **se liquéfier** v.pr. Passer à l'état liquide.

LIQUEUR n.f. (lat. *liquor,* liquide). **-1.** Boisson alcoolisée, préparée sans fermentation à partir d'alcool, de produits végétaux et de sirop ; eau-de-vie, sucrée ou non. **-2.** Toute préparation pharmaceutique liquide.

LIQUIDAMBAR n.m. Arbre de l'Asie Mineure et de l'Amérique, dont on tire diverses résines (styrax, ambre liquide).

LIQUIDATEUR, TRICE adj. et n. Personne chargée d'une liquidation amiable ou judiciaire.

LIQUIDATIF, IVE adj. Qui concerne une liquidation ; qui opère une liquidation.

LIQUIDATION n.f. **-1.** Action de mettre fin à une situation difficile, partic. par des mesures énergiques. **-2.** Action de se débarrasser d'une personne gênante en l'assassinant : *La liquidation du dernier témoin.* BOURSE. Règlement des opérations à terme et des opérations conditionnelles. COMM. Vente de marchandises à bas prix, soit pour une cessation de commerce, soit pour l'écoulement rapide d'un stock. DR. Action de calculer et de fixer le montant, jusque-là indéterminé, d'un compte à régler ; règlement de ce compte. ‖ Ensemble des opérations préliminaires au partage d'une indivision. ‖ *Liquidation judiciaire,* procédure judiciaire qui permet de réaliser l'actif et d'apurer le passif d'un commerçant, d'un artisan ou d'une société en état de cessation de paiements, en vue du règlement de ses créanciers.

1. **LIQUIDE** adj. **-1.** Qui coule ou tend à couler. **-2.** Qui n'est pas épais ; de faible consistance : *Sauce trop liquide.* **-3.** VIEILLI. ***Consonne liquide*** ou ***liquide,*** n.f., consonne qui, tels le *l* ou le *r,* évoque le glissement d'un liquide. ‖ ***État liquide,*** état de la matière présenté par les corps n'ayant pas de forme propre, mais dont le volume est invariable. ◆ n.m. **-1.** Corps qui se trouve à l'état liquide à la température et à la pression ordinaires, par opp. aux solides et aux gaz. **-2.** Aliment ou boisson liquide : *Il ne peut avaler que du liquide.*

2. **LIQUIDE** adj. **-1.** Déterminé dans son montant : *Une créance, une dette liquide.* **-2.** Qui n'est grevé d'aucune charge. **-3.** ***Argent liquide*** ou ***liquide,*** n.m., argent immédiatement disponible, en espèces, par opp. aux chèques, notamm.

LIQUIDER v.t. **-1.** Procéder à la liquidation d'un impôt, d'une dette, d'un commerce, etc. **-2.** Vendre des marchandises à bas prix. **-3.** FAM. Mettre fin à une situation difficile, notamm. par des mesures énergiques. **-4.** FAM. Éliminer qqn en le supprimant physiquement.

LIQUIDIEN, ENNE adj. De nature liquide ; composé d'un liquide.

LIQUIDITÉ n.f. **-1.** Caractère d'une somme d'argent liquide, dont on peut disposer immédiatement ou presque. **-2.** ***Liquidités internationales,*** ensemble de moyens de paiement, composé d'or, de devises et de droits de tirage, dont dispose un pays pour honorer ses engagements à l'égard des autres.

LIQUOREUX, EUSE [likɔrø, -øz] adj. Se dit de boissons alcoolisées sucrées, de saveur douce.

LIQUORISTE n. Fabricant de liqueurs alcoolisées.

1. **LIRE** n.f. Unité monétaire principale de l'Italie.

2. **LIRE** v.t. [106]. **-1.** Reconnaître les signes graphiques d'une langue, former mentalement ou à voix haute les sons que ces signes ou leurs combinaisons représentent et leur associer un sens : *Lire le chinois, le braille.* **-2.** Prendre connaissance du contenu d'un texte par la lecture : *Lire le journal.* **-3.** Énoncer à voix haute un texte écrit, pour le porter à la connaissance d'autrui : *Lire un conte à un enfant.* **-4.** Comprendre, déchiffrer un ensemble de signes autres que ceux de l'écriture : *Lire une partition*

musicale, un graphique. -5. En parlant d'un appareil, restituer sous leur forme initiale des signaux (électriques, acoustiques) enregistrés. -6. Reconnaître une information présentée à un organe d'entrée ou stockée dans une mémoire, afin de la transmettre vers une autre unité de l'ordinateur.

LIRETTE n.f. Tissage artisanal dont la trame est constituée de fines bandes de tissu.

LIS ou **LYS** n.m. -1. Plante bulbeuse à grandes fleurs blanches. (Famille des liliacées.) -2. La fleur elle-même. -3. *Fleur de lis,* meuble héraldique qui était l'emblème de la royauté, en France. ‖ *Lis de mer,* encrine. ‖ *Lis Saint-Jacques,* amaryllis.

LISAGE n.m. -1. Analyse d'un dessin pour tissu mis en carte, préliminaire au perçage des cartons. -2. Métier servant à cette opération.

LISBONNE, en port. Lisboa, cap. du Portugal, sur la rive droite du Tage (formant en amont la mer de Paille) ; 677 790 hab. (1 200 000 dans l'agglomération). **GÉOGR.** Port important, centre administratif et commercial. Depuis 1966, un pont traverse le Tage vers la rive sud industrialisée (sidérurgie, chimie, chantiers navals). La rive nord concentre des sites touristiques (Belém, stations littorales). **HIST.** Fondée par les Phéniciens, Lisbonne est aux mains des Maures de 716 à 1147. Capitale du Portugal depuis le XIIIe siècle, elle connaît au XVe siècle une grande prospérité liée à l'activité maritime et coloniale du pays. Ravagée par un tremblement de terre en 1755, elle est reconstruite par Pombal. Son centre historique a été gravement endommagé par un incendie en 1988. **ARTS.** Cathédrale en partie romane.

Tour de Belém, sur le Tage, et ancien monastère des Hiéronymites, caractéristiques de l'exubérance manuéline (début du XVIe s.). Église S. Vicente da Fora, du début du XVIIe siècle ; place du Commerce, bel ensemble de la fin du XVIIIe ; etc. Musées, notamment d'Archéologie et d'Ethnographie, d'Art ancien (primitifs portugais), des Arts décoratifs, de la Marine, des Carrosses, des Azulejos, d'Art populaire, d'Art moderne et contemporain, et le riche musée de la Fondation Gulbenkian.

→ ● **DOSSIER** LISBONNE *page 3218.*

LISE n.f. Sable mouvant des bords de la mer.

LISÉRAGE n.m. Point exécuté avec du fil de métal, de coton, de soie ou de laine dont on entoure un motif brodé afin de le faire ressortir.

LISERÉ ou **LISÉRÉ** n.m. -1. Ruban étroit dont on borde un vêtement. -2. Raie étroite bordant une étoffe d'une autre couleur.

LISERER [19] ou **LISÉRER** [18] v.t. Border d'un liseré.

LISERON n.m. Plante volubile de la famille des

LISERON

La place du Commerce à **LISBONNE** ; au premier plan, l'escalier descendant vers le Tage.

convolvulacées, fréquente dans les haies, où elle épanouit ses fleurs à corolle en entonnoir, souvent blanches. (Nom scientifique : *convolvulus ;* noms usuels : *volubilis, belle-de-jour.*)

LISEUR, EUSE n. et adj. Personne qui aime à lire. ➡ **liseuse** n.f. -**1.** Couvre-livre. -**2.** Petit coupe-papier qui sert à marquer la page d'un livre où l'on arrête sa lecture. -**3.** Vêtement féminin, chaud et léger, qui couvre le buste et les bras et que l'on met pour lire au lit.

LI SHIMIN ou **LI CHE-MIN** → TANG TAIZONG.

LISIBILITÉ n.f. Qualité de ce qui est lisible.

LISIBLE adj. -**1.** Aisé à lire, à déchiffrer : *Écriture lisible.* -**2.** Qui peut être lu sans fatigue, sans ennui ; digne d'être lu. ➡ **lisiblement** adv.

LISIER n.m. Mélange liquide des urines et des excréments des animaux domestiques, partic. des bovins et des porcins.

LISIÈRE n.f. -**1.** Limite, bord d'un lieu : *La lisière d'un champ.* -**2.** Bord d'une pièce de tissu qui en limite de chaque côté la largeur.

LISIEUX, ch.-l. d'arr. du Calvados, sur la Touques ; 24 506 hab. *(Lexoviens).* Industries mécaniques, électriques et alimentaires. — Ancienne cathédrale St-Pierre (XIIᵉ-XIIIᵉ s.). Musée. — Pèlerinage à sainte Thérèse de l'Enfant-Jésus (basilique construite de 1929 à 1952).

LISP n.m. (sigle de l'angl. *list processing,* traitement de liste). Langage de programmation symbolique, utilisé notamm. en intelligence artificielle.

LISSAGE n.m. Action de lisser qqch. **CHIR.** Recomm. off. pour lifting. **STAT.** Procédé d'ajustement des valeurs observées visant à leur substituer des valeurs représentables par une courbe continue et sans points anguleux. **TECHN.** Action de disposer les lisses d'un métier à tisser en fonction du genre d'étoffe que l'on veut obtenir.

LISSAJOUS (Jules), physicien français (Versailles 1822 - Plombières-lès-Dijon 1880). Il étudia la composition des mouvements vibratoires par un procédé optique.

1. LISSE adj. Qui n'offre pas d'aspérités ; uni et poli.

2. LISSE n.f. -**1.** Membrure longitudinale qui maintient en place les couples d'un bateau. -**2.** Pièce plate ou tube métallique placés à la partie supérieure d'un pavois ou d'une rambarde et servant de main courante ou d'appui. -**3.** Calandre spéciale pour adoucir et égaliser

la surface du papier, et située en bout de machine.

3. LISSE ou **LICE** n.f. -**1.** Fil de métal portant un maillon ou une lamelle allongée percée d'un trou dans lesquels passe le fil de chaîne, sur un métier à tisser. -**2.** *Métier de basse lisse,* métier pour les tapisseries ou les tapis dans lequel les nappes de fils de chaîne sont disposées horizontalement. ‖ *Métier de haute lisse,* métier dans lequel les nappes de fils de chaîne sont disposées verticalement.

LISSÉ n.m. Degré de cuisson du sucre qui convient pour la préparation des entremets et de la confiserie.

LISSER v.t. -**1.** Rendre lisse, polir. -**2.** Procéder au lissage, en statistique.

LISSEUR, EUSE n. Personne qui exécute un lissage. ➡ **lisseuse** n.f. Machine employée pour lisser les cuirs, le papier, le carton, etc.

LISSIER ou **LICIER** n.m. -**1.** Ouvrier qui monte les lisses d'un métier à tisser. -**2.** Praticien qui exécute des tapisseries sur métier. (Les *haute-lissiers* travaillent aux métiers de haute lisse, les *basse-lissiers,* à ceux de basse lisse.)

LISSITZKY (Lazar, dit El), peintre, designer et théoricien russe (Potchinok, région de Smolensk, 1890 - Moscou 1941), adepte du « suprématisme » de Malevitch. Ses nombreuses activités (illustration et typographie, décoration, etc.) lui ont valu une grande audience.

LISSOIR n.m. Instrument servant à lisser le papier, le ciment, etc.

LIST (Friedrich), économiste allemand (Reutlingen 1789 - Kufstein 1846). Il défendit, l'un des premiers, l'idée de l'union douanière *(Zollverein),* prélude à la formation de l'unité allemande. Il s'opposa au libre-échange et défendit le protectionnisme.

LISTAGE n.m. -**1.** Action de lister. -**2.** Recomm. off. pour listing.

1. LISTE n.f. Bande de poils blancs occupant le front et le chanfrein de certains chevaux.

2. LISTE n.f. -**1.** Suite de mots, de nombres, de noms de personnes, de choses le plus souvent inscrits l'un au-dessous de l'autre : *Établir la liste des absents.* -**2.** Longue énumération : *La liste des signatures croît de jour en jour.* -**3.** Ensemble de candidats qui se présentent à une même élection avec le même programme : *Voter pour la liste républicaine.* - **4.** Tout ensemble structuré d'éléments d'informations. -**5.** Recomm. off. pour listing. -**6.** *Liste civile,* somme allouée annuellement à certains chefs d'État. ‖ *Liste* *électorale,* liste des électeurs. ‖ *Liste de mariage,* ensemble de cadeaux sélectionnés par les futurs époux, parmi lesquels parents et amis peuvent choisir pour les offrir lors du mariage. ‖ *Liste noire,* ensemble de personnes que l'on considère avec suspicion, avec lesquelles on s'interdit certaines transactions, etc. ‖ *Liste rouge,* liste des abonnés au téléphone dont le nom ne figure pas dans l'annuaire et dont le numéro ne peut être communiqué par le service des renseignements.

LISTEL ou **LISTEAU** n.m. -**1.** Moulure plate saillante, filet ou réglet employé, notamm., en combinaison avec une ou deux moulures creuses. -**2.** Sur une pièce de monnaie, courbe périphérique présentant, par rapport au champ, une saillie supérieure à tous les reliefs de l'effigie.

LISTER v.t. -**1.** Mettre en liste des personnes ou des choses. -**2.** Imprimer en continu, article par article, tout ou partie des informations traitées par un ordinateur.

LISTER (Joseph, *baron*), chirurgien britannique (Upton, Essex, 1827 - Walmer, Kent, 1912). Professeur de chirurgie, il s'aida du microscope pour démontrer l'importance de l'antisepsie et de l'asepsie, et inventer différentes techniques. Il vit ses théories confirmées par Pasteur.

LISTÉRIOSE n.f. Maladie infectieuse des animaux et de l'homme, due à une bactérie Gram positif, *Listeria monocytogenes,* partic. grave chez la femme enceinte et le nouveau-né.

LISTING [listiŋ] n.m. Sortie sur une imprimante du résultat d'un traitement par ordinateur. Recomm. off. : listage pour cette opération et *liste* pour son résultat.

LISTON n.m. Ornement longitudinal en saillie ou en creux, s'étendant de l'avant à l'arrière d'un navire au niveau du pont.

LISZT (Franz), compositeur et pianiste hongrois (Doborján, auj. Raiding, dans le Burgen-

land autrichien, 1811 - Bayreuth 1886). Créateur de la technique moderne du piano, il a composé une œuvre immense, aux aspects très variés. Virtuose du piano déjà enfant, élève de Czerny et de Salieri, il vient à Paris (1823) où il fréquente les salons. Il y rencontre Marie d'Agoult, de qui il s'éprend (1834) et qui lui donnera trois enfants (dont Cosima, qui épousera Wagner). Il parcourt l'Europe en virtuose triomphant et compose durant cette période des *Rhapsodies hongroises* (1839-1847), des *Études d'exécution transcendante d'après Paganini* (1838). Il devient ensuite maître de chapelle (1842-1858) à Weimar, où il se lie avec la princesse de Sayn-Wittgenstein et se consacre à la composition (la *Sonate en « si » mineur,* 1853 ; la *Faust symphonie,* 1854 ; la *Dante symphonie,* 1856 ; la *Messe de Gran,* 1855). Installé à Rome en 1862, il y reçoit les ordres mineurs (1865) et crée de splendides *Variations sur un thème de Bach* (1862), ainsi que des oratorios (*Christus,* 1867). De 1869 à sa mort, il se partage entre Budapest, Weimar, où il donne des cours, Rome et Bayreuth, et compose encore de nombreuses œuvres (*Jeux d'eau à la villa d'Este,* 1877 ; la 3e *Année de pèlerinage,* 1867-1877 ; *Bagatelle sans tonalité,* 1885) dont beaucoup ont ouvert les portes du xxe siècle (Schönberg, Debussy).

LIT n.m. -**1.** Meuble sur lequel on se couche pour dormir ou se reposer : *S'allonger sur son lit.* -**2.** Literie ; ensemble des draps, des couvertures qui garnissent un lit : *Le lit est défait.* -**3.** Tout ce qui, sur le sol, peut être utilisé pour se coucher, s'étendre : *Lit de gazon, de feuillage.* -**4.** Couche horizontale d'une matière ou d'objets quelconques sur laquelle vient reposer qqch. -**5.** Partie du fond de vallée où s'écoulent les eaux d'un cours d'eau. -**6.** *Enfant du premier, du second lit,* enfant d'un premier, d'un second mariage. **BÂT.** Intervalle de deux assises superposées, rempli ou non de liant. **GÉOGR.** *Lit majeur,* lit occupé par les eaux seulement lors des crues. ‖ *Lit mineur* ou *apparent,* celui qui est occupé en dehors des périodes de crue. **GÉOL.** Plus petite subdivision lithologique d'une formation sédimentaire. **HIST.** *Lit de justice,* lit sous dais où siégeait le roi dans un angle de la grand-chambre du parlement ; par ext., séance du parlement tenue en présence du roi. **MAR.** *Lit du vent,* direction dans laquelle souffle le vent. **MOBIL.** *Lit de camp,* lit démontable composé essentiellement d'un châssis pliable et d'un fond garni de sangles ou de grosse toile. ‖ *Lit clos,* lit à panneaux mobiles, se fermant comme une armoire. ‖ *Lits jumeaux,*

Franz **LISZT,**
compositeur
et pianiste
hongrois.

lits de même forme placés l'un à côté de l'autre. ‖ *Lit de repos,* lit bas, divan, canapé sur lequel on s'allonge pour se reposer.

LI TAIBO → LI BO.

LI TANG, peintre chinois (Heyang, Henan, v. 1050 - région de Hangzhou apr. 1130). Paysagiste de l'académie impériale de Kaifeng, il suivit les Song à Hangzhou et assura la transition entre la tradition monumentale du Nord (→ FAN KUAN) et la charge émotionnelle des paysages du Sud.

LITANIE n.f. FAM. Longue et ennuyeuse énumération : *Une litanie de réclamations.* ◆ pl. Prières formées d'une suite de courtes invocations, que les fidèles récitent ou chantent en l'honneur de Dieu, de la Vierge ou des saints.

LIT-CAGE n.m. (pl. lits-cages). Lit métallique pliant.

LITCHI, LETCHI ou **LYCHEE** [litʃi] n.m. -1. Arbre originaire d'Extrême-Orient, cultivé dans les régions tropicales humides pour son fruit et son bois. (Famille des sapindacées.) -2. Fruit de cet arbre.

LITEAU n.m. -1. Raie colorée qui, vers les extrémités, traverse le linge de maison d'une lisière à l'autre : *Torchon à liteaux.* -2. Pièce de bois avivé de section un peu plus forte que celle du tasseau, placée horizontalement sur les chevrons pour recevoir les tuiles ou les ardoises. -3. Baguette de bois supportant une tablette. SYN. : tasseau.

LITÉE n.f. -1. Réunion d'animaux dans un même repaire. -2. Portée d'une femelle, notamm. d'une femelle de sanglier.

LITER v.t. Superposer des poissons salés dans les barils ou les caques.

LITERIE n.f. Tout ce qui concerne l'équipement d'un lit (sommier, matelas, couvertures, etc.).

LITHAM [litam] ou **LITSAM** n.m. Voile dont les femmes musulmanes et certains nomades sahariens se couvrent la face.

LITHARGE n.f. (gr. *litharguros,* pierre d'argent). Oxyde de plomb (PbO) fondu et cristallisé, de couleur rouge-orangé.

LITHIASE n.f. (du gr. *lithos,* pierre). Formation de calculs dans les canaux excréteurs des glandes (voies biliaires, urinaires).

ENCYCL.
La lithiase biliaire. Favorisés par un excès de cholestérol, les calculs de la vésicule peuvent rester silencieux, ou descendre dans les voies biliaires (colique hépatique, parfois compliquée d'un ictère), ou déclencher une infection.

La lithiase urinaire. Favorisés par un écoulement faible des urines ou une infection, les calculs formés dans le rein peuvent aussi rester silencieux, ou se bloquer dans un uretère (colique néphrétique), ou provoquer une infection, et altérer à long terme le fonctionnement du rein.

Le traitement. Quand un traitement est nécessaire, la chirurgie classique est de plus en plus remplacée par d'autres techniques : dissolution par médicaments (calculs biliaires), intervention par endoscopie, lithotripsie extracorporelle (fragmentation par des ultrasons).

LITHINE n.f. (gr. *lithos,* pierre). Hydroxyde de lithium.

LITHINIFÈRE adj. Qui contient du lithium.

LITHIQUE adj. Relatif à l'industrie préhistorique de la pierre.

LITHIUM [litjɔm] n.m. Métal blanc, alcalin, le plus léger de tous les métaux (densité 0,55), fusible à 180 ⁰C, dont les sels sont utilisés en psychiatrie comme régulateurs de l'humeur ; élément (Li) de numéro atomique 3, de masse atomique 6,94.

LITHO n.f. (abrév.). FAM. Lithographie.

LITHOBIE n.m. (du gr. *lithos,* pierre, et *bios,* vie). Mille-pattes carnassier, brun, vivant sous les pierres, les feuilles mortes. (Long. 3 cm env.)

LITHODOME n.m. → 2. LITHOPHAGE.

LITHOGENÈSE n.f. Formation des roches sédimentaires.

LITHOGRAPHE n. Ouvrier ou artiste qui imprime par les procédés de la lithographie.

LITHOGRAPHIE n.f. -1. Art de reproduire par impression des dessins tracés avec une encre ou un crayon gras sur une pierre calcaire. -2. Estampe imprimée par ce procédé.

LITHOGRAPHIER v.t. Imprimer, reproduire par les procédés de la lithographie.

LITHOGRAPHIQUE adj. -1. Relatif à la lithographie. -2. *Calcaire lithographique,* calcaire à grain très fin et homogène, utilisé en lithographie.

LITHOLOGIE n.f. -1. VIEILLI. Pétrographie. -2. Nature des roches constituant une formation géologique.

LITHOLOGIQUE adj. Relatif à la lithologie.

1. **LITHOPHAGE** adj. Qui ronge la pierre : *Coquillages lithophages.*

Lisbonne

Portugal

Le souvenir de l'épopée portugaise

Fondée par les Phéniciens, Lisbonne est successivement sous domination grecque, carthaginoise, romaine, wisigothe et maure. Sa position stratégique, à cheval sur sept collines et en bordure du Tage, lui vaut toutes les convoitises. Reconquise par les chrétiens au XIIe siècle, elle devient en 1255 la capitale du Portugal. Au XVIe siècle, son port éclipse même ceux de Venise, de Gênes et de Bruges. Des caravelles chargées de soies et d'épices viennent y relâcher, arrivant des terres nouvellement découvertes : le Brésil, Java, Sumatra, Malacca. Avec l'or des conquêtes, les rois font édifier les monuments les plus extravagants. Les murs des palais et des églises se parent d'azulejos, faïences peintes à l'origine en bleu ; les chapiteaux, d'exubérants motifs sculptés chers au style manuélin. De cette forme de gothique tardif témoignent encore aujourd'hui le monastère des Hiéronymites et la tour de Belém, magnifiquement ancrée dans le cours du Tage, à la manière d'une sentinelle...

La tour de Belém, construite entre 1515 et 1520, ▶
prototype du style manuélin.

double page suivante :
Azulejos bleu et blanc, sur les murs de l'église Santa Luzia, représentant le palais du Terreiro do Paço avant sa destruction par le tremblement de terre de 1755.

TERREIRO DO PAÇO
·NOS·COMEÇOS·do·SECVLO·XVIII·

▲ Vue générale
depuis le Tage,
avec, au premier
plan, les façades
à arcades
de la place
du Commerce.

◄ Fontaine au lion
dans le cloître
du monastère
des Hiéronymites,
autre chef-d'œuvre
manuélin
du quartier
de Belém.

Azulejos ►
polychromes
sur la façade
d'une demeure
privée
sur le Campo
de Santa Clara.

2. **LITHOPHAGE** ou **LITHODOME** n.m. Mollusque dont la coquille, allongée, est recouverte d'un épiderme marron et qui, grâce à une sécrétion acide, perfore les roches.

LITHOPHANIE n.f. Réalisation d'effets de translucidité dans la porcelaine, le verre opaque, etc., par des variations d'épaisseur de la pâte.

LITHOPONE n.m. Mélange de sulfate de baryum et de sulfure de zinc, non toxique, employé en peinture en remplacement de la céruse.

LITHOSOL n.m. Sol très peu évolué, formé par fragmentation mécanique de la roche mère.

LITHOSPHÈRE n.f. Couche externe du globe terrestre, rigide, constituée par la croûte et le manteau supérieur, et limitée vers l'intérieur par l'asthénosphère.

LITHOSPHÉRIQUE adj. Relatif à la lithosphère.

LITHOTHAMNIUM [-tamnjɔm] n.m. (du gr. *thamnion,* herbe). Algue marine incrustée de calcaire.

LITHOTRIPTEUR n.m. Appareil permettant le broyage, par des ondes de choc émises électriquement, des calculs urinaires, et l'élimination de ceux-ci par les voies naturelles, sans intervention chirurgicale.

LITIÈRE n.f. -1. Lit de paille ou d'autres matières végétales qu'on répand dans les étables et sur lequel se couchent les animaux. -2. Matière faite de particules absorbantes, destinée à recueillir les déjections des animaux d'appartement. -3. *Litière végétale,* ensemble des feuilles mortes et débris végétaux en décomposition qui recouvrent le sol des forêts.

LITIGE n.m. (du lat. *lis, litis,* procès). -1. Contestation donnant lieu à procès ou à arbitrage : *Point en litige.* -2. Contestation quelconque.

LITIGIEUX, EUSE adj. Qui est en litige : *Point litigieux.*

LITISPENDANCE n.f. (du lat. *lis, litis,* procès, et *pendere,* être pendant). Situation réalisée lorsque deux demandes, portant sur le même objet et opposant les mêmes parties, sont portées devant deux juridictions, toutes deux également compétentes.

LITORNE n.f. Grive à tête et croupion gris. (Long. 27 cm env.)

LITOTE n.f. (gr. *litotês,* simplicité). Figure de rhétorique consistant à se servir d'une expression qui affaiblit la pensée, afin de faire entendre plus qu'on ne dit. (Ex. : *Je ne te hais point* pour signifier *je t'aime.*)

LITRE n.m. (du gr. *litra,* poids de douze onces). -1. Unité de volume pour les liquides ou pour les matières sèches, équivalant à 1 décimètre cube (symb. l ou L). -2. Récipient contenant un litre ; son contenu : *Un litre de vin.*

LITSAM n.m. → LITHAM.

LITTÉRAIRE adj. -1. Qui concerne la littérature ; qui relève de ses techniques et de ses qualités spécifiques : *Prix littéraires. Journal littéraire.* -2. Qui a rapport aux lettres, par opp. aux sciences : *Études littéraires.* -3. Qui est trop attaché aux idées, au style, aux effets de l'expression et donne du réel une image fausse ou faussée. ◆ adj. et n. Qui a des aptitudes pour les lettres, la littérature plutôt que pour les sciences. ◆**littérairement** adv. Du point de vue littéraire.

LITTÉRAL, E, AUX adj. -1. Qui s'attache au sens strict d'un texte : *Traduction littérale.* -2. Qui s'attache à chaque lettre d'un mot, d'un texte : *Transcription littérale.* -3. *Arabe littéral,* arabe classique, écrit, par opp. à l'arabe parlé, ou dialectal. ◆**littéralement** adv. -1. À la lettre : *Traduire littéralement.* -2. Absolument, tout à fait : *Il est littéralement épuisé.*

LITTÉRALITÉ n.f. Caractère de ce qui est littéral.

LITTÉRARITÉ n.f. Caractère spécifique d'un texte littéraire.

LITTÉRATEUR n.m. SOUVENT PÉJ. Personne qui s'occupe de littérature, qui écrit.

LITTÉRATURE n.f. -1. Ensemble des œuvres écrites ou orales auxquelles on reconnaît une finalité esthétique. -2. Les œuvres littéraires considérées du point de vue du pays, de l'époque, du milieu où elles s'inscrivent, du genre auquel elles appartiennent : *La littérature francophone du XXe siècle.* -3. Activité, métier de l'écrivain, de l'homme de lettres.
→ ● DOSSIER LA LITTÉRATURE page 3230.

LITTLE ROCK, v. des États-Unis, cap. de l'Arkansas ; 175 795 hab. Bauxite.

LITTORAL, E, AUX adj. Qui appartient au bord de la mer. ◆**littoral** n.m. Étendue de pays le long des côtes, au bord de la mer.

ENCYCL. Le littoral comporte de haut en bas les étages suivants : *supralittoral* (au-dessus du trait de côte), *mésolittoral* (jusqu'au zéro hydrographique) et *infralittoral.* Son originalité morphologique, climatique, hydrologique et écologique tient à la conjonction des processus continentaux, plus ou moins modifiés par le voisinage de la mer, et de processus spécifiques développés par l'écoulement des eaux. Leur comportement est singularisé par l'affrontement opéré dans les embouchures entre eaux marines et eaux fluviales et, moins ponctuellement, par l'agitation soulevée par les houles et autres mouvements périodiques comme la marée, surtout dans les mers ouvertes.

Les agents physiques et écologiques en présence aboutissent à la création de paysages qui varient principalement selon le matériel géologique mais aussi selon la nature du climat : côtes souvent élevées et parfois à falaises, dans des matériels résistants (comme le granite) ; côtes basses, d'accumulation, parfois lagunaires, dans des roches sédimentaires de faible dureté ou du moins friables (comme les sables).

LITTORINE n.f. (lat. *litus, litoris,* rivage). Mollusque très abondant sur les côtes européennes à marée basse, et dont une espèce comestible est appelée *bigorneau*. (Long. de 1 à 3 cm ; classe des gastéropodes.)

LITTRÉ (Émile), philosophe et lexicographe français (Paris 1801 - *id.* 1881). Disciple indépendant de A. Comte, il s'employa à diffuser ses idées. Son œuvre principale est son *Dictionnaire de la langue française* (1863-1873). [Acad. fr. 1871.]

LITUANIE, en lituanien **Lietuva,** État d'Europe, sur la Baltique.

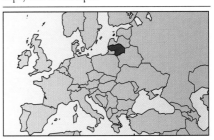

NOM OFFICIEL : République de Lituanie.
CAPITALE : Vilnius.
SUPERFICIE : 65 000 km².
POPULATION : 3 700 000 hab. *(Lituaniens).*
LANGUE : lituanien.
RELIGION : catholicisme.
MONNAIE : litas.
RÉGIME : parlementaire.
CHEF DE L'ÉTAT : président de la République.
CHEF DU GOUVERNEMENT : Premier ministre.
LÉGISLATIF : Diète (Seimas).

GÉOGRAPHIE

Le milieu naturel. Le plus grand et le plus peuplé des États baltes a, contrairement à ses voisins, longtemps eu une vocation continentale. Bocager et boisé, il occupe une région de collines morainiques parsemée de lacs et de petites plaines.

Vue de Vilnius, capitale de la **LITUANIE.**

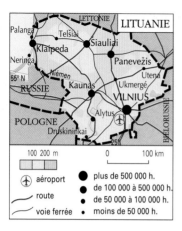

La population et l'économie. Urbanisée aux deux tiers, la population est composée à 80 % de Lituaniens de souche, la proportion des Russes n'atteignant pas 10 %. La Lituanie est un pays encore largement agricole et se consacre essentiellement à l'élevage, auquel la majeure partie des cultures est associée. Le secteur industriel (mécanique, textile) est implanté dans les centres urbains (Vilnius, Kaunas), utilisant du pétrole et du gaz importés. Sur le littoral, Klaipeda est un port de commerce et de pêche.

HISTOIRE

Des tribus balto-slaves de la région s'organisent vers le Vᵉ siècle pour lutter contre les invasions scandinaves.

v. 1240 : fondation du grand-duché de Lituanie.

Au cours de la seconde moitié du XIIIᵉ siècle et au XIVᵉ siècle, cet État combat les chevaliers Teutoniques et étend sa domination sur les principautés russes du Sud-Ouest.

1385-86 : la Lituanie s'allie à la Pologne ; le grand-duc Jagellon devient roi de Pologne sous le nom de Ladislas II et la Lituanie embrasse le catholicisme.

1569 : l'Union de Lublin crée l'État polono-lituanien.

1795 : la majeure partie du pays est annexée par l'Empire russe.

1918 : la Lituanie proclame son indépendance.

1920 : la Russie soviétique la reconnaît.

1940 : envahie par les troupes soviétiques, la Lituanie est intégrée à l'U. R. S. S., conformément au pacte germano-soviétique.

1941-1944 : elle est occupée par les Allemands.

1944 : la Lituanie redevient une République soviétique.

1990 : l'indépendance est proclamée (mars) sous la conduite de Vytautas Landsbergis.

Les États occidentaux et l'U. R. S. S. reconnaissent (sept. 1991) l'indépendance lituanienne.

1992 : le parti démocratique du Travail (ex-Parti communiste) gagne les élections.

1996 : l'opposition, menée par V. Landsbergis, remporte les élections.

LITUANIEN, ENNE adj. et n. De Lituanie.

◆ **lituanien** n.m. Langue balte parlée en Lituanie.

LITURGIE n.f. (du gr. *leitos,* public, et *ergon,* œuvre). **-1.** Ensemble des règles fixant le déroulement des actes du culte. (V. ENCYCL.) **-2.** Office ou partie d'office. **-3.** Dans l'Antiquité grecque, service public (spectacle, fête, armement d'un vaisseau, etc.) dont l'organisation et les dépenses étaient prises en charge non par la cité mais par de riches citoyens.

ENCYCL. C'est dans le christianisme que la symbolique cultuelle s'organise le plus rigoureusement autour d'actes sacrés — les sacrements — considérés comme les signes indispensables et efficaces de la grâce.

L'eucharistie et la liturgie chrétienne. Le terme de « liturgie » a d'abord été appliqué, dans l'Orient chrétien, à la célébration eucharistique, à la messe elle-même. En Occident, il en est venu, à l'époque moderne, à désigner l'ensemble de la prière publique de l'Église ; mais, à la suite du renouveau liturgique contemporain, l'encyclique *Mediator Dei* (1947) de Pie XII a réaffirmé le rôle central de l'eucharistie par rapport aux autres célébrations. Au cours des siècles, la liturgie eucharistique s'est elle-même exprimée, moyennant des variantes qui tenaient aux diversités locales et qui subsistent même en Occident, dans les rites ambrosien (Milan), mozarabe (Tolède) ou lyonnais, mais avec de plus grandes différences et un relief plus éclatant dans les rites orientaux. Ceux-ci, que pratiquent aussi bien orthodoxes et monophysites que catholiques et nestoriens, sont au nombre de cinq : *byzantin, arménien, syrien, chaldéen* et *alexandrin.* Le rite byzantin, qui est suivi par la grande majorité des fidèles, comprend, d'ailleurs, trois liturgies : celle de saint Jean Chrysostome, celle de saint Basile et celle des présanctifiés.

LITURGIQUE adj. Relatif à la liturgie.

LITVINOV (Maksim Maksimovitch), homme politique soviétique (Białystok 1876 - Moscou 1951). Commissaire du peuple aux Affaires étrangères (1930-1939), il se rapprocha des États-Unis et de la France (1935) pour lutter contre les États fascistes. Staline le remplaça par Molotov en 1939.

LIURE n.f. **-1.** Câble servant à maintenir des fardeaux sur une charrette. **-2.** En marine, cordage ou pièce de charpente servant à en unir d'autres.

LIU SHAOQI ou **LIEOU CHAO-K'I,** homme d'État chinois (Hunan 1898 - Yinsho 1972). Membre du Parti communiste chinois à partir de 1921, président de la République (1959), il fut emprisonné lors de la Révolution culturelle (1969). Il a été réhabilité en 1979.

LIUTPRAND (m. en 744), roi des Lombards (712-744). Il occupa Ravenne (732-733) et assiégea Rome (739).

LIVAROT n.m. Fromage à pâte molle et à croûte lavée, fabriqué avec du lait de vache dans la région de Livarot (Calvados).

LIVE [lajv] adj. inv. et n.m. inv. (mot angl., *vivant*). Se dit d'un disque, d'une émission enregistrés sur scène devant un public.

LIVÈCHE n.f. Plante originaire de Perse, cultivée pour ses graines dépuratives et stimulantes. (Famille des ombellifères.)

LIVEDO [livedo] n.m. ou f. (mot lat., *tache bleue*). Rougeur violacée qui dessine sur la peau un réseau à mailles arrondies ou ovalaires et qui est due à des troubles circulatoires.

LIVERPOOL, port de Grande-Bretagne, sur la rive droite de l'estuaire de la Mersey, centre de la conurbation de Merseyside ; 448 300 hab. **GÉOGR.** Au XVIIIᵉ et au XIXᵉ siècle, Liverpool fut le deuxième port britannique important les denrées coloniales et exportant les produits industriels du nord de l'Angleterre. Son trafic a nettement diminué et les vieux bassins sont à l'abandon. L'industrie est liée au port (raffinerie de pétrole, agroalimentaire) et à la décentralisation londonienne. Mais elle a reculé et, malgré la progression des services et un certain renouveau de l'urbanisme, le chômage demeure élevé. **ARTS.** Musées, dont la Walker Art Gallery (beaux-arts) et le Liverpool Museum.

LIVET n.m. Ligne de jonction du pont et de la coque d'un navire.

LIVIDE adj. Extrêmement pâle : *Un teint livide.*

LIVIDITÉ n.f. État de ce qui est livide.

LIVIE, en lat. Livia Drusilla (58 av. J.-C. - 29 apr. J.-C.), épouse d'Auguste. Elle avait eu d'un mariage précédent Tibère et Drusus. Elle fit adopter Tibère par Auguste.

LIVING-ROOM [liviŋrum] ou **LIVING** n.m. (mot angl., *pièce où l'on vit*) [pl. living-rooms, livings]. Pièce de séjour dans un appartement. SYN. : salle de séjour, séjour.

LIVINGSTONE (David), explorateur britannique (Blantyre, Écosse, 1813 - Chitambo, Zambie, 1873). Missionnaire protestant, il inaugura, en 1849, une série de voyages en Afrique centrale et australe au cours desquels il découvrit notamment les chutes du Zambèze (1855). Puis, avec Stanley, il rechercha en vain les sources du Nil. Il fut un adversaire décidé de l'esclavagisme.

David
LIVINGSTONE,
explorateur
britannique.

LIVIUS ANDRONICUS, poète latin (v. 280-207 av. J.-C.). Traducteur de *l'Odyssée,* il fit représenter la première tragédie de langue latine.

LIVONIE, région historique comprise entre la Baltique, le cours de la Dvina et le lac des Tchoudes (actuelles Républiques de Lettonie et d'Estonie).

LIVOURNE, en ital. Livorno, port d'Italie (Toscane), ch.-l. de prov., sur la Méditerranée ; 167 445 hab. Métallurgie. Raffinage du pétrole et chimie. — Musée communal « Giovanni Fattori » (peintures, notamm. des macchiaioli).

LIVRABLE adj. Qui peut ou qui doit être livré.

LIVRADOIS (le), région montagneuse de l'Auvergne, entre les vallées de l'Allier et de la Dore, partie du *parc régional Livradois-Forez.*

LIVRAISON n.f. **-1.** Action de livrer une chose vendue à son acquéreur : *Les livraisons ont lieu dans la matinée.* **-2.** Marchandise ainsi remise. **-3.** Partie d'un ouvrage qu'on délivre aux souscripteurs au fur et à mesure de l'impression.

1. LIVRE n.m. **-1.** Assemblage de feuilles imprimées et réunies en un volume relié ou broché. (→ IMPRIMERIE, MANUSCRIT.) **-2.** Volume imprimé considéré du point de vue son contenu : *Le sujet d'un livre.* **-3.** Division d'un ouvrage : *Les douze livres de « l'Énéide ».* **-4.** Registre sur lequel on inscrit ou note qqch, et notamm. des comptes, des opérations commerciales. -5. *Livre blanc,* recueil de documents sur un problème déterminé, publié par un gouvernement ou un organisme quelconque. ‖ *Livre de bord,* journal de bord.

2. **LIVRE** n.f. -1. Anc. unité de poids de valeur variable, dont le nom est encore donné, dans la pratique non officielle, au demi-kilogramme : *En France, la livre représentait 489,5 g.* -2. CANADA. Unité de masse équivalant à la pound britannique (symb. lb), valant 453,592 g.

3. **LIVRE** n.f. -1. Anc. monnaie de compte dont la valeur a beaucoup varié suivant les temps et les lieux, et qui a été remplacée, en France, par le franc : *Livre parisis, tournois. Livre de Flandre.* -2. Unité monétaire principale de Chypre, de l'Égypte, de la République d'Irlande, du Liban, du Soudan, de la Syrie et de la Turquie. -3. *Livre sterling* ou *livre,* unité monétaire principale (symb. £) de la Grande-Bretagne et de l'Irlande du Nord.

LIVRE-CASSETTE n.m. (pl. livres-cassettes). Cassette contenant l'enregistrement d'un texte, d'un roman.

Livre de la jungle (le), titre de deux recueils de R. Kipling (1894-95), récits des aventures de Mowgli, le « petit d'homme », au milieu des animaux de la jungle.

LIVRÉE n.f. -1. Costume distinctif que portaient autref. les domestiques des grandes maisons. -2. Aspect extérieur d'un animal (plumage, pelage ou coloration des téguments) : *La livrée métallique des cétoines.*

LIVRER v.t. -1. Remettre qqn au pouvoir de qqn, aux autorités d'un pays : *Livrer des malfaiteurs à la police.* -2. Trahir, dénoncer qqn : *Livrer ses complices.* -3. Abandonner qqch au pouvoir, à l'action de qqch : *Livrer un pays à la guerre civile.* -4. Remettre une marchandise à un acheteur : *Livrer une commande.* -5. Apporter à qqn la marchandise qu'il a commandée : *On vous livrera vos meubles demain.* ➡ **se livrer** v.pr. (à). -1. Se constituer prisonnier. -2. Confier ses sentiments, ses pensées à qqn. -3. S'abandonner sans réserve à un sentiment : *Se livrer à la joie.*

LIVRESQUE adj. Qui provient uniquement des livres et non de l'expérience : *Connaissances purement livresques.*

LIVRET n.m. -1. Carnet, registre ou petite brochure dans lequel on inscrit certains renseignements. -2. SUISSE. Table de multiplication. BANQUE. *Compte sur livret,* compte ouvert par

les banques à des personnes physiques et fonctionnant dans des conditions analogues à celles des livrets de caisse d'épargne. ‖ *Livret de caisse d'épargne,* livret que les caisses d'épargne remettent à chacun de leurs déposants pour y inscrire les dépôts et remboursements ainsi que les intérêts acquis. CHORÉGR. Brochure donnant l'explication d'un ballet. SYN. : argument. DR. *Livret de famille,* livret remis aux personnes mariées, contenant l'extrait de l'acte de mariage. (En Belgique, on dit *livret de mariage.*) ENSEIGN. *Livret scolaire,* relevé des notes et des appréciations portées sur un élève. HIST. *Livret ouvrier,* livret rendu obligatoire sous le second Empire, dans lequel l'ouvrier devait faire inscrire son embauchage et son départ de tout établissement (supprimé en 1890). MIL. *Livret individuel* ou *militaire,* extrait du livret matricule, remis à l'intéressé et indiquant sa situation militaire. ‖ *Livret matricule,* livret établi et détenu par l'autorité militaire, où sont consignés les renseignements d'ordre militaire sur l'intéressé (états de service, spécialités, etc.). MUS. Texte correspondant aux paroles d'une œuvre lyrique. ‖ Texte littéraire mis en musique. SYN. (vx) : libretto.

LIVREUR, EUSE n. Employé qui livre aux acheteurs des marchandises vendues.

LIVRY-GARGAN, ch.-l. de c. de la Seine-Saint-Denis, au nord-est de Paris ; 35 471 hab.

LIXIVIATION n.f. (du lat. *lixivium,* lessive). Opération qui consiste à faire passer lentement un solvant à travers un produit pulvérisé et déposé en couche épaisse, pour en extraire un ou plusieurs constituants solubles (parfums, alcaloïdes, etc.).

LIZARD *(cap),* cap constituant l'extrémité sud de la Grande-Bretagne (Cornouailles).

LJUBLJANA, en all. Laibach, cap. de la Slovénie ; 303 000 hab. Université. Métallurgie. — Château reconstruit au XVIᵉ siècle et autres monuments. Musées.

LLANO ESTACADO, haute plaine aride des États-Unis, dans l'ouest du Texas.

LLANOS [ljanos] n.m. pl. Grande plaine herbeuse de l'Amérique du Sud.

LLIVIA, village et enclave espagnols dans le dép. français des Pyrénées-Orientales ; 12 km² ; 854 hab.

LLOYD (Harold), acteur américain (Burchard, Nebraska, 1893 - Hollywood 1971). Son personnage de jeune homme timide et emprunté, derrière ses grosses lunettes d'écaille, fut l'une des figures les plus populaires de l'école

Harold **LLOYD** dans une scène de *Monte là-dessus* (1923), film de F. Newmeyer et S. Taylor.

---

burlesque américaine (*Monte là-dessus,* 1923 ; *Vive le sport !,* 1925).

LLOYD GEORGE (David), 1er *comte* Lloyd-George of Dwyfor, homme politique britannique (Manchester 1863 - Llanystumdwy, pays de Galles, 1945). Chef de l'aile gauche du Parti libéral, il préconisa des réformes sociales que sa nomination au poste de chancelier de l'Échiquier lui permit de réaliser (1908-1915) ; il fut l'auteur de la loi restreignant le pouvoir des lords (1911). Pendant la Première Guerre mondiale, il fut ministre des Munitions, puis de la Guerre. Premier ministre de 1916 à 1922, il joua un rôle prépondérant dans les négociations du traité de Versailles (1919). En 1921, il reconnut l'État libre d'Irlande.

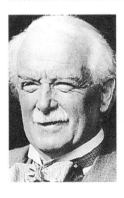

David
LLOYD GEORGE,
homme politique
britannique.

Lloyd's, la plus ancienne et la plus importante institution mondiale dans le domaine de l'assurance. Créée à Londres v. 1688, elle fut officialisée en 1871.

Lloyd's Register of Shipping, la plus importante société de classification des navires, créée à Londres en 1760.

LOACH (Kenneth, dit Ken), cinéaste britannique (Nuneaton, près de Warwick, 1936). Reconnu comme l'un des meilleurs témoins de la réalité sociale des années 70 avec *Kes* (1969) et surtout *Family Life* (1971), il a encore réalisé *Regards et sourires* (1981), *Riff Raff* (1991), *Raining Stones* (1993), *Ladybird* (1994), *Land and Freedom* (1995), *Carla's Song* (1996).

LOANGO, ancien royaume situé au nord du bas Congo (xve-xviiie s. env.).

LOB n.m. Au tennis et dans divers sports, coup qui consiste à faire passer la balle ou le ballon au-dessus d'un adversaire, assez haut pour qu'il ne puisse pas l'intercepter.

LOBAIRE adj. Relatif à un lobe.

LOBATCHEVSKI (Nikolaï Ivanovitch), mathématicien russe (Nijni-Novgorod 1792 - Kazan 1856). Comme Gauss et J. Bolyai, mais par une démarche indépendante, il élabora une nouvelle géométrie, non-euclidienne, dite « hyperbolique », en conservant tous les axiomes d'Euclide, sauf le 5e, celui des parallèles.

LOBAU *(île),* île du Danube, près de Vienne.

LOBBY [lɔbi] n.m. (mot angl., *couloir*) [pl. lobbys ou lobbies]. Groupe de pression.

LOBBYING [lɔbiiŋ] ou **LOBBYSME** n.m. Action menée par un lobby.

LOBE n.m. -1. Partie arrondie et saillante d'un organe quelconque : *Les lobes du poumon.* -2. Découpure en arc de cercle dont la répétition sert à composer certains arcs et rosaces (dits *polylobés*), certains ornements. -3. Division profonde et génér. arrondie des organes foliacés ou floraux. -4. *Lobe de l'oreille,* partie molle et arrondie du pavillon auriculaire.

LOBÉ, E adj. Divisé en lobes : *Feuille lobée.*

LOBECTOMIE n.f. Ablation chirurgicale d'un lobe du poumon.

LOBÉLIE n.f. (de *Lobel,* médecin flamand de la fin du xvie s.). Plante des régions exotiques, cultivée pour ses fleurs colorées et pour son action stimulante sur la respiration. (Famille des campanulacées.)

LOBER v.t. et i. Tromper l'adversaire par un lob ; faire un lob.

LOBI, population voltaïque du sud du Burkina et du nord de la Côte d'Ivoire.

LOBITO, port de l'Angola ; 60 000 hab.

LOB NOR, lac peu profond et marécageux de Chine, dans le Xinjiang, où aboutit le Tarim ; 3 000 km^2. Dans la région, base d'expériences nucléaires.

LA LITTÉRATURE

En France, le terme « littérature » a été longtemps associé à la notion de « belles-lettres », c'est-à-dire à un art particulier du langage, comprenant la connaissance des principes de la grammaire, de l'éloquence et de la poésie. Dans le sens moderne, apparu au début du XIXᵉ siècle, il qualifie la production écrite relative à un domaine particulier et, avec une valeur positive, une production de l'esprit dans un but esthétique. Cette notion implique un créateur (l'auteur, écrivain ou poète), un objet (le livre), des consommateurs (les lecteurs) et n'est pas séparable de la réflexion sur sa fonction dans la société.

L'objet littéraire.

Les genres littéraires. Depuis Aristote, la *rhétorique,* réflexion générale sur les stratégies de communication, s'est spécialisée en *poétique,* ou codification des différents genres de l'écrit, se restreignant à la seule *elocutio,* ornement, art de dire, au détriment de l'*inventio* (invention, recherche des arguments) et de la *dispositio* (disposition, mise en ordre). Une hiérarchie s'est établie, du style noble (ou sublime) au style bas (ou trivial), en passant par le médiocre, correspondant aux trois classes de la société (nobles, bourgeois, paysans). Pour simplifier, on peut caractériser les œuvres littéraires à partir des pronoms personnels et des temps verbaux qui y dominent. Au *je* (présent) correspond le genre lyrique, au *tu* le théâtre (comique ou tragique, selon la nature des personnages), au *il* (passé) l'épopée, le récit narratif. Les théoriciens se sont appliqués à définir les règles précises convenant à chaque genre et à dénommer chacune de ses catégories internes (c'est, essentiellement, l'objet des « arts poétiques »). De sorte que s'établit un pacte, un contrat de lecture, entre l'auteur, inscrivant son texte dans un ensemble donné, et le lecteur, qui sait précisément à quel type d'émotions s'attendre, à quels principes esthétiques on fait appel sous une étiquette donnée. Mais toute codification rigoureuse finit par déplaire au créateur véritable, qui cherche à s'en débarrasser ou à se situer ailleurs ; de même, le lecteur se lasse des formes conventionnelles. Le « livre à venir » (Maurice Blanchot) aboutirait ainsi à l'indifférenciation générique. (→ POÉSIE, ROMAN, THÉÂTRE.)

Le domaine littéraire. Il devient un espace de plus en plus flou. On y inclut les productions des communautés linguistiques minoritaires dans une nation et celles des langues qui ne correspondent pas à un pays donné, ou les littératures dites « marginales » (roman populaire, science-fiction, roman policier, bande

dessinée, littérature pour la jeunesse, etc.) [→ BANDE DESSINÉE, POLI-
CIER, SCIENCE-FICTION]. La littérature doit-elle s'affirmer dans une
conception pure et dure de son identité, ou bien s'ouvrir aux
masses, au risque de s'y perdre ? De là le souci récent d'une
science de la littérature, qui ne reposerait plus sur une hiérarchie
des valeurs, déduite des principes rhétoriques de la production
des œuvres ou, à l'inverse, sur un pur impressionnisme résultant
de l'addition des appréciations subjectives des critiques.

Les approches du fait littéraire.

L'histoire littéraire. Après Mme de Staël (*De la littérature,* 1800), qui
postulait une littérature en progrès constant, reflétant les aspirations de chacun des peuples où elle s'inscrit, après Sainte-
Beuve, introduisant la biographie individuelle dans l'histoire
des œuvres, après Taine, qui voyait l'effet du déterminisme historique (le lieu, la race, le moment) dans leur production, après
Brunetière, qui retrouvait dans l'évolution des genres littéraires
celle des espèces selon Darwin, Gustave Lanson, à la fin du
XIXe siècle, a conçu l'histoire de la littérature française comme
« tableau de la vie littéraire dans la nation ».

Tendant à se détacher de l'histoire politique ou du découpage
arbitraire par siècles, l'histoire littéraire rend compte de l'évolution artistique comme la résultante de divers éléments dispa-
rates et non coordonnés (générations, mouvements ou tendances, thèmes, idées et formes dominantes). L'usage s'est
imposé, en France, de distinguer une suite de périodes. Au
Moyen Âge (cinq siècles) succèdent : la Renaissance, le classicisme, le siècle des Lumières, le romantisme, le symbolisme et
le naturalisme (simultanés), dada et le surréalisme, l'existentialisme, le nouveau roman, etc. Cet ordonnancement, commode
pour l'esprit, ne répond à aucune loi de cohérence et il laisse
de côté bien des œuvres qui ne s'intègrent pas dans une telle
succession de tableaux. (→ BAROQUE, CLASSICISME, EXPRESSIONNISME,
HUMANISME, NATURALISME, NOUVEAU ROMAN, RÉALISME, ROMANTISME,
SURRÉALISME, SYMBOLISME.)

Une science de la littérature ? Un renouvellement théorique
important fut apporté, dans les années 1920, par les formalistes
russes soutenus par l'ambition de rechercher des critères
internes à la littérature, de définir l'objet de leur science
comme « la littérarité, c'est-à-dire ce qui fait d'une œuvre donnée une œuvre littéraire » (Roman Jakobson). Affirmant que le
signe poétique renvoie d'abord à lui-même, parlant en termes
de structures, de dominante, de procédé, ils ramenaient l'attention de la critique sur l'essentiel, qui demeure le texte. Mais ils
n'aidaient pas, pour autant, à définir la « valeur », ce qui permet
d'affirmer que telle œuvre est littéraire, telle autre ne l'est pas,

LA LITTÉRATURE

pour l'excellente raison qu'il n'existe aucun critère interne permettant de porter un tel jugement. Force est de se tourner vers les autres facteurs de la production textuelle, en particulier le lecteur, sans qui toute œuvre resterait, littéralement, lettre morte. Les chercheurs s'y sont employés en définissant les principes de sélection, d'évolution des genres, de périodisation, en s'aidant de nouveaux instruments comme la bibliométrie, l'informatique, en élargissant le champ à la littérature comparée, à la théorie de la réception, à l'analyse culturelle.

Lorsque, en 1947, Sartre demandait *Qu'est-ce que la littérature ?*, il définissait en trois points sa finalité : écrite pour mettre en œuvre un matériel verbal dont la signification échappe à l'écrivain ; pour « dévoiler le monde » ; en s'adressant à un lecteur concret, de chair et de sang, et non intemporel. Mais par malheur l'écrivain est nécessairement en conflit avec la société à laquelle il appartient et le public auquel il s'adresse. Tel était déjà le cas pour l'un des premiers en date des auteurs français, François Villon, dont la légende a fait l'archétype de l'écrivain maudit.

L'institution littéraire.

Parce qu'elle dépasse les circonstances de son élaboration, la littérature a, de tous temps, fait l'objet de l'attention des pouvoirs publics. Déjà, au siècle d'Auguste, Mécène encourageait les artistes à célébrer les mérites du prince. Tous les gouvernants en ont gardé le principe, l'appliquant avec plus ou moins de bonheur, jusqu'au jour où Richelieu, puis Louis XIV l'ont codifié en établissant un rigoureux système de récompenses et de sanctions, feignant d'en laisser la responsabilité aux écrivains eux-mêmes. Après l'Académie française vinrent, au début de ce siècle, les prix littéraires, destinés à éclairer le lecteur sur les valeurs d'avenir, de telle manière que les sociétés d'écrivains, par cooptation, sélectionnent les œuvres de leurs confrères.

Si l'Académie française ou le prix Goncourt demeurent un bon moyen d'arriver à la célébrité, il en est un plus sûr d'acquérir une (relative) pérennité : figurer dans un programme universitaire et scolaire. Par boutade, Roland Barthes définissait la littérature comme « ce qui s'enseigne, un point c'est tout » (1971).

Toutes les théories esthétiques ayant été expérimentées, de la *mimêsis* (imitation de la réalité) à l'invention la plus effrénée, il semble que la littérature n'ait plus de recette à mettre en pratique, sauf à repasser des plats réchauffés. Et pourtant, elle poursuit son existence, en donnant de l'espoir aux uns, du rêve aux autres, dénonçant les perversions politiques et sociales, découvrant des espaces innommés. Tel est son avenir : parodiant Artaud, on dira que la littérature double la vie, comme la vie double la littérature.

LOBOTOMIE n.f. -1. Section chirurgicale d'un lobe du cerveau. -2. *Lobotomie préfrontale,* section d'une partie des fibres nerveuses reliant les lobes frontaux au reste du cerveau, pratiquée en dernier recours pour traiter des troubles psychiatriques graves. (L'efficacité des psychotropes ainsi que des considérations éthiques rendent cette intervention exceptionnelle.)

LOBULE n.m. -1. Petit lobe. -2. Subdivision d'un lobe : *Lobule hépatique.*

1. **LOCAL, E, AUX** adj. -1. Particulier à un lieu, à une région, à un pays par opp. à *national* : *Journal local.* -2. Qui n'affecte qu'une partie du corps : *Douleur locale.* ➥ **localement** adv. Par endroits ; dans un lieu précis.

2. **LOCAL** n.m. Partie d'un bâtiment qui a une destination déterminée.

LOCALIER n.m. Journaliste chargé de la rubrique des faits locaux.

LOCALISABLE adj. Qui peut être localisé.

LOCALISATION n.f. -1. Action de localiser, de situer ; fait d'être localisé ou situé dans l'espace ou le temps : *La localisation d'un engin spatial par rapport à la Terre.* -2. Action de limiter l'extension de qqch ; fait d'être limité : *Localisation d'un conflit.* -3. Adaptation d'un produit, d'une activité productrice à une zone géographique en fonction de différents facteurs (économiques, culturels et sociaux...) : *Localiser un produit multimédia (CD-ROM) dans un pays étranger.* -4. *Localisation cérébrale,* attribution d'une fonction à une partie du cortex cérébral.

LOCALISER v.t. -1. Déterminer l'endroit où se situe qqch, qqn, d'où provient qqch : *Localiser une sensation.* -2. Arrêter l'extension d'une action, d'un phénomène ; limiter : *Localiser un incendie.* -3. Adapter et développer un produit multimédia (CD-ROM) dans un pays étranger.

LOCALITÉ n.f. Petite ville ; bourg, village.

LOCARNO, station touristique de Suisse (Tessin), sur le lac Majeur, au pied des Alpes ; 13 796 hab. — Accords signés en 1925 par la France, la Belgique, la Grande-Bretagne, l'Allemagne et l'Italie, qui reconnaissaient les frontières des pays signataires et visaient à établir une paix durable en Europe. L'Allemagne put alors être admise à la S. D. N. (1926). — Château surtout des xve-xvie siècles (musée). Églises médiévales et baroques.

LOCATAIRE n. -1. Personne qui prend à loyer une terre, une maison, un appartement. -2. *Locataire principal,* personne qui prend à loyer un local pour le sous-louer en totalité ou en partie.

LOCATELLI (Pietro Antonio), violoniste et compositeur italien (Bergame 1695 - Amsterdam 1764). Virtuose et novateur dans la technique du violon (*L'arte del violino,* 1733), il a composé des concertos grossos et des sonates.

1. **LOCATIF, IVE** adj. -1. Qui concerne le locataire ou la chose louée : *Un immeuble locatif.* -2. *Impôts locatifs, taxes locatives,* impôts répartis d'après la valeur locative. || *Réparations locatives,* réparations qui sont à la charge du locataire. || *Risques locatifs,* responsabilité encourue par le locataire pour les dommages qu'il peut causer par sa faute à l'immeuble qu'il occupe. || *Valeur locative,* revenu que peut rapporter un bien immeuble en location.

2. **LOCATIF** n.m. Cas qui, dans certaines langues, exprime le lieu où se passe l'action.

LOCATION n.f. -1. Action de donner ou de prendre à loyer un local, un appareil, etc. : *Location d'un logement, d'une voiture.* -2. Action de retenir à l'avance une place de train, d'avion, de théâtre, etc.

LOCATION-ACCESSION n.f. (pl. locations-accessions). Location-vente, en matière de propriété immobilière.

LOCATION-GÉRANCE n.f. (pl. locations-gérances). Gérance libre.

LOCATION-VENTE n.f. (pl. locations-ventes). Contrat aux termes duquel un bien est loué à une personne qui, à l'expiration d'un délai fixé, a la possibilité d'en devenir propriétaire.

1. **LOCH** [lɔk] n.m. (néerl. *log,* poutre). Appareil servant à mesurer la vitesse apparente d'un navire.

2. **LOCH** [lɔk] n.m. Lac très allongé au fond d'une vallée, en Écosse.

LOCHE n.f. -1. Poisson de rivière à corps allongé, atteignant 30 cm, voisin des cyprinidés. SYN. : **barbote.** -2. Poisson marin de la famille des gadidés. (Long. 25 cm.)

LOCHES, ch.-l. d'arr. d'Indre-et-Loire, sur l'Indre ; 7 133 hab. (*Lochois*). — Puissante forteresse incluant un donjon (xie-xiie s.), le Logis du roi (xive-xve s.), la collégiale St-Ours (romane du xiie s.). Hôtel de ville de la Renaissance. (*Voir illustration p. suivante.*)

Loches *(paix de)* → MONSIEUR (paix de).

LOCHIES [lɔʃi] n.f. pl. (gr. *lokheia,* accouchement). Écoulement utérin qui dure de deux à trois semaines après l'accouchement.

LOCHNER (Stephan), peintre allemand (Meersburg, sur le lac de Constance, v. 1410 - Cologne 1451). Grand maître de l'école de

La forteresse de **LOCHES** (xie-xve s.) et, au fond, l'église Saint-Ours.

Cologne, il allie des caractères flamands modernes à la suavité du gothique tardif (triptyque de l'*Adoration des Mages,* v. 1440, à la cathédrale).

LOCKE (John), philosophe et théoricien politique anglais (Wrington, Somersetshire, 1632 - Oates, Essex, 1704). Il étudie à l'université d'Oxford. Membre de la Société royale depuis 1668, il s'intéresse à divers domaines (physique, chimie, médecine, philosophie, politique). Mais, opposé à la politique absolutiste des Stuarts, il doit s'exiler en France puis en Hollande, et revient en Angleterre après la révolution de 1688. Sa philosophie, exposée dans son *Essai sur l'entendement humain* (1690), est un matérialisme sensualiste. Locke voit la source des connaissances dans l'expérience et les sensations à partir desquelles l'âme élabore la réflexion. Son opposition à l'absolutisme et sa prise de position en faveur de la séparation des pouvoirs font de lui le fondateur du libéralisme politique. Favorable à une monarchie constitutionnelle, il considère que la société doit être fondée sur un contrat ; mais, si le souverain outrepasse ses droits, l'insurrection est légitime. Il a également écrit les *Lettres sur la tolérance* (1689).

LOCK-OUT [lɔkawt] ou [lɔkaut] n.m. inv. (de l'angl. *to lock out,* mettre à la porte). Fermeture temporaire d'une entreprise à l'initiative de l'employeur. (Le lock-out constitue le plus souvent une réponse patronale à une grève.)

LOCK-OUTER v.t. Procéder à un lock-out.

LOCKYER (*sir* Joseph Norman), astronome britannique (Rugby, Warwickshire, 1836 - Salcombe Regis, Devon, 1920). Spécialiste de la spectroscopie solaire, il découvrit la chromosphère du Soleil. En 1868, il reconnut dans le spectre des protubérances, en même temps que Janssen, la présence d'un nouvel élément, alors inconnu sur la Terre, l'hélium. Il a fondé la revue scientifique *Nature* (1869).

LOCLE (Le), v. de Suisse (Neuchâtel), dans le Jura ; 11 313 hab. Centre horloger. – Musées.

LOCMARIAQUER, comm. du Morbihan, sur le golfe du Morbihan ; 1 316 hab. – Important ensemble mégalithique dont un menhir (auj. brisé) qui mesurait plus de 20 m.

LOCOMOTEUR, TRICE adj. -1. Relatif à la locomotion : *Ataxie locomotrice.* -2. Qui sert à la locomotion : *Machine locomotrice.*

LOCOMOTION n.f. -1. Fonction des êtres vivants, et notamm. des animaux, par laquelle ils assurent activement le déplacement de leur organisme tout entier. (V. ENCYCL.) -2. Transport de choses ou de personnes d'un lieu vers un autre : *Moyens de locomotion.*

ENCYCL.

La biomécanique du déplacement. Le mouvement d'un être vivant est la résultante de trois forces : son poids qui l'attire vers le bas, la réaction du milieu qui l'empêche de s'enfon-

 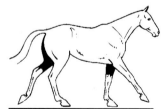 

LOCOMOTION : éléments de la décomposition du galop du cheval

cer ou qui freine son mouvement (frottements, résistance de l'air ou de l'eau) et, enfin, la force dynamique qui produit le mouvement. Quel que soit le milieu dans lequel il se déroule, le mouvement est toujours généré par un même ensemble biologique : des protéines contractiles, des points d'appui et des bras de leviers. Le jeu des protéines contractiles, actine et myosine, constitue le seul moteur du mouvement des animaux unicellulaires. Les pluricellulaires, pour réaliser le mouvement, intègrent cette contraction protéique initiale dans des structures spécialisées (muscles, squelette et tendons). Le muscle rassemble les protéines contractiles et constitue l'unité fondamentale qui engendre la force.

La locomotion aquatique. Dans la *nage ramée,* les membres sont utilisés pour pousser l'eau par saccades. Certains animaux sont des rameurs de surface, comme les punaises d'eau ou les canards, tandis que d'autres nagent immergés, comme les limules ou les tortues marines. De nombreux animaux pratiquent une *nage par ondulation,* en utilisant leur corps pour se déplacer. Les vers ronds, les larves d'insectes et les cétacés pratiquent ce type de nage. Sur ce modèle, les poissons ont développé plusieurs variantes locomotrices : la nage « anguilliforme » des anguilles, où l'ensemble du corps assure la propulsion ; la nage « carangiforme » de la plupart des poissons, où seul le tiers postérieur du corps est impliqué ; enfin, la nage « ostracioniforme », où seule la nageoire caudale propulse l'animal (poissons-coffres). La *nage par réaction* est adoptée par des cnidaires comme les méduses et par des mollusques comme les seiches. Ce mode de locomotion consiste en l'éjection brutale d'une masse d'eau par l'animal. Certains arthropodes, les larves de libellules par exemple, nagent également selon ce principe.

Il existe encore des nages particulières : celle des unicellulaires, par battements de cils ou de flagelles, la nage des ophiures (échinodermes

voisins des étoiles de mer), dont les longs bras battent l'eau en tous sens, ou encore le véritable vol aquatique des raies.

La locomotion en milieu terrestre. Pour réaliser la *marche* et la *course,* les appendices se soulèvent alternativement et retombent au sol avec un tempo et une chorégraphie qui déterminent l'allure. Les quadrupèdes présentent une excellente coordination des mouvements lors des allures rapides de trot ou de galop. La bipédie, si elle rend le corps plus facile à manœuvrer, pose par contre un problème de stabilité pendant la course.

Sauterelles, grenouilles ou kangourous se déplacent en pratiquant le *saut.* Ils détendent brusquement leurs pattes sauteuses pliées en Z au repos, d'une taille démesurée par rapport aux autres membres. Les tendons élastiques de leurs pattes emmagasinent l'énergie lorsque l'animal retombe au sol et la restituent au saut suivant.

Les espèces arboricoles font preuve de grandes qualités d'équilibre et d'agilité. Les griffes démesurées des paresseux ou les bras gigantesques et la queue préhensile des singes atèles sont des adaptations à ce biotope.

De nombreux animaux dépourvus d'appendices locomoteurs pratiquent la *reptation.* Ils utilisent leur surface corporelle en contact avec le sol pour se mouvoir. Le déplacement se fait par ondulation du corps (couleuvres, vers) ou par création d'un train d'ondes qui se propagent sur la face ventrale (escargots).

Les animaux fouisseurs pénètrent dans le substrat en le compactant (reptiles amphisbènes) ou en le creusant avec leurs pattes en forme de pelles (taupes, courtilières). Les lombrics ingèrent la terre puis la rejettent par l'anus.

La locomotion en milieu aérien. Légèreté, puissance et aérodynamisme sont nécessaires au *vol.* Ce sont les conditions à remplir pour vaincre la gravité, se propulser et se diriger. La sustentation, qui s'oppose à la pesanteur, est réalisée par la force de portance due à la résistance de l'air. Les modalités du vol dépendent de la morphologie de l'animal.

Quelques animaux pratiquent le vol parachutal. Le ralentissement de la chute est réalisé par une simple membrane, comme chez les geckos.

Les animaux dont l'envergure favorise la portance utilisent le vol plané, économique mais peu précis. C'est le cas des oiseaux (hirondelle, pigeon...). Par de rares battements d'ailes ou en utilisant des courants d'air ascendants, les grands « voiliers » assurent l'impulsion et la portance (goéland).

Quelques mammifères ont également développé une aptitude au vol (chauves-souris) grâce à leur membre antérieur transformé en aile membraneuse.

Enfin, les exocets sont les seuls poissons dont les nageoires antérieures surdimensionnées leur permettent de « planer » sur de courtes distances au-dessus de la mer.

Le *vol battu* demande un effort énergétique important, mais il permet, pour les petits animaux, des manœuvres rapides et précises. La propulsion résulte de l'action cyclique des ailes. Chez les oiseaux, celles-ci battent dans un plan horizontal en décrivant un trajet hélicoïdal qui provoque l'ascension.

LOCOMOTIVE n.f. **-1.** Machine électrique, à moteur thermique, à air comprimé, etc. (anc., à vapeur), montée sur roues et destinée à remorquer un convoi de voitures ou de wagons sur une voie ferrée. **-2.** FAM. Personne, groupe qui jouent le rôle d'un élément moteur par leur prestige, leur talent, leur activité.

→ ● DOSSIER LOCOMOTIVES ET TRAINS *page suivante.*

LOCOTRACTEUR n.m. Engin de traction sur rail actionné par un moteur thermique de faible puissance.

LOCRIDE, contrée de la Grèce continentale ancienne ; on distinguait la *Locride orientale,* sur la mer Égée en bordure du golfe de Lamía, et la *Locride occidentale,* sur le golfe de Corinthe. (Hab. *Locriens.*)

LOCUS [lɔkys] n.m. Emplacement d'un gène sur le chromosome qui le porte. (Des gènes allèles relatifs à tel ou tel caractère héréditaire occupent le même locus sur les chromosomes homologues.)

LOCUSTE n.f. (lat. *locusta,* sauterelle). Criquet migrateur.

LOCUTEUR, TRICE n. **-1.** Sujet parlant, par opp. à *auditeur.* **-2.** *Locuteur natif,* sujet parlant qui, ayant intériorisé les règles de grammaire de sa langue maternelle, peut porter sur les énoncés émis des jugements de grammaticalité.

LOCUTION n.f. **-1.** Expression, forme particulière de langage : *Locution familière.* **-2.** Groupe de mots figé constituant une unité sur le plan du sens : *Locution adverbiale, conjonctive.*

LOD ou **LYDDA,** v. d'Israël ; 39 000 hab. Aéroport de Tel-Aviv-Jaffa.

LODEN [lɔdɛn] n.m. **-1.** Lainage foulé et imperméable. **-2.** Manteau de coupe sport, fait dans ce lainage.

LODÈVE, ch.-l. d'arr. de l'Hérault ; 7 777 hab. *(Lodévois).* – Ancienne cathédrale et ses dépendances (XIIIᵉ-XVIIIᵉ s.). Musée.

LODI, v. d'Italie (prov. de Milan), sur l'Adda ; 42 170 hab. En 1454 y fut signé un pacte entre le pape Nicolas V, Venise, Florence et Milan. Il rétablissait en Italie un équilibre qui devait être brisé par l'intervention de Charles VIII. – Victoire de Bonaparte sur les Autrichiens en 1796. – Église octogonale de l'Incoronata (fin du XVᵉ s.) et autres monuments. Musée.

LODS (Marcel), architecte et urbaniste français (Paris 1891 -*id.* 1978). De son association avec Eugène Beaudouin (1898-1983) sont issues des réalisations majeures en matière de préfabrication (marché couvert-maison du peuple de Clichy, 1937, avec J. Prouvé).

ŁÓDŹ, v. de Pologne, ch.-l. de voïévodie ; 844 900 hab. Deuxième ville du pays, grand centre textile qui s'est développé dès le début du XIXᵉ siècle, principalement orienté vers le coton et la laine. – Musées, dont une galerie d'Art moderne et contemporain.

LŒSS [løs] n.m. Limon d'origine éolienne, très fertile. (Déposé lors de phases climatiques froides, il recouvre de vastes surfaces en Europe, en Chine, aux États-Unis.)

LOEWI (Otto), pharmacologue allemand (Francfort-sur-le-Main 1873 - New York 1961). Il apporta les premiers arguments expérimentaux en faveur de l'existence des neurotransmetteurs et contribua à identifier certains d'entre eux. Il s'exila aux États-Unis en 1938. (Prix Nobel 1936.)

LOEWY (Raymond), esthéticien industriel américain d'origine française (Paris 1893 - Monaco 1986). Installé aux États-Unis en 1919, il y a fondé, dix ans plus tard, sa société de design, s'attachant à doter d'une beauté fonctionnelle les produits les plus divers (du paquet de cigarettes à la navette spatiale). Il a publié, notamment, *La laideur se vend mal* (1952).

LOF [lɔf] n.m. **-1.** VX. Côté d'un navire qui se trouve frappé par le vent. **-2.** *Aller au lof,* se rapprocher de la direction d'où vient le vent. ‖ *Virer lof pour lof,* virer vent arrière.

LOFER v.i. Gouverner plus près du vent, par opp. à *abattre.*

LOFING-MATCH [lɔfiŋ-] n.m. (pl. lofing-matches). Dans une régate, manœuvre consistant à forcer un concurrent à se placer bout au vent.

LOFOTEN *(îles),* archipel des côtes de Norvège ; 1 425 km² ; 25 000 hab. Pêcheries.

LOCOMOTIVES ET TRAINS

Les véhicules ferroviaires comprennent les engins moteurs et le matériel remorqué. Les premiers assurent la traction des trains, et on distingue parmi eux les *locomotives* et les *automotrices,* qui transportent aussi des voyageurs. Le second englobe les *voitures* pour les voyageurs et les *wagons* pour le fret. Ces derniers sont spécialisés selon la marchandise et son mode de chargement.

La structure d'un véhicule ferroviaire.

Tout véhicule ferroviaire est constitué par un châssis qui supporte la *caisse* (wagon) ou par une caisse poutre rigide (voiture). À chaque extrémité, *tampons* et *attelages* servent à l'assemblage des trains. Si les véhicules reposent sur 2 essieux fixes, ils sont dits « à essieux », par opposition aux véhicules « à bogies ». Ces derniers sont une sorte de chariot (2 essieux, 4 roues) pivotant sous la caisse pour faciliter l'inscription en courbe et améliorer la suspension.

Les différents types de locomotives.

Il existe des locomotives à vapeur, électriques et à moteurs Diesel. Sur la plupart des chemins de fer, la locomotive à vapeur a laissé la place à la locomotive électrique ou Diesel. Cependant, quelques pays pauvres en pétrole mais disposant de charbon à bon marché conservent la traction à vapeur (Chine, Inde, Afrique du Sud...).

Les locomotives à vapeur. Une locomotive à vapeur comprend trois parties principales : la *chaudière,* où est produite la vapeur sous pression, avec le *foyer,* le corps cylindrique comportant un faisceau tubulaire dans lequel circulent les gaz, et la *boîte à fumée,* munie d'un échappement ; le mécanisme, constitué par une machine à pistons, avec au moins 2 cylindres, un de chaque côté, attaquant un même essieu par des bielles et des manivelles ; le véhicule, composé d'un châssis et de roues.

Les locomotives électriques. Une locomotive électrique capte l'énergie du réseau de distribution au moyen d'un pantographe sur les lignes d'alimentation aériennes. Elle se compose d'une caisse principale reposant sur des bogies moteurs dont les essieux sont reliés aux moteurs électriques par une transmission élastique qui doit permettre le jeu des ressorts de suspension. Les moteurs sont fixés rigidement au châssis et sont alors, comme lui, entièrement suspendus. Jusqu'au début des

LOCOMOTIVES ET TRAINS

années 1970, dans toutes les locomotives électriques, les moteurs, à collecteur et à excitation série, étaient alimentés soit directement (lignes électrifiées en courant continu ou en courant alternatif basse fréquence 16 2/3 hertz), soit par l'intermédiaire d'un redresseur statique (lignes électrifiées en courant industriel). Sur ces machines, le conducteur règle la vitesse et l'effort demandé à la locomotive par un appareillage qui diffère selon le type de courant d'alimentation. Les progrès de l'électronique ont rendu possible l'emploi de moteurs triphasés, alimentés à fréquence variable par l'intermédiaire d'un convertisseur statique (onduleur) installé sur la locomotive. Les moteurs triphasés présentent de nombreux avantages : économie de construction et d'entretien, encombrement réduit, vitesse de rotation élevée, possibilité de développer la puissance maximale sur une plage de vitesse étendue. L'aboutissement de ces techniques est la locomotive électrique universelle, apte à tirer un train de marchandises lourd ou un train de voyageurs rapide (locomotives « SYBIC » de la S. N. C. F., mises en service en 1990).

Les locomotives Diesel. Une locomotive Diesel est propulsée par des moteurs Diesel, à quatre temps, munis d'une turbine de suralimentation. Entre le moteur et les essieux existe une transmission électrique, hydraulique, mécanique ou hydromécanique. Les machines se rattachant au premier type sont appelées « diesel-électriques » ; le moteur Diesel entraîne soit une génératrice à courant continu, soit, le plus souvent, un ensemble alternateur-redresseur fournissant le courant continu aux moteurs de traction.

Automotrices et trains automoteurs.

À la fois « locomotives » et « voitures », les automotrices sont des véhicules motorisés (électriques ou Diesel) destinés au transport des voyageurs, appelées souvent « autorails ». Elles peuvent circuler seules (cas des *tramways* récents), mais elles sont généralement utilisées avec des voitures spécialisées, les *remorques* d'automotrice électrique ou d'autorail. Leur principale destination est la desserte régionale. Certaines remorques, les *remorques-pilotes,* comportent une cabine de conduite permettant de constituer avec une automotrice électrique ou un autorail un *élément automoteur réversible,* donc utilisable dans les deux sens. Une ou plusieurs remorques peuvent être intercalées entre l'élément automoteur et la remorque-pilote. Un élément automoteur peut aussi être constitué de deux automotrices, une à chaque extrémité. Plusieurs éléments automoteurs composent un *train automoteur,* commandé à partir d'un seul poste de conduite, en tête du train.

LOCOMOTIVES ET TRAINS

Beaucoup de trains de banlieue et tous ceux du métro fonctionnent sur ce mode. Mais les *rames automotrices* sont aussi capables de performances élevées, grâce à la mise en œuvre d'une grande puissance massique. C'est notamment le cas du turbotrain et du T. G. V. On appelle rame automotrice un ensemble constitué d'automotrices puissantes – voire de véritables locomotives spécialisées (les *motrices*) – et de remorques. Les turbotrains, par exemple, sont composés de 2 automotrices à turbines à gaz et de remorques intermédiaires.

Les trains à grande vitesse.

Le Japon a mis en service en 1964 la première ligne à grande vitesse du monde : la ligne à voie normale (1,435 m d'écartement) du Tokaido reliant Tokyo à Osaka, soit 515 km parcourus à la vitesse de 210 km/h. C'est la base d'un réseau à grande vitesse (Shinkansen) comprenant aujourd'hui au total 2 000 km de lignes, dont certaines sont maintenant parcourues à 275 km/h. En Europe, dans les années 1960, l'augmentation de la vitesse des trains a été recherchée dans l'aménagement de lignes existantes au tracé favorable : la vitesse de 200 km/h a été pratiquée en Allemagne dès 1965 (Munich-Augsbourg) et en France dès 1967 (plusieurs sections de Paris-Toulouse).

Le T. G. V. Un véritable bond en avant a été effectué avec la ligne à grande vitesse Paris-Sud-Est (T. G. V.). Mise en service partiellement en 1981 puis en totalité en 1983, elle joint Paris à Lyon en 2 heures à 270 km/h. Certaines caractéristiques de la ligne lui sont spécifiques, comme les grands rayons des courbes (3 200 à 4 000 m) indispensables aux grandes vitesses, les fortes

DES VITESSES ET DES MISSIONS VARIÉES

❶ Écorché d'une motrice de T. G. V.

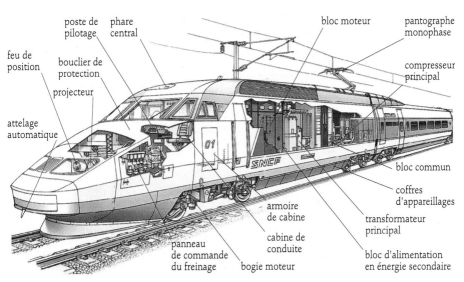

poste de pilotage · phare central · bloc moteur · pantographe monophase

feu de position · bouclier de protection · projecteur · compresseur principal

attelage automatique · bloc commun · coffres d'appareillages · armoire de cabine · transformateur principal · cabine de conduite · panneau de commande du freinage · bogie moteur · bloc d'alimentation en énergie secondaire

LOCOMOTIVES ET TRAINS

déclivités (35 ‰), qui ont évité la construction, très onéreuse, de tunnels tout en réduisant la distance de Paris à Lyon de 80 km, et la signalisation en cabine. Deux rames (comprenant chacune 2 motrices encadrant 8 voitures) peuvent circuler en unité multiple et constituer ainsi un train de 400 m de long offrant près de 800 places.

Plus longues (2 motrices encadrant 10 voitures, au total 237 m et 485 places assises), les rames du T. G. V. Atlantique, mis en service en 1989, bénéficient d'importantes innovations. La circulation se fait à 300 km/h en service commercial. L'appareillage de commande et de sécurité fait largement appel aux microprocesseurs. Le 18 mai 1990, en roulant à 515,3 km/h entre Courtalain et Tours, une rame de T. G. V. sensiblement modifiée a établi un nouveau record du monde de vitesse sur rail.

La grande vitesse en Europe. En Allemagne, les premiers tronçons (Würzburg-Hanovre et Mannheim-Stuttgart) du réseau Intercity-Express sont entrés en service en 1991. Vers 2015, le réseau européen de lignes ferroviaires à grande vitesse devrait atteindre environ 30 000 km, dont 19 000 km parcourus à plus de 250 km/h.

Voir aussi : CHEMIN DE FER.

❷ Le train à grande vitesse allemand ICE (Intercity-Express).

❸ Le tramway de Nantes (Loire-Atlantique).

LOFT [lɔft] n.m. Anc. local professionnel (entrepôt, atelier, usine) transformé en logement ou en studio d'artiste.

LOGAN *(mont)*, point culminant du Canada (Yukon), à la frontière de l'Alaska ; 6 050 m.

LOGARITHME n.m. (du gr. *logos*, rapport, et *arithmos*, nombre). *Logarithme d'un nombre réel positif dans un système de base a positive ou logarithme*, exposant de la puissance à laquelle il faut élever *a* (différent de 1) pour retrouver le nombre considéré (symb. log). ‖ *Logarithme naturel ou népérien d'un nombre*, logarithme de ce nombre dans un système dont la base est le nombre *e* (symb. ln). ‖ *Logarithme vulgaire ou décimal d'un nombre*, logarithme de ce nombre dans un système dont la base est 10 (symb. lg).

ENCYCL. Toutes les fonctions logarithmes ont en commun les propriétés suivantes, vraies pour tout $a \in \mathbb{R}^{+*} - \{1\}$.

$\forall (x_1, x_2) \in (\mathbb{R}^{+*})^2 : \log_a 1 = 0$;
$\log_a x_1 \cdot x_2 = \log_a x_1 + \log_a x_2$;
$\log_a 1/x_1 = - \log_a x_1$;
$\log_a x_1/x_2 = \log_a x_1 - \log_a x_2$;
$\log_a x_1^r = r \cdot \log_a x_1, \forall r \in \mathbb{Q}$.

Il existe entre elles la relation suivante :
$\forall (a, b) \in (\mathbb{R}^{+*} - \{1\})^2, \forall x \in \mathbb{R}^{+*}$;
$\log_a x = \log_a b \cdot \log_b x$.
La fonction $\log_a x$ a pour dérivée $1/x \cdot \ln a$. Sa variation dépend de la valeur de *a*. La courbe représentative a deux branches infinies : une asymptote verticale et une branche parabolique dont la direction est celle de l'axe des abscisses.

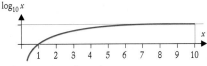

LOGARITHME décimal :
représentation de la fonction $x \longrightarrow f(x) = \log x$

LOGARITHMIQUE adj. -1. Relatif aux logarithmes. -2. *Échelle logarithmique*, échelle telle que les grandeurs représentées graphiquement le sont par des nombres ou des longueurs proportionnelles au logarithme de ces grandeurs.

LOGE n.f. -1. Petit local à l'entrée d'un immeuble, servant génér. de logement à un gardien, un concierge. -2. Compartiment cloisonné dans une salle de spectacle : *Louer une loge de balcon.* -3. Petite pièce dans laquelle se préparent les artistes de théâtre, de cinéma. ARCHIT. Galerie, le plus souvent en étage, largement ouverte sur l'extérieur par une colonnade, des arcades ou des baies libres. SYN. : loggia. BIOL. Cavité contenant un organe ; compartiment contenant un individu d'une colonie animale (polype, bryozoaire, etc.). BX-ARTS. Atelier où est isolé chacun des élèves participant à certains concours (notamm. le prix de Rome, naguère). FR.-MAÇONN. Lieu de réunion des francs-maçons. ‖ (Avec une majusc.). Cellule maçonnique ; groupe de francs-maçons réunis sous la présidence d'un vénérable. ‖ *Grande Loge*, fédération de Loges.

LOGEABLE adj. -1. Suffisamment spacieux et bien conçu pour loger qqn ou qqch. -2. Que l'on peut facilement loger qqpart.

LOGEMENT n.m. -1. Action de loger ; fait d'être logé : *Assurer le logement des troupes.* -2. Partie d'une maison, d'un immeuble où l'on habite : *Un logement de deux pièces.* -3. Lieu, en partic. cavité, où vient se loger qqch : *Le logement du pêne d'une serrure.*

LOGER v.i. [17]. -1. Avoir sa résidence permanente ou provisoire qqpart ; habiter : *Où logez-vous ?* -2. Trouver place qqpart : *Tous ses bagages logent dans le coffre.* ◆ v.t. -1. Procurer un lieu d'habitation, un abri à qqn : *Loger des soldats.* -2. Faire pénétrer qqch qqpart : *Il lui a logé une balle dans le bras.*

LOGETTE n.f. -1. Petit ouvrage en surplomb, de plan allongé, à un seul étage. -2. Petite loggia.

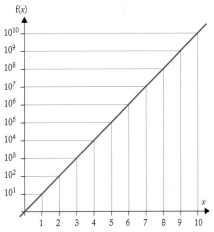

échelle **LOGARITHMIQUE** : représentation de la fonction $x \longrightarrow f(x) = 10^x$ (les échelles logarithmiques rendent possible la représentation des variations de phénomènes évoluant de façon exponentielle)

LOGEUR, EUSE n. Personne qui loue des chambres meublées.

LOGGIA [lɔdʒja] n.f. -1. Loge, en architecture. -2. Terrasse en retrait de façade, fermée sur les côtés. -3. Mezzanine.

LOGICIEL n.m. Ensemble des programmes, procédés et règles, et éventuellement de la documentation, relatifs au fonctionnement d'un ensemble de traitement de l'information. Recomm. off. pour *software*. ◆**logiciel, elle** adj. Relatif à un ou à des logiciels.

LOGICISME n.m. -1. Tendance à faire prévaloir la logique des raisonnements sur leur aspect psychologique. -2. Doctrine, développée par Frege et B. Russell, selon laquelle les mathématiques seraient soumises à la formalisation de la logique et s'y réduiraient.

1. **LOGIQUE** n.f. (du gr. *logos*, raison). -1. Science du raisonnement en lui-même, abstraction faite de la matière à laquelle il s'applique et de tout processus psychologique. -2. Caractère rationnel de qqch ; cohérence : *Sa conversation manque de logique*. -3. Ensemble des procédés cognitifs ; leur étude : *La logique de la médecine expérimentale*. -4. Ensemble des relations qui règlent le fonctionnement d'une organisation ou l'apparition de phénomènes : *La logique du vivant*. -5. *Logique mathématique*, théorie scientifique des raisonnements, excluant les processus psychologiques mis en œuvre et qui se divise en *calcul des propositions* et *calcul des prédicats*. (Son développement a permis de mener à bien la formalisation des mathématiques.) ◆**logicien** n.
→ ● DOSSIER LA LOGIQUE *page 3244.*

2. **LOGIQUE** adj. -1. Conforme aux règles de la logique, de la cohérence. -2. Se dit de qqn qui raisonne de manière cohérente. -3. *Lois logiques*, ensemble des formules représentant un enchaînement de propositions dans un discours vrai en tout état de cause, c.-à-d. indépendamment de la vérité ou de la fausseté des propositions qui y figurent. ◆**logiquement** adv.

logique *(Science de la)* → HEGEL.

LOGIS n.m. LITT. Logement.

LOGISTIQUE n.f. -1. Ensemble des opérations ayant pour but de permettre aux armées de vivre, de se déplacer, de combattre et d'assurer les évacuations et le traitement médical du personnel. -2. Ensemble de méthodes et de moyens relatifs à l'organisation d'un service, d'une entreprise, etc., et comprenant les manutentions, les transports, les conditionnements

et parfois les approvisionnements. ◆ adj. -1. Relatif à la logistique militaire. -2. Qui a trait aux méthodes et aux moyens d'organisation d'une opération, d'un processus. -3. *Soutien logistique,* mission assurée par les organismes des services des armées (matériel, intendance, santé, etc.). ◆**logisticien** n.

LOGITHÈQUE n.f. Bibliothèque de logiciels.

LOGO n.m. Représentation graphique d'une marque commerciale, du sigle d'un organisme.

LOGOGRAPHE n.m. (du gr. *logos*, discours, et *graphein*, écrire). -1. Historien antérieur à Hérodote. -2. En Grèce, rhéteur qui rédigeait pour autrui des accusations ou des plaidoiries.

LOGOGRIPHE n.m. Énigme dans laquelle on compose, avec les lettres d'un mot, d'autres mots qu'il faut deviner, aussi bien que le mot principal. (Ainsi, avec le mot *orange,* on peut former *ange, orge, orage, onagre, organe, rage, rang,* etc.)

LOGOMACHIE [lɔgomaʃi] n.f. -1. PÉJ. Discussion sur les mots ou dans laquelle les interlocuteurs emploient les mêmes mots dans des sens différents. -2. Assemblage de mots creux dans un discours.

LOGONE (le), riv. de l'Afrique équatoriale, affl. du Chari (r. g.) ; 900 km.

LOGOPÉDIE n.f. (du gr. *logos*, parole, et *pais, paidos,* enfant). Technique qui a pour but de corriger les défauts de prononciation chez les enfants.

LOGORRHÉE n.f. (du gr. *logos*, parole, et *rhein*, couler). Flot de paroles désordonnées, incoercible et rapide, que l'on rencontre dans certains états maniaques.

LOGOS [lɔgɔs] n.m. -1. Rationalité suprême, conçue comme gouvernant le monde, dans certaines philosophies. -2. Verbe éternel incarné, dans l'Évangile de saint Jean.

LOGROÑO, v. d'Espagne, ch.-l. de la prov. de La Rioja, sur l'Èbre ; 122 254 hab. – Églises anciennes (XIIᵉ-XVIIIᵉ s.).

Lohengrin, héros d'une légende germanique rattachée au cycle des romans courtois sur la quête du Graal. Cette légende a inspiré à R. Wagner l'opéra *Lohengrin* (1850).

LOI n.f. -1. Prescription établie par l'autorité souveraine de l'État, applicable à tous, et définissant les droits et les devoirs de chacun : *Selon la loi en vigueur.* (V. ENCYCL.) -2. Ensemble des règles juridiques, des prescriptions légales : *Nul n'est censé ignorer la loi.* -3. Légalité : *Se mettre hors la loi.* -4. Autorité, domination sur qqn :

Dicter sa loi. -**5.** Règle qui s'impose à un individu dans son comportement, sa vie sociale, etc. : *Les lois de l'hospitalité.* -**6.** Ce qu'imposent les choses, les événements, les circonstances : *La loi du destin.* -**7.** Proposition générale énonçant des rapports nécessaires et constants entre des phénomènes physiques ou entre les constituants d'un ensemble : *Loi de la gravitation universelle.* -**8.** Ce que prescrit l'autorité divine ; ensemble des prescriptions propres à une religion. -**9.** Principe fondamental ; condition indispensable : *Lois de l'esthétique.* **DR.** *Loi(s) fondamentale(s),* la Constitution ou les textes formant la Constitution d'un pays ; sous l'Ancien Régime, ensemble des coutumes relatives à la transmission et à l'exercice du pouvoir. ‖ *Loi d'habilitation,* loi autorisant le gouvernement à prendre par ordonnances des mesures qui relèvent normalement du domaine de la loi. ‖ *Loi organique,* loi qui précise l'organisation des pouvoirs publics établis par la Constitution. ‖ *Loi d'orientation,* loi définissant un certain nombre de principes dans un domaine donné. ‖ *Loi de programme,* loi-programme. ‖ *Loi de règlement,* loi qui a pour objet de clore les dépenses et les recettes d'un exercice budgétaire. **PHILOS.** *Loi morale,* principe universel de détermination d'une volonté libre en vue d'une action. ‖ *Loi naturelle,* ensemble des règles de conduite fondées sur la nature de l'homme. **RELIG.** *Loi ancienne* ou *mosaïque,* prescriptions contenues dans l'Ancien Testament. ‖ *Loi divine,* ensemble des préceptes que Dieu a donnés aux hommes par la Révélation. ‖ *Loi nouvelle* ou *Loi du Christ,* prescriptions contenues dans le Nouveau Testament.

ENCYCL. L'initiative de la loi appartient de manière générale concurremment à l'exécutif et au législatif. Ainsi l'article 39 de la Constitution de la Ve République l'attribue au Premier ministre et aux membres du Parlement. En droit français, lorsque les textes émanent du Parlement on les appelle « propositions de loi » et lorsqu'ils émanent du gouvernement, « projets de loi ».

L'élaboration de la loi. Elle fait en règle générale intervenir les deux Assemblées. Les textes sont d'abord examinés par l'une ou l'autre des deux Assemblées (sauf pour les lois de finances, qui doivent d'abord être soumises aux députés), un processus de navette s'engageant ensuite. En effet, en cas de désaccord sur le texte après deux lectures par chaque Assemblée ou s'il y a urgence, afin d'éviter une navette indéfinie, le Premier ministre peut provoquer la réunion d'une commission mixte paritaire chargée de proposer un texte sur les dispositions entrant en discussion. Si la commission ne parvient pas à l'adoption d'un texte commun ou si son texte est refusé par les Assemblées, le gouvernement peut, après une nouvelle lecture par chacune d'elles, demander à l'Assemblée nationale de statuer définitivement.

La promulgation et la publication. La promulgation et la publication de la loi une fois adoptée sont le fait de l'exécutif. Selon la Constitution de 1958, le président de la République doit promulguer la loi dans un délai de 15 jours. Pendant ce délai, il a la possibilité de demander une nouvelle délibération de la loi ou d'en saisir le Conseil constitutionnel. Peuvent également le saisir avant promulgation le Premier ministre, les présidents des Assemblées et 60 députés ou 60 sénateurs. La loi et le décret la promulguant sont publiés au *Journal officiel.* Cette publication a pour effet de rendre la loi obligatoire, à Paris au bout d'un jour franc et, en province, un jour franc après l'arrivée du journal au chef-lieu d'arrondissement.

LOI-CADRE n.f. (pl. lois-cadres). Loi se bornant à définir les grands principes ou les grandes orientations d'une réforme dont la réalisation dans le détail est confiée au pouvoir réglementaire.

LOIN adv. -**1.** À une grande distance dans l'espace ou le temps : *Arme qui porte loin. Remonter loin dans l'histoire.* -**2.** SUISSE. *Être loin,* être absent.

LOINTAIN, E adj. -**1.** Qui se trouve à une grande distance dans l'espace ou dans le temps ; éloigné, indirect. -**2.** Absent, détaché de ce qui se passe ; dédaigneux. ◆ **lointain** n.m. -**1.** Plan situé à une grande distance : *Dans le lointain.* -**2.** (Souvent au pl.). Partie d'un tableau, d'un dessin représentant les lieux et les objets les plus éloignés.

LOI-PROGRAMME n.f. (pl. lois-programmes). -**1.** Loi autorisant le gouvernement à engager certaines dépenses dont le règlement est échelonné sur plusieurs exercices budgétaires annuels. (On dit aussi *loi de programme.*) -**2.** Loi dépourvue de caractère contraignant fixant les objectifs et les moyens de l'État dans un secteur déterminé.

LOIR n.m. Petit rongeur d'Europe méridionale et d'Asie Mineure, au pelage gris, frugivore, hibernant, familier des maisons isolées. (Long. 15 cm.)

LA LOGIQUE

Comparée à d'autres branches du savoir, la logique présente cette originalité qu'après avoir paru achevée, ou peu s'en faut, durant près de 2 000 ans et s'être tenue, dans le cadre défini par Aristote, en position d'auxiliaire d'autres disciplines en charge de l'investigation active du réel, elle a connu au XIXᵉ siècle un nouvel et prodigieux essor qui en a fait une science à part entière. Avec une technicité accrue et un domaine dont les limites ne sauraient d'ailleurs être assignées sans discussion, elle occupe désormais, entre mathématiques et réflexion sur le langage, une place stratégique dans le réseau complexe de la pensée moderne.

Historique.

Après Aristote, qui est le premier à dégager et à présenter rigoureusement les principes et procédures logiques, avec notamment la formalisation du syllogisme, l'école de Mégare et les stoïciens perfectionnent les méthodes d'inférence et posent le problème de la sémantique. La scolastique médiévale affine et perfectionne la logique aristotélicienne, qui, mis à part l'importance des travaux menés par les logiciens de Port-Royal et par Leibniz, fait encore autorité, d'un point de vue formel, aux yeux de Kant qui ne lui conçoit pas d'évolution possible. Il faut attendre les travaux de Bolzano, de Boole et de De Morgan, de Frege pour que la logique se sépare de la philosophie. Inventée par Boole et De Morgan, la logique binaire se développe. Frege est le vrai fondateur de la logique formelle. Le problème du fondement des mathématiques est au centre des travaux de R. Dedekind, de G. Peano, de D. Hilbert, de B. Russell ; ce dernier tente, ainsi que G. Cantor et E. Zermelo, de résoudre les antinomies de la théorie des ensembles. Enfin, L. Wittgenstein, R. Carnap, A. Church, L. Lukasiewicz, K. Gödel, W. Quine et A. Tarski représentent, au XXᵉ siècle, les principaux courants de la logique mathématique.

Problèmes théoriques.

La logique est *formelle,* ce qui signifie que les syllogismes classiques et les théorèmes de la logique moderne ne comportent pas de terme concret mais des symboles. Par exemple, un syllogisme sera imprimé par une loi logique du genre *si tout A est B et si tout B est C, alors tout A est C* (→ SYLLOGISME). La logique comme science de l'inférence correcte n'est pas tributaire de la manière propre dont un individu raisonne, de sa « psychologie ». Elle ne saurait non plus dépendre, Husserl l'a montré, d'une science expérimentale. Enfin, selon Carnap, les lois logiques, qui ne disent rien sur le monde, expriment les conventions qui règlent notre langage.

Les types de logique.

Logique classique, binaire ou bivalente. On appelle « binaire » une logique qui n'admet que deux valeurs de vérité : ou une proposition est vraie ou elle est fausse. – *Logiques plurivalentes et logiques modales.* La logique binaire exclut le possible, l'éventuel, etc. On a donc construit d'autres logiques, qui font place au vrai, au faux et au possible. Puis les découvertes de la mécanique quantique (relations d'incertitude de Heisenberg) ont remis en question le principe de contradiction, fondement de la logique binaire. – *Logique floue.* Elle est née à la suite de la critique de la logique binaire et à partir de la théorie des ensembles flous (→ FLOU). Ainsi l'existence de la pluralité des logiques possibles relie les fondements de chacune à son objet.

Trois axiomes de la logique classique.

Principe d'identité. Une variable ne peut pas à la fois être et ne pas être. On ne peut avoir à la fois A et non-A.

Principe de contradiction ou de non-contradiction. Une variable ou une proposition ne peut pas être et ne pas être vraie. Ou elle est vraie ou elle est fausse.

Principe du tiers exclu. De deux propositions contradictoires, si l'une est vraie l'autre est fausse et vice versa.

Voir aussi : MATHÉMATIQUES.

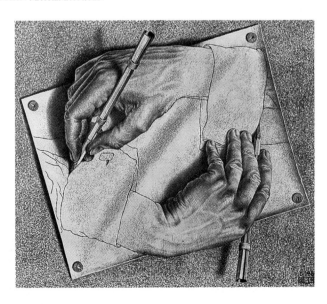

LE PARADOXE DU MENTEUR OU L'AUTORÉFÉRENCE
Les mains d'Escher dessinent justement les mains qui les dessinent... et ainsi de suite ❶. Ce dessin, qui s'interprète comme une suite infinie, est une illustration d'un paradoxe qui a été décrit depuis l'Antiquité. La première expression en est la suivante : tous les Crétois sont menteurs ; Épiménide est Crétois ; il dit : « Je mens ». Épiménide dit-il la vérité ? Non, parce qu'il est Crétois, donc menteur. Mais, s'il ment en disant « je mens », c'est qu'il dit la vérité. La contradiction est inévitable. Une forme plus simple du paradoxe a été proposée, au Moyen Âge, par le philosophe français Buridan. Écrivons la phrase suivante : « La phrase écrite ici est fausse. » Cette phrase est-elle vraie ? Oui, à la condition qu'elle soit fausse ! Il y a donc obstacle à la question de la vérité. Ce paradoxe pose le problème de ce qu'on appelle aujourd'hui l'autoréférence. La phrase de Buridan énonce un jugement sur elle-même. Il ne faut pas croire que l'autoréférence conduise nécessairement à une contradiction : elle est présente dans la langue quand on dit « je » ; mais elle peut y conduire si la phrase énonce un jugement sur sa propre vérité.

❶ Mains dessinant (1948), par M. C. Escher. (Haags Gemeentemuseum, La Haye.)

LOIR (le), affl. de la Sarthe (r. g.), qui passe à Châteaudun, Vendôme et La Flèche ; 311 km.

LOIRE (la), le plus long (1 020 km) et le seul grand fleuve entièrement français par son bassin (115 120 km²). Née à 1 408 m d'altitude au mont Gerbier-de-Jonc (Ardèche), à moins de 150 km de la Méditerranée, la Loire coule d'abord vers le N., entaillant le Massif central, avant d'entrer en plaine à Roanne (à 268 m), après un parcours de 285 km. Après avoir reçu l'Allier, elle décrit une grande courbe, drainant le sud du Bassin parisien, passant à Orléans et à Tours, recevant successivement le Cher, l'Indre, la Vienne et la Maine : c'est le *Val de Loire*. La Loire pénètre alors dans le Massif armoricain et atteint Nantes, peu en amont d'un long estuaire sur l'Atlantique. La Loire a un régime irrégulier (sauf en aval), aux crues surtout hivernales et aux basses eaux estivales très marquées. La navigation n'y est active qu'en aval de Nantes. Deux barrages récents (Naussac et Villerest) ont été établis dans son bassin supérieur pour régulariser le débit du fleuve et, surtout, pour refroidir les réacteurs nucléaires de Belleville-sur-Loire, de Dampierre-en-Burly, de Saint-Laurent-des-Eaux et d'Avoine. La Loire est devenue, comme le Rhône, un grand support de production énergétique.

LOIRE [42], dép. de la Région Rhône-Alpes ; ch.-l. de dép. *Saint-Étienne ;* ch.-l. d'arr. *Montbrison, Roanne ;* 3 arr., 40 cant., 327 comm. ; 4 781 km² ; 746 288 hab. Il est rattaché à l'académie et à la cour d'appel de Lyon, à la région militaire Méditerranée.

Loire *(armées de la),* forces organisées dans la région de la Loire à la fin de 1870 par le gouvernement de la Défense nationale pour tenter de débloquer Paris, assiégé par les Allemands.

Loire *(châteaux de la),* ensemble de demeures royales, seigneuriales ou bourgeoises édifiées dans l'Orléanais, le Blésois, la Touraine, l'Anjou aux XVᵉ et XVIᵉ siècles. Les principaux d'est en ouest sont : Valençay, Chambord, Blois, Chaumont, Chenonceaux, Amboise, Villandry, Azay-le-Rideau, le Plessis-Bourré, Langeais.

→ ● **DOSSIER** LES CHÂTEAUX DE LA LOIRE *page 3252.*

LOIRE (HAUTE-) [43], dép. de la Région Auvergne ; ch.-l. de dép. *Le Puy ;* ch.-l. d'arr. *Brioude, Yssingeaux ;* 3 arr., 35 cant.,

260 comm. ; 4 977 km² ; 206 568 hab. Il est rattaché à l'académie de Clermont-Ferrand, à la cour d'appel de Riom et à la région militaire Méditerranée.

LOIRE *(Pays de la),* Région de l'ouest de la France, regroupant les cinq départements suivants : Loire-Atlantique, Maine-et-Loire, Mayenne, Sarthe et Vendée ; 32 082 km² ; 3 059 112 hab. Ch.-l. *Nantes.* Allongés sur 250 km du Maine à la Vendée et larges de 150 de l'Atlantique à l'Anjou, les Pays de la Loire passent, du N. au S., d'affinités normandes (prairies, pommiers) à un ciel déjà méridional (vigne, fruitiers) et, d'O. en E., d'une pluviosité favorable à l'herbe à un ensoleillement propice aux céréales.

L'élevage (bovins surtout, mais aussi porcins) domine toutefois largement, malgré le développement, local, de spécialisations (vignobles, cultures florales et maraîchères). L'agriculture n'emploie guère plus de 10 % des actifs, part toutefois supérieure à la moyenne nationale. L'industrie en occupe plus du tiers. Elle comprend des branches traditionnelles (textile, travail du cuir, agroalimentaire, chantiers navals), parfois en difficulté, et des décentralisations récentes (constructions mécaniques et électriques). Elle est présente notamment à Nantes, Le Mans, Angers, les trois principales villes, dont la liaison autoroutière constitue l'axe régional majeur, et sur le littoral (Saint-Nazaire). Celui-ci est ponctuellement animé par le commerce (importations de pétrole et de gaz), le tourisme estival (notamment vers La Baule, Saint-Jean-de-Monts et Les Sables-d'Olonne) et la pêche. Entre 1982 et 1990, la population s'est accrue de près de 5 %, essentiellement par un excédent des naissances sur les décès. La densité moyenne n'est plus que légèrement inférieure à la moyenne nationale.

LOIRE-ATLANTIQUE [44], dép. de la Région Pays de la Loire ; ch.-l. de dép. *Nantes ;* ch.-l. d'arr. *Ancenis, Châteaubriant, Saint-Nazaire ;* 4 arr., 59 cant., 221 comm. ; 6 815 km² ; 1 052 183 hab. Il est rattaché à l'académie de Nantes, à la cour d'appel de Rennes et à la région militaire Atlantique.

LOIRET (le), affl. de la Loire (r. g.), au sud d'Orléans ; 12 km.

LOIRET [45], dép. de la Région Centre ; ch.-l. de dép. *Orléans ;* ch.-l. d'arr. *Montargis, Pithiviers ;* 3 arr., 41 cant., 334 comm. ; 6 775 km² ; 580 612 hab. Il est rattaché à l'académie d'Orléans-Tours, à la cour d'appel d'Orléans et à la région militaire Atlantique.

LOIR-ET-CHER [41], dép. de la Région Centre ; ch.-l. de dép. *Blois ;* ch.-l. d'arr. *Romorantin-Lanthenay, Vendôme ;* 3 arr., 31 cant., 291 comm. ; 6 343 km² ; 305 937 hab. Il est rattaché à l'académie d'Orléans-Tours, à la cour d'appel d'Orléans et à la région militaire Atlantique.

Lois ou **Légistes** *(école des),* école de pensée chinoise (IVᵉ et IIIᵉ s. av. J.-C.) qui a élaboré une philosophie politique caractérisée par son réalisme rigide (essentiellement une technique de gouvernement tyrannique) et par son souci de rationaliser les échanges économiques.

Lois (les) → PLATON.

LOISIBLE adj. *Il est loisible (de),* il est permis, possible (de).

LOISIR n.m. Temps dont qqn peut disposer en dehors de ses occupations ordinaires. ◆ pl. Distractions pendant les temps libres : *Des loisirs coûteux.*

LOISY (Alfred), exégète français (Ambrières, Marne, 1857 - Ceffonds, Haute-Marne, 1940). Prêtre (1879) et professeur à l'Institut catholique de Paris (1881-1893), il adopte les méthodes de la philologie et de la critique historique. Privé de sa chaire, il expose, dans plusieurs ouvrages sur les Évangiles qui sont mis à l'Index en 1903, sa conception historique

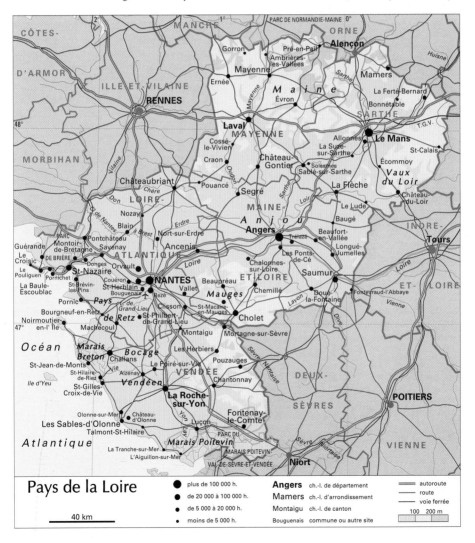

Pays de la Loire

du développement du christianisme. Il devient ainsi la grande figure du modernisme, qui sera condamné en 1907 par le décret *Lamentabili* et l'encyclique *Pascendi*. Excommunié en 1908, Loisy enseignera au Collège de France.

LOKEREN, v. de Belgique (Flandre-Orientale) ; 34 942 hab. – Monuments du xviiie siècle.

Lola Montes → OPHULS.

LOLLAND, île du Danemark, dans la Baltique, reliée à l'île de Falster par deux ponts ; 1 243 km² ; 82 000 hab. Ch.-l. *Maribo.*

LOLLARD n.m. -1. En Allemagne et aux Pays-Bas, au xive s., pénitent. -2. En Angleterre, prédicateur itinérant, disciple de Wycliffe.

LOMAS DE ZAMORA, banlieue résidentielle et industrielle de Buenos Aires ; 572 769 hab.

LOMBAGO n.m. → LUMBAGO.

LOMBAIRE adj. (du lat. *lumbus,* rein). Relatif aux lombes. ◆ n.f. Vertèbre lombaire.

LOMBALGIE n.f. Douleur de la région lombaire. SYN. (fam.) : **mal de** (ou **aux**) **reins.**

LOMBARD, E adj. et n. De Lombardie. ◆ adj. *Taux lombard,* taux appliqué aux banques commerciales de la République fédérale d'Allemagne pour leur refinancement auprès de la banque centrale.

lombarde *(Ligue),* ligue formée en 1167 par des villes guelfes, sous le patronage du pape Alexandre III, pour combattre Frédéric Ier Barberousse, qu'elle vainquit à la bataille de Legnano (1176).

LOMBARDIE, en ital. Lombardia, région du nord de l'Italie, couvrant 23 850 km², la plus peuplée du pays (8 831 264 hab.). Divisée en neuf provinces (Bergame, Brescia, Côme, Crémone, Mantoue, Milan, Pavie, Sondrio et Varèse), elle a pour capitale régionale Milan. GÉOGR. Sa situation, au cœur de la plaine padane d'une part, sur la voie des grandes routes transalpines d'autre part, est donc exceptionnelle. La Lombardie est la région la plus active du pays. L'industrie (constructions mécaniques et électriques, textile, chimie) domine. Localisée dans la « haute plaine », au N. de Milan, elle est complétée par un puissant équipement tertiaire (transport, commerce, finance). L'agriculture (riz, blé, maïs) y occupe également une place remarquable, notamment dans la « basse plaine », vers le sud.

LOMBARDO, sculpteurs et architectes italiens, dont les plus importants sont : **Pietro** (Carona, Lugano, v. 1435 - Venise 1515), surtout actif à Venise (monuments funéraires ; décor de marbres de l'église S. Maria dei Miracoli) ; son fils et aide **Tullio** (? v. 1455 - Venise 1532), auteur du gisant de Guidarello Guidarelli à Ravenne.

LOMBARDS, peuple germanique établi entre l'Elbe et l'Oder, puis au sud du Danube. Les Lombards envahirent l'Italie au vie siècle et fondèrent un royaume dont la capitale était Pavie (572). Battus par Charlemagne (773-774), qui prit le titre de roi des Lombards, ils maintinrent une dynastie à Bénévent jusqu'en 1047.

LOMBARD-VÉNITIEN *(Royaume),* nom porté de 1815 à 1859 par les possessions autrichiennes en Italie du Nord (Milanais, Vénétie) ; le royaume éclata en 1859, quand la Lombardie revint au Piémont. Son autre composante, la Vénétie, fut annexée en 1866 au royaume d'Italie.

LOMBARTHROSE n.f. Arthrose des articulations intervertébrales de la région lombaire.

LOMBES n.f. pl. Régions du dos situées de chaque côté de la colonne vertébrale, au-dessous de la cage thoracique, au-dessus du bassin et appelées familièrement les reins.

LOMBOK, île d'Indonésie, séparée de Bali par le *détroit de Lombok ;* 5 435 km² ; 1 300 000 hab.

LOMBO-SACRÉ, E adj. (pl. lombo-sacrés, es). Qui se rapporte au sacrum et à la cinquième vertèbre lombaire : *Articulation lombo-sacrée.*

LOMBOSTAT n.m. Corset orthopédique, destiné à soutenir la colonne vertébrale lombaire et sacrée.

LOMBRIC n.m. Ver annélide oligochète, appelé cour. *ver de terre,* qui creuse des galeries dans le sol humide, dont il se nourrit, contribuant ainsi à son aération et à sa fertilité. (Long. env. 30 cm.)

LOMBRIC

LOMBRICULTURE n.f. Élevage de lombrics destinés à la production d'engrais.

LOMBROSO (Cesare), médecin et criminologiste italien (Vérone 1835 - Turin 1909). Il dirigea l'hôpital psychiatrique de Pesaro (1871) et fonda la criminologie. Il établit des théories aujourd'hui désuètes sur les « criminels-nés », héréditaires, reconnaissables par des signes morphologiques.

LOMÉ, cap. et port du Togo, sur le golfe de Guinée ; 400 000 hab. Université.

Lomé *(convention de),* accords de coopération et d'aide au développement signés à Lomé en 1975, 1979, 1984 et 1989 (appelés Lomé I, II, III et IV) entre les Communautés européennes et un certain nombre de pays d'Afrique, des Caraïbes et du Pacifique (A. C. P.). La convention de Lomé IV (70 pays signataires), qui couvre la période de 1990 à 2000, a conféré à cette coopération un caractère multiforme touchant aux domaines économique et culturel, et à celui de l'environnement, cherchant par ailleurs à promouvoir les droits de l'homme et les libertés fondamentales.

LOMÉCHUSE [-kyz] n.f. Petit coléoptère qui se fait nourrir par les fourmis, en échange d'une sécrétion enivrante.

LOMÉNIE DE BRIENNE (Étienne de), prélat et homme d'État français (Paris 1727 - Sens 1794). Archevêque de Toulouse (1763), ministre des Finances en 1787, il entra en conflit avec les notables, dont il menaçait les privilèges, et se heurta au parlement de Paris, qu'il exila à Troyes (août-sept.), et à ceux de province. Il dut se retirer dès 1788. Archevêque

de Sens depuis 1787, puis cardinal (1788), il prêta serment à la Constitution civile du clergé.

LOMME, ch.-l. de c. du Nord, banlieue de Lille ; 26 807 hab.

LOMONOSSOV (Mikhaïl Vassilievitch), écrivain et savant russe (Denissovka, gouvern. d'Arkhangelsk, 1711 - Saint-Pétersbourg 1765). Il a laissé d'importants travaux sur la nature de l'air, la matière, l'électricité. Réformateur de la poésie russe et de la langue littéraire (*Grammaire russe,* 1755), il fit créer l'université de Moscou.

LONDON, v. du Canada (Ontario) ; 303 165 hab. (342 000 hab. dans l'agglomération). Centre financier. Constructions mécaniques et électriques.

LONDON (John Griffith **London,** dit **Jack**), écrivain américain (San Francisco 1876 - Glen Ellen, Californie, 1916). Il peignit dans ses romans des héros ardents et primitifs, aventuriers (*Martin Eden,* 1909) ou épris d'actions violentes (*le Loup des mers,* 1904), ainsi que l'existence mystérieuse des animaux (*Croc-Blanc,* 1905). Autodidacte devenu riche et célèbre, il ne cessa de dénoncer la société capitaliste. Il se suicida.

LONDONDERRY, port d'Irlande du Nord, sur le Foyle ; 88 000 hab. Textile. Chimie.

LONDRES, en angl. **London,** cap. de la Grande-Bretagne, sur la Tamise ;

Vue générale de **LONDRES** avec le Tower Bridge sur la Tamise et la « Tour de Londres ».

2 349 900 hab. (6 378 600 hab. pour le *Grand Londres*). [Hab. *Londoniens.*]

GÉOGRAPHIE

Métropole incontestée de la première puissance industrielle et maritime au XIXe siècle, capitale d'un immense empire alors en cours d'édification, Londres a perdu, progressivement, sa primauté. Elle demeure cependant une cité de rang mondial, l'une des plus grandes villes de l'Europe (avec Paris et Moscou).

Bien située à l'entrée de l'estuaire de la Tamise, grand carrefour routier, capitale politique (Westminster) depuis le XIe siècle, la ville a grandi en même temps que la puissance britannique. Elle était au XIXe siècle le plus grand port et la plus grande ville du monde (1 500 000 hab. en 1831). Cerné de banlieues concentriques, le centre de l'agglomération est encore marqué par l'opposition entre l'ouest, résidentiel, et l'est, plus populaire et industriel, partiellement rénové sur les rives de la Tamise (Docklands). La croissance du Grand Londres a été planifiée dès 1944, et limitée par une *ceinture verte* et par la création de plusieurs villes nouvelles au profit desquelles s'est dépeuplé le centre.

Outre les fonctions politiques et culturelles de capitale, Londres joue un rôle commercial et financier de premier plan. La City est l'une des premières places boursières du monde, elle abrite banques et compagnies d'assurances ainsi que les Bourses de matières premières (alimentaires et minérales). Le secteur tertiaire emploie les deux tiers des actifs. Cependant, l'agglomération concentre le quart des emplois de l'industrie britannique. Ceux-ci sont liés d'une part à un trafic portuaire encore notable, Londres demeurant le premier port britannique, avec le raffinage du pétrole et la chimie, d'autre part à la présence de capitaux et au poids du marché des biens de consommation (construction automobile, électronique, édition, etc.).

HISTOIRE

Centre stratégique et commercial de la Bretagne romaine *(Londinium),* ruinée par les invasions anglo-saxonnes (Ve s.), Londres renaît au VIe-VIIe siècle comme capitale du royaume d'Essex et siège d'un évêché. Enjeu des luttes entre les rois anglo-saxons et danois (X^e-XIe s.), elle est, à partir du XIIe siècle, la capitale de fait du royaume anglo-normand. Dotée d'une charte communale (1191), elle bénéficie du choix de Westminster, tout proche, comme siège du gouvernement ainsi que de l'installation des marchands de la Hanse. Siège du Parlement (1258), capitale officielle du royaume (1327), elle connaît une remarquable expansion, due à l'activité de son port et à l'essor de l'industrie drapière (XVe s.). Elle est ravagée par la peste en 1665 et par

Façade de la National Gallery (W. Wilkins, 1834) sur Trafalgar Square, à **LONDRES**.

l'incendie de 1666, mais, au XVIIIᵉ et au XIXᵉ siècle, le rythme de son développement s'accélère et Londres devient la capitale de la finance et du commerce internationaux. Pendant la Seconde Guerre mondiale, la ville est durement atteinte par les bombardements allemands.

ARTS

Les monuments les plus anciens.

Parmi ceux-ci, on citera : la Tour de Londres, dont le noyau remonte à Guillaume le Conquérant, à la limite orientale de la City ; le *Hall* du palais de Westminster (1097) ; l'église St Bartholomew the Great, à chœur roman ; l'église circulaire du Temple, en gothique primitif (1185) ; l'abbaye de Westminster (→ WESTMINSTER). Des palais de l'époque d'Henri VIII (style Tudor, teinté d'italianisme) subsistent des parties à Saint James et à Hampton Court. Au XVIIᵉ siècle, Inigo Jones adopte le classicisme palladien à Whitehall et au pavillon de la Reine de Greenwich.

De 1666 à aujourd'hui.

Après l'incendie de 1666, Wren dirige la reconstruction de nombreuses églises et celle de la cathédrale St Paul, aux proportions colossales ; son émule, James Gibbs, édifie, entre autres, St Martin in the Fields (1722). La croissance de la ville se poursuit, surtout vers l'ouest, dans la seconde moitié du XVIIIᵉ siècle (quartier des *Adelphi,* auj. dénaturé, par R. Adam) et au début du XIXᵉ (J. Nash : Buckingham Palace ; Carlton House Terrace, auj. Institut des arts contemporains). L'ère victorienne s'illustre dans le style néogothique (Parlement de Westminster) et dans l'architecture de fer (gare S. Pancras, 1863). Parmi les créations récentes figurent l'ensemble culturel de la rive droite de la Tamise (Festival Hall [1951], Hayward Gallery...), le Barbican Centre (v. 1975) dans la City, et les Docklands, reconversion d'un ensemble d'anciens docks de la Tamise (vers 1990).

Grand centre de l'école anglaise de peinture, Londres a également vu s'épanouir les métiers d'art : mobilier, tapisseries de Mortlake ou de Soho, orfèvrerie, porcelaines de Chelsea... Les musées sont à la mesure du rôle national et international de la ville : British Museum, National Gallery, Tate Gallery, Victoria and Albert Museum (voir à leur nom), Wallace Collection (peintures et sculptures des écoles européennes, mobilier, objets d'art), Institut Courtauld (primitifs italiens, impressionnistes français...), etc.

LONDRES (Albert), journaliste français (Vichy 1884 - dans l'océan Indien, lors de l'incendie du *Georges-Philippar,* 1932). Un prix de journalisme, fondé en 1933 et décerné annuellement, porte le nom de ce grand reporter.

LONDRINA, v. du Brésil (Paraná) ; 388 331 hab.

LONG, LONGUE adj. -**1.** Qui a telle mesure d'une extrémité à l'autre : *Long de 100 mètres.* -**2.** Qui s'étend sur une grande distance, une grande longueur : *Longue rue.* -**3.** Qui se caractérise par sa longueur, par opp. à un type normal plus court ou à un type plat, rond, etc. : *Muscles longs.* - **4.** Qui a telle durée : *Une attente longue de deux heures.* -**5.** Qui dure longtemps : *Long voyage.* - **6.** Se dit d'une œuvre, d'un discours, d'un texte qui ont un développement important. -**7.** FAM. Se dit d'une personne qui met beaucoup de temps à faire qqch. -**8.** *Syllabe, voyelle longue* ou *longue,* n.f., syllabe, voyelle dont la durée d'émission est relativement importante, par opp. à *brève.* ◆**long** n.m. Longueur : *Une table de 2 m de long.* ◆**long** adv. *En savoir long,* être bien informé. ◆**longue** n.f. -**1.** Jeu de boules pratiqué dans le midi de la France. -**2.** Syllabe ou voyelle longue. -**3.** Note longue.

LONG (Marguerite), pianiste française (Nîmes 1874 - Paris 1966). Interprète de Debussy, Fauré, Ravel, elle a fondé une école d'enseignement et un concours international avec le violoniste Jacques Thibaud (1946).

LONGANE n.m. (chin. *long-yen,* œil de dragon). Fruit comestible, de couleur rose ou pourpre, dont la graine est munie d'une enveloppe charnue, blanchâtre (Asie, Océanie).

LONGANIMITÉ n.f. LITT. -**1.** Patience à supporter ses propres maux. -**2.** Indulgence qui porte à pardonner ce qu'on pourrait punir.

LONG BEACH, port des États-Unis (Californie), banlieue de Los Angeles ; 429 433 hab. Aéronautique. — Musée de la Navigation, à bord de l'ancien paquebot britannique *Queen Mary.*

LONG-COURRIER n.m. (pl. long-courriers). -**1.** Avion de transport destiné à voler sur de très longues distances (6 000 km au moins). -**2.** Navire effectuant une navigation au long cours.

LONG DRINK [lɔ̃gdrink] n.m. (pl. long drinks). Boisson alcoolisée allongée d'eau ou de soda.

1. LONGE n.f. -**1.** Courroie pour attacher un cheval, le conduire à la main ou le faire travailler en cercle autour d'un cavalier. -**2.** Longue courroie pour attacher ou mener un animal.

les châteaux de la Loire

France

Des demeures raffinées

La dynastie royale des Valois a aimé le Val de Loire, région réputée pour la douceur de son climat, la beauté de ses paysages et pour ses forêts giboyeuses. Au XVIᵉ siècle, sous l'impulsion des rois de France, la Renaissance française trouve dans le Val de Loire un lieu où s'épanouir. Les guerres menées en Italie ont permis de découvrir des cours brillantes, éprises de luxe et de beauté, renouant avec les raffinements de l'Antiquité. On fait alors venir des artistes et des ouvriers italiens qui collaborent avec les bâtisseurs tourangeaux ou angevins. Les châteaux et les palais qu'ils édifient, originaux par leur architecture, fastueux par leur décoration, sont destinés, non plus à la guerre, mais à l'agrément et au plaisir.

Blois, cour intérieure et aile Louis XII, ▶
élevée à partir de 1498.

double page suivante :
Chambord, dont le chantier fut lancé par François Iᵉʳ en 1519.

◄ Chenonceaux,
bâti à partir de 1515
sur le Cher et relié
à la rive par un pont
sur lequel Catherine
de Médicis fit élever,
à la fin du XVIᵉ siècle,
deux étages
de galeries.

Les appartements de Langeais, ►
château dont Louis XI entreprit
la construction en 1465
pour protéger le Val de Loire
d'une incursion bretonne.

◄ Clochetons, tourelles
et cheminées ouvragées
ornant les toits
et les terrasses
de Chambord.

Plafond ►
à solives peintes
(époque Louis XIII)
du château
de Beauregard.

2. **LONGE** n.f. *Longe de porc,* partie supérieure des régions cervicale, lombaire et sacrée. ‖ *Longe de veau,* morceau correspondant aux lombes.

LONGER v.t. [17]. Suivre le bord d'un lieu : *Longer la rivière. Le bois longe la côte.*

LONGERON n.m. Pièce maîtresse de l'ossature d'une machine, d'une aile d'avion, d'une construction en charpente, etc., disposée dans le sens de la longueur ; partic., poutre longitudinale du tablier d'un pont.

LONGÉVITÉ n.f. -1. Longue durée de vie : *La longévité des carpes.* -2. Durée de la vie en général.

LONGFELLOW (Henry Wadsworth), poète américain (Portland 1807 - Cambridge, Massachusetts, 1882). Il contribua à répandre la culture européenne aux États-Unis et publia des poèmes romantiques (*Evangeline,* 1847).

LONGHENA (Baldassare), architecte italien (Venise 1598 - *id.* 1682). Il a su combiner, à Venise, la dynamique du baroque et la noblesse palladienne (église de la Salute, à plan central, entreprise en 1631, consacrée en 1687 ; palais Pesaro, v. 1650).

Le palais Pesaro à Venise, entrepris vers 1650 par Baldassare **LONGHENA.**

LONGHI (Pietro Falca, dit Pietro), peintre et graveur italien (Venise 1702 - *id.* 1785). Ses toiles, évoquant les aspects divers de la vie populaire ou mondaine, valent par le sens de l'observation et la délicatesse du coloris.

LONGICORNE adj. et n.m. Capricorne ; cérambycidé.

LONGILIGNE adj. Se dit d'une personne élancée, aux membres longs et minces. CONTR. : bréviligne.

LONGIN (*saint*), martyr du Ier siècle (m. à Césarée de Cappadoce). Ce centurion romain

aurait été converti pendant la Passion, après qu'il eut percé de sa lance le flanc du Christ.

LONG ISLAND, île sur laquelle est bâti Brooklyn, quartier de New York, et séparée du continent par un long détroit.

LONGITUDE n.f. Angle dièdre formé, en un lieu donné, par le méridien du lieu avec le méridien de Greenwich, et compté de 0 à $\pm\, 180^0$, à partir de cette origine, positivement vers l'ouest, négativement vers l'est.

longitudes (*Bureau des*), organisme scientifique français institué en 1795 en vue de perfectionner l'astronomie et les sciences qui lui sont liées. Il publie chaque année la *Connaissance des temps* et des éphémérides astronomiques.

LONGITUDINAL, E, AUX adj. Qui est fait dans la longueur, dans le sens de la longueur.

LONG-JOINTÉ, E adj. (pl. long-jointés, es). Se dit d'un cheval, d'une jument qui ont les paturons trop longs.

LONGMEN, grottes chinoises (Henan). Creusées à partir de 494, par les Wei du Nord, ces fondations bouddhiques restèrent en activité jusqu'au Xe siècle. Reliefs et sculptures se caractérisent par l'élégance des formes et l'intensité spirituelle de l'expression.

LONG-MÉTRAGE ou **LONG MÉTRAGE** n.m. (pl. longs[-]métrages). Film dont la durée dépasse une heure.

LONGOTTE n.f. Tissu de coton épais et lourd.

LONGRINE n.f. Pièce de construction horizontale reposant sur plusieurs points d'appui sur lesquels elle répartit une charge.

LONGTEMPS adv. Pendant un long espace de temps.

LONGUE n.f. → LONG.

LONGUE (*île*), bande de terre de la partie nord de la presqu'île de Crozon (Finistère), sur la rade de Brest. — Base, depuis 1970, des sous-marins nucléaires lanceurs d'engins.

Longue Marche (la), mouvement de retraite des communistes chinois (1934-35) sous l'égide de Mao Zedong. Pour échapper aux nationalistes, ils traversèrent la Chine du sud au nord (Shanxi) en faisant un long crochet par le Sud-Ouest, perdant plus des trois quarts de leurs effectifs (100 000 à l'origine).

LONGUEMENT adv. Pendant un long moment.

LONGUET n.m. Petit pain long et mince.

LONGUEUIL, v. du Canada (Québec), banlieue de Montréal, sur le Saint-Laurent ; 129 874 hab.

LONGUEUR n.f. -1. Dimension d'une chose dans le sens de sa plus grande étendue, par opp. à *largeur*. -2. Espace de temps que dure une chose : *La longueur des jours*. -3. Durée supérieure à la normale ; durée excessive. MATH. Mesure du côté le plus grand d'un rectangle. ‖ Distance entre les extrémités d'un segment. ‖ Valeur de la différence entre les bornes supérieure et inférieure d'un intervalle. SPORTS. Unité de mesure égale à la longueur d'un cheval, d'un véhicule, d'une embarcation, etc., servant à évaluer la distance entre les concurrents à l'arrivée d'une course. ‖ *La longueur*, la spécialité sportive du saut en longueur, consistant à sauter le plus loin possible, après une course d'élan, d'une planche d'appel. ◆ pl. Développements longs et inutiles dans un texte, un film, etc.

LONGUEVILLE (Anne, *duchesse* de), sœur du Grand Condé (Vincennes 1619 - Paris 1679). Ennemie de Mazarin, elle joua un rôle important pendant la Fronde.

LONGUE-VUE n.f. (pl. longues-vues). Lunette d'approche.

LONGUS, écrivain grec (Lesbos ? IIe ou IIIe s. apr. J.-C.). On lui attribue le roman pastoral de *Daphnis et Chloé.*

LONGWY, ch.-l. de c. de Meurthe-et-Moselle ; 15 647 hab. *(Longoviciens).* Métallurgie.

LON NOL, maréchal et homme d'État cambodgien (Kompong-Leau 1913 - Fullerton, Californie, 1985). Commandant en chef des forces armées (1959), puis Premier ministre (1966 et 1969), il destitua le prince Norodom Sihanouk (1970). Président de la République, il établit une dictature militaire (1972-1975) jusqu'à la prise de Phnom Penh par les Khmers rouges.

LÖNNROT (Elias), écrivain finlandais (Sammatti 1802 - *id.* 1884). Il recueillit les chants populaires de Carélie et les publia sous le titre de *Kalevala.* (→ KALEVALA.)

LONS-LE-SAUNIER, ch.-l. du dép. du Jura, à 400 km au sud-est de Paris ; 20 140 hab. *(Lédoniens).* Centre administratif et commercial. Fromagerie. – Église St-Désiré, en partie du XIe siècle. Musée.

LOOK [luk] n.m. FAM. Image donnée par qqn, qqch : *Elle a changé de look. Le nouveau look d'un magazine.*

LOOPING [lupiŋ] n.m. Exercice de voltige aérienne consistant à faire une boucle dans un plan vertical. SYN. (anc.) : **boucle.**

LOOS (Adolf), architecte autrichien (Brünn, auj. Brno, 1870 - Kalksburg, auj. dans Vienne, 1933). Sa conférence *Ornement et Crime,* prononcée en 1908 à Vienne, fut le manifeste du dépouillement intégral dans l'architecture moderne.

LOPBURI, v. de Thaïlande, ch.-l. de prov. ; 37 000 hab. – Temples (prang ou hautes tours reliquaires) des XIIIe -XIVe s. Important site archéologique.

LOPE DE VEGA → VEGA CARPIO.

LOPETTE n.f. Oiseau gallinacé de l'Himalaya, à plumage éclatant et varié.

LOPIN n.m. -1. Petite parcelle de terrain. -2. Masse métallique destinée à être formée par action mécanique à chaud.

LOQUACE [lɔkas] adj. Qui parle beaucoup.

LOQUACITÉ n.f. Fait d'être loquace.

LOQUE n.f. -1. (Souvent au pl.). Vieux vêtement ; vêtement très abîmé. -2. BELGIQUE. Étoffe servant au nettoyage des sols, au ménage. -3. Personne sans énergie, usée par les échecs, la maladie, etc.

LOQUET n.m. Barre mobile autour d'un pivot, servant à fermer une porte par la pression d'un ressort ou par son propre poids.

LOQUETEAU n.m. Petit loquet pour la fermeture des châssis, des persiennes, etc.

LORAN n.m. (sigle de *LOng Range Aid to Navigation,* aide à la navigation à grande distance). Procédé de radionavigation permettant à un aviateur ou à un navigateur de déterminer sa position par rapport à trois stations émettrices fixes.

LORD [lɔr] ou [lɔrd] n.m. -1. Titre usuel des pairs britanniques (ducs, marquis, comtes, vicomtes et barons). -2. Membre de la Chambre des lords.

LORD-MAIRE n.m. (pl. lords-maires). Premier magistrat de certaines villes britanniques.

LORDOSE n.f. -1. Courbure normale, à convexité antérieure, des parties cervicale et lombaire de la colonne vertébrale. SYN. : **ensellure.** -2. Exagération pathologique de cette courbure.

lords (*Chambre des),* chambre haute en Grande-Bretagne. L'origine de la Chambre des lords se confond avec celle du Parlement. Issue du grand conseil, elle acquit une importance croissante du début du XIIIe siècle (la Grande Charte) jusqu'au milieu du XVe (guerre des Deux-Roses). À partir du milieu du XIVe siècle, la distinction est faite entre la Chambre des

Fresque des *Effets du bon gouvernement dans la cité*, peinte v. 1338 par Ambrogio **LORENZETTI** au Palais public de Sienne.

lords et celle des communes, dont l'autorité se renforce aux XVIIᵉ et XVIIIᵉ siècles. Privée d'une grande partie de son pouvoir législatif par les lois de 1911 et de 1949, la Chambre des lords conserve toutefois un pouvoir juridictionnel de tribunal supérieur d'appel. Elle comprend aujourd'hui un millier de membres (archevêques et évêques anglicans, pairs héréditaires et pairs à vie, dont neuf lords d'appel).

Lorelei *(la)*, personnage féminin fabuleux qui, de la falaise de la Lorelei, attirait par son charme les bateliers du Rhin et provoquait des naufrages.

LOREN (Sofia Scicolone, dite Sophia), actrice italienne (Rome 1934). Elle a marqué tous ses rôles d'un style qui mêle élégance et passion (*La Ciociara*, 1960, V. De Sica ; *la Comtesse de Hong-Kong*, 1967, C. Chaplin ; *Une journée particulière*, 1977, E. Scola).

LORENTZ (Hendrik Antoon), physicien néerlandais (Arnhem 1853 - Haarlem 1928). Sa théorie électronique de la matière décrit le comportement individuel des électrons et complète la théorie macroscopique de Maxwell. Pour interpréter le résultat négatif de l'expérience de Michelson, il énonça les formules de transformation liant les longueurs, les masses et le temps de deux systèmes en mouvement rectiligne uniforme l'un par rapport à l'autre. (Prix Nobel 1902.)

LORENZ (Konrad), éthologiste et zoologiste autrichien (Vienne 1903 - Altenberg, Basse-Autriche, 1989). Un des fondateurs de l'étholo-

gie moderne, il a approfondi la notion d'empreinte et développé une théorie sur les aspects innés et acquis du comportement. Il s'est aussi interrogé sur les fondements biologiques de l'ordre social (*Il parlait avec les mammifères, les oiseaux et les poissons*, 1949 ; *l'Agression*, 1963 ; *Essais sur le comportement animal et humain*, 1965 ; *les Huit Péchés capitaux de notre civilisation*, 1973.) [Prix Nobel 1973.]

Lorenzaccio, drame en 5 actes, en prose, d'A. de Musset (1834), qui met en scène le meurtre d'Alexandre de Médicis par son cousin Lorenzo. Alexandre tué, Florence se hâte de se donner un nouveau maître, et Lorenzo, dont la tête est mise à prix, est assassiné à Venise. Ce drame est le chef-d'œuvre du drame romantique français.

LORENZETTI (les frères), peintres italiens : **Pietro** (Sienne v. 1280 - *id.* 1348 ?) et **Ambrogio** (documenté à Sienne de 1319 à 1347). S'écartant de la pure élégance gothique, ils innovent en empruntant à l'exemple de Giotto et de la sculpture toscane (retables ; fresques de Pietro dans la basilique inférieure d'Assise, d'Ambrogio au Palais public de Sienne [*Effets du bon et du mauvais gouvernement*]).

LORESTAN ou **LURISTAN**, région montagneuse de l'Iran, dans le Zagros, au sud de Kermanchah. Ce pays est célèbre pour la richesse du mobilier funéraire en bronze (parures, armes, pièces de harnachement de chevaux) qui y fut découvert. La production,

Plaque de mors en bronze provenant du
LORESTAN. VIIIᵉ s. av. J.-C. (Musée du Louvre, Paris.)

échelonnée du IIIᵉ millénaire au VIIᵉ s. av. J.-C.,
est remarquable à partir du XIIIᵉ s. av. J.-C. par
la puissance de sa stylisation animalière.

LORGNER v.t. -1. Regarder qqn, qqch du coin
de l'œil, avec insistance et avec une intention
particulière. -2. Convoiter qqch secrètement :
Lorgner une place.

LORGNETTE n.f. Petite lunette d'approche
portative.

LORGNON n.m. Lunettes sans branches qu'on
tient à la main ou qu'un ressort fait tenir sur
le nez.

LORI n.m. Petit perroquet d'Océanie.

LORICAIRE n.m. (lat. *lorica,* cuirasse). Poisson
originaire de l'Amérique du Sud, voisin du
poisson-chat, parfois élevé en aquarium entre
17 et 26 °C. (Long. de 10 à 15 cm ; famille des
siluridés.)

LORIENT, ch.-l. d'arr. du Morbihan, sur la ria
formée par les embouchures du Scorff et du
Blavet ; 61 630 hab. *(Lorientais) ;* l'agglomération compte plus de 120 000 hab. Important
port de pêche. Conserveries. Constructions
mécaniques. – Musée de la Mer. – Port
militaire et, à l'ouest, base aéronavale de
Lann-Bihoué.

LORIN (René), ingénieur et inventeur français
(? 1877 - Paris 1933). Il est l'inventeur du
concept de statoréacteur (1907).

LORIOT n.m. (du lat. *aureolus,* d'or). Oiseau
passereau jaune et noir (mâle) ou verdâtre
(femelle), au chant sonore, vivant dans les
bois, les vergers, où il se nourrit de fruits et
d'insectes.

LORIQUET n.m. Petit perroquet de l'Inde, de
la Malaisie et du Pacifique ouest, au plumage
vert, souvent élevé en volière.

LORIS [lɔris] n.m. Mammifère primate de
l'Inde, de mœurs nocturnes. (Long. 20 cm ;
sous-ordre des lémuriens.)

LORME (Marion de) [Baye, Champagne,
1611 - Paris 1650], courtisane célèbre par sa
beauté. Elle est l'héroïne d'un drame de
V. Hugo, *Marion de Lorme* (1831).

LORRAIN, E adj. et n. De Lorraine. ◆**lorrain**
n.m. Dialecte de langue d'oïl parlé en Lorraine.

LORRAIN ou **LE LORRAIN** (Claude Gellée,
dit **Claude**), peintre français (Chamagne, dio-
cèse de Toul, 1600 - Rome 1682). C'est à
Rome, où il acquiert l'essentiel de sa formation
auprès du paysagiste A. Tassi (élève de P. Bril),
qu'il mène sa carrière et bâtit sa réputation.
Observateur passionné de la nature, il mêle
réalisme et idéalisation dans des paysages,
genre alors mineur, où les effets de lumière,
la vibration de l'air et les lointains composent
l'atmosphère poétique (*Port de mer au soleil
couchant,* 1639, Louvre). Néanmoins, les sujets
mythologiques ou bibliques ne sont pas un
simple prétexte dans son œuvre, et les personnages s'intègrent selon un sentiment harmo-
nieux de la fable aux plans rigoureusement
construits de ses compositions (*le Jugement de
Pâris,* v. 1645, Nat. Gal. of Art, Washington).
L'exceptionnelle qualité synthétique de ses
dessins (études d'après nature ; travaux prépa-
ratoires ; répliques de tableaux formant le *Liber
veritatis* du British Museum), tout autant que
son style pictural, a justifié sa célébrité et son
influence, notamment en Angleterre.
(*Voir illustration p. suivante.*)

LORRAINE, Région de l'est de la France
groupant les dép. suivants : Meurthe-et-Moselle, Meuse, Moselle et Vosges ; 23 547 km² ;
2 305 726 hab. *(Lorrains)* ; ch.-l. *Metz.*

GÉOGRAPHIE

Le milieu naturel. La Lorraine est une
région de plateaux s'élevant sur l'Est vosgien
et dominant avec les Côtes de Moselle et les
Côtes (ou Hauts) de Meuse, des vallées orientées S.-N. Elle possède un climat frais et assez
humide. Elle est moyennement peuplée, avec
une densité proche du chiffre national. Deux
des départements, la Moselle et la Meurthe-et-
Moselle, sont urbanisés et anciennement industrialisés. Ils sont reliés par la vallée de la
Moselle, axe de peuplement et de circulation.
Les deux autres départements, Vosges et surtout Meuse, sont demeurés plus ruraux. L'élevage bovin y domine notamment pour le lait.

Claude **LORRAIN** : *l'Enlèvement d'Europe* (1634). [Kimbell Art Museum, Fort Worth.]

L'économie et la population. La région est longtemps apparue comme l'un des bastions de l'industrie française. Mais ses bases ont vacillé, qu'il s'agisse du minerai de fer, pénalisé par sa faible teneur, de la sidérurgie en crise, après avoir été négligée au profit des sites maritimes, du textile vosgien ou même du charbon. Les opérations de reconversion (implantation de la construction automobile surtout) n'ont pas compensé ce déclin et la population a récemment légèrement diminué, surtout dans la Meuse et les Vosges, les départements déjà les moins peuplés. Pourtant la Région dispose d'atouts. Limitrophe de la Belgique, du Luxembourg et de l'Allemagne, c'est un carrefour assez bien valorisé par les voies de communication, avec notamment un quadrillage autoroutier. Elle possède aussi un certain potentiel touristique : parc régional de Lorraine, parties des parcs régionaux des Vosges du Nord et des Ballons des Vosges. Elle souffre cependant de l'absence de grande ville, Metz et Nancy sont plus rivales que complémentaires, de celle d'industries de pointe, partiellement liée à un développement relativement tardif des équipements scientifiques et culturels.

HISTOIRE

À partir du VIᵉ siècle, la région fut le cœur de l'Austrasie (cap. *Metz*). Le traité de Verdun (843) l'attribue à Lothaire Iᵉʳ. Lors du partage de 855, elle revient à Lothaire II, pour qui est créé le royaume de Lotharingie. Ce royaume, disputé entre la France et la Germanie, est intégré au royaume de Germanie (925) dont il constitue un duché. Vers 960, la Lotharingie est divisée en Haute-Lotharingie (futur duché de Lorraine) et Basse-Lotharingie (futur duché de Brabant). Le duché de Lorraine est déchiré à partir du XIVᵉ siècle entre les influences rivales de la France, de la Bourgogne et du Saint Empire. La France s'empare des Trois-Évêchés, Metz, Toul et Verdun, en 1552. Elle se fait céder en 1766 la Lorraine, qui avait été attribuée en 1738 à Stanislas Leszczyński, beau-père de Louis XV. En 1871, une partie de la Lorraine (aujourd'hui département de la Moselle) est annexée par l'Allemagne (→ ALSACE-LORRAINE). Ce territoire fait retour à la France en 1919. Il est à nouveau annexé par l'Allemagne de 1940 à 1944, alors que le reste de la Lorraine est occupé jusqu'à la Libération.

LORRAINE BELGE → GAUME.

LORRE (László Lœwenstein, dit Peter), acteur de cinéma allemand d'origine hongroise (Rosenberg, auj. Ružomberok, Slovaquie 1904 - Hollywood 1964). Révélé par son rôle dans *M le Maudit* (1931), il interpréta, aux États-Unis, la série des *Mr. Moto* (1937 à 1940), *le Faucon maltais* (1941), *Casablanca* (1943), *Arsenic et Vieilles dentelles* (1944). En 1951, il réalise en Allemagne un film antinazi, *Un homme perdu*.

LORRIS (Guillaume de) → GUILLAUME DE LORRIS.

LORRY [lɔri] n.m. (pl. lorrys ou lorries). Petit chariot à quatre roues que l'on pousse à la main sur une voie ferrée pour le transport des matériaux.

LORS [lɔr] adv. *Depuis lors,* depuis ce temps-là. ‖ *Dès lors,* dès ce temps-là ; par conséquent. *Lors de,* à l'époque, au moment de : *Lors de son mariage.*

LORSQUE [lɔrsk(ə)] conj. Indique un rapport de temps ; quand, au moment où.

LOS ALAMOS, localité des États-Unis (Nou-

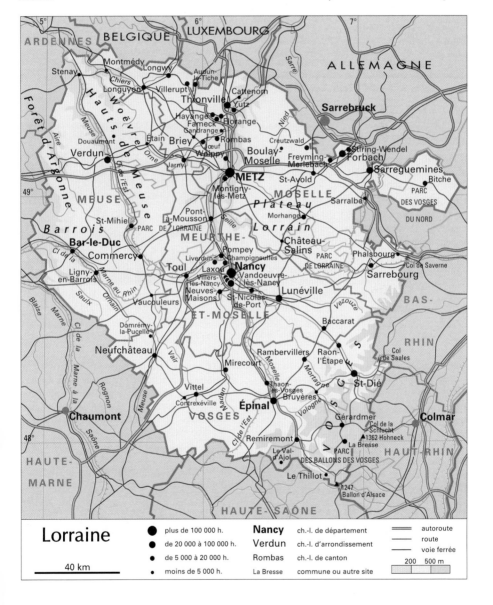

Lorraine

40 km

● plus de 100 000 h.
● de 20 000 à 100 000 h.
● de 5 000 à 20 000 h.
• moins de 5 000 h.

Nancy ch.-l. de département
Verdun ch.-l. d'arrondissement
Rombas ch.-l. de canton
La Bresse commune ou autre site

═══ autoroute
──── route
──── voie ferrée

200   500 m

Une rue dans le centre de **LOS ANGELES.**

veau-Mexique). — La première bombe atomique y fut assemblée en 1945.

LOSANGE n.m. Quadrilatère dont les quatre côtés ont même longueur et dont les diagonales sont perpendiculaires.

LOS ANGELES, port des États-Unis (Californie) ; 3 485 398 hab. (8 863 164 dans l'agglomération, la deuxième des États-Unis, avec d'importantes minorités, notamment hispanophone et noire). Construite selon un plan en damier, la ville s'étend sur une centaine de kilomètres d'O. en E. Hollywood est son plus prestigieux quartier. Centre culturel et artistique (universités, musées), financier et industriel. — Musée d'Art (LACMA), à vocation universelle ; musée d'Art contemporain (MOCA).

Los Angeles Times, quotidien américain fondé en 1881, qui appartient au groupe *Times Mirror.*

LOSCHMIDT (Joseph), physicien autrichien (Putschirn, auj. dans Karlovy Vary, 1821 - Vienne 1895). Il a donné en 1865 une première évaluation du nombre d'Avogadro, mais ses principaux travaux ont porté sur la théorie cinétique des gaz et la thermodynamique.

LOSER [luzœr] n.m. FAM. Minable, raté.

LOSEY (Joseph), cinéaste américain (La Crosse, Wisconsin, 1909 - Londres 1984). Moraliste lucide et intransigeant, contraint par le maccarthysme à l'exil, il acquit en Grande-Bretagne une réputation internationale : *The Servant* (1963), *Accident* (1967), *le Messager*

Dirk Bogarde dans une scène du film de Joseph **LOSEY** *The Servant* (1963).

(1971), *Monsieur Klein* (1976), *Don Giovanni* (1979).

LOT n.m. -1. Part qui revient à chacun dans un partage. -2. Fraction d'un terrain destiné à être vendu par parcelles. -3. Ensemble d'articles, d'objets assortis, de marchandises vendues ensemble. -4. Ce qui revient à qqn dont le numéro est sorti dans une loterie : *Tirer le gros lot.* -5. LITT. Ce qui échoit à chacun, ce que le hasard, le destin lui réserve. -6. Ensemble fini de travaux informatiques destinés à être traités d'un seul tenant en différé. -7. *Traitement par lots,* mode d'exploitation d'un ordinateur dans lequel les programmes devant être exécutés sont stockés par ordre d'arrivée, puis mis en œuvre périodiquement l'un après l'autre en fonction de leurs priorités éventuelles.

LOT (le), riv. du Massif central et du bassin d'Aquitaine, née près du mont Lozère et affluent de la Garonne (r. dr.) ; 480 km. Il passe à Mende, Cahors et Villeneuve-sur-Lot.

LOT [46], dép. de la Région Midi-Pyrénées, formé par la majeure partie du Quercy ; ch.-l. de dép. *Cahors ;* ch.l. d'arr. *Figeac, Gourdon ;* 3 arr., 31 cant., 340 comm. ; 5 217 km² ; 155 816 hab. *(Lotois).* Il est rattaché à l'académie de Toulouse, à la cour d'appel d'Agen et à la région militaire Atlantique.

LOT ou **LOTH,** personnage biblique, neveu d'Abraham. Établi à Sodome, il échappa à la destruction de la ville. L'histoire de sa femme, changée en statue de sel pour avoir regardé en arrière, évoque les blocs salins aux formes étranges des bords de la mer Morte.

LOTE n.f. → LOTTE.

LOTERIE n.f. -1. Jeu de hasard qui consiste à tirer au sort des numéros désignant des billets gagnants et donnant droit à des lots. -2. Ce qui est régi par le hasard. -3. *Loterie nationale,* en France, loterie instituée par l'État en 1933 et supprimée en 1990.

LOT-ET-GARONNE [47], dép. de la Région Aquitaine ; ch.-l. de dép. *Agen ;* ch.l. d'arr. *Marmande, Nérac, Villeneuve-sur-Lot ;* 4 arr., 40 cant., 317 comm. ; 5 361 km² ; 305 989 hab. Il est rattaché à l'académie de Bordeaux, à la cour d'appel d'Agen et à la région militaire Atlantique.

LOTHAIRE Iᵉʳ (795 - Prüm 855), empereur d'Occident (840-855), fils de Louis Iᵉʳ le Pieux. Il se révolta contre son père, à la mort duquel il voulut garder l'intégralité de l'Empire pour lui-même. Mais il se vit imposer par ses frères le partage de Verdun (843), qui ne lui laissa que la dignité impériale et un royaume étriqué, étendu de l'Italie à la Frise.

LOTHAIRE III (v. 1075-1137), empereur germanique (1125-1137). Il s'appuya sur les Guelfes pour lutter contre Conrad III de Hohenstaufen.

LOTHARINGIE, royaume créé pour Lothaire II (855-869). Étendue des Vosges à la Frise, la Lotharingie fut divisée après 960 en Haute-Lotharingie, future Lorraine, et en Basse-Lotharingie, qui se réduisit au duché de Brabant.

LOTHIAN, région de l'Écosse au sud du golfe de Forth. Ch.-l. *Édimbourg.*

LOTI, E adj. *Être bien, mal loti,* être favorisé, défavorisé par le sort.

LOTI (Julien Viaud, dit Pierre), écrivain français (Rochefort 1850 - Hendaye 1923). Les pays où le mena sa carrière d'officier de marine (Japon, Sénégal, Tonkin, Turquie) ont inspiré le style impressionniste de ses romans d'où se dégage, à travers l'exotisme, une atmosphère de désenchantement : *le Mariage de Loti* (1880), *Pêcheur d'Islande* (1886), *Madame Chrysanthème* (1887), *Ramuntcho* (1897). [Acad. fr. 1891.]

LOTIER n.m. (lat. *lotus,* mélilot). Papilionacée qui croît dans les bois, les prés, les champs. (Nom usuel : *trèfle cornu.*)

LOTION n.f. -1. Eau de toilette, souvent légèrement alcoolisée, utilisée pour les soins de l'épiderme ou de la chevelure. -2. *Lotion après-rasage,* after-shave.

LOTIONNER v.t. Frictionner le cuir chevelu, l'épiderme avec une lotion.

LOTIR v.t. Diviser qqch en lots : *Lotir un terrain pour le vendre.*

LOTISSEMENT n.m. -1. Morcellement d'une propriété foncière par lots, en vue de construire des habitations. -2. Ensemble des habitations construites sur un terrain loti.

LOTISSEUR, EUSE n. Personne qui lotit un terrain.

LOTO n.m. -1. Jeu de hasard dans lequel les joueurs sont munis de cartons numérotés dont ils couvrent les cases à mesure que l'on tire d'un sac les 90 numéros correspondants. -2. *Loto national,* en France, jeu de hasard institué par l'État en 1976. ‖ *Loto sportif,* en France, jeu fondé sur des pronostics sportifs, institué par l'État en 1985.

LOTTE ou **LOTE** n.f. -1. Poisson d'eau douce à chair estimée, dont la deuxième nageoire dorsale est très longue. (Long. de 30 à 70 cm ; poids jusqu'à 4 kg ; famille des gadidés.) -2. *Lotte de mer,* baudroie.

LOTTO (Lorenzo), peintre italien (Venise 1480 - Lorette 1556). Artiste tourmenté, à la vie vagabonde (Trévise, les Marches, Bergame, Venise), il est l'auteur de retables et de portraits qui unissent intensité expressive et poésie subtile (*Gentilhomme dans son cabinet de travail,* Accademia de Venise ; *Saint Lucie devant le juge,* Iesi [Marches]).
(Voir illustration p. suivante.)

LOTUS [lɔtys] n.m. -1. Nom générique du lotier. -2. Plante représentée par plusieurs espèces ornementales (dont aucune n'est rangée par les botanistes dans le genre *Lotus*), comme les lotus blancs et les lotus bleus d'Égypte, qui sont des nénuphars.

1. **LOUABLE** adj. Digne de louanges.

2. **LOUABLE** adj. Qui peut être mis ou pris en location.

Lorenzo **LOTTO** : *l'Annonciation* (1527).
[Museo civico, Recanati.]

LOUAGE n.m. Contrat par lequel une personne s'engage à laisser à une autre la jouissance d'une chose pendant un certain temps *(louage de choses)* ou à faire qqch pour elle *(louage d'ouvrage et d'industrie ;* SYN. : contrat d'entreprise).

LOUANGE n.f. Action de célébrer le mérite de qqn : *Dire qqch à la louange de qqn.* ◆ pl. Paroles par lesquelles on fait l'éloge de qqn, de qqch : *Concert de louanges.*

LOUBA ou **LUBA,** peuple de la République démocratique du Congo (anc. Zaïre), parlant une langue bantoue.

LOUBARD n.m. FAM. Jeune voyou.

LOUBAVITCH n.m. pl. Adeptes d'un mouvement juif antisioniste se réclamant du hassidisme. Créé au XIXe siècle dans la ville biélorusse de Lioubavitchi, le mouvement s'est répandu aux États-Unis et en Europe.

LOUBET (Émile), homme d'État français (Marsanne, Drôme, 1838 - Montélimar 1929). Président du Conseil (1892) puis du Sénat (1896-1899), il fut président de la République (1899-1906) et contribua au rapprochement de la France avec l'Italie et la Grande-Bretagne.

1. **LOUCHE** adj. -1. Qui n'a pas un ton franc, en parlant des couleurs. -2. Qui manque de franchise, de clarté ; suspect : *Conduite louche.* ◆ n.m. Léger précipité qui donne à un liquide un aspect trouble.

2. **LOUCHE** n.f. Grande cuillère à long manche, pour servir le potage.

LOUCHER v.i. Être atteint de strabisme. ◆ v.t. ind. **(sur).** Convoiter qqch, qqn.

LOUCHET n.m. Bêche à fer long et étroit.

LOUCHEUR, EUSE n. Personne qui louche.

LOUCHEUR (Louis), homme politique français (Roubaix 1872 - Paris 1931). Ministre du Travail et de la Prévoyance sociale (1926-1930), il fit voter, en 1928, une loi relative à l'aide de l'État aux constructions d'habitations à bon marché.

LOUDÉAC, ch.-l. de c. des Côtes-d'Armor ; 10 569 hab. Forêt. Agroalimentaire.

LOUDUN, ch.-l. de c. de la Vienne ; 8 204 hab.

1. **LOUER** v.t. -1. Vanter les mérites ou les qualités de qqn, de qqch. -2. *Louer Dieu,* célébrer sa grandeur, ses bienfaits. ◆ **se louer** v.pr. **(de).** Se montrer satisfait de qqn, de qqch.

2. **LOUER** v.t. -1. Donner qqch à loyer. -2. Prendre qqch à loyer. -3. Réserver une place dans un train, un théâtre, etc. -4. Prendre qqn à son service moyennant un salaire : *Louer un extra pour une réception.*

LOUEUR, EUSE n. Bailleur ; personne qui donne à louer un bien : *Loueur de voitures.*

LOUGANSK, de 1935 à 1990 Vorochilovgrad, v. d'Ukraine, dans le Donbass ; 497 000 hab. Centre houiller et industriel.

LOUGRE n.m. Voilier comportant génér. deux mâts gréés de voiles au tiers.

LOUHANS, ch.-l. d'arr. de Saône-et-Loire, dans la Bresse, sur la Seille ; 6 581 hab. *(Louhannais).* Marché. — Église en partie des XIVe-XVe siècles, hôtel-Dieu des XVIIe-XVIIIe siècles (pharmacie), ensemble de maisons anciennes.

LOUIS n.m. -1. Anc. monnaie d'or française, d'env. 6,70 g, à l'effigie de Louis XIII et de ses successeurs. -2. Pièce d'or française de 20 F, appelée aussi *napoléon.*

SAINT
LOUIS DE GONZAGUE *(saint),* novice jésuite italien (Castiglione delle Stiviere 1568 - Rome 1591), mort au service des pestiférés. Patron de la jeunesse.

BAVIÈRE
LOUIS Ier DE WITTELSBACH (Strasbourg 1786 - Nice 1868), roi de Bavière (1825-1848). Il fit construire à Munich de nombreux monu-

ments néoclassiques. Sa liaison avec Lola Montez l'obligea à abdiquer en faveur de son fils Maximilien II. **Louis II de Wittelsbach** (Nymphenburg, Munich, 1845 - lac de Starnberg 1886), roi de Bavière (1864-1886). Fils aîné de Maximilien II, il fit construire des châteaux fantastiques (dont Neuschwanstein) et se consacra au mécénat en faveur de Wagner. Considéré comme fou, il fut interné et se noya.

EMPIRE CAROLINGIEN

Louis Ier le Pieux ou le Débonnaire (Chasseneuil 778 - près d'Ingelheim 840), empereur d'Occident (814-840). Fils et successeur de Charlemagne, il s'appuya sur l'Église et contribua à l'essor de la renaissance carolingienne. Par l'*Ordinatio Imperii* (817), il régla sa succession entre ses fils Lothaire — qu'il associa à l'Empire —, Pépin et Louis. Mais son mariage avec Judith de Bavière (819) et la naissance de Charles le Chauve (823), en compromettant le règlement de 817, provoquèrent la révolte de ses trois premiers fils.

FRANCE

Louis (Versailles 1729 - Fontainebleau 1765), Dauphin de France. Fils de Louis XV et de Marie Leszczyńska, il fut tenu à l'écart des affaires. De son mariage avec Marie-Josèphe de Saxe, il eut neuf enfants, dont les futurs Louis XVI, Louis XVIII et Charles X.

Louis, nom porté par des rois appartenant à la dynastie carolingienne : **Louis Ier** → LOUIS Ier le Pieux, empereur carolingien. **Louis II le Bègue** (846 - Compiègne 879), roi de France (877-879). **Louis III** (v. 863 - Saint-Denis 882), roi de France (879-882). **Louis IV d'Outremer** (v. 921 - Reims 954), roi de France (936-954). **Louis V le Fainéant** (v. 967 - Compiègne 987), roi de France (986-987).

Louis VI le Gros (v. 1080 - Paris 1137), roi de France (1108-1137). Fils de Philippe Ier et de Berthe de Hollande, aidé par Suger, il rétablit l'ordre dans le domaine royal, combattit Henri Ier, roi d'Angleterre et duc de Normandie, et repoussa en 1124 l'empereur germanique Henri V, avec l'aide de tous les grands vassaux du royaume.

Louis VII le Jeune (1120 - Paris 1180), roi de France (1137-1180). Fils de Louis VI, il participa à la deuxième croisade prêchée par saint Bernard (1147-1149) et soutint le pape Alexandre III contre Frédéric Barberousse. En 1152, il répudia Aliénor d'Aquitaine. Celle-ci épousa Henri II Plantagenêt, à qui elle apporta en dot le duché d'Aquitaine. Louis VII fut dès

lors en conflit permanent avec Henri II, qui avait accédé au trône d'Angleterre en 1154. Aidé du conseiller de son père, Suger, il renforça son autorité au sein du domaine royal.

Louis VIII le Lion (Paris 1187 - Montpensier, Auvergne, 1226), roi de France (1223-1226). Fils de Philippe Auguste et d'Isabelle de Hainaut, époux de Blanche de Castille, il vainquit Jean sans Terre (1214) et le poursuivit en Angleterre. Devenu roi, il enleva aux Anglais le Poitou, la Saintonge, l'Angoumois, le Limousin, le Périgord et une partie du Bordelais, participa à la croisade contre les albigeois et soumit une partie du Languedoc.

Louis IX ou **Saint Louis** (Poissy 1214 ou 1215 - Tunis 1270), roi de France (1226-1270).

L'œuvre intérieure. Fils de Louis VIII, il règne d'abord sous la régence de sa mère Blanche de Castille, qui tient tête aux vassaux révoltés et qui le marie à Marguerite de Provence (1234). Puis il gouverne seul à partir de 1242. Ayant triomphé d'une nouvelle révolte des barons du Midi et de l'Ouest, il poursuit l'œuvre administrative centralisatrice de ses prédécesseurs et assure la supériorité de la justice royale sur celle des seigneurs, en systématisant la procédure d'enquête et en faisant prévaloir l'idée d'une justice d'appel. Il jette ainsi les bases du parlement et de la Cour des comptes.

La politique extérieure. Après avoir battu Henri III d'Angleterre à Taillebourg et à Saintes (1242), il met fin, momentanément, au conflit franco-anglais en signant le traité de Paris (1259), par lequel Henri III se reconnaît vassal du roi de France, mais comme duc d'Aquitaine seulement. Un an auparavant, un compromis a été conclu avec le roi d'Aragon, au terme duquel la France renonce au Roussillon et à Barcelone. Partisan de la paix, Louis IX soutient timidement les entreprises italiennes de son frère Charles d'Anjou. Mais, prince chrétien, il n'hésite pas, en 1248, à se lancer dans la septième croisade : ayant rassemblé une flotte à Aigues-Mortes, il s'embarque pour l'Égypte. Battu à Mansourah, fait prisonnier (1250), il n'est libéré qu'en échange d'une lourde rançon, après avoir passé quatre ans en Syrie. Le roi organise une nouvelle croisade en 1270. Mais, peu après le débarquement des croisés en Afrique du Nord, il meurt d'une maladie épidémique sous les murs de Tunis.

La sainteté. En dehors du royaume, la réputation de sagesse et de sainteté de Louis IX fut telle que de nombreux souverains d'Europe réclamèrent son arbitrage. Profondément pieux, Louis IX a vécu dans la prière et le jeûne, et il fut canonisé dès 1297 par Boniface VIII.

LOUIS IX ou
SAINT LOUIS,
roi de France.
(Musée de Cluny, Paris.)

LOUIS X le Hutin (Paris 1289 - Vincennes 1316), roi de France (1314-1316) et de Navarre (Louis Ier). Fils de Philippe IV le Bel et de Jeanne de Navarre, il fut contraint par les nobles du royaume de confirmer les chartes qui précisaient leurs droits et coutumes. Il fit, par ailleurs, exécuter sa femme Marguerite de Bourgogne, accusée d'adultère.

LOUIS XI (Bourges 1423 - Plessis-lez-Tours 1483), roi de France (1461-1483). Fils et successeur de Charles VII, physiquement disgracieux et de personnalité complexe, il a attisé, sous le règne de son père, l'opposition de la haute noblesse. Mais les initiatives qu'il prend dès le début de son règne lui aliènent les membres de cette noblesse.

La lutte contre Charles le Téméraire. Charles le Téméraire devient son ennemi implacable après le rachat des villes de la Somme. Il est, en 1465, à la tête de la ligue du Bien public, unissant contre Louis XI une partie importante de la noblesse. La bataille indécise de Montlhéry (1465) amène le roi à

LOUIS XI,
roi de France.
Détail
d'un portrait
de l'école française
du XVe siècle.
(Brooklyn Museum, New York.)

composer. Mais, en raison du soutien qu'il a secrètement accordé à la révolte de Liège, Louis XI est gardé prisonnier (1468) par Charles le Téméraire qui l'oblige à signer un traité que le roi s'empresse, à peine libéré, de ne pas respecter (1468). Cependant, Charles, duc de Bourgogne depuis 1467, menace l'Alsace, la Lorraine, la Champagne, se gagnant même, un moment, l'alliance des Anglais. Louis XI, après avoir neutralisé cette alliance (traité de Picquigny, 1475), tisse autour du Téméraire un réseau d'intrigues et d'intérêts à partir de ceux que lèse la politique bourguignonne (cantons suisses, villes du Rhin, duc de Lorraine...). Charles est battu à Grandson et à Morat en Suisse (1476) et tué devant Nancy (1477). Sa mort permet à Louis XI d'occuper le duché et le comté de Bourgogne, ainsi que la Picardie et l'Artois ; en 1482, le traité d'Arras entérine la plupart de ces acquisitions, complétées de l'Anjou et la Provence.

La politique intérieure. Louis XI limite les pouvoirs des grands corps politiques et administratifs, met au pas le clergé et la noblesse, et poursuit la réorganisation de l'armée royale, entreprise par Charles VII. Il favorise par ailleurs l'essor de l'économie, dont il assure le redressement au lendemain de la guerre de Cent Ans. Il introduit l'industrie de la soie à Lyon et à Tours, et crée de nouvelles foires, notamment à Lyon.

LOUIS XII (Blois 1462 - Paris 1515), roi de France (1498-1515). Fils de Charles d'Orléans et de Marie de Clèves, il participe à la révolte des grands seigneurs contre la régence d'Anne de Beaujeu et est fait prisonnier en 1488. Libéré, il se rallie à Charles VIII, son cousin, et combat en Italie (1494-95). Au décès de ce dernier, mort sans héritier, il accède au trône de France, réunissant au domaine royal les duchés d'Orléans et de Valois. Puis il fait casser son mariage avec Jeanne, fille de Louis XI, et épouse Anne de Bretagne, veuve de Charles VIII, afin que le duché de Bretagne n'échappe pas à la France. À l'extérieur, poursuit la guerre en Italie. Il revendique, en tant que petit-fils de Valentine Visconti, le duché de Milan, qu'il conquiert (1499-1500). Puis il entre à Naples (1501), après un accord avec Ferdinand d'Aragon. Expulsés de Naples par les Espagnols en 1504, les Français conservent encore le Milanais. Mais Louis XII se heurte à une puissante coalition réunie contre lui par le pape Jules II. Après la mort en 1512 de Gaston de Foix, il doit abandonner le Milanais et même faire face à l'invasion du royaume par les Anglais et les Suisses. Traitant séparément avec le pape, l'Angleterre et l'Espagne, il parvient à faire la paix (1514). Veuf, il épouse Marie d'Angleterre la même année. Il meurt en laissant la couronne à son cousin François (Ier), qu'il a uni à sa fille Claude.

LOUIS XII et sa cour.
Détail d'une miniature du XVIe siècle. (B. N., Paris.)

LOUIS XIII le Juste (Fontainebleau 1601 - Saint-Germain-en-Laye 1643), roi de France (1610-1643). Fils d'Henri IV et de Marie de Médicis, il règne d'abord sous la régence de sa mère, qui laisse le pouvoir à Concini. Celui-ci est assassiné en 1617, à l'instigation du roi, et remplacé par Luynes. Alors se produisent de nouvelles révoltes des grands, appuyés par la reine mère, et une nouvelle guerre de Religion, marquée par le siège de Montauban (1621). Après la mort de Luynes (1621) et plusieurs années de troubles (1621-1624), le roi donne le pouvoir à Richelieu, dont il suit les conseils malgré les intrigues de sa mère et de Gaston d'Orléans (journée des Dupes, 1630). À l'intérieur, Louis XIII et son ministre travaillent à rétablir l'autorité royale

LOUIS XIII
le Juste,
roi de France.
Détail
d'un portrait
par Ph. de
Champaigne.
(Musée du Prado,
Madrid.)

en créant le corps des intendants, développent le commerce et la marine, et luttent contre les protestants et les féodaux. Toutefois, en engageant la France dans la guerre de Trente Ans (1635), ils déséquilibrent le budget : les impôts et la misère provoquent des jacqueries sanglantes. De son mariage avec l'infante Anne d'Autriche, en 1615, Louis XIII eut deux fils, Louis (le futur Louis XIV) et Philippe d'Orléans.

Louis XIII *(style),* style décoratif en vigueur du début du XVIIe siècle à l'avènement de Louis XIV, d'une opulence inspirée de l'Italie et de la Flandre.

Style **LOUIS XIII :** fauteuil en bois sculpté et doré recouvert de damas rouge. (Musée des Arts décoratifs, Paris.)

LOUIS XIV (Saint-Germain-en-Laye 1638 - Versailles 1715), roi de France (1643-1715), fils de Louis XIII et d'Anne d'Autriche.
→ ● DOSSIER LOUIS XIV *page 3275.*

Louis XIV *(style),* style décoratif en vigueur dans la seconde moitié du XVIIe siècle, d'une richesse ornementale parfois un peu lourde.
(Voir illustration p. suivante.)

LOUIS DE FRANCE, dit le Grand Dauphin, fils de Louis XIV et de Marie-Thérèse (Fontainebleau 1661 - Meudon 1711). Écarté des affaires par son père, marié à Marie-Anne de Bavière, il en eut trois fils, dont Louis, duc de Bourgogne, héritier du trône, qui mourut en 1712, et Philippe, duc d'Anjou, devenu Philippe V d'Espagne.

LOUIS XV (Versailles 1710 - *id.* 1774), roi de France (1715-1774). Troisième fils de Louis,

Style **LOUIS XIV** : cabinet en ébène et bronze
doré avec mosaïques de marbres et de pierres dures.
(Musée des Beaux-Arts, Strasbourg.)

duc de Bourgogne, et de Marie-Adélaïde de
Savoie, arrière petit-fils de Louis XIV.

→ ● DOSSIER LOUIS XV *page 3278*.

Louis XV *(style),* style décoratif en vigueur
d'environ 1715 à 1760 ou 1765.

Louis XVI (Versailles 1754 - Paris 1793), roi
de France (1774-1791), puis roi des Français
(1791-92). Fils du Dauphin Louis et de
Marie-Josèphe de Saxe, petit-fils de Louis XV,
il épouse en 1770 l'archiduchesse autrichienne
Marie-Antoinette et succède en 1774 à
Louis XV. Le jeune roi se révélera un
velléitaire, soumis aux influences de son
entourage, particulièrement à celle de la
reine.

Les tentatives de réformes. Dès 1774, le roi
renvoie Maupeou et Terray, et rappelle les
parlements, dans un souci de conciliation. Le
choix des nouveaux ministres s'avère heureux :
Vergennes aux Affaires étrangères (de 1774 à
1787) et Turgot au contrôle des Finances. Mais
les mesures prises (économies budgétaires,
impôt sur tous les propriétaires fonciers)
inquiètent les privilégiés, qui obtiennent du roi
le renvoi de Turgot (1776). Sous son successeur, le banquier Necker, l'entrée de la France
dans la guerre de l'Indépendance américaine
provoque une nouvelle crise financière et pose
à nouveau le problème de la réforme fiscale.
Le compte rendu que Necker envoie au roi,
révélant le gaspillage de la cour, provoque son
renvoi (1781). Calonne, qui lui succède en
1783, se heurte rapidement à la résistance des
privilégiés. Le roi le remplace par Loménie de
Brienne (1787), confronté à l'opposition ren-
forcée des notables et des parlementaires. Des
émeutes éclatent en province pour soutenir les
parlements que le roi a privés d'une partie de
leur pouvoir. La crise du Trésor amène le roi
à annoncer en août 1788 la convocation des
États généraux pour le 1er mai 1789. Ce même
mois, Loménie de Brienne est remplacé par
Necker, qui rétablit dans leurs pleins droits les
parlements.

L'essai d'une monarchie constitutionnelle.
Appuyé sur la fraction la plus conservatrice de
l'aristocratie, Louis XVI s'oppose aux initiatives révolutionnaires du tiers état. Après la
prise de la Bastille, il est ramené de force à Paris
lors de la marche sur Versailles (journées des
5-6 oct.). Bien que devenu monarque constitutionnel, il ne se sent pas lié par le serment de
fidélité prêté à la nation et à la Constitution
lors de la fête de la Fédération (14 juill. 1790),
et fonde ses espoirs sur les émigrés et une
intervention étrangère. Mais sa fuite échoue à
Varennes (20-21 juin 1791). Décidé à la
« politique du pire », il forme un ministère
girondin (mars 1792) qui déclare la guerre à
l'Autriche. Il oppose son veto à deux décrets
de l'Assemblée et renvoie les ministres girondins (juin).

Commode de style **LOUIS XV**
par Jacques Bouvier. (Musée Carnavalet, Paris.)

LOUIS XVI,
roi de France.
Détail d'un
portrait par
J. S. Duplessis.
(Musée Condé,
Chantilly.)

La chute de la royauté. Après l'insurrection du 10-Août, Louis XVI est suspendu puis incarcéré au Temple. Le 21 septembre 1792, un décret de la Convention nationale abolit la royauté et proclame la République. Au cours de son procès, le roi est accusé de conspiration contre la liberté publique et la sûreté générale de l'État. Sa culpabilité est votée à la quasi-unanimité, et la peine de mort, prononcée par 387 voix contre 334 (17 janv.). Louis XVI est guillotiné le 21 janvier 1793. Sa mort, digne et courageuse, provoque une immense émotion dans les cours européennes et suscite la formation de la Ire coalition.

Louis XVI *(style),* style décoratif en vigueur, approximativement, des années 1765-1770 à la fin du siècle. (Son retour à la ligne droite le distingue des styles précédents.)

LOUIS XVII (Versailles 1785 - Paris 1795), fils de Louis XVI et de Marie-Antoinette, Dauphin en 1789 à la mort de son frère aîné. Enfermé avec sa famille au Temple, à Paris, il succomba au manque d'hygiène. Les doutes

Commode de style **LOUIS XVI** ornée de bronzes dorés. (Musée de Compiègne.)

émis sur sa mort suscitèrent des impostures dont celle, célèbre, de Naundorff.

LOUIS XVIII (Versailles 1755 - Paris 1824), roi de France (1814-15, 1815-1824). Petit-fils de Louis XV, fils du Dauphin Louis et de Marie-Josèphe de Saxe, époux de Louise de Savoie et comte de Provence, il émigre dès juin 1791 et réside successivement à Coblence, Vérone, puis en Grande-Bretagne. La chute de l'Empire (avr. 1814) lui permet de rentrer à Paris, où Talleyrand a préparé le rétablissement des Bourbons sur le trône de France. Sans prestige personnel, il a suffisamment d'intelligence pour sentir qu'en rejetant tout l'héritage de la Révolution et de l'Empire il perdrait à jamais sa dynastie. Aussi, dès le début de la Restauration, il octroie la Charte de 1814, instaurant une monarchie constitutionnelle. Après l'épisode des Cent-Jours, durant lequel il se réfugie à Gand, il restaure à nouveau la monarchie. Il dissout en 1816 la Chambre « introuvable » dominée par les ultraroyalistes et s'efforce dès lors de pratiquer une politique modérée avec le duc de Richelieu, puis une politique libérale avec E. Decazes, Premier ministre en 1818. Mais, après l'assassinat du duc de Berry (1820), il se sépare de Decazes, prend de nouvelles mesures réactionnaires et fait appel à Villèle. (→ RESTAURATION.)

LOUIS XVIII,
roi de France.
Détail
d'un portrait
par F. Gérard.
(Château
de Versailles.)

GERMANIE

LOUIS Ier (ou **II**) le Germanique (v. 805 - Francfort-sur-le-Main 876), roi des Francs orientaux (817-843), roi de Germanie (843-876). Fils de Louis le Pieux, il obligea Lothaire Ier à accepter le partage de Verdun (843), lui attribuant la *Francia orientalis,* ou Germanie, à laquelle il ajouta, en 870, la Lotharingie orientale.

HONGRIE

LOUIS Ier le Grand (Visegrád 1326 - Nagy-szombat, auj. Trnava, 1382), roi de Hongrie

(1342-1382) et de Pologne (1370-1382), fils de Charles Ier Robert, de la maison d'Anjou. Il favorisa l'essor économique et culturel de la Hongrie, et mena deux campagnes en Italie contre Jeanne Ire de Naples et Louis de Tarente (1347-48, 1350). **Louis II** (Buda 1506 - Mohács 1526), roi de Hongrie et de Bohême (1516-1526). Il fut vaincu par les Ottomans et tué à Mohács.

SAINT EMPIRE

LOUIS IV DE BAVIÈRE (Munich 1287 - Fürstenfeld 1347), roi des Romains (1314-1346), empereur germanique (1328-1346). Il fut excommunié par Jean XXII, à qui il opposa un antipape, Nicolas V. Il eut une politique d'expansion au Brandebourg, en Hollande, en Zélande et en Frise.

SICILE

LOUIS Ier (Vincennes 1339 - Bisceglie 1384), duc d'Anjou (1360-1384), roi de Sicile, comte de Provence et de Forcalquier (1383-84). Fils de Jean II le Bon, roi de France, il fut désigné par Jeanne Ire de Sicile pour lui succéder. **Louis II** (Toulouse 1377 - Angers 1417), roi titulaire de Naples, de Sicile et de Jérusalem, duc d'Anjou, comte du Maine et de Provence (1384-1417). Héritier de Louis Ier, il réussit difficilement à se rendre maître de la Provence mais ne parvint pas à s'imposer à Naples. **Louis III** (1403 - Cosenza 1434), roi titulaire d'Aragon, de Naples, de Sicile, de Jérusalem, duc d'Anjou, comte de Provence (1417-1434). Il parvint difficilement à conquérir le royaume de Naples, hérité de son père Louis II, et le laissa à sa mort à son frère, René d'Anjou.

LOUIS (Joseph Dominique, *baron*), financier français (Toul 1755 - Bry-sur-Marne 1837). Plusieurs fois ministre des Finances sous la Restauration entre 1814 et 1819 et au début de la monarchie de Juillet (1831-32), il rétablit le crédit public en reconnaissant les dettes de l'Empire et simplifia la comptabilité officielle.

LOUIS (Nicolas, dit Victor), architecte français (Paris 1731- ? v. 1811). Il se perfectionna à Rome et donna, avec le Grand-Théâtre de Bordeaux (1773), un des prototypes de l'art néoclassique.

LOUISE DE MARILLAC (*sainte*), religieuse française (Paris 1591 - *id.* 1660). Veuve en 1625 d'un conseiller au parlement, Antoine Le Gras, elle collabora aux œuvres de charité de saint Vincent de Paul et fonda avec celui-ci la congrégation des Filles de la Charité, dont elle fut la première supérieure.

LOUISE DE MECKLEMBOURG-STRELITZ (Hanovre 1776 - Hohenzieritz 1810), reine de Prusse. Elle épousa (1793) Frédéric-Guillaume III, futur roi de Prusse, et soutint, après l'écrasement de la Prusse (1806), les ministres réformateurs.

LOUISE DE SAVOIE, régente de France (Pont-d'Ain 1476 - Grez-sur-Loing 1531). Fille de Philippe, duc de Savoie, et de Marguerite de Bourbon, épouse de Charles d'Orléans, elle fut la mère de Marguerite d'Angoulême, future reine de Navarre, et de François Ier. Elle exerça la régence à deux reprises (1515 et 1525), lors des campagnes en Italie de son fils. En 1529, elle négocia avec Marguerite d'Autriche la paix de Cambrai, ou paix des Dames.

LOUISE-BONNE n.f. (pl. louises-bonnes). Poire d'une variété douce et fondante.

LOUISE-MARIE D'ORLÉANS (Palerme 1812 - Ostende 1850), reine des Belges. Fille du roi Louis-Philippe, elle épousa en 1832 Léopold Ier.

Louis Harris and Associates, institut de sondages d'opinion créé à New York en 1956 par L. Harris.

LOUISIANE, en angl. Louisiana, État du sud des États-Unis, partie de l'ancienne colonie française du même nom ; 125 674 km² 4 219 973 hab. Cap. *Baton Rouge.* GÉOGR. Les ressources minérales (pétrole et gaz naturel, soufre, sel) occupent maintenant la première place dans l'économie de cet État, au climat doux et humide, longtemps agricole (bois, élevage, soja, coton, riz). Les deux villes principales, La Nouvelle-Orléans et Baton Rouge, sont des ports importants. HIST. La Louisiane, occupée au nom de la France par Cavelier de La Salle en 1682, et baptisée de ce nom en l'honneur de Louis XIV, fut cédée par Bonaparte aux États-Unis en 1803.

LOUIS-MARIE GRIGNION DE MONTFORT (*saint*), missionnaire français (Montfort, Ille-et-Vilaine, 1673 - Saint-Laurent-sur-Sèvre, Vendée, 1716). Son action évangélisatrice a eu pour cadre l'ouest de la France. Il inspira la fondation d'une société religieuse, la Compagnie de Marie, dite des *Pères montfortains*.

LOUIS-PHILIPPE Ier (Paris 1773 - Claremont, Grande-Bretagne, 1850), roi des Français (1830-1848). Fils de Louis-Philippe d'Orléans, dit Philippe Égalité, et de Louise-Marie de Bourbon-Penthièvre, le duc de Chartres grandit dans un milieu cosmopolite gagné aux idées libérales. Membre du club des Jacobins, il prend part aux combats de Valmy et de

Jemmapes (1792), puis se réfugie à l'étranger en 1793. Il y épouse, en 1809, Marie-Amélie de Bourbon des Deux-Siciles. Rentré en France sous Louis XVIII, il est proclamé lieutenant général du royaume lors de la révolution de 1830, puis roi des Français (7/9 août) après la révision de la Charte. Il est dès lors le souverain de la monarchie de Juillet. Il confie tout d'abord le pouvoir aux hommes du « mouvement » (1831-32), c'est-à-dire aux partisans des réformes, puis il fait appel aux chefs du parti de la « résistance « (1832-1836), partisans du maintien de l'ordre établi. Après une succession de dix ministères, il trouve enfin en 1840 un homme de confiance, Guizot, et lui laisse pendant huit ans mener une politique autoritaire. Lors de la révolution de 1848, Louis-Philippe abdique (févr.) et se réfugie en Angleterre. (→ JUILLET [monarchie de].)

LOUIS-PHILIPPE Ier, roi des Français. Détail d'un portrait par F. X. Winterhalter. (Château de Versailles.)

Louis-Philippe *(style),* style décoratif en vigueur à l'époque de Louis-Philippe.

LOUISVILLE, v. des États-Unis (Kentucky), sur l'Ohio ; 269 063 hab. — Musées.

LOUKOUM ou **LOKOUM** n.m. (ar. *rāḥat alḥulqum,* le repos des gorges). Confiserie orientale faite d'une pâte sucrée parfumée aux amandes, à la pistache, etc.

LOULOU n.m. (de *loup).* Petit chien à museau pointu et à fourrure longue et abondante.

LOUP n.m. **-1.** Mammifère carnivore, à pelage gris jaunâtre, vivant dans les forêts d'Europe, d'Asie et d'Amérique, et devenu très rare en France. (Famille des canidés.) *Le loup hurle,* pousse son cri. **-2.** Erreur, oubli, malfaçon irréparable dans la confection d'un ouvrage. **-3.** *Vieux loup de mer,* marin expérimenté. **COST.** Demi-masque de velours ou de satin noir. **ZOOL.** Nom donné à plusieurs poissons voraces, partic. au bar.

LOUP-CERVIER n.m. (pl. loups-cerviers). Lynx.

LOUPE n.f. Lentille de verre convergente qui grossit les objets. **BOT.** Excroissance ligneuse qui vient sur le tronc et sur les branches de certains arbres. **SYN.** : **broussin, exostose. MÉD.** Kyste du cuir chevelu dû à l'hypertrophie d'une glande sébacée dont le produit de sécrétion n'est plus évacué. **SYN.** : **kyste sébacé. MÉTALL.** Masse ferreuse ou de fonte, renfermant des impuretés (scories) éliminées au cours du puddlage par forgeage au marteau.

LOUPÉ n.m. **FAM.** Erreur ; ratage.

LOUPER v.t. **FAM.** **-1.** Ne pas réussir qqch, mal l'exécuter ; échouer. **-2.** Rater un rendez-vous, un moyen de transport, une occasion.

LOUP-GAROU n.m. (pl. loups-garous). Personne malfaisante qui, selon certaines croyances, avait le pouvoir de se métamorphoser en loup la nuit et qui reprenait forme humaine le jour.

LOUPOT (Charles), affichiste français (Nice 1892 - Les Arcs, Var, 1962). Il a élaboré un langage publicitaire clair et synthétique (*Galeries Barbès,* 1928 ; *St Raphaël,* à partir de 1937).

LOUQSOR ou **LOUXOR,** v. d'Égypte, sur le Nil ; 40 000 hab. Centre touristique. **ARCHÉOL.** La ville actuelle occupe l'emplacement du faubourg méridional de la Thèbes des pharaons. Elle abrite l'une des réalisations architecturales les plus parfaites du Nouvel Empire : le temple d'Amon, édifié par Aménophis III, célèbre pour les proportions harmonieuses et l'élégance de ses reliefs. L'ensemble était relié au complexe de Karnak par une allée bordée de sphinx à tête de bélier. Agrandi par Ramsès II, le temple était flanqué de deux obélisques, dont l'un orne la place de la Concorde à Paris. Musée. (*Voir illustration p. suivante.*)

LOURD, E adj. **-1.** Dont la densité est élevée : *Le fer est plus lourd que l'aluminium.* **-2.** Pesant ; difficile à porter, à remuer à cause de son poids : *Lourd fardeau.* **-3.** Se dit d'un aliment difficile à digérer : *Les ragoûts sont lourds.* **-4.** Qui manque de finesse, d'intelligence : *Esprit lourd.* **-5.** Qui met en œuvre des moyens techniques, financiers, etc., importants : *Chirurgie lourde.* **-6.** Que sa quantité, sa force, sa violence, etc., rend difficile à supporter, à faire : *Lourde tâche.* **AGRIC.** Se dit d'un sol compact, difficile à labourer. **CHIM.** *Eau lourde,* liquide (D_2O) analogue à l'eau ordinaire (mais dans les molécules duquel les atomes d'hydrogène sont remplacés par son isotope, le deutérium), employé comme ralentisseur de neutrons dans certains réacteurs nucléaires. **SPORTS.** Dans divers sports individuels, qualifie une catégorie de poids. ◆ **lourd** adv. *Peser lourd,* avoir un poids plus élevé que la moyenne ; avoir une grande importance. ◆ **lourd** n.m. En France, marchandise pesant plus de 1 000 kg au mètre cube ; à l'étranger, marchandise cubant moins de 1,132 m³ pour 1 016 kg. ◆**lourdement** adv. -**1.** Avec un grand poids : *Voiture lourdement chargée.* -**2.** Pesamment : *Tomber lourdement sur le sol.* -**3.** Grossièrement : *Se tromper lourdement.*

LOURDAUD, E adj. et n. Lent et maladroit.

LOURDES, ch.-l. de c. des Hautes-Pyrénées, sur le gave de Pau ; 16 581 hab. *(Lourdais).* Évêché (avec Tarbes). Électroménager. − Château médiéval (Musée pyrénéen). **RELIG.** Lieu de pèlerinage à la Vierge Marie, Lourdes doit sa célébrité aux apparitions dont celle-ci aurait gratifié, du 11 février au 16 juillet 1858, une enfant de quatorze ans, Bernadette Soubirous. Une basilique y fut construite en 1876 et une autre, souterraine, en 1958. Lourdes reçoit près de 4 millions de pèlerins par an.

LOURDEUR n.f. Caractère de ce qui est lourd : *La lourdeur de sa démarche. Lourdeur d'esprit.*

LOURENÇO MARQUES → MAPUTO.

LOURER v.t. Lier les notes en appuyant sur le premier temps de chaque mesure ou sur la première note de chaque temps.

LOU SIUN → LU XUN.

LOUSTIC n.m. **FAM.** Individu en qui on n'a pas grande confiance.

LOUTRE n.f. Carnivore mustélidé aquatique, aux pattes palmées, mangeur de poissons.

ENCYCL. La *loutre commune* vit près des cours d'eau, des marais, en Europe, en Asie, en Amérique, et atteint 80 cm de long. La *loutre de mer,* qui peut peser 40 kg, vit dans le Pacifique. La loutre fournit une fourrure au poil épais et soyeux, d'autant plus précieuse qu'elle est rare.

LOUVAIN, en néerl. Leuven, v. de Belgique, ch.-l. du Brabant flamand, sur la Dyle ; 85 018 hab. **HIST.** La célébrité de Louvain est liée en grande partie à son université, créée en 1425. Supprimée par l'État en 1830, elle fut reconstituée en 1835 comme université catholique. En 1968, la querelle linguistique provoqua la partition de l'université et l'installation de la section francophone près de Wavre (Ottignies-Louvain-la-Neuve). **ARTS.** Importants monuments du Moyen Âge (hôtel de ville de style gothique flamboyant, XVᵉ s. ; collégiale St-Pierre, du même siècle) et de l'époque baroque (église jésuite St-Michel, 1650-1671). Musée communal.

1. **LOUVE** n.f. Loup femelle.

2. **LOUVE** n.f. Coin métallique en plusieurs parties, utilisé pour la manutention des pierres de taille.

LOUVERTURE (Toussaint) → TOUSSAINT LOUVERTURE.

Vue générale du site de **LOUQSOR.**
(Dans l'angle nord-est du temple, la mosquée de Yusuf al-Hadjdjadj.)

D O S S I E R

LOUIS XIV

Soucieux de gloire et d'étiquette, le Roi-Soleil, qui s'est donné passionnément à son « métier de roi », est devenu le symbole de l'absolutisme monarchique, qu'il a profondément accentué en soumettant notamment la noblesse. S'il a considérablement renforcé les frontières du royaume, porté un temps la France au premier rang en Europe et assuré à la culture française un prestige durable, il a cependant laissé à son successeur, après soixante-douze années de règne, un pays exsangue.

La minorité et le gouvernement de Mazarin.

Né en 1638 à Saint-Germain-en-Laye, âgé de 5 ans à la mort de son père, il subit l'influence de sa mère, la régente Anne d'Autriche, et celle de Mazarin, principal ministre d'État, et est profondément marqué par les événements de la Fronde (1648-1653). À la mort de Mazarin (1661), le jeune roi, qui, l'année précédente, a épousé l'infante Marie-Thérèse, manifeste sa volonté d'assumer le pouvoir seul, sans Premier ministre.

Une politique intérieure absolutiste.

Aidé de Colbert, il réforme le gouvernement, entreprend l'unification et la centralisation de l'Administration. Écartant le haut clergé et la noblesse d'épée, il choisit un petit nombre de collaborateurs parmi la noblesse de robe et la bourgeoisie. Après avoir fait arrêter et condamner l'ambitieux Fouquet (1664), Louis XIV s'appuie sur quelques dynasties ministérielles sûres comme les Colbert et les Le Tellier (Michel Le Tellier, Louvois). Les provinces sont quant à elles étroitement contrôlées par une administration plus nombreuse, dont les intendants constituent les principaux agents.

Chef de l'Église de France et fortement influencé par sa seconde épouse, Mme de Maintenon (1683), le roi exige en matière religieuse la même soumission générale. Un long conflit l'oppose à la papauté, particulièrement sous Innocent XI (1676-1689), à propos de la régale. S'érigeant cependant en défenseur de la foi catholique, Louis XIV adopte contre les protestants une politique répressive (dragonnades). Plus encore, il révoque en 1685 l'édit de Nantes, mettant fin à l'existence légale du protestantisme en France et provoquant, du même coup, un exode massif des réformés. Le roi obtient ensuite l'appui de la papauté dans sa lutte contre le quiétisme et le jansénisme (bulle *Unigenitus*, 1713).

LOUIS XIV

Protecteur des lettres, des arts et des sciences, Louis XIV les met au service exclusif de sa gloire. Son règne est marqué par une floraison exceptionnelle d'écrivains (Molière, Racine, Boileau...) et d'artistes (Le Brun, Le Nôtre, Hardouin-Mansart), qui font de Paris et de Versailles les hauts lieux de la culture et de l'art classiques en Europe.

Une politique extérieure belliqueuse.

Outre l'appétit de gloire et de prestige, les motivations de la politique belliqueuse de Louis XIV sont : le renforcement des frontières stratégiques du royaume, la défense du catholicisme en Europe et les prétentions à la Couronne d'Espagne. Disposant d'une diplomatie et d'une armée sans rivales, le roi trouve en Vauban un preneur et un constructeur de places fortes hors du commun. Dès 1667, il rompt avec l'Espagne qui, à l'issue de la guerre de Dévolution (1667-68), doit lui céder douze places fortes de Flandre ; la guerre de Hollande (1672-

LOUIS XIV

1679) lui permet d'élargir ses conquêtes en Flandre et dans le Hainaut, et d'acquérir la Franche-Comté. Fort de ses succès, il pratique la politique des « réunions » (1679-1684), annexant en pleine paix Montbéliard, des villes de la Sarre et du Luxembourg, proclamant sa souveraineté sur l'Alsace et occupant Strasbourg. L'Europe, alors, se ligue contre la France. La guerre de la ligue d'Augsbourg (1688-1697) l'oblige à rendre une partie de ses conquêtes dans l'Est. La guerre de la Succession d'Espagne (1701-1714), jalonnée de durs revers, voit la France menacée d'invasion (1708). Les traités d'Utrecht et de Rastatt (1713-1714), en obligeant Louis XIV à reconnaître la séparation des Couronnes de France et d'Espagne et à céder une partie de ses colonies canadiennes à l'Angleterre, marquent la fin de l'hégémonie française.

Cette suite de guerres finit par épuiser la France. Les dernières années du règne de Louis XIV sont marquées par la menace d'une banqueroute et la misère des classes populaires, victimes des crises de subsistance, de la famine et des épidémies.

LOUIS XIV ROI-SOLEIL

Louis XIV considère que le roi, « lieutenant de Dieu sur la terre », est inspiré par les lumières divines dans la conduite des affaires et qu'il doit exercer personnellement son « métier ». Il élève la royauté au-dessus des lois humaines et donne à la fonction royale un caractère quasi solaire et pharaonique. Ainsi, la grotte de Thétis illustre le thème du soleil visitant l'empire des mers - la déesse Thétis personnifie la fécondité féminine de la mer et habite au-delà du pays des Hespérides, dans la région où chaque soir le soleil termine sa course ❶. Roi-Soleil, il est l'objet d'un culte organisé à Versailles et sa puissance est exaltée par de nombreux artistes ❷.

❶ *Louis XIV devant la grotte de Thétis.* École française du XVIIe siècle. (Château de Versailles.)

❷ *Victoire de Louis XIV sur les ennemis de la France.* Médaillon de Coyzevox. (Château de Versailles.)

LOUIS XV

Marqué par une forte prospérité économique ainsi que par une brillante vie culturelle, le règne de Louis XV verra se creuser le fossé entre la royauté et la nation. L'esprit critique développé par les philosophes sape le régime établi, les valeurs religieuses et le système social traditionnel.

La Régence
et le début du règne.

Le futur Louis XV naît en 1710 à Versailles. Pendant sa minorité (1715-1723), Philippe, duc d'Orléans, neveu de Louis XIV, exerce la régence. Sacré à Reims en 1722 et proclamé majeur en 1723, Louis XV laissera gouverner le duc d'Orléans, devenu Premier ministre en août 1723, jusqu'à la mort de ce dernier (déc.). Sur les conseils de Fleury, il le remplace par le duc de Bourbon, prince de Condé. Le roi se voit alors imposer comme épouse Marie Leszczyńka, fille de Stanislas Iᵉʳ Leszczyńki.

**LOUIS XV
HOMME DE GUERRE**

Louis XV ❶ est le dernier roi de France à avoir commandé sur le champ de bataille. Dans le cadre de la guerre de la Succession d'Autriche, il participe aux victoires de Fontenoy (1745) ou de Lawfeld (1747) ❷, aux côtés du maréchal de Saxe, et apparaît alors à l'apogée de sa gloire. En effet, de 1744 à 1748, la France connaît une série de victoires éclatantes contre les Alliés (Anglais, Autrichiens, Hollandais) aux Pays-Bas.

❶ Portrait de Louis XV.
Peinture de La Tour.
(Musée du Louvre, Paris.)

Le ministère du cardinal de Fleury.

Ayant exilé le duc de Bourbon, un incapable (1726), Louis XV le remplace par le cardinal de Fleury (1726-1743), qui équilibre le budget, favorise l'essor économique, encore que la réglementation colbertiste de l'État freine le développement industriel. À l'extérieur, Fleury conduit une politique de paix, fondée sur l'alliance anglaise et la réconciliation franco-espagnole. Mais Louis XV, pour soutenir son beau-père, Stanislas Leszczyński, intervient dans la guerre de la Succession de Pologne (1733). Le traité de Vienne (1738), qui clôt celle-ci, assure à la France les duchés de Lorraine et de Bar à la mort de Stanislas. De plus, le renouvellement des capitulations (1740) assure la prépondérance française dans le Levant.

❷ La bataille de Lawfeld. Peinture de P. Lenfant. (Château de Versailles.)

LOUIS XV

Un premier essai de réforme.

À la mort de Fleury (1743), Louis XV décide de gouverner sans Premier ministre. Le souverain jouit alors d'une réelle popularité et reçoit le surnom de « Bien-Aimé ». Mais il subit dès 1745 l'influence de la marquise de Pompadour, maîtresse « déclarée » du roi et chef du « parti philosophique », qui fait et défait les ministres et préconise une politique de réformes. Sur ses conseils, Louis XV soutient la politique d'équité fiscale de Machault d'Arnouville, qui crée l'impôt du vingtième sur tous les revenus (1749), mais il doit reculer dès 1751 devant les violentes protestations des privilégiés au sein des états provinciaux, de l'assemblée du clergé et du parlement. À l'extérieur, la guerre de la Succession d'Autriche (1740-1748) se termine par une série de victoires (Fontenoy, 1745 ; Lawfeld, 1747), mais le roi, par le traité d'Aix-la-Chapelle (1748), restitue toutes ses conquêtes. En 1756, il opère le renversement des alliances par un accord avec l'Autriche et s'engage dans la guerre contre la Prusse et la Grande-Bretagne (guerre de Sept Ans). Le mécontentement grandit et, à l'instigation de la marquise de Pompadour, Louis XV renvoie le comte d'Argenson et Machault (1757).

Le gouvernement de Choiseul.

Le roi appelle alors Choiseul, qui fait fonction de Premier ministre de 1758 à 1770. Son ministère associe la prospérité économique et le fléchissement de la monarchie. Il ne peut éviter la perte de l'Inde et du Canada, cédés à la Grande-Bretagne au traité de Paris (1763), qui met fin à la guerre de Sept Ans. Le ministre réorganise l'armée et la marine, réunit les duchés de Lorraine et de Bar à la France à la mort de Stanislas Leszczyński (1766), et assure la prise de possession de la Corse, achetée à Gênes (1768). Mais, trop lié au milieu parlementaire (qui impose en 1764 la dissolution de la Compagnie de Jésus et s'oppose à tous les projets de réforme fiscale), il est disgracié par le roi.

La réaction absolutiste.

Louis XV confie alors le gouvernement à un triumvirat formé par le duc d'Aiguillon, l'abbé Terray et le chancelier Maupeou (protégés par Mme du Barry), en 1771. Soutenu par Maupeou, il se décide à un « coup de majesté » : 130 magistrats sont exilés ; le parlement de Paris est supprimé ; les magistrats deviennent des fonctionnaires payés par l'État. Terray peut alors procéder à des réformes financières (l'impôt du « vingtième » frappe désormais tous les revenus) et réduire le déficit. Après ces mesures, qui visent en outre à briser la puissance de la noblesse, le régime absolutiste semble établi.

LOUVET, ETTE adj. De la couleur du poil du loup, jaune mêlé de noir, en parlant de la robe du cheval.

LOUVETEAU n.m. -1. Jeune loup de moins de un an. -2. Jeune scout de 8 à 11 ans.

LOUVETERIE [luvtri] n.f. -1. Institution ayant pour fonction d'assurer les battues de destruction des nuisibles (sangliers, renards, etc., et autref. loups, etc.). -2. *Lieutenant de louveterie,* fonctionnaire bénévole et assermenté appartenant à la louveterie. SYN. : louvetier.

LOUVETIER n.m. Lieutenant de louveterie.

LOUVIÈRE (La), v. de Belgique (Hainaut) ; 76 432 hab. Métallurgie.

LOUVIERS, ch.-l. de c. de l'Eure, sur l'Eure ; 19 047 hab. *(Lovériens).* Textiles. Disques. – Église des XIIIe-XVIe siècles. Musée.

LOUVOIEMENT n.m. Action de louvoyer.

Louvois (François Michel Le Tellier, *seigneur* de Chaville, *marquis* de), homme d'État français (Paris 1641 - Versailles 1691). Fils du chancelier Michel Le Tellier, associé à son père dès 1662 au secrétariat d'État à la Guerre, il fut, avec lui, le réorganisateur de l'armée française. Il améliora le recrutement, régularisa l'avancement, dota l'infanterie de la baïonnette, organisa un corps d'ingénieurs et des écoles de cadets. Il créa par ailleurs l'hôtel des Invalides afin d'y accueilir les militaires estropiés. Véritable ministre des Affaires étrangères de 1672 à 1689, il dirigea une diplomatie brutale qui conduisit à l'attaque des Provinces-Unies (1672), à la politique des « réunions » à partir de 1679 et à la dévastation du Palatinat

(1689). Il fut aussi l'instigateur des dragonnades, menées à l'encontre des protestants. Surintendant des bâtiments, arts et manufactures (1683), il se montra un mécène fastueux.

Le marquis de **LOUVOIS,** homme d'État français. Détail d'un portrait par C. A. Hérault. (Château de Versailles.)

LOUVOYER v.i. [13]. -1. Naviguer contre le vent, tantôt sur un bord, tantôt sur l'autre. -2. Prendre des détours pour atteindre un but ; biaiser, tergiverser.

Louvre *(accords du),* accords négociés dans le Groupe des sept (G 7) pays les plus industrialisés (Canada, États-Unis, France, Italie, Japon, R. F. A. et Royaume-Uni), le 22 février 1987. Ces accords prévoient une harmonisation des politiques commerciales (visant notamment à stimuler la demande intérieure dans les pays ayant une balance commerciale excédentaire) ainsi qu'une action coordonnée en matière monétaire, en vue de stabiliser les taux de change.

Louvre *(palais, puis musée du),* ancienne résidence royale, à Paris (sur la rive droite de la

Vue du palais du **LOUVRE,** avec la « pyramide » de verre de I. M. Pei (1989) dans la cour Napoléon.

Seine), commencée sous Philippe Auguste, continuée sous Charles V, François Ier, Catherine de Médicis, Henri IV, Louis XIII, Louis XIV, Napoléon Ier, achevée sous Napoléon III. Les principaux architectes du Louvre actuel ont été Lescot, Jacques II Androuet Du Cerceau, Lemercier, Le Vau, C. Perrault, Percier, Fontaine, Visconti, Lefuel. Devenu musée en 1791-1793, le palais abrite une des plus riches collections publiques du monde (sept départements : antiquités orientales ; antiquités égyptiennes ; antiquités grecques et romaines ; peintures ; sculptures ; objets d'art ; arts graphiques). Les collections de la seconde moitié du XIXe siècle ont été transférées en 1986 au musée d'Orsay. La « pyramide » de verre de I. M. Pei (1989) éclaire de nouveaux locaux, souterrains, qui constituent le point d'accueil principal du public. Le musée s'est encore agrandi en 1993 de l'aile « Richelieu », précédemment occupée par le ministère des Finances. Une autre aile du palais abrite le musée des Arts décoratifs.

LOUXOR → LOUQSOR.

LOUŸS (Pierre Louis, dit Pierre), écrivain français (Gand 1870 - Paris 1925). Traducteur de Lucien, il se voulut alexandrin dans ses poèmes érotiques en prose (*les Chansons de Bilitis,* 1894) qui inspirèrent Debussy. Il devint célèbre avec des romans de mœurs antiques (*Aphrodite,* 1896) et des contes satiriques (*les Aventures du roi Pausole,* 1901).

LOVECRAFT (Howard Phillips), écrivain américain (Providence, Rhode Island, 1890 - *id.* 1937). L'un des maîtres du fantastique, il eut une influence posthume considérable sur les écrivains de science-fiction (*la Couleur tombée du ciel,* 1927 ; *le Cauchemar d'Innsmouth,* 1936).

LOVELACE, personnage de *Clarisse Harlowe,* roman de Richardson. Il campe le type du séducteur cynique.

LOVER v.t. En marine, rouler un cordage en cercles superposés. ◆ **se lover** v.pr. S'enrouler sur soi-même : *Serpent qui se love sous une pierre.*

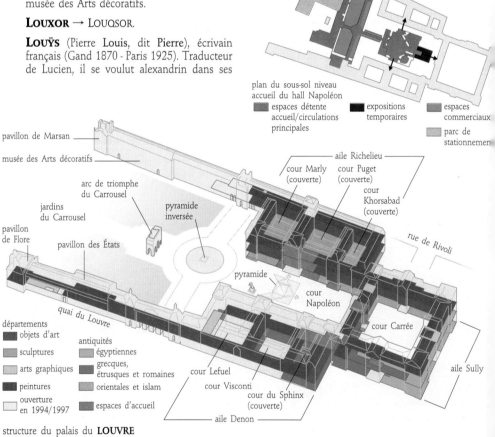

plan du sous-sol niveau accueil du hall Napoléon

■ espaces détente
accueil/circulations
principales

■ expositions
temporaires

■ espaces
commerciaux

■ parc de
stationnement

pavillon de Marsan

musée des Arts décoratifs

arc de triomphe du Carrousel

jardins du Carrousel

pavillon de Flore

pavillon des États

pyramide inversée

aile Richelieu

cour Marly (couverte)

cour Puget (couverte)

cour Khorsabad (couverte)

rue de Rivoli

pyramide

cour Napoléon

quai du Louvre

cour Carrée

aile Sully

départements
■ objets d'art
■ sculptures
■ arts graphiques
■ peintures
□ ouverture en 1994/1997

antiquités
■ égyptiennes
■ grecques, étrusques et romaines
■ orientales et islam
■ espaces d'accueil

cour Lefuel

cour Visconti

cour du Sphinx (couverte)

aile Denon

structure du palais du **LOUVRE**

LÖW (le rabbin Judah), dit le **Maharal de Prague**, talmudiste et mathématicien tchèque (v. 1525 - Prague 1609). Il est à l'origine d'une théologie qui, unissant Aristote et Maimonide, annonce la dialectique hégélienne, et qui aura une influence considérable. Il est l'auteur d'une version de la légende du Golem.

LOWE (*sir* Hudson), général britannique (Galway 1769 - Chelsea 1844), geôlier de Napoléon à Sainte-Hélène.

LOWELL (Percival), astronome américain (Boston 1855 - Flagstaff, Arizona, 1916). Il se consacra surtout à l'étude de la planète Mars qu'il pensait habitée et, à cette fin, il fonda à ses frais un observatoire près de Flagstaff (1894). Il prédit par le calcul l'existence d'une planète au-delà de Neptune (1915).

LOWIE (Robert Harry), anthropologue américain d'origine autrichienne (Vienne 1883 - Berkeley, Californie, 1957). Il a écrit *Primitive Society* (1920) et s'est intéressé aux interactions entre folklore, religion et organisation sociale.

LOWLANDS (« Basses Terres »), dépression du centre de l'Écosse, qui regroupe la majorité de la population. C'est le cœur économique de l'Écosse, dominé à l'O. par Glasgow et à l'E. par Édimbourg.

LOWRY (Malcolm), écrivain britannique (Birkenhead, Cheshire, 1909 - Ripe, Sussex, 1957). Son roman *Au-dessous du volcan* (1947) traduit, à travers une déchéance alcoolique, sa vision tragique de la vie.

LOXODROMIE n.f. (du gr. *loxos,* courbe, et *dromos,* course). Ligne coupant les méridiens sous un angle constant ; route d'un navire ou d'un avion qui suit constamment le même cap.

LOYAL, E, AUX adj. Qui obéit aux lois de l'honneur, de la probité, de la droiture : *Un homme loyal. Une conduite loyale.* ◆ **loyalement** adv.

LOYALISME n.m. Fidélité au régime établi ou à une autorité considérée comme légitime.

LOYALISTE adj. et n. Fidèle au régime établi. ◆ n.m. pl. Colons américains qui demeurèrent fidèles aux Anglais durant et après la guerre de l'Indépendance. (Beaucoup s'exilèrent, surtout dans le Bas-Canada.)

LOYAUTÉ n.f. Caractère loyal de qqn, de qqch.

LOYAUTÉ *(îles),* archipel français de l'Océanie, dépendance de la Nouvelle-Calédonie, formé de trois îles coralliennes (Ouvéa, Lifou et Maré) ; 2 095 km² ; 17 912 hab.

LOYER n.m. -1. Prix du louage d'une chose, partic. prix de la location d'un logement. -2. *Donner, prendre à loyer,* donner, prendre en location. ‖ *Loyer de l'argent,* taux d'intérêt de l'argent emprunté.

LOZÈRE [48], dép. de la Région Languedoc-Roussillon ; ch.-l. de dép. *Mende ;* ch.-l. d'arr. *Florac ;* 2 arr., 25 cant., 185 comm. ; 5 167 km² ; 72 825 hab. *(Lozériens).* Il est rattaché à l'académie de Montpellier, à la cour d'appel de Nîmes et à la région militaire Méditerranée.

LOZÈRE *(mont),* point culminant des Cévennes, dans le dép. du même nom ; 1 699 m.

LOZI ou **ROTSÉ,** population bantoue de Zambie.

L. P. n.m. (sigle). Lycée professionnel.

Lr, symbole chimique du lawrencium.

L. S. D. n.m. (sigle de l'all. *Lyserg Säure Diäthylamid*). Dérivé de l'acide lysergique, hallucinogène de synthèse qui agit surtout en modifiant les sensations visuelles et auditives. SYN. : lysergamide, lysergide.

Lu, symbole chimique du lutécium.

LUALABA (le), nom du cours supérieur du Congo (ou Zaïre).

LUANDA, cap. de l'Angola, sur l'Atlantique ; 1 134 000 hab.

LUANG PRABANG, v. du Laos, sur le haut Mékong ; 44 000 hab.

LUBA → LOUBA.

LUBAC (Henri de), théologien jésuite français (Cambrai 1896 - Paris 1991). Cardinal en 1983, il est l'un des artisans du renouveau théologique (*Catholicisme, les aspects sociaux du dogme,* 1938 ; *Méditation sur l'Église,* 1953).

LUBBERS (Rudolf), homme politique néerlandais (Rotterdam 1939). Chrétien-démocrate, il a été Premier ministre de 1982 à 1994.

LUBBOCK (*sir* John), *lord* Avebury, naturaliste, préhistorien et homme politique britannique (Londres 1834 - Kingsgate, Kent, 1913). Il a étudié notamment les insectes.

LÜBECK, port d'Allemagne (Schleswig-Holstein), près de la Baltique ; 212 932 hab. Vieille cité hanséatique et centre industriel (métallurgie, agroalimentaire). — Fondée en 1143, ville impériale dès 1226, Lübeck fut à la tête de la Hanse de 1230 à 1535. — Imposants monu-

L'église Sainte-Marie (xiiie-xive s.) et la Holstentor (porte fortifiée du xve s.), à **LÜBECK.**

ments en brique de la ville médiévale (hôtel de ville, église Notre-Dame, etc.). Musées.

LUBERON ou **LUBÉRON** (le), chaîne calcaire du Vaucluse, au nord de la Durance ; 1 125 m. La montagne est englobée dans le *parc naturel régional du Luberon* (120 000 ha).

LUBIE n.f. Fantaisie soudaine ; caprice extravagant.

LUBIN (Germaine), soprano française (Paris 1890 - *id.* 1979). Cantatrice à l'Opéra de Paris, elle fut la première Française à chanter à Bayreuth.

LUBITSCH (Ernst), cinéaste américain d'origine allemande (Berlin 1892 - Hollywood 1947). Il se fait un nom dans le film historique avec *Carmen* et surtout *Madame du Barry* (1919) où les ruptures de ton (de l'humour à l'émotion pure) annoncent Renoir, Bergman et Truffaut. Il se fixe aux États-Unis, en 1923, où

To Be or not To Be (1942), d'Ernst **LUBITSCH.**

il réalise des films à grand spectacle, mais surtout des comédies sophistiquées, ironiques, frivoles, pétillantes et insolentes (c'est la « Lubitsch touch »). Celles-ci laissent deviner sa lucidité politique, à l'égard notamment du communisme (*Ninotchka,* 1939) et du nazisme (*To Be or not To Be,* 1942). L'élégance et la pudeur de son style dissimulent souvent une certaine gravité : *Haute Pègre* (1932), *Sérénade à trois* (1933), *Ange* (1937), *Le ciel peut attendre* (1943), *la Folle Ingénue* (1946).

LUBLIN, v. de Pologne, ch.-l. de voïévodie, au sud-est de Varsovie ; 339 000 hab. Textile. Métallurgie. — Siège du gouvernement provisoire de la Pologne en 1918 et en 1944. — Nombreux monuments du xive au xviiie siècle.

Lublin *(Union de)* [1er juill. 1569], union de la Pologne et du grand-duché de Lituanie en une « république » gouvernée par un souverain élu en commun.

LUBRICITÉ n.f. Caractère lubrique de qqn, de qqch.

LUBRIFIANT, E adj. et n.m. Se dit d'un produit qui lubrifie.

LUBRIFICATION n.f. Action de lubrifier.

LUBRIFIER v.t. Interposer un film d'un produit approprié entre les surfaces en contact de deux éléments en mouvement l'un par rapport à l'autre pour atténuer le frottement, l'usure et l'échauffement.

LUBRIQUE adj. Qui a ou qui manifeste un penchant excessif pour les plaisirs charnels, la luxure. ◆ **lubriquement** adv.

LUBUMBASHI, anc. Élisabethville, v. de la République démocratique du Congo (anc. Zaïre), ch.-l. du Shaba ; 451 000 hab. Centre de l'industrie du cuivre.

LUC *(saint)*, selon la tradition chrétienne, compagnon de saint Paul, auteur du troisième Évangile et des Actes des Apôtres. L'Évangile qu'on lui attribue, très littéraire et soucieux d'information historique, reprend dans ses grandes lignes celui de Marc et insiste particulièrement, comme les Actes des Apôtres, sur l'universalisme du message de Jésus. Il s'adresse à des chrétiens d'origine païenne et non palestinienne.

LUCAIN, en lat. Marcus Annaeus Lucanus, poète latin (Cordoue 39 - Rome 65), neveu de Sénèque le Philosophe. Compromis dans la conspiration de Pison, il s'ouvrit les veines. Il est l'auteur d'une épopée sur la lutte entre César et Pompée (*la Pharsale*, v. 60).

LUCANE n.m. (lat. *lucanus,* cerf-volant). Coléoptère des chênes et des châtaigniers. (Le mâle atteint 8 cm de long et porte des mandibules parfois énormes, qui lui valent son nom usuel de *cerf-volant*.)

LUCANIE, région de l'Italie ancienne, qui s'étendait du golfe de Tarente à la Campanie, habitée par une population proche des Samnites.

LUCARNE n.f. -1. Ouvrage en saillie sur un toit, comportant une ou plusieurs fenêtres donnant du jour au comble. -2. Chacun des deux angles supérieurs d'un but de football : *Tirer dans la lucarne.*

LUCAS de Leyde, peintre et graveur néerlandais (Leyde 1489 ou 1494 - *id.* 1533). Élève à Leyde du maniériste gothique Cornelis Engebrechtsz., il a peint des panneaux de genre, bibliques et religieux, et a gravé, surtout sur cuivre, des planches qui, à la fois capricieuses et très abouties, firent de lui un rival de Dürer.

LUCAYES *(îles)* → BAHAMAS.

1. **LUCERNAIRE** n.m. Office religieux célébré à la tombée du jour.

2. **LUCERNAIRE** n.f. Méduse acalèphe très commune, qui vit fixée aux herbes marines.

LUCERNE, en all. Luzern, v. de Suisse, ch.-l. du canton du même nom, au bord du lac des Quatre-Cantons ; 61 034 hab. (plus de 150 000 dans l'agglomération). Station touristique. (Le canton couvre 1 492 km² et compte 326 268 hab.) — Ville pittoresque ; nombreux monuments du Moyen Âge à l'époque baroque. Musées.

LUCIDE adj. -1. Perspicace ; clairvoyant. -2. Qui est en pleine possession de ses facultés intellectuelles. ◆ **lucidement** adv.

LUCIDITÉ n.f. Qualité ou état d'une personne lucide.

LUCIEN de Samosate, écrivain grec (Samosate, Syrie, v. 125 - v. 192). Esprit incisif, frondeur et satirique à l'égard de la religion, de l'art et des valeurs établies *(Dialogue des morts, Assemblée des dieux),* il est l'auteur de contes fantastiques *(Lucius ou l'Âne, Histoire vraie)* pleins de fantaisie.

Lucien Leuwen → STENDHAL.

LUCIFER, nom qui, signifiant en latin « porte-lumière », désigna d'abord le Christ dans les premiers siècles de l'Église, puis Satan dans la tradition patristique et surtout à partir du Moyen Âge. En effet, on en vint alors à appliquer au prince des démons le passage d'Isaïe (XIV, 12) sur la chute du roi de Babylone. Ainsi, pour le christianisme, c'est par sa révolte contre Dieu que Lucifer, l'ange de lumière, est devenu Satan.

LUCIFÉRASE n.f. (du lat. *lucifer,* qui apporte la lumière). Enzyme des organes lumineux de divers animaux.

LUCIFÉRIEN n.m. Au Moyen Âge, membre de certaines sectes satanistes qui rendaient un culte à Lucifer.

LUCIFÉRINE n.f. Substance contenue dans les organes lumineux de divers animaux, et dont l'oxydation en présence de luciférase provoque une émission de lumière (lampyre, divers poissons).

LUCIFUGE adj. Se dit des animaux qui évitent la lumière.

LUCILIE n.f. (du lat. *lux, lucis,* lumière). -1. Mouche d'un vert métallique, vivant sur les fleurs et les déchets organiques, et pouvant pondre sur la viande. -2. *Lucilie bouchère,* espèce originaire d'Amérique, qui pond sur les plaies des mammifères et dont les larves se développent en consommant la chair de leur hôte.

LUCILIUS (Caius), poète latin (Suessa Aurunca v. 180 - Naples v. 102 av. J.-C.), créateur de la satire romaine.

LUCIMÈTRE n.m. Instrument de mesure météorologique de l'intensité moyenne du rayonnement solaire.

LUCIOLE n.f. Coléoptère lumineux voisin du lampyre. (Long. 1 cm.)

LUCITE n.f. Lésion cutanée causée par les radiations lumineuses (notamm. en cas d'exposition prolongée au soleil).

LUCKNER (Nicolas, *comte*), maréchal de France (Cham, Bavière, 1722 - Paris 1794). Il commanda successivement les armées du Rhin (1791), du Nord et du Centre (1792). Nommé général en chef, soupçonné de trahison, il fut arrêté et exécuté.

LUCKNOW, v. de l'Inde, cap. de l'Uttar Pradesh ; 1 642 134 hab. Métallurgie. Textile.

LUÇON ou **LUZON**, la plus vaste (108 172 km²) et la plus peuplée (21 millions d'hab.) des îles des Philippines. Les massifs montagneux, parfois volcaniques, sont coupés de fossés d'effondrement (plaine de Cagayan au nord, plaine centrale autour de Manille). Dans l'ouest, une saison sèche d'hiver suit la mousson d'été, tandis que dans l'est règne un climat subéquatorial. La riziculture, partout présente, est complétée par des cultures commerciales (cocotier, abaca, tabac, canne à sucre). Gisements de chrome, d'or et de cuivre. La vie urbaine est dominée par Manille. Luçon fut occupée par les Japonais de 1942 à 1944.

LUCQUES, en ital. Lucca, v. d'Italie (Toscane), ch.-l. de prov. ; 86 188 hab. Huilerie. — Remparts des xvᵉ-xviᵉ siècles. Églises romanes et gothiques à arcatures pisanes, riches en œuvres d'art. Musées.

La cathédrale de **LUCQUES**. xiᵉ-xiiiᵉ siècle.

LUCRATIF, IVE adj. Qui rapporte de l'argent, du profit : *Emploi lucratif.*

LUCRE n.m. Profit recherché avec avidité : *Esprit de lucre.*

LUCRÈCE (m. v. 509 av. J.-C.), femme romaine qui se tua après avoir été violée par un fils de Tarquin le Superbe. Selon la légende, cet événement déclencha la révolte qui mit fin à la royauté à Rome.

LUCRÈCE, en lat. Titus Lucretius Carus, poète latin (Rome ? v. 98 - 55 av. J.-C.), auteur du *De natura rerum*, épopée inspirée de la science et de la philosophie épicuriennes. Le poète y expose, sur un mode poétique, sa morale du plaisir, ou bien suprême, et discerne dans la peur de la mort l'entrave principale au bonheur de l'homme.

LUCRÈCE BORGIA → BORGIA.

LUCULLUS (Lucius Licinius), général romain (v. 106 - v. 57 av. J.-C.). Il dirigea avant Pompée la guerre contre Mithridate (74-66) ; il est resté célèbre pour son raffinement gastronomique.

LUCY, nom familier donné à un squelette d'australopithèque gracile vieux de 3 millions d'années, trouvé dans la Rift Valley éthiopienne en 1974. (On écrit aussi *Lucie*.)

LÜDA, conurbation de Chine (Liaoning) à l'extrémité de la péninsule du Liaodong, regroupant Dalian et Port-Arthur.

LUDDISME n.m. Organisation et action des luddites.

LUDDITE n.m. Membre d'une des bandes d'ouvriers anglais, menés par N. Ludd, qui, entre 1811 et 1816, s'organisèrent pour détruire les machines, accusées de provoquer le chômage.

LUDENDORFF (Erich), général allemand (Kruszewnia, Posnanie, 1865 - Tutzing, Bavière, 1937). Chef d'état-major de Hindenburg sur le front russe (1914), puis son adjoint au commandement suprême (1916-1918), il imposa la guerre sous-marine à outrance et dirigea la stratégie allemande en 1917-18. Élève de Schlieffen, il apparaît comme l'un des plus habiles manœuvriers de la Première Guerre mondiale. La manœuvre de Tannenberg et des lacs Mazures (août 1914) révèle une conception stratégique napoléonienne fondée sur la recherche de l'anéantissement du gros des forces adverses par enveloppement. Profondément influencé par Clausewitz, il s'en détache et rejette ses théories dans son célèbre ouvrage *la Guerre totale* (1935), où il ne sépare pas guerre et politique. Selon Ludendorff, le conflit moderne exige la mobilisation de toute la population, une préparation de temps de paix, la soumission de l'économie à la guerre et la réunion de tous les pouvoirs entre les mains du commandant en chef. Violemment critiquée pour ses excès et pour ses connotations idéologiques racistes, sa théorie a exercé une très forte influence pendant et après la Seconde Guerre mondiale tant en Allemagne qu'en France et en Union soviétique.

Erich **LUDENDORFF,** général allemand. Détail d'un portrait par H. Eissfeldt. (Musée historique, Rastatt.)

LUDHIANA, v. de l'Inde (Pendjab) ; 1 012 062 hab. Centre textile.

LUDICIEL n.m. (lat. *ludus,* jeu, et [*logi*]*ciel*). Logiciel de jeu.

LUDION n.m. Fiole ou figurine creuse, ouverte à sa partie inférieure et lestée de façon à couler ou à émerger dans le liquide où elle est plongée lorsque la pression à la surface libre du liquide varie. (Les variations de pression sont génér. produites en appuyant sur une membrane fermant le récipient.)

LUDIQUE adj. Relatif au jeu : *Activité ludique.*

LUDISME n.m. Comportement ludique.

LUDOLOGUE n. Personne qui crée des jeux pour les médias.

LUDOTHÈQUE n.f. Organisme mettant à la disposition des enfants un local avec des jouets.

LUDOVIC SFORZA le More (Vigevano 1452 - Loches 1508), duc de Milan (1494-1500). Il obtint le Milanais avec l'aide de la France, mais l'avènement de Louis XII ruina son pouvoir. Capturé à Novare (1500), il mourut interné en France.

LUDWIGSHAFEN AM RHEIN, v. d'Allemagne (Rhénanie-Palatinat), en face de Mannheim ; 159 567 hab. Centre chimique. – Musée Wilhelm-Hack (haut Moyen Âge, Moyen Âge, peinture moderne).

LUÉTINE n.f. Substance autref. utilisée en cuti-réaction pour le diagnostic de la syphilis. (Cette réaction, dite *luo-test,* est totalement abandonnée.)

LUETTE n.f. (pour *l'uette,* dimin. du lat. *uva,* grappe). Appendice charnu, mobile et contractile, prolongeant le bord postérieur du voile du palais et qui contribue à la fermeture des fosses nasales pendant la déglutition.

LUEUR n.f. -1. Clarté faible ou éphémère : *Les premières lueurs de l'aube.* -2. Éclat fugitif du regard : *Une lueur d'intérêt a brillé dans ses yeux.* -3. Manifestation passagère et vive : *Une lueur d'intelligence.*

LUFFA n.m. Cucurbitacée grimpante d'Afrique et d'Asie dont la pulpe fibreuse, desséchée, constitue l'éponge végétale.

Luftwaffe (mot all. signif. *arme aérienne*), nom donné depuis 1935 à l'aviation militaire allemande.

LUGANO, v. de Suisse (Tessin), sur le *lac de Lugano ;* 25 334 hab. Station climatique et centre de villégiature. – Cathédrale médiévale à façade Renaissance. Église S. Maria degli Angioli, du xvɪᵉ siècle (fresques de Bernardino Luini, 1529). Musées.

LUGDUNUM, nom latin de Lyon.

LUGE n.f. Petit traîneau utilisé pour glisser sur la neige ; sport pratiqué avec ce traîneau.

1. **LUGER** v.i. [17]. -1. Faire de la luge. -2. SUISSE. FAM. Échouer à un examen, à une élection.

2. **LUGER** [lyʒɛr] n.m. (de M. *Luger,* n.pr.). Pistolet automatique de 9 mm.

LUGEUR, EUSE n. Personne qui pratique le sport de la luge.

LUGNÉ-POE (Aurélien Marie **Lugné,** dit), acteur, directeur de théâtre et écrivain français (Paris 1869 - Villeneuve-lès-Avignon 1940). Fondateur du théâtre de l'Œuvre (1893), il fit connaître en France les grands dramaturges étrangers (Ibsen, Strindberg) et encouragea de jeunes auteurs belges (Crommelynck) ou français (H. Bataille, Claudel, Jarry).

LUGO, v. d'Espagne (Galice), ch.-l. de prov. ; 83 242 hab. – Enceinte en partie romaine (ɪɪɪᵉ s.). Cathédrale des xɪɪᵉ-xvɪɪɪᵉ siècles.

LUGONES (Leopoldo), écrivain et homme politique argentin (Santa María del Río Seco 1874 - Buenos Aires 1938). Il est le principal représentant du « modernisme » dans son pays (*la Guerra gaucha,* 1905).

LUGUBRE adj. Qui exprime ou inspire la tristesse : *Des plaintes lugubres.* ◆**lugubrement** adv.

LUI pr. pers. de la 3ᵉ pers. du sing., des deux genres.

LUIRE v.i. [97]. -1. Émettre ou réfléchir de la lumière, briller. -2. LITT. Apparaître, se manifester : *Un faible espoir luit encore.*

LUISANT, E adj. -1. Qui luit. -2. *Ver luisant,* lampyre femelle. ◆ **luisant** n.m. Aspect d'une surface qui reluit.

LUKÁCS (György), philosophe et homme politique hongrois (Budapest 1885 - *id.* 1971). Membre du Parti communiste hongrois à partir de 1918, il a été ministre de la Culture en 1956 dans le gouvernement Nagy. Sa philosophie interprète les thèses de Marx dans une perspective humaniste (*Histoire et Conscience de classe,* 1923). Il s'est également attaché à fonder une esthétique marxiste (*l'Évolution du drame moderne,* 1908 ; *le Roman historique,* 1936 ; *Balzac et le réalisme français,* 1936).

ŁUKASIEWICZ (Jan), logicien et philosophe polonais (Lvov 1878 - Dublin 1956). Il a, le premier, énoncé une logique trivalente, admettant le vrai, le faux et le possible, cette dernière valeur étant à peu près synonyme de « indéterminé » et de « futur » (*Elements of Mathematical Logic,* 1929).

LULEÅ, port de Suède, sur le golfe de Botnie, à l'embouchure du *Lule älv ;* 68 412 hab. Exportation des bois et du fer. Aciérie.

LULLE (*bienheureux* Raymond), philosophe, théologien et poète catalan (Palma de Majorque 1233 ou 1235 - Bougie ou Palma 1315). Troubadour de renom à la cour de Majorque, il se consacre à partir de 1265 à la conversion des infidèles. Esprit encyclopédique, il écrit en arabe, en latin, en catalan de nombreux ouvrages de logique, d'ascétisme, de droit et de philosophie. Il veut provoquer des rencontres entre savants appartenant à des confessions différentes en vue de l'unification religieuse de l'humanité. Dans son *Ars magna,* somme de logique et d'apologétique, il se soucie de réconcilier la raison et la foi. Il a élevé la prose catalane au rang de langue littéraire.

LULLY ou **LULLI** (Jean-Baptiste), compositeur italien naturalisé français (Florence 1632 - Paris 1687). Arrivé en France en 1646, excellent violoniste, il gagne la confiance du jeune Louis XIV, qui le nomme compositeur de la musique de la Chambre et lui confie les ballets de cour. En 1661, il reçoit la charge de surintendant de la musique. De 1664 à 1670, il collabore avec Molière à des comédies-ballets, dont *le Bourgeois gentilhomme* (1670), et se tourne vers l'opéra. En collaboration avec Quinault, il crée en 1673, avec *Cadmus et*

Hermione, un genre musical nouveau : la tragédie lyrique. Il en composera en moyenne une par an. Les plus célèbres sont : *Alceste* (1674), *Thésée* (1675), *Isis* (1677), *Amadis* (1684) et *Armide* (1686). Il a laissé également deux ballets, une pastorale, *Acis et Galatée* (1686), et de la musique religieuse : *Miserere* (1664), *Te Deum* (1677), *De profundis* (1683). Il domina la musique française en son temps, et son style influença Bach et Händel.

Jean-Baptiste **LULLY,** compositeur italien naturalisé français. Détail d'un portrait anonyme. (Musée Condé, Chantilly.)

LULU n.m. Alouette nichant au sol.

Lulu, opéra inachevé d'A. Berg, en un prologue et trois actes, sur un livret du compositeur, d'après Wedekind (créé à Zurich en 1937 ; puis achevé par F. Cerha, à Paris en 1979). Cette œuvre dodécaphonique se caractérise par un réalisme et une violence exceptionnels.

LUMACHELLE [lymaʃɛl] n.f. (de l'it. *lumaca,* limaçon). Roche sédimentaire calcaire formée par l'accumulation de coquilles fossiles.

LUMBAGO ou **LOMBAGO** [lɔ̃bago] n.m. (du lat. *lumbus,* rein). Affection brutale et douloureuse survenant au niveau lombaire et due souvent à un effort de soulèvement ou à une torsion brusque du rachis lombaire. SYN. (fam.) : **tour de reins.**

LUMEN [lymɛn] n.m. (mot lat., *lumière*). Unité de mesure de flux lumineux (symb. lm), équivalant au flux lumineux émis dans un angle solide de 1 stéradian par une source ponctuelle uniforme située au sommet de l'angle solide et ayant une intensité lumineuse de 1 candela.

LUMET (Sidney), cinéaste américain (Philadelphie 1924). Cinéaste des conflits, il a réalisé *Douze Hommes en colère* (1957), *l'Homme à la peau de serpent* (1960), *Un après-midi de chien* (1975), *Family Business* (1989), *Dans l'ombre de Manhattan,* 1997.

LUMIÈRE n.f. (lat. *lumen, luminis,* lumière). -**1**. Rayonnement émis par des corps portés à haute température (incandescence) ou par des corps excités (luminescence) et qui est perçu par les yeux. -**2**. Clarté du soleil ; jour. -**3**. Éclairage artificiel ; ce qui produit cet éclairage : *Éteindre la lumière. Il reste une lumière allumée.* -**4**. Ce qui éclaire l'esprit ; élément qui fait comprendre : *La lumière de la raison.* -**5**. (Souvent en tournure nég.). Personne au savoir ou aux mérites éclatants : *Ce n'est pas une lumière.* **ARM.** Ouverture percée dans le canon des anciennes armes à feu, par laquelle on enflammait la charge. **ASTRON.** *Lumière cendrée,* lumière solaire réfléchie par la Terre sur la Lune et qui permet de distinguer le disque entier de la Lune lorsque celle-ci se montre sous forme de croissant. ‖ *Lumière zodiacale* → ZODIACAL. **BX-ARTS.** Partie claire ou plus éclairée que les autres dans une peinture, un dessin. **OPT.** Dans les instruments d'optique à pinnules, petit trou par lequel on voit l'objet observé. ‖ *Lumière noire* ou *lumière de Wood,* rayonnement ultraviolet invisible qui provoque la fluorescence de certains corps. **OUTILL.** Trou pratiqué dans un outil. **TECHN.** Orifice d'entrée et de sortie de la vapeur dans le cylindre d'une machine à vapeur. ◆ pl. -**1**. Feux d'un véhicule : *Laisser ses lumières allumées.* -**2**. *Les Lumières,* mouvement philosophique qui domine le monde des idées en Europe au XVIIIe s.
→ ● **DOSSIER** LA LUMIÈRE *page 3291.*

LUMIÈRE (Louis), chimiste et industriel français (Besançon 1864 - Bandol 1948). Aidé de son frère **Auguste** (Besançon 1862 - Lyon 1954), il inventa le Cinématographe (1895), dont la première représentation eut lieu à Paris le 28 décembre de la même année, et pour lequel ils tournèrent de très nombreux films. On lui doit également la mise au point du premier procédé commercial de photographie en couleurs (procédé Autochrome, fondé sur la synthèse additive [1903]) et des travaux grâce auxquels il obtint le relief cinématographique (technique des anaglyphes [1935]).

Lumières *(siècle des)* ou **les Lumières,** mouvement philosophique qui domina le monde des idées en Europe au XVIIIe s. Rationaliste et anticartésienne, la philosophie des Lumières substitue l'empirisme à l'innéisme et la certitude des faits à l'évidence du cogito. Mettant en avant l'utilité et le bonheur individuel, critiquant les hiérarchies sociale et religieuse au nom d'un humanisme axé sur la valeur de l'individu, elle est aussi une idéologie politique dont l'expansion accompagne la montée de la bourgeoisie et le déclin de la féodalité. Les principaux représentants des Lumières sont en Grande-Bretagne J. Locke, D. Hume, I. Newton, en Allemagne C. Wolff, Lessing, Herder, en France Montesquieu, Voltaire, Diderot, J.-J. Rousseau, tous les encyclopédistes, Condillac et Buffon.

LUMIGNON n.m. Lampe qui diffuse une lumière faible.

LUMINAIRE n.m. -**1**. Tout appareil d'éclairage. -**2**. Lampes, cierges utilisés dans le culte chrétien. -**3**. En astrologie, le Soleil ou la Lune.

LUMINANCE n.f. -**1**. Quotient de l'intensité lumineuse d'une surface par l'aire apparente de cette surface, pour un observateur lointain. (Unité : le cd/m^2.) SYN. (anc.) : brillance. -**2**. *Signal de luminance,* signal qui représente uniquement les luminances des points de l'objet dont on transmet l'image, en télévision.

LUMINESCENCE n.f. Caractère propre à de nombreuses substances d'émettre de la lumière à basse température sous l'effet d'une excitation.

ENCYCL. La luminescence est une production de lumière par tout autre moyen que le chauffage (qui relève de l'*incandescence*). Dans tous les phénomènes de luminescence, la lumière est émise par les atomes revenant à leur état normal après avoir été excités vers un état d'énergie plus élevée. Quand l'émission suit aussitôt l'excitation, on parle de *fluorescence.* Quand au contraire un délai plus ou moins long les sépare, on parle de *phosphorescence.*

Il y a autant de types de luminescence que de méthodes d'excitation des atomes. On parle ainsi de *bioluminescence* pour l'émission de lumière par des processus chimiques dans un organisme vivant (vers luisants, poissons des abysses, etc.), de *triboluminescence* pour l'émission due à des contraintes mécaniques (comme ce qu'on observe en écrasant du sucre dans l'obscurité), de *radioluminescence* quand l'excitation est produite par des radiations de haute énergie (scintillateurs) et d'*électroluminescence* quand elle est due à l'application directe d'un champ électrique (diodes électroluminescentes destinées à l'affichage). Les deux types les plus riches en applications sont la *cathodoluminescence* et la *photoluminescence.*

La cathodoluminescence. L'excitation de l'atome est produite par l'impact d'un électron rapide. C'est de cette manière qu'un écran (téléviseur, moniteur d'ordinateur, etc.) pro-

LUMINESCENCE : enseigne avec tubes à décharge à vapeur de mercure (photoluminescence) à Las Vegas (É.-U.)

duit sa lumière. Le jet d'électrons, issu d'un « canon à électrons » puis focalisé, est dévié et vient frapper le point choisi sur l'écran, recouvert d'un matériau luminescent, souvent à base de sulfure de zinc mélangé à des « activateurs ». Les électrons incidents en libèrent d'autres, de direction aléatoire, et on ne peut pas réduire indéfiniment la taille du « spot » lumineux résultant.

La photoluminescence. L'excitation de l'atome est produite par l'absorption de lumière, visible ou − le plus souvent − ultraviolette. En effet, on constate toujours que l'énergie du photon émis est plus faible que celle du photon absorbé, la différence étant dissipée sous d'autres formes. C'est ainsi que les « tubes fluorescents » d'éclairage utilisent la photoluminescence d'un matériau tapissant le tube et excité par l'ultraviolet émis par la lampe à vapeur de mercure contenue dans le tube. La couleur finale dépend évidemment du revêtement utilisé, c'est-à-dire des niveaux d'énergie des atomes qui le constituent. (→ INCANDESCENCE, LUMIÈRE.)

LUMINESCENT, E [-nɛsɑ̃, ɑ̃t] adj. -1. Relatif à la luminescence. -2. *Tube luminescent,* tube contenant un gaz ou une vapeur qui s'illumine lorsqu'on y produit une décharge électrique.

LUMINEUX, EUSE adj. -1. Qui émet ou réfléchit la lumière : *Corps lumineux.* -2. Qui a beaucoup de lucidité, de clarté : *Intelligence, explication lumineuse.* ◆ **lumineusement** adv.

LUMINISME n.m. Tendance picturale qui privilégie les effets de lumière ou de clair-obscur.

LUMINISTE adj. et n. Relatif au luminisme ; adepte du luminisme.

LUMINOPHORE n.m. Petit grain de matière émettant de la lumière, sous l'impact d'un faisceau d'électrons, et constituant la couche sensible de l'écran des tubes cathodiques.

LUMINOSITÉ n.f. -1. Qualité de ce qui est lumineux. -2. Quantité totale d'énergie rayonnée par unité de temps par un astre.

LUMITYPE n.f. (nom déposé). Machine à composer photographique.

LUMP [lœp] n.m. Poisson osseux des mers froides, connu en France pour ses œufs, consommés comme succédané de caviar.

LUMPENPROLÉTARIAT [lumpənprɔletarja] n.m. Dans la terminologie marxiste, partie du prolétariat constituée par ceux qui ne disposent d'aucune ressource et caractérisée par l'absence de conscience de classe.

LUMUMBA (Patrice), homme politique congolais (Katako Kombé 1925 - Élisabethville 1961). Il milita pour l'indépendance du Congo belge. Premier ministre en 1960, il lutta contre la sécession du Katanga, région méridionale du pays. Destitué en 1961, il fut assassiné.

LUNA (Álvaro de), connétable de Castille (Cañete 1388 - Valladolid 1453), ministre et favori du roi Jean II. La noblesse obtint sa disgrâce. Il fut décapité.

1. **LUNAIRE** adj. -1. Qui concerne ou évoque la Lune. -2. *Mois lunaire,* lunaison.

2. **LUNAIRE** n.f. Plante ornementale cultivée pour ses fleurs odorantes et ses fruits, qui ont la forme de disques blanc argenté, pouvant dépasser 5 cm de diamètre. (Noms usuels : *monnaie-du-pape, herbe aux écus ;* famille des crucifères.)

LUNAISON n.f. Espace de temps qui s'écoule entre deux nouvelles lunes consécutives (env. 29,5 j). SYN. : **mois lunaire.**

LUNATIQUE adj. et n. Qui a l'humeur changeante, capricieuse.

LUNCH [lœʃ] ou [lœntʃ] n.m. (pl. lunchs ou lunches). Repas léger que l'on sert en buffet à l'occasion d'une réception.

LUND, v. de la Suède méridionale ; 87 681 hab. Université. − Importante cathédrale romane (1080-1145) à voûtes gothiques ; horloge astronomique du XIVe siècle. Musées (archéologie, histoire, arts et traditions populaires ; musée de plein air).

LUNDEGÅRDH (Henrik), botaniste suédois (Stockholm 1888 - Penningby 1969), auteur de travaux sur la photosynthèse, le cycle du gaz carbonique, etc.

LUNDI n.m. Premier jour de la semaine.

LUNDSTRÖM (Johan Edvard), industriel suédois (Jönköping 1815-1888). Il est l'inventeur (1852) de l'allumette de sûreté, dite « suédoise ».

LA LUMIÈRE

La théorie de la lumière a introduit, tout au long de l'histoire des sciences, un questionnement fondamental sur la nature des objets que la physique étudie : ondes ou particules ?

Dans les premières descriptions mythiques du monde, la lumière est une sorte de « brume claire », opposée à la « brume sombre » des ténèbres qui, le soir, montent du sol. Puis les Grecs commencent à s'interroger sur la nature *physique* du monde. Parménide (450 av. J.-C.), remarquant que la partie brillante de la Lune est toujours tournée vers le Soleil, en déduit que la lumière vient du Soleil, c'est-à-dire qu'elle se déplace. Les ténèbres, elles, sont une absence de lumière. La propagation de la lumière est expliquée par l'émission de petites particules, conception qui sera largement développée au Moyen Âge. Pour Aristote, les couleurs résultent d'un mélange de lumière et d'obscurité.

Les premières théories scientifiques.

Descartes ; Huygens ; Malebranche. Au début du XVIIe siècle, avec R. Descartes, s'amorce vraiment une théorie scientifique de la propagation de la lumière. S'il la conçoit comme un ébranlement d'une matière subtile se transmettant instantanément, donc avec une vitesse infinie et sans transport de matière, on rencontre aussi chez lui une conception corpusculaire.

Ces conceptions seront reprises et améliorées par deux théories longtemps rivales : la théorie ondulatoire et la théorie corpusculaire.

La première ne reçoit un véritable développement scientifique qu'avec C. Huygens. Selon celui-ci (*Traité de la lumière,* 1690), chaque point d'une surface lumineuse émet une onde sphérique qui se propage à une vitesse finie dans un milieu non vraiment matériel, l'*éther,* d'une manière analogue au son, et chaque point d'une onde donne lieu à un processus semblable. Huygens explique ainsi la réflexion, la réfraction, etc. Toutefois, sa théorie ondulatoire ignore les notions de fréquence et d'amplitude des vibrations lumineuses et donc n'explique ni la diversité des couleurs ni les phénomènes d'interférence. De plus, elle ne parvient pas à donner une explication satisfaisante de la propagation rectiligne de la lumière.

Au début du XVIIIe siècle, N. de Malebranche, partisan lui aussi de la théorie ondulatoire, présente une conception plus précise des vibrations lumineuses de l'éther et de leur fréquence qu'il distingue de leur amplitude, ce qui le conduit à la reconnais-

MESURE DE LA VITESSE DE LA LUMIÈRE

La vitesse de la lumière est une constante physique des plus importantes (par exemple, à cause du rôle qu'elle joue dans les équations de la relativité). Elle est voisine de 300 000 km/s dans le vide. C'est pourquoi Galilée, qui se demandait encore si le déplacement de la lumière est instantané ou progressif, ne pouvait qu'échouer lorsqu'il tenta d'évaluer le temps mis par la lumière d'une lanterne à volet pour faire un aller-retour entre les sommets de deux collines voisines. La première détermination effective de cette vitesse est due à Römer, en 1676 ; la vitesse fut déduite d'observations astronomiques (éclipses des satellites de Jupiter) et donna une valeur d'environ 210 000 km/s. Par la suite, on réussit à faire des mesures plus directes par la méthode de la roue dentée ❶ (Fizeau, 1849) ou par celle du miroir tournant (Foucault, 1850).

LA LUMIÈRE

sance de la diversité continue des couleurs. Mais, pour lui, comme d'ailleurs pour Huygens, la vibration est longitudinale.

Newton. La théorie de la lumière de I. Newton est mixte, bien qu'y domine l'explication corpusculaire. Il l'expose dans son fameux mémoire de 1672 à la Royal Society, qui sera la source d'une vive polémique avec R. Hooke, défenseur de la pure théorie ondulatoire. Mais il ne la développe complètement que dans son *Optique* (1ʳᵉ éd., 1704). Pour Newton, la lumière est constituée par des corpuscules qui se déplacent dans l'éther à une vitesse finie, où ils produisent des vibrations. Comme Malebranche, il introduit la notion de fréquence variant avec les couleurs, mais, à la différence de celui-ci, il ne la distingue pas clairement de l'amplitude des vibrations. Cette fréquence est expliquée par la variation du comportement des corpuscules durant leur parcours (théorie des accès), et la diversité des couleurs, par des différences de grosseur des corpuscules. La théorie corpusculaire de Newton rend bien compte de la

L'EXPÉRIENCE DE FIZEAU

Dans l'expérience de Fizeau ❶, un faisceau de rayons venant de A, et réfléchi par un miroir semi-transparent, passe entre deux dents de la roue, puis, réfléchi par le miroir M, revient vers l'observateur. À une vitesse quelconque de la roue, le faisceau, à l'aller comme au retour, est périodiquement intercepté par une dent et l'œil perçoit de cette lumière réfléchie un éclat alternativement croissant et décroissant. Mais, à une vitesse déterminée, le faisceau passe à l'aller dans un creux et, au retour, par le même point du creux suivant, produisant pour l'œil une sensation uniforme. De cette vitesse de la roue et de l'éloignement du miroir (de l'ordre de 8 km), on déduit avec précision la vitesse de la lumière.

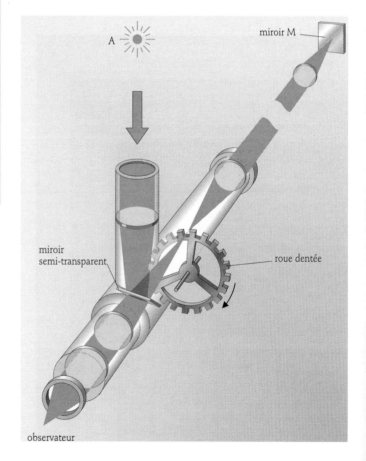

❶ Expérience de Fizeau.

LA LUMIÈRE

propagation rectiligne de la lumière, mais ce n'est que par des raisonnements mécaniques imaginatifs et peu scientifiques qu'il explique la diffraction.

La fondation de l'optique moderne.

C'est seulement au début du XIXᵉ siècle, avec T. Young, qu'est introduit le principe fondamental de l'interférence des ondes lumineuses, au cours de l'expérience dite des « fentes de Young », qui constitue une preuve patente du caractère ondulatoire de la lumière. Encore assez imprécise, la théorie ondulatoire de Young ne sera vraiment développée que par A. Fresnel, qui substitue, le premier, la vibration transversale à la vibration longitudinale.

Toutefois, à la même époque, de nombreux savants demeurent attachés à la théorie corpusculaire, principalement Laplace et J.-B. Biot, qui la défendent sur la base de la mécanique newtonienne. Mais, lorsque les mesures effectuées par H. Fizeau (1849) et par L. Foucault (1850) démontrent, ainsi que l'avait prévu Fresnel, que la lumière se propage plus vite dans l'air que dans l'eau, la théorie corpusculaire, qui affirmait le contraire, est abandonnée.

En 1865, à partir d'études sur l'électricité et le magnétisme, J. C. Maxwell établit l'existence d'ondes électromagnétiques et identifie la lumière avec les phénomènes électromagnétiques. C'est cette théorie que H. A. Lorentz développe à la fin du XIXᵉ siècle, démontrant notamment que l'on peut expliquer la réflexion et la réfraction par les théories électromagnétiques de Maxwell.

La conception quantique de la lumière.

Avec la découverte du photon par A. Einstein en 1905 et son interprétation de l'effet photoélectrique, et avec la mécanique ondulatoire de L. de Broglie en 1924, qui associe onde et corpuscule, les deux théories – corpusculaire et ondulatoire – se trouvent « réconciliées », mais sous un mode qui les modifie l'une et l'autre. Comme toute révolution scientifique, cela entraîne aussi un dépassement des théories précédentes. Aujourd'hui, dans le cadre de la physique quantique, le photon n'est plus ni une onde ni une particule mais un *quanton,* objet d'étude de la théorie quantique. Cependant, lorsque celle-ci peut être *approchée* par la théorie classique, un quanton manifeste un comportement soit corpusculaire (effet photoélectrique), soit ondulatoire (interférences lumineuses).

Voir aussi : INCANDESCENCE, LASER, LUMINESCENCE, OPTIQUE, PHYSIQUE.

LUNE			
Caractéristiques physiques	diamètre moyen		3 476 km (0,27 fois le diamètre équatorial de la Terre
	masse		73,4 · 10²¹ kg (0,012 fois celle de la Terre)
	volume		22 · 19⁹ km³ (0,02 fois celui de la Terre)
	densité moyenne		3,34
	albédo moyen		0,073
	inclinaison de l'équateur sur l'orbite		6⁰ 41′
Caractéristiques orbitales	demi-grand axe de l'orbitre		384 400 km
	excentricité moyenne		0,0549
	distance minimale à la Terre		356 375 km
	distance maximale à la Terre		406 720 km
	inclinaison moyenne sur l'écliptique		5,145 3⁰
	période de révolution sidérale		27 j 7 h 43 min 11,5 s
	période de révolution synodique (lunaison)		29 j 12 h 44 min 2,8 s

1. **LUNE** n.f. -**1.** Satellite naturel de la Terre. (V. ENCYCL.) -**2.** Satellite naturel d'une planète quelconque : *Les lunes de Jupiter.* -**3.** FAM. Derrière, fesses. - **4.** *Lune rousse,* lunaison qui commence après Pâques, entre le 5 avril et le 6 mai. (C'est souvent une période de gelées ou de vents froids qui font roussir les jeunes pousses.) ‖ *Nouvelle lune,* phase de la Lune dans laquelle celle-ci, se trouvant placée entre le Soleil et la Terre, tourne vers la Terre son hémisphère obscur et, de ce fait, est invisible. ‖ *Pleine lune,* phase de la Lune dans laquelle celle-ci, se trouvant à l'opposé du Soleil par rapport à la Terre, tourne vers la Terre son hémisphère éclairé et est donc visible sous l'aspect d'un disque entier.

ENCYCL. La Lune tourne autour de la Terre en 27 j 7 h 43 min *(révolution sidérale),* à une distance moyenne de 384 400 km. Dans le même temps, elle accomplit une rotation complète sur elle-même. Aussi présente-t-elle toujours la même face à la Terre. Dépourvue de lumière propre, elle ne fait que réfléchir la lumière qu'elle reçoit du Soleil et possède donc en permanence un hémisphère obscur et un hémisphère éclairé. Les aspects différents, ou *phases,* suivant lesquels elle est vue de la Terre s'expliquent par les variations de sa position

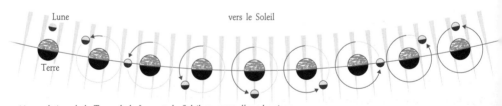

positions relatives de la Terre, de la Lune et du Soleil au cours d'une lunaison

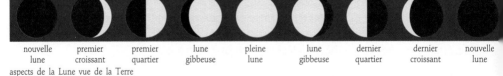

nouvelle lune   premier croissant   premier quartier   lune gibbeuse   pleine lune   lune gibbeuse   dernier quartier   dernier croissant   nouvelle lune

aspects de la Lune vue de la Terre

les phases de la **LUNE**

relative par rapport à notre planète et au Soleil. Ces phases se déroulent suivant un cycle de 29 j 12 h 44 min *(révolution synodique, lunaison ou mois lunaire)*. Sa surface présente de vastes plaines accidentées, criblées de très nombreux cratères météoritiques de dimensions variées, et des montagnes aux formes douces pouvant atteindre des altitudes élevées (8 200 m). Elle n'est entourée d'aucune atmosphère, ce qui lui vaut de subir des températures allant d'environ + 120 °C le jour à − 170 °C la nuit. Le sol lunaire a été étudié directement de 1969 à 1972, au cours de 6 vols de la série Apollo, qui permirent à 12 astronautes américains de débarquer sur l'astre et d'en rapporter près de

face de la **LUNE** non visible de la Terre, photographiée par la sonde Galileo en 1990

400 kg d'échantillons. L'origine de la Lune reste mystérieuse : est-elle un morceau de la Terre primitive ? A-t-elle été capturée, après sa formation, par l'attraction de notre planète ? Ou bien s'est-elle formée par l'accumulation progressive de matière en orbite autour de la Terre ? Cette dernière hypothèse est considérée aujourd'hui comme la plus vraisemblable.

2. LUNE n.m. Môle (poisson).

LUNÉ, E adj. FAM. *Bien, mal luné,* de bonne, de mauvaise humeur.

LÜNEBURG, v. d'Allemagne (Basse-Saxe), dans les *landes de Lüneburg ;* 60 937 hab. — Hôtel de ville des XIIIᵉ-XVIIIᵉ siècles, églises gothiques, maisons anciennes aux appareils décoratifs de brique. Musée allemand du Sel.

LÜNEN, v. d'Allemagne, dans la Ruhr ; 86 363 hab. Ancienne ville hanséatique. Métallurgie.

LUNETIER, ÈRE n. Fabricant, marchand de lunettes. ◆ adj. Relatif à la vente, à la fabrication de lunettes.

LUNETTE n.f. -**1.** Instrument d'optique destiné à l'observation des objets éloignés (partic. des astres), et dont l'objectif est constitué d'une lentille convergente ou d'un système achromatique équivalent. -**2.** Vitre arrière d'une automobile. -**3.** Ouverture d'une cuvette de W.-C. **ARCHIT.** Portion de voûte en berceau pénétrant dans la montée d'une voûte principale. **ARM.** *Lunette de pointage,* lunette qui sert à viser un objectif en le grossissant. **FORTIF.** Ouvrage extérieur d'une place, composé de deux faces et de deux flancs, et constituant une position avancée dans un système bastionné. **MAR.** *Lunette d'étambot,* orifice percé dans l'étambot pour le passage de l'arbre de l'hélice. **MÉCAN.** Appareil fixe ou mobile servant de guide supplémentaire pour une pièce de grande longueur sur une machine-outil. **OPT.** *Lunette d'approche,* lunette munie d'un redresseur d'images. **ORNITH.** Fourchette. **PEINT.** Partie supérieure, cintrée, d'un tableau d'autel ou d'une peinture murale. ◆ pl. -**1.** Paire de verres correcteurs ou filtrants, enchâssés dans une monture conçue pour être placée sur le nez, devant les yeux. -**2.** *Serpent à lunettes,* naja.

LUNETTERIE n.f. Métier, commerce du lunetier.

LUNÉVILLE, ch.-l. d'arr. de Meurthe-et-Moselle, sur la Meurthe ; 22 393 hab. *(Lunévillois).* Constructions mécaniques et électriques. Textile. Faïence. — En 1801 y fut conclu, entre la France et l'Autriche, un traité confirmant celui de Campoformio et consacrant l'accroissement de la puissance française en Italie. — Château ducal par Boffrand (1702 ; musée) ; église St-Jacques, à décor rocaille, par Boffrand et Héré (1730).

LUNI-SOLAIRE adj. (pl. luni-solaires). Relatif à la fois à la Lune et au Soleil, à leurs mouvements et aux repères chronologiques que ceux-ci fournissent : *Calendrier luni-solaire.*

LUNULE n.f. (lat. *lunula,* petit croissant). -**1.** Tache blanche en forme de croissant, située à la base de l'ongle chez l'homme. -**2.** Surface limitée par deux arcs de cercle ayant mêmes extrémités, et dont la convexité est tournée du même côté.

LUNURE n.f. Défaut du bois, inclusion d'aubier, en forme de croissant ou d'anneau, dans le bois de cœur.

LUOYANG, v. de Chine (Henan) ; 171 000 hab. — Berceau de la culture chinoise depuis le néolithique. Nombreux vestiges reflétant son passé de capitale impériale (temple *Baimasi* fondé en 68, avec la célèbre pagode érigée sous les Tang et restaurée sous les Song). Musée. Dans les environs, grottes de Longmen.

LUPERCALES n.f. pl. Fêtes annuelles célébrées, le 15 février, dans l'ancienne Rome, près d'une grotte, le Lupercal, en l'honneur de Faunus Lupercus, dieu des Troupeaux.

LUPERQUE n.m. Membre de la confrérie des prêtres qui célébraient le culte de Faunus Lupercus, en partic. lors des lupercales.

LUPIN n.m. Plante à feuilles palmées, cultivée comme fourrage ou pour ses fleurs ornementales disposées en épi. (Famille des papilionacées.)

Lupin (Arsène), type du gentleman cambrioleur créé, en 1905, par Maurice Leblanc.

LUPOME n.m. Lésion élémentaire du lupus tuberculeux.

1. **LUPULINE** n.f. ou **LUPULIN** n.m. (lat. *lupulus,* houblon). Poudre jaune produite par les fleurs femelles de houblon, et contenant des résines amères qui aromatisent la bière.

2. **LUPULINE** n.f. Luzerne sauvage à petites fleurs jaunes, très commune dans les champs. SYN. : minette.

LUPUS [lypys] n.m. (mot lat., *loup*). -1. Affection de la peau, caractérisée par l'infiltration du derme par des foyers tuberculeux juxtaposés, ou *lupomes.* (On dit aussi *lupus tuberculeux.*) -2. *Lupus érythémateux chronique,* dermatose caractérisée par l'érythème, l'hyperkératose ponctuée et l'atrophie cutanée.

LURÇAT (Jean), peintre et cartonnier de tapisseries français (Bruyères, Vosges, 1892 - Saint-Paul-de-Vence 1966). Il a contribué, à partir des années 30, à rénover l'art de la tapisserie, en s'inspirant de sa phase médiévale (*le Chant du monde,* dix pièces, 1956-1965, Angers).

LURE, ch.-l. d'arr. de la Haute-Saône ; 10 049 hab. *(Lurons).* Textile. Chimie.

LURE *(montagne de),* chaîne calcaire des Alpes françaises du Sud, au sud-ouest de Sisteron ; 1 826 m.

LURETTE n.f. FAM. *Il y a belle lurette,* il y a bien longtemps.

LURISTAN → LORESTAN.

LURON, ONNE n. FAM. Personne gaie, insouciante.

LUSACE, en all. Lausitz, région aux confins de l'Allemagne et de la République tchèque, culminant aux *monts de Lusace* (1 010 m).

LUSAKA, cap. de la Zambie, à environ 1 300 m d'alt. ; 870 000 hab.

LÜSHUN → PORT-ARTHUR.

Lusiades (les) → CAMÕES.

LUSIGNAN, famille originaire du Poitou, qui fit souche dans l'Orient latin, notamment avec Gui de Lusignan, fondateur de la dynastie des Lusignan, à Chypre, en 1192.

LUSIN n.m. Ligne d'amarrage faite de deux fils de caret entrelacés.

Lusitania, paquebot britannique qui fut torpillé près des côtes d'Irlande, le 7 mai 1915, par un sous-marin allemand. 1 200 personnes (dont 118 Américains) périrent dans le naufrage.

LUSITANIE, ancienne région de la péninsule Ibérique couvrant, pour une part, l'actuel territoire du Portugal, devenue province romaine à partir d'Auguste.

LUSOPHONE adj. et n. De langue portugaise.

LUSTIGER (Jean-Marie), prélat français (Paris 1926). Né de parents d'origine polonaise et israélite, prêtre en 1954, il est nommé archevêque de Paris en 1981 puis cardinal en 1983. (Acad. fr. 1995.)

LUSTRAGE n.m. Action, manière de lustrer.

LUSTRAL, E, AUX adj. -1. Qui sert à purifier : *Eau lustrale.* -2. Que l'on fait tous les cinq ans : *Sacrifice lustral.*

LUSTRATION n.f. Rite de purification d'une personne ou d'un lieu.

1. **LUSTRE** n.m. -1. LITT. Période de cinq années. -2. (Au pl.). Longue période : *Il y a des lustres que je ne l'ai pas vu.* -3. À Rome, sacrifice de purification pratiqué tous les cinq ans.

2. **LUSTRE** n.m. -1. Éclat brillant de qqch ; poli : *Le vernis de Chine a un beau lustre.* -2. LITT. Éclat, relief pris par qqn ou qqch : *Le festival a donné du lustre à notre ville.* -3. Appareil d'éclairage décoratif suspendu au plafond.

LUSTRER v.t. -1. Donner du brillant, du poli à qqch : *Lustrer la carrosserie d'une voiture.* -2. Rendre un vêtement brillant par l'usure.

LUSTRERIE n.f. -1. Ensemble des luminaires muraux ou de plafond d'une maison, etc. -2. Fabrication des lustres et des appareils d'éclairage.

LUSTRINE n.f. Étoffe de coton apprêtée et lustrée.

LUT [lyt] n.m. (lat. *lutum,* limon). Enduit se durcissant par dessiccation, et que l'on utilise pour boucher ou entourer les objets qui sont au contact du feu.

LUTÈCE, ville de Gaule, capitale des Parisii, qui est devenue Paris.

LUTÉCIUM [lytesjɔm] n.m. Métal du groupe des terres rares ; élément (Lu) de numéro atomique 71, de masse atomique 174,97.

LUTÉINE n.f. (du lat. *luteus,* jaune). ANC. Progestérone.

LUTÉINIQUE ou **LUTÉAL, E, AUX** adj. (lat. *luteus,* jaune). Relatif au corps jaune de l'ovaire, à la progestérone.

LUTER v.t. Boucher avec du lut.

LUTÉTIEN n.m. (de *Lutèce,* n.pr.). Étage du système paléogène.

LUTH n.m. -1. Instrument de musique à 7, 13 ou 21 cordes pincées, très en vogue en Europe aux XVIᵉ et XVIIᵉ s., dont le corps est en forme de demi-poire et le chevillier à angle droit avec le manche. -2. Tortue marine des mers chaudes, dont la carapace, sans écailles cornées, est incluse dans une peau dure comme du cuir. (Elle peut atteindre 2,40 m de longueur et peser 600 kg.)

LUTHER (Martin), théologien et réformateur allemand (Eisleben 1483 - *id.* 1546). C'est à la personnalité exceptionnelle de Luther et à sa doctrine que devaient se rallier tous les mouvements religieux qui allaient dans le sens de la protestation contre Rome (→ RÉFORME), notamment en France et à Genève avec Calvin, en Angleterre avec Henri VIII ou en Suisse avec les héritiers de Zwingli.

L'initiateur de la Réforme. Né dans une famille de petits bourgeois d'origine paysanne, Martin Luther entre en 1505 chez les augustins d'Erfurt. Ordonné prêtre en 1507, docteur en théologie en 1512 puis professeur à l'université de Wittenberg en 1513, il est un excellent moine, s'adonnant à la prière, à l'ascèse et au travail intellectuel. Son *Commentaire de l'Épître aux Romains* de saint Paul (1515-16) insiste sur la justification par la foi seule. Le développement de cette thèse formera la doctrine majeure de la Réforme : la foi seule sauve et non les œuvres ; le chrétien n'atteint le salut qu'en se sentant « toujours pécheur, toujours juste et toujours repentant ». Luther s'indigne alors contre les prédicateurs allemands qui, pour aider le pape Léon X à poursuivre la construction de la basilique Saint-Pierre de Rome, proposent aux fidèles, à prix d'argent, des

« indulgences », c'est-à-dire la remise des peines qui sanctionnaient les péchés, et dénonce, le 31 octobre 1517, dans ses « 95 thèses », le principe même de cette pratique. À cette époque, néanmoins, il ne songe pas à quitter l'Église, désirant seulement lutter contre ses abus. Il se borne à défendre son projet de réforme en polémiquant contre des théologiens officiels, tel Cajetan. Mais Léon X en vient, en 1520, à condamner comme hérétiques, dans sa bulle *Exsurge Domine,* les positions du moine de Wittenberg.

Martin **LUTHER,** théologien et réformateur allemand. Détail d'un portrait par Cranach l'Ancien. (Musée des Offices, Florence.)

L'œuvre du réformateur. Martin Luther publie alors, en 1520, trois ouvrages qu'on appelle les « grands écrits réformateurs » : le manifeste *À la noblesse allemande,* dans lequel il s'en prend à la suprématie romaine et développe la thèse d'un sacerdoce universel ; *la Captivité de Babylone,* où il conteste la doctrine romaine des sacrements, ne conservant que le baptême et l'eucharistie (la sainte Cène) ; enfin *De la liberté du chrétien,* où il formule une conception de l'Église comme communauté invisible, dépouillée de ses institutions et rassemblant seulement ceux qui vivent dans la vraie foi. Cité devant la diète impériale à Worms, en 1521, et refusant de se rétracter, il est mis au ban de l'Empire ; ses écrits sont interdits et brûlés. Caché par son protecteur, Frédéric de Saxe, au château de la Wartburg, il entreprend alors une traduction de la Bible en allemand (qu'il achèvera en 1534). Revenu à Wittenberg en 1522, il doit lutter contre les déviations des anabaptistes et s'opposer à eux lors de la guerre des Paysans (1524-25). Il commence alors à organiser son Église, publie le *Petit Catéchisme* et le *Grand Catéchisme* (1529), réglemente la liturgie, polémique avec l'humaniste Érasme (*Du serf arbitre,* 1525). Lors de la diète d'Augsbourg (1530), il promulgue la *Confession d'Augsbourg,* dont il a confié la rédaction à son disciple Melanchthon et qui constitue — avec les *Articles de Smalkalde,* rédigés par Luther lui-même — la véritable charte doctrinale du luthéranisme. Marié en 1525 avec une ancienne religieuse, Katharina von Bora, dont il aura six enfants, le réformateur se consacrera jusqu'à sa mort à la prédication et à la consolidation de son œuvre. Les *Propos de table,* qui seront publiés par ses amis, sont des entretiens où s'expriment, plus librement que dans ses ouvrages théologiques, la personnalité complexe et la passion de cet homme de Dieu que fut Martin Luther.

LUTHÉRANISME n.m. Ensemble des Églises protestantes qui se rattachent à Luther ; doctrine théologique issue de la pensée de Luther.

ENCYCL. À la différence du calvinisme (→ CALVINISME), qui constitue un système théologique rigoureux, le luthéranisme se présente plutôt comme une dynamique spirituelle soucieuse de réagir contre la décadence de la religion instituée. Bénéficiant de l'appui des princes allemands unis contre l'empereur dans la ligue de Smalkalde (1531), il s'étendra bientôt à travers toute l'Europe et inspirera les autres mouvements réformateurs. Grâce à la paix d'Augsbourg (1555), qui donne vigueur au principe *cujus regio, ejus religio* « pour tel pays, telle religion », il sera solidement implanté, à la fin du XVIᵉ siècle, dans l'Allemagne du Nord et du Centre, ainsi qu'en Alsace et dans les pays scandinaves. On compte aujourd'hui plus de 71 millions de luthériens dans le monde (dont 38 millions en Allemagne, 14 en Scandinavie et 5,5 aux États-Unis). En 1947 a été fondée à Lund la Fédération luthérienne mondiale (F. L. M.), qui est membre du Conseil œcuménique des Églises.

LUTHERIE n.f. Métier, commerce du luthier.

LUTHÉRIEN, ENNE adj. et n. Qui appartient à la doctrine de Luther.

LUTHIER n.m. Fabricant d'instruments de musique portables à cordes (violons, guitares, etc.). — REM. Pour les instruments de grande taille (clavecin, piano, harpe), on dit *facteur.*

LUTHISTE n. Joueur de luth.

LUTIN n.m. Petit génie malicieux.

LUTINER v.t. LITT. Poursuivre une femme de ses caresses, en parlant d'un homme.

LUTON, v. de Grande-Bretagne, près de Londres ; 167 300 hab. Aéroport. Industrie automobile.

LUTOSŁAWSKI (Witold), compositeur polonais (Varsovie 1913 - *id.* 1994), auteur de très nombreuses œuvres, parmi lesquelles un *Concerto pour orchestre* (1954), *Trois Poèmes d'Henri Michaux* (1963), un *quatuor à cordes* (1964) et quatre *Symphonies.*

LUTRIN n.m. -1. Meuble à pupitre, fixe ou mobile, en ferronnerie, en menuiserie, etc., destiné à supporter les livres ouverts pour en faciliter la lecture. -2. Un tel meuble, placé dans le chœur d'une église pour porter les livres de chant liturgique. -3. Enceinte réservée aux chantres dans le chœur.

LUTTE n.f. -1. Sport de combat dans lequel deux adversaires s'affrontent à mains nues, chacun cherchant à renverser l'autre sur le dos. -2. Ensemble d'actions menées pour vaincre un mal, des difficultés : *Lutte contre le cancer.* -3. Action de deux forces agissant en sens contraire ; antagonisme : *Lutte entre le bien et le mal.* -4. Accouplement, dans l'espèce ovine. -5. *Lutte pour la vie,* combat que mènent chaque individu, chaque espèce pour assurer leur survie ; concurrence vitale des espèces ayant pour résultat, selon Charles Darwin, la seule survivance des plus aptes (sélection naturelle). AGRIC. *Lutte biologique,* défense des cultures utilisant les prédateurs ou les parasites naturels des espèces indésirables. (Les stratégies visent soit à protéger les auxiliaires naturels, soit à en introduire à partir d'élevages.) PHILOS., SOCIOL. *Lutte des classes,* selon les marxistes, conflit opposant les classes sociales en deux groupes antagonistes, les uns opprimants, les autres opprimés, qui s'expliquerait en dernière instance par la propriété privée des moyens de production et qui serait le moteur de l'histoire. SPORTS. *Lutte libre,* lutte dans laquelle les prises sur tout le corps sont autorisées.

LUTTER v.i. -1. Combattre à la lutte. -2. Entrer en lutte avec qqn, qqch : *Lutter contre le sommeil.* -3. Rivaliser avec qqn sur tel ou tel point : *Lutter de vitesse.*

LUTTEUR, EUSE n. -1. Sportif qui pratique la lutte. -2. Personne énergique, qui aime lutter pour obtenir qqch : *C'est un lutteur, il réussira.*

Lützen *(batailles de),* batailles qui eurent lieu au sud-ouest de Leipzig. L'une, le 16 novembre 1632, durant la guerre de Trente Ans, où Gustave-Adolphe battit les impériaux commandés par Wallenstein ; mais il y trouva la mort. L'autre, le 2 mai 1813, où Napoléon et Ney remportèrent une victoire sur les Russes et les Prussiens de Blücher.

LUX [lyks] n.m. (mot lat., *lumière*). Unité de mesure d'éclairement lumineux (symb. lx), équivalant à l'éclairement d'une surface qui reçoit, d'une manière uniformément répartie, un flux lumineux de 1 lumen par mètre carré.

LUXATION n.f. Déboîtement, déplacement d'un os de son articulation.

LUXE n.m. **-1.** Caractère de ce qui est coûteux, raffiné, somptueux : *Le luxe de la table.* **-2.** Environnement constitué par des objets coûteux ; manière de vivre coûteuse et raffinée : *Faire étalage de luxe.* **-3.** Ce que l'on se permet de manière exceptionnelle ; ce que l'on se permet de dire, de faire en plus, pour le plaisir : *Elle ne peut pas se payer le luxe de lui dire ce qu'elle pense de lui.* **-4.** Grande abondance de qqch ; profusion : *Un grand luxe de précautions.*

LUXEMBOURG, État de l'Europe occidentale.

NOM OFFICIEL : Grand-Duché de Luxembourg.
CAPITALE : Luxembourg.
SUPERFICIE : 2 586 km².
POPULATION : 410 000 hab. *(Luxembourgeois).*

LANGUES : luxembourgeois, allemand, français.
RELIGION : catholicisme.
MONNAIE : franc luxembourgeois.
RÉGIME : monarchie constitutionnelle.
CHEF DE L'ÉTAT : grand-duc.
CHEF DU GOUVERNEMENT : président du gouvernement, nommé pour 5 ans par le grand-duc.
LÉGISLATIF : Chambre des députés (60 députés), élue au suffrage universel pour 5 ans.

GÉOGRAPHIE

Le pays se partage en deux grandes régions : le tiers nord (Ösling) appartient au plateau ardennais, tandis que le Sud (Gutland) est une partie du Bassin parisien, qui jouit d'un climat plus doux et de sols plus riches.

La population (qui compte un fort pourcentage d'immigrés) stagne, en raison d'une natalité trop faible. Le taux de chômage reste relativement faible et le niveau de vie est élevé. L'agriculture, orientée vers l'élevage, occupe moins de 5 % des actifs. Longtemps fondée sur l'extraction du fer (arrêtée) et la sidérurgie, l'économie s'est partiellement reconvertie : création de nouvelles branches (pneumatiques, plastiques, mécanique) et surtout développement du secteur tertiaire (banques, compagnies d'assurances, centre de télédiffusion) parallèle à celui des institutions de la C. E. Le pays, exigu, apparaît économiquement dépendant de l'extérieur et est aussi endetté. Le commerce extérieur, déficitaire, représente plus des trois quarts du P. I. B.

Immeuble abritant certaines institutions de la Communauté européenne dans la capitale du grand-duché de **LUXEMBOURG.**

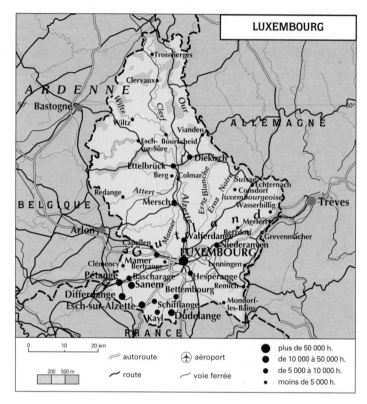

LUXEMBOURG

Troisvierges
ARDENNE
Clervaux
Bastogne
Wiltz
Clerf
Our
Wiltz
Vianden
Esch- Bourscheid
sur-Sûre
ALLEMAGNE
Diekirch
Ettelbrück
Berg Colmar
Suisse Echternach
Redange Attert
Ernz Blanche
Ernz Noire
Consdorf
luxembourgeoise
Wasserbillig
BELGIQUE
Mersch
Alzette
Trèves
Arlon
Mamer
Merter
Berzdorf
Grevenmacher
Walferdange
Capellen
Niederanyen
LUXEMBOURG
Mamer
Clémency Bertrange
Lenningen
Pétange Bascharage
Hespérange
Sanem Bettembourg
Remich
Differdange
Schifflange
Mondorf-
Esch-sur-Alzette
les-Bains
Kayl Dudelange
FRANCE

0   10   20 km
autoroute   ⊕ aéroport
200   500 m
route   voie ferrée

● plus de 50 000 h.
● de 10 000 à 50 000 h.
● de 5 000 à 10 000 h.
• moins de 5 000 h.

HISTOIRE

Issu du morcellement de la Lotharingie, le comté de Luxembourg est créé en 963 au sein du Saint Empire romain germanique.

1354 : le comté est érigé en duché par Charles IV de Luxembourg.

Le Luxembourg passe à la maison de Bourgogne (1441), à l'Espagne (1506) puis à l'Autriche (1714). Il est ensuite annexé par la France (1795).

1815 : le congrès de Vienne en fait un grand-duché lié aux Pays-Bas par la personne du roi, et membre de la Confédération germanique.

1831-1839 : la moitié occidentale du grand-duché devient belge.

De ce démembrement naît le territoire du grand-duché tel qu'il existe aujourd'hui.

1867 : le traité de Londres en fait un État indépendant et neutre.

1890 : la famille de Nassau devient famille régnante.

1914-1918 : le Luxembourg est occupé par les Allemands.

1919 : la grande-duchesse Charlotte donne une Constitution démocratique au pays.

1939-1945 : nouvelle occupation allemande.

Après la Seconde Guerre mondiale, le Luxembourg devient membre du Benelux (1947), abandonne son statut de neutralité (1948), adhère au pacte de l'Atlantique Nord (1949) et entre dans la C. E. E. (1957). À l'intérieur, la vie politique reste marquée par la prédominance du Parti chrétien-social.

LUXEMBOURG, prov. du sud-est de la Belgique ; 4 418 km² ; 232 813 hab. Ch.-l. *Arlon.* La prov. s'étend presque entièrement sur l'Ardenne, ce qui explique la faiblesse relative de l'occupation humaine (densité voisine de 50 hab./km²), de l'urbanisation et de l'activité économique (élevage, exploitation de la forêt, tourisme).

LUXEMBOURG, cap. du grand-duché de Luxembourg, sur l'Alzette ; 75 377 hab. Centre intellectuel, financier (Banque européenne d'investissement, notamment), administratif (Cour des comptes et Cour de justice des Communautés européennes) et industriel (métallurgie de transformation). — Restes de fortifications. Cathédrale des XVIIᵉ-XXᵉ siècles. Important musée d'État.

LUXEMBOURG (François Henri de Montmorency-Bouteville, *duc* de), maréchal de France (Paris 1628 - Versailles 1695). Il dirigea la campagne de Hollande en 1672 et devint commandant en chef des armées de Flandre en 1680. Il y remporta tant de victoires et prit tant de drapeaux qu'on l'appela « le Tapissier de Notre-Dame ».

LUXEMBOURG *(maisons de)*, maisons qui régnèrent sur le Luxembourg à partir de 963 ; la troisième accéda à l'Empire (1308), aux trônes de Bohême (1310) et de Hongrie (1387). À la mort de Sigismond (1437), la majeure partie des possessions de celui-ci passa aux Habsbourg.

Luxembourg *(palais du)*, à Paris, palais construit de 1612 à 1620, par S. de Brosse, pour Marie de Médicis, agrandi au XIXᵉ siècle ; Rubens en décora la galerie (cycle de peintures auj. au Louvre). Il est affecté au Sénat (bibliothèque décorée par Delacroix). Grand jardin public.

LUXEMBURG (Rosa), révolutionnaire allemande (Zamość, près de Lublin, 1870 - Berlin 1919). Leader, avec Karl Liebknecht, de la social-démocratie allemande, en désaccord avec Lénine sur la question de l'organisation du Parti, elle rédigea l'*Accumulation du capital* (1913). Emprisonnée pendant la guerre, elle fut membre à sa libération du groupe Spartakus. Elle fut assassinée lors de l'insurrection spartakiste.

LUXER v.t. Provoquer une luxation : *La torsion a luxé le poignet.* ◆ **se luxer** v.pr. Se faire une luxation : *Se luxer le genou.*

LUXMÈTRE n.m. (du lat. *lux*, lumière, et *mètre*). Appareil servant à mesurer l'éclairement.

LUXUEUX, EUSE adj. Qui se signale par son luxe : *Ameublement luxueux.* ◆ **luxueusement** adv.

LU XUN ou **LOU SIUN**, écrivain chinois (Shaoxing 1881 - Shanghai 1936). Il est le premier écrivain de la Chine moderne (*la Véridique Histoire de Ah Q*, 1921).

LUXURE n.f. Recherche sans retenue des plaisirs de l'amour physique, des plaisirs sensuels.

LUXURIANCE n.f. LITT. État de ce qui est luxuriant.

LUXURIANT, E adj. Qui pousse, se développe avec abondance : *Végétation luxuriante.*

LUYNES (Charles, *marquis* d'Albert, *duc* de), homme d'État français (Pont-Saint-Esprit 1578 - Longueville 1621). Favori de Louis XIII, il poussa au meurtre de Concini (1617) à qui il succéda comme chef du gouvernement. Devenu connétable en 1621, il lutta contre les huguenots.

LUZERNE n.f. Plante fourragère, riche en protéines, très souvent introduite dans les rotations pour enrichir le sol en azote. (Famille des papilionacées.)

LUZHOU, v. de Chine (Sichuan) ; 289 000 hab. Chimie.

LUZI (Mario), écrivain italien (Florence 1914). Grand critique littéraire, il est l'auteur d'une œuvre poétique marquée par l'hermétisme (*la Barque*, 1935) et l'interrogation sur les limites du langage.

LUZULE n.f. Plante des prés et des bois, à feuilles plates et velues. (Famille des joncacées.)

L. V. F. → LÉGION DES VOLONTAIRES FRANÇAIS CONTRE LE BOLCHEVISME.

Lvov, en polon. Lwów, en all. Lemberg, v. d'Ukraine, près de la Pologne ; 790 000 hab. Textile. Métallurgie. – La ville, fondée au XIIIᵉ siècle, appartint à la Pologne de 1349 à 1772 et de 1920 à 1939, à l'Autriche de 1772 à 1920 ; elle fut incorporée à l'U. R. S. S. en 1939. – Monuments religieux du XIIIᵉ au XVIIIᵉ siècle.

Le palais du **LUXEMBOURG** (Sénat), à Paris.

LWOFF (André), médecin et biologiste français (Ainay-le-Château, Allier, 1902 - Paris 1994). Chef du service de microbiologie à l'Institut Pasteur en 1938, il devient titulaire en 1959 de la chaire de microbiologie à la Sorbonne. En 1965, il reçoit le prix Nobel (avec F. Jacob et J. Monod) pour ses travaux de génétique microbienne.

lx, symbole du lux.

LYALLPUR → FAISALABAD.

LYAUTEY (Louis Hubert), maréchal de France (Nancy 1854 - Thorey, Meurthe-et-Moselle, 1934). Il fut le collaborateur de Gallieni au Tonkin et à Madagascar (1894-1897). Résident général, il créa de 1912 à 1925 le protectorat français du Maroc, qu'il maintint aux côtés de la France pendant la Première Guerre mondiale. Parallèlement, il y poursuivit une œuvre politique, économique et sociale. Il fut ministre de la Guerre en 1916-17 et organisa l'Exposition coloniale de Paris (1927-1931).

Louis Hubert **LYAUTEY,** maréchal de France. Détail d'un portrait par Calderé. (Musée de l'Armée, Paris.)

Lycabette (le), colline de l'Attique, intégrée dans Athènes, au pied de laquelle était situé le *Lycée* (où s'élevait un temple d'Apollon Lycéen).

LYCANTHROPE n.m. (du gr. *lukos,* loup, et *anthropos,* homme). Homme transformé en loup-garou.

LYCANTHROPIE n.f. Métamorphose supposée d'un homme en loup-garou.

LYCAON [likaɔ̃] n.m. Mammifère carnivore d'Afrique, intermédiaire entre le chien et l'hyène, à pelage fauve rayé de noir. (Long. 90 cm env.)

LYCAONIE, ancien pays de l'Asie Mineure, dont la ville principale était Iconium (auj. Konya).

LYCÉE n.m. -1. Établissement qui dispense l'enseignement du second cycle du second degré (de la seconde à la classe terminale). -2. BELGIQUE. Établissement public d'enseignement secondaire pour les filles. -3. *Lycée d'enseignement général et technologique,* établissement d'enseignement du second cycle du second degré préparant aux baccalauréats d'enseignement général, aux baccalauréats technologiques et aux brevets de technicien et, dans les sections supérieures, aux concours d'entrée dans les grandes écoles et aux brevets de technicien supérieur. ǁ *Lycée professionnel (L. P.)* [de 1975 à 1985, *lycée d'enseignement professionnel,* ou *L. E. P.*], établissement d'enseignement professionnel préparant aux C. A. P., aux B. E. P. et aux baccalauréats professionnels.

LYCÉEN, ENNE n. Élève d'un lycée. ◆ adj. Relatif au lycée, aux lycéens.

LYCÈNE n.f. Papillon diurne, à ailes bleues chez le mâle, à vol vif, et dont la chenille vit sur les légumineuses.

LYCÉNIDÉ n.m. *Lycénidés,* famille de papillons diurnes, aux couleurs vives et différentes selon le sexe.

LYCHEE n.m. → LITCHI.

LYCHNIS [liknis] n.m. (gr. *lukhnos,* lampe). Plante dont une espèce à graines toxiques, la nielle des blés, croît dans les moissons. (Famille des caryophyllacées.)

LYCIE, ancienne région du sud-ouest de l'Asie Mineure, au sud du Taurus occidental (v. princ. *Xanthos,* auj. en Turquie).

LYCOPE n.m. Plante des lieux humides, appelée aussi *patte-de-loup.* (Famille des labiées.)

LYCOPERDON n.m. (du gr. *lukos,* loup, et *perdesthai,* péter). Champignon en forme de poire retournée, blanc, rejetant une poussière de spores à maturité. (Groupe des gastromycètes ; nom usuel : *vesse-de-loup.*)

LYCOPHRON, poète grec (Chalcis fin du IVᵉ s. - début du IIIᵉ s. av. J.-C.). Son poème *Alexandra,* dont l'obscurité était proverbiale, rapporte les prophéties de Cassandre.

LYCOPODE n.m. (du gr. *lukos,* loup, et *pous, podos,* pied). -1. Plante vasculaire vivace dont les tiges, rampantes ou dressées, portent un manchon de petites feuilles. SYN. (usuel) : pied-de-loup. -2. Poudre formée par les microspores de cette plante, utilisée notamm. par les artificiers (sa combustion est instantanée).

LYCOPODIALE n.f. *Lycopodiales,* ordre de cryptogames vasculaires comme le lycopode.

LYCOSE n.f. (gr. *lukos,* araignée-loup). Araignée errante creusant des terriers, et dont une espèce est la tarentule.

LYCRA n.m. (n. déposé). Élastomère utilisé, sous forme de fibres, dans la confection d'articles textiles possédant une grande élasticité.

LYCURGUE, législateur mythique de Sparte, à qui on attribua les sévères institutions spartiates (IXe s. av. J.-C. ?).

LYCURGUE, orateur et homme politique athénien (v. 390 - v. 324 av. J.-C.), allié de Démosthène contre Philippe II de Macédoine.

LYDIE, royaume de l'Asie Mineure, dont la capitale était Sardes. Ses rois les plus célèbres furent Gygès et Crésus. La Lydie tomba au pouvoir des Perses en 547 av. J.-C.

LYDIEN, ENNE adj. et n. De Lydie. ◆ adj. *Mode lydien,* mode de *fa,* en musique d'Église (et, auj., dans le jazz).

LYELL (*sir* Charles), géologue britannique (Kinnordy, Écosse, 1797 - Londres 1875). Ses *Principes de géologie* (1833) exercèrent une grande influence, notamment sur Darwin. Lyell y fournit une histoire de la Terre, montre les inconvénients d'une interprétation trop littérale de la Bible, s'attaque à la théorie « catastrophiste », alors régnante, et préconise l'étude des phénomènes en action (théorie des causes actuelles, ou *actualisme*). Il essaie d'apprécier l'ancienneté relative des dépôts tertiaires d'après le pourcentage des espèces éteintes.

LYLY (John), écrivain anglais (Canterbury v. 1554 - Londres 1606). Il est l'auteur du roman *Euphues ou l'Anatomie de l'esprit* (1578), dont le style précieux devint le modèle de l'*euphuisme*.

LYMPHANGIOME n.m. Angiome d'un vaisseau lymphatique.

LYMPHANGITE n.f. Inflammation des vaisseaux lymphatiques.

LYMPHATIQUE adj. -1. Relatif à la lymphe. -2. Se dit de l'appareil circulatoire contenant la lymphe et des organes annexes : *Ganglions, vaisseaux lymphatiques.* ◆ adj. et n. -1. vx. Atteint de lymphatisme. -2. Dont l'allure est molle, nonchalante.

LYMPHE n.f. (lat. *lympha,* eau). Liquide riche en protéines et en lymphocytes, circulant dans l'organisme.

ENCYCL. La *lymphe interstitielle* (ou liquide interstitiel) se trouve dans les tissus, entre les cellules. Elle représente le milieu intermédiaire entre le sang et les cellules, ces deux éléments contribuant à la former. La *lymphe circulante,* ou lymphe proprement dite, faisant suite à la précédente, circule à l'intérieur des vaisseaux lymphatiques et des ganglions (→ GANGLION) ; elle s'enrichit ainsi en lymphocytes, variété de globules blancs. Les vaisseaux drainent donc les liquides interstitiels, en complément de la circulation sanguine veineuse, qu'ils finissent par rejoindre.

LYMPHOBLASTE n.m. Cellule de 15 à 20 μm de diamètre dont le noyau, volumineux, présente une structure de cellule immature.

LYMPHOCYTAIRE adj. Relatif aux lymphocytes.

LYMPHOCYTE n.m. Leucocyte mononucléé de petite taille, à cytoplasme réduit et jouant un rôle important dans l'immunité. (→ IMMUNITÉ.)

LYMPHOCYTOSE n.f. Augmentation du nombre des lymphocytes dans le sang.

LYMPHOGRANULOMATOSE n.f. *Lymphogranulomatose inguinale bénigne* ou *vénérienne,* maladie de Nicolas-Favre. ‖ *Lymphogranulomatose maligne,* maladie de Hodgkin.

LYMPHOGRAPHIE n.f. Radiographie des vaisseaux et ganglions lymphatiques après injection d'une substance de contraste.

LYMPHOÏDE adj. -1. Qui se rapporte aux ganglions lymphatiques. -2. *Organes lymphoïdes,* ganglions lymphatiques, amygdales, follicules clos de l'intestin, rate et thymus.

LYMPHOKINE n.f. Protéine intervenant comme modulateur dans les réactions immunitaires. (Les interférons sont des lymphokines.)

LYMPHOME n.m. Tumeur maligne du tissu lymphoïde.

LYMPHOPÉNIE n.f. Diminution du nombre des lymphocytes dans le sang.

LYMPHOPOÏÈSE n.f. (du gr. *poiêsis,* création). Formation des différents lymphocytes matures du sang et des organes lymphoïdes.

LYMPHORÉTICULOSE n.f. *Lymphoréticulose bénigne d'inoculation,* affection des ganglions lymphatiques pouvant aboutir à la suppuration. SYN. : **maladie des griffes du chat.**

LYMPHOSARCOME n.m. Sarcome caractérisé par une prolifération de cellules malignes d'aspect lymphocytaire.

LYNCH (John, dit Jack), homme politique irlandais (Cork 1917), leader du Fianna Fáil, Premier ministre de 1966 à 1973 et de 1977 à 1979.

LYNCH *(loi de)*, procédure qui consistait, aux États-Unis, à condamner et à exécuter séance tenante les criminels pris en flagrant délit.

LYNCHAGE n.m. Action de lyncher qqn.

LYNCHER [lɛ̃ʃe] v.t. Exécuter sommairement, sans jugement régulier, en parlant d'une foule, d'un groupe.

LYNCHEUR, EUSE n. Personne qui participe à un lynchage.

LYNDEN-BELL (Donald), astrophysicien britannique (Douvres 1935). Spécialiste de l'étude de la structure et de la dynamique des galaxies, il est le premier à avoir émis l'hypothèse, communément admise, de la présence de trous noirs très massifs au centre des quasars (1969).

LYNDSAY ou **LINDSAY** (*sir* David), poète écossais (près de Haddington v. 1490 - Édimbourg v. 1555). Auteur de la *Satire des trois États* (1540), il détermina un fort courant en faveur de la Réforme.

LYNX [lɛ̃ks] n.m. (gr. *lunx*, loup-cervier). Mammifère carnivore de la famille des félidés, à vue perçante, très vorace, vivant en Europe (*loup-cervier* des Alpes), en Afrique, en Asie *(caracal)* et en Amérique.

LYON, ch.-l. de la Région Rhône-Alpes et du dép. du Rhône, au confluent du Rhône et de la Saône, à 460 km au S.-E. de Paris et à 314 km au N. de Marseille. 422 444 hab. *(Lyonnais)*. GÉOGR. L'agglomération lyonnaise est la deuxième de France (env. 1 260 000 hab.). Elle s'est tôt développée comme carrefour entre les pays de la Méditerranée et ceux de la mer du Nord, s'ouvrant vers la Rhénanie par la Saône et la porte d'Alsace, vers la Suisse par le « haut » Rhône, vers l'Italie par les vallées et les cols alpestres. Cette situation est aujourd'hui matérialisée par une remarquable desserte autoroutière, ferroviaire (T. G. V.), aérienne (aéroport de Satolas) et même fluviale. L'ancienne capitale de la soie conserve de nombreuses industries (constructions mécaniques variées, chimie et textile notamment), mais le secteur tertiaire est aujourd'hui prépondérant. Lyon est un centre commercial (foires, entrepôts, etc.), financier, universitaire, militaire, judiciaire et religieux. HIST. Capitale de la Gaule Lyonnaise (27 av. J.-C.) puis de la Gaule romaine, *Lugdunum* (Lyon) fut christianisée dès le IIe siècle. L'une des capitales des Burgondes (Ve s.), commune indépendante en 1193, siège de deux conciles œcuméniques (1245, 1274), Lyon fut annexée au royaume de France en 1307. L'introduction de l'industrie de la soie (XVIe s.) lui donna un nouvel essor. Châtiée par la Convention pour son royalisme (1793), la ville fut le théâtre de révoltes des ouvriers de la soie (canuts) [1831, 1834]. ARTS. Basilique romane St-Martin-d'Ainay, cathédrale gothique St-Jean (XIIe-XVe s. ; chœur roman) et autres églises médiévales. Demeures de la Renaissance et monuments des XVIIe-XVIIIe siècles (hôtel de ville, église St-Bruno, hôtel-Dieu construit par Soufflot). Importants musées, dont celui de la Civilisation romaine (colline de Fourvière), celui des Arts décoratifs, le musée historique des Tissus et le musée des Beaux-Arts, un des plus riches de France (dans le palais St-Pierre, anc. couvent du XVIIe s.). Centre d'histoire de la Résistance et de la Déportation.

Quai bordant la Saône, à **LYON**. À droite, la cathédrale Saint-Jean ; sur la colline de Fourvière (à l'arrière-plan), la chapelle Notre-Dame (XIXe s.).

LYONNAIS *(monts du),* massif de l'est du Massif central (alt. 700-900 m).

LYONNAISE, une des divisions de la Gaule romaine ; sa capitale était *Lugdunum* (Lyon).

LYOPHILE adj. Se dit des substances qui perdent leurs propriétés biologiques à la suite d'une opération de lyophilisation et qui peuvent les retrouver par addition d'eau.

LYOPHILISAT n.m. Produit résultant d'une opération de lyophilisation.

LYOPHILISATION n.f. (gr. *luein,* dissoudre). Déshydratation par sublimation à basse température et sous vide que l'on fait subir à certaines substances pour les conserver. SYN. : cryodessiccation.

LYOPHILISER v.t. Soumettre un produit à la lyophilisation : *Café lyophilisé.*

LYOT (Bernard), astronome français (Paris 1897 - Le Caire 1952). Inventeur du coronographe (1930) et d'appareils pour l'étude de la polarisation de la lumière réfléchie par les surfaces planétaires, il est l'un de ceux qui ont le plus fait progresser, avant l'ère spatiale, la connaissance de la surface de la Lune et des planètes ainsi que de l'atmosphère du Soleil.

LYRE n.f. -1. Instrument de musique à cordes pincées, en usage chez les Anciens. -2. *Lyre de dilatation,* tuyau en forme de demi-cercle, inséré dans une canalisation pour permettre à celle-ci de se dilater librement sous l'action de la chaleur.

LYRIC n.m. Partie chantée d'un film, d'une œuvre dramatique.

LYRIQUE adj. -1. Se disait dans l'Antiquité grecque de la poésie chantée avec accompagnement de la lyre. -2. Se dit d'un genre poétique inspiré de la poésie lyrique grecque, par opp. à *épique* ou à *dramatique.* -3. Se dit d'une œuvre poétique, littéraire ou artistique où s'expriment avec une certaine passion les sentiments personnels de l'auteur. - 4. Qui est mis en scène et chanté : *Théâtre lyrique.* -5. Qui est plein d'enthousiasme, d'exaltation : *Quand il parle de cinéma, il devient lyrique.* - 6. *Abstraction lyrique,* tendance de l'art abstrait qui s'oppose à l'abstraction géométrique et qui se caractérise par la liberté et la spontanéité de l'expression. ‖ *Artiste lyrique,* chanteur, chanteuse d'opéra, d'opéra-comique. ◆ n.m. Poète qui pratique la poésie lyrique. ◆ n.f. Poésie lyrique, genre lyrique. ◆ **lyriquement** adv. Avec lyrisme.

LYRISME n.m. Expression poétique et exaltée de sentiments personnels, de passions.

Statue d'Agias par **LYSIPPE**. Marbre, IVᵉ s. av. J.-C. (Musée de Delphes.)

LYS n.m. → LIS.

LYSANDRE, général spartiate (m. en 395 av. J.-C.). En 405 av. J.-C., il défit la flotte athénienne à l'embouchure de l'Aigos-Potamos, petit fleuve de Thrace, et prit Athènes (404), dont il fit raser les murs.

LYSAT n.m. Produit résultant d'une lyse.

LYSE n.f. (gr. *lusis,* dissolution). Dissolution, destruction d'un élément organique (cellule, bactérie, etc.).

LYSER v.t. Détruire par lyse.

LYSERGAMIDE ou **LYSERGIDE** n.m. L. S. D.

LYSERGIQUE adj. *Acide lysergique,* diéthylamine dérivé de l'ergot de seigle, puissant hallucinogène. SYN. (fam.) : acide.

LYSIAS, orateur athénien (v. 440 - v. 380 av. J.-C.). Il fut l'adversaire des Trente. Son art oratoire est un modèle de l'atticisme.

LYSIMAQUE n.f. Plante des lieux humides, à fleurs jaunes. (Famille des primulacées.) SYN. : nummulaire.

LYSIMAQUE, roi de Thrace (Pella v. 360 - Couroupédion, Lydie, 281 av. J.-C.). Lieutenant d'Alexandre, il se proclama roi en 306. Il fut tué par Séleucos Ier Nikatôr.

LYSINE n.f. Acide aminé indispensable à la croissance.

LYSIPPE, sculpteur grec (Sicyone v. 390 av. J.-C.). Essentiellement bronzier, il triomphe dans les types athlétiques, pour lesquels il crée un canon plus élancé que celui de Polyclète. Complexité du mouvement et spatialité annoncent l'art hellénistique (*Apoxyomène,* copie au Vatican ; *Hermès rattachant sa sandale,* copie au Louvre). Il collabora avec Léocharès à l'ex-voto de la *Chasse d'Alexandre,* à Delphes. Il a été le portraitiste officiel d'Alexandre (*Alexandre Azara,* Louvre). (*Voir illustration p. précédente.*)

LYSOSOME n.m. Petit organite intracellulaire assurant des fonctions de désassimilation.

LYSOZYME n.m. Enzyme bactéricide qui se trouve dans les larmes, le lait, etc.

LYSSENKO (Trofim Denissovitch), biologiste et agronome soviétique (Karlovka, Poltava, 1898 - Moscou 1976). Il étudia la vernalisation. Ses idées erronées sur la transmission de caractères acquis furent promues théorie officielle par le pouvoir soviétique (jusqu'en 1955).

LYTIQUE adj. -1. Qui provoque la lyse. -2. *Cocktail lytique,* mélange employé en anesthésiologie pour supprimer les réactions néfastes de l'organisme.

LYTTON (Edward George **Bulwer-Lytton,** *baron*), romancier et homme politique britannique (Londres 1803 - Torquay 1873), auteur des *Derniers Jours de Pompéi* (1834).

M n.m. inv. Treizième lettre de l'alphabet, la dixième des consonnes. (*La consonne m note une occlusive nasale bilabiale.*)

m -**1.** Symbole du mètre. -**2.** Symbole du préfixe milli.

M HIST. M valait 1 000 dans la numérotation romaine. MAGNÉT. Symbole du maxwell. MÉTROL. Symbole du préfixe méga.

MA adj. poss. fém. → MON.

MAASEIK, v. de Belgique, ch.-l. d'arr. du Limbourg ; 21 326 hab.

MAASMECHELEN, comm. de Belgique (Limbourg) ; 34 143 hab.

MAASTRICHT, v. des Pays-Bas, ch.-l. du Limbourg, sur la Meuse ; 117 417 hab. — Églises St-Servais et Notre-Dame, remontant aux Xe-XIe siècles ; trésor de St-Servais ; important musée provincial, dit « des Bons Enfants ».

Maastricht *(traité de)* [7 févr. 1992], traité signé par les États membres des Communautés européennes et créant l'Union européenne. Il prévoit le développement de l'Union économique et monétaire (introduction d'une monnaie unique avant 1999), adopte des dispositions concernant une politique étrangère et de sécurité commune, ainsi qu'une coopération en matière de police et de justice. Il institue en outre une citoyenneté européenne. Ratifié par les États en 1992-93, il est entré en vigueur - avec d'importantes clauses d'exception pour la Grande-Bretagne et le Danemark - le 1er novembre 1993. Le traité d'Amsterdam du 17 juin 1997 prévoit l'amendement de certaines de ses dispositions.

MAAZEL (Lorin), chef d'orchestre américain (Neuilly 1930). Directeur de l'Opéra de Vienne (1982-1986), il a assuré la direction musicale de l'orchestre national de France (1988-1991) et de l'orchestre de Pittsburgh (1988-1996) et dirige (depuis 1993) l'orchestre de la Radiodiffusion bavaroise.

MABILLON (Jean), bénédictin français (Saint-Pierremont 1632 - Paris 1707), moine de la congrégation de Saint-Maur, à Paris. On lui doit le *De re diplomatica* (1681), qui fonda la diplomatique (science relative aux actes et documents officiels).

MABLY (Gabriel **Bonnot de**), philosophe et historien français (Grenoble 1709 - Paris 1785). Hostile aux physiocrates, il critique la notion de propriété et montre son mépris à l'égard du développement de la manufacture en raison du rôle qu'elle serait censée jouer sur l'esprit de luxe (*De la législation ou Principes des lois*, 1776 ; *Principes de morale*, 1784).

MABUSE → GOSSART (Jean).

MACABRE adj. -**1.** Qui a trait à la mort ; funèbre, sinistre : *Plaisanterie macabre. Découverte macabre.* -**2.** *Danse macabre*, au Moyen Âge, allégorie peinte ou sculptée dans laquelle des morts décharnés ou des squelettes entraînent dans leur ronde des personnages de toutes les conditions sociales et de tous les âges.

MACADAM [makadam] n.m. Assise de chaussée formée de pierres concassées, cylindrées et agglomérées avec un agrégat sableux ; chaussée ainsi revêtue.

McADAM (John Loudon), ingénieur britannique (Ayr, Écosse, 1756 - Moffat 1836). Il est l'inventeur du système de revêtement des routes à l'aide de pierres cassées, dit « macadam ».

MACADAMISER v.t. Recouvrir une voie de macadam.

MACAO, territoire portugais sur la côte sud de la Chine ; 16 km[2] ; 285 000 hab. Port.

Centre industriel et touristique. — Possession du Portugal depuis 1557, il doit être rétrocédé à la Chine en 1999.

MACAPÁ, port du Brésil, ch.-l. de l'Amapá ; 179 609 hab.

MACAQUE n.m. Singe d'Asie voisin des cercopithèques, mesurant 50 à 60 cm de long sans compter la queue.

MACAREUX n.m. Oiseau marin au plumage noir et blanc, au gros bec multicolore, vivant en colonies dans les régions tempérées fraîches de l'Atlantique nord. (Long. 30 cm.)

MACARON n.m. (it. *macarone,* macaroni). -1. Petit gâteau rond moelleux, à base de pâte d'amandes, de blancs d'œufs et de sucre. -2. FAM. Décoration, insigne de forme ronde. -3. FAM. Vignette, insigne à caractère officiel que l'on appose sur le pare-brise d'une voiture. -4. Natte de cheveux enroulée sur l'oreille.

MACARONI n.m. Pâte alimentaire de semoule de blé dur, moulée en tubes d'environ 5 mm de diamètre.

MACARONIQUE adj. *Poésie macaronique,* poésie burlesque, où les mots sont mêlés de latin ou prennent une terminaison latine.

MACARTHUR (Douglas), général américain (Fort Little Rock 1880 - Washington 1964). Commandant en chef allié dans le Pacifique (1944-45), il reçut la capitulation du Japon puis commanda les forces de l'O. N. U. en Corée (1950-51).

Douglas
MACARTHUR,
général
américain.

MACASSAR n.m. -1. Huile de coco parfumée. (On dit aussi *huile de Macassar.*) -2. Ébène d'un brun sombre veiné de noir. (On dit aussi *bois de Macassar.*)

MACASSAR → UJUNGPANDANG.

MACAULAY (Thomas Babington), historien et homme politique britannique (Rothley Temple 1800 - Campden Hill, Londres, 1859). Il est l'auteur d'une *Histoire d'Angleterre* (1848-1861) qui connut un énorme succès et lui valut la pairie.

MACBETH (m. en 1057), roi d'Écosse (1040-1057). Il parvint au trône par l'assassinat du roi Duncan Ier, mais il fut tué par le fils de ce dernier, Malcolm III. Son histoire a servi de trame au *Macbeth* de Shakespeare (v. 1605).

McBurney *(point de),* point situé sur la paroi abdominale, qui devient douloureux à la pression en cas d'appendicite.

MACCABÉE, surnom qui, en hébreu, signifie « le marteau » et qui, lors du soulèvement juif de 167 av. J.-C., fut donné à Judas, fils du prêtre Mattathias, puis étendu aux membres de sa famille et aux gens de son parti. Mattathias avait déclenché la guerre sainte contre la politique du roi séleucide Antiochos IV Épiphane, lequel, pour unifier ses États, voulait imposer aux Juifs la culture grecque. Pour ceux-ci, cela revenait à renier la loi mosaïque. À la mort de Mattathias, ses fils prirent sa relève : d'abord Judas, puis Jonathan et Simon, dont le fils, Jean Hyrcan, fonda la dynastie sacerdotale des Asmonéens. Les deux livres des Maccabées qui retracent l'histoire de cette révolte contre l'hellénisation ne sont admis que par l'Église catholique.

McCAREY (Leo), cinéaste américain (Los Angeles 1898 - Santa Monica 1969). Scénariste pour Laurel et Hardy, il réalisa son premier long métrage en 1929 et devint rapidement un spécialiste de la comédie à gags visuels et verbaux, où l'émotion trouve cependant toujours sa place : *Soupe au canard* (1933), *l'Extravagant Mr Ruggles* (1935), *Place aux jeunes* (1937), *Cette sacrée vérité* (1937), *la Brune brûlante* (1958).

McCARTHY (Joseph), homme politique américain (près d'Appleton, Wisconsin, 1908 - Bethesda, Maryland, 1957). Sénateur républicain, il mena une virulente campagne anticommuniste à partir de 1949 *(maccartisme).* Il fut désavoué par le Sénat en 1954.

MACCARTISME ou **MACCARTHYSME** n.m. (de *McCarthy,* n.pr.). Programme de « lutte contre les activités antiaméricaines » mis en œuvre aux États-Unis dans les années 50 à l'instigation du sénateur Joseph McCarthy, politique anticommuniste extrémiste qui conduisit à des poursuites (« chasse aux sorcières ») dans l'ensemble de l'administration fédérale ainsi que dans les milieux d'artistes et d'intellectuels (cinéma, universités, presse), contre toute personne soupçonnée de sympathies communistes ou simplement progressistes.

Macchiaioli (« tachistes »), nom donné, à l'occasion d'une exposition florentine de 1862, à un groupe de peintres italiens parmi les plus notables du XIXᵉ siècle, d'inspiration anti-académique et utilisant en général une technique de touche large, de valeurs chromatiques contrastées. Les plus connus de ces artistes, influencés notamment par l'avant-garde française (école de Barbizon, réalisme), sont Giovanni Fattori (1825-1908), Silvestro Lega (1826-1895), Telemaco Signorini (1835-1901), Giuseppe Abbati (1836-1868).

McCORMICK (Cyrus Hall), inventeur et industriel américain (comté de Rockbridge, Virginie, 1809 - Chicago 1884). Il mit au point la première faucheuse fabriquée en grande série et fonda en 1847 un important établissement produisant des machines agricoles.

McCULLERS (Carson Smith), femme de lettres américaine (Columbus, Géorgie, 1917 - Nyack, État de New York, 1967). Son œuvre, marquée par les thèmes du voyeurisme, de la mutilation, de la solitude, est une méditation sur l'innocence trahie et l'impossibilité de toute réelle communication humaine (*Le cœur est un chasseur solitaire,* 1940 ; *Reflets dans un œil d'or,* 1941 ; *la Ballade du café triste,* 1951).

MACDONALD (Alexandre), maréchal de France, *duc* de **Tarente** (Sedan 1765 - Courcelles, Loiret, 1840). Il se distingua à Wagram (1809) et à Leipzig (1813), mais, en 1814, il poussa Napoléon à abdiquer et se rallia à Louis XVIII.

MacDONALD (James Ramsay), homme politique britannique (Lossiemouth, Écosse, 1866 - en mer 1937). Leader du Parti travailliste (1911-1914, 1922-1937), il se montra partisan d'un socialisme réformiste. Chef du premier cabinet travailliste (1924), de nouveau au pouvoir à partir de 1929, il préconisa le désarmement et la coopération internationale. L'aggravation de la crise économique le força à former en 1931 un gouvernement de coalition. Il démissionna en 1935.

MACDONALD (*sir* John Alexander), homme politique canadien (Glasgow 1815 - Ottawa 1891). Après la formation du dominion canadien, il en présida le premier cabinet (1867-1873). De nouveau au pouvoir (1878-1891), il assura la colonisation des Territoires du Nord-Ouest.

MACÉ (Jean), écrivain français (Paris 1815 - Monthiers, Aisne, 1894), fondateur de la Ligue française de l'enseignement.

MACÉDOINE n.f. Mélange de plusieurs fruits ou légumes coupés en morceaux.

MACÉDOINE, région des Balkans, partagée entre la Grèce et la République de Macédoine principalement, débordant en Bulgarie. Ses limites géographiques sont : au N., la Šar Planina ; au S., l'Olympe ; à l'O., le massif de Ghrámmos ; à l'E., la basse vallée du Néstos. HIST. Les tribus de Macédoine sont unifiées au sein d'un royaume qui atteint son apogée sous les règnes de Philippe II (356-336 av. J.-C.) et d'Alexandre le Grand (336-323). À la mort de ce dernier, ses lieutenants et successeurs se disputent la Macédoine. Antigonos Gonatas (v. 320-240/239 av. J.-C.) s'empare en 276 du pays, qui est désormais gouverné par les Antigonides (276-168 av. J.-C.). Puis la victoire romaine de Pydna (168 av. J.-C.) met un terme à l'indépendance macédonienne. En 148 av. J.-C., la Macédoine devient romaine ; elle est rattachée au IVᵉ s. apr. J.-C. à l'Empire romain d'Orient. Les Slaves s'y établissent au VIIᵉ siècle. La Macédoine est conquise par les Ottomans en 1371 et n'est libérée de la domination turque qu'à l'issue de la première guerre balkanique (1912-13). La question du partage de la Macédoine oppose la Serbie, la Grèce et la Bulgarie au cours de la seconde guerre balkanique (1913). À son issue, les côtes reviennent à la Grèce, l'intérieur à la Serbie, la Bulgarie vaincue n'obtenant que la vallée de la Strumica. De 1915 à 1918, la région est le théâtre d'une opération menée par les Alliés contre les forces austro-germano-bulgares. En 1945 est créée la République fédérée de Macédoine au sein de la Yougoslavie. Celle-ci déclare son indépendance en 1991.

MACÉDOINE, État de la péninsule balkanique.

NOM OFFICIEL : République de Macédoine.
CAPITALE : Skopje.
SUPERFICIE : 25 713 km².

POPULATION : 2 180 000 hab. *(Macédoniens)*.
LANGUE : macédonien.
RELIGION : orthodoxie.
MONNAIE : denar.
RÉGIME : parlementaire.
CHEF DE L'ÉTAT : président de la République, élu pour 5 ans.
CHEF DU GOUVERNEMENT : président du gouvernement.
LÉGISLATIF : Assemblée de la République de Macédoine élue pour 4 ans.

GÉOGRAPHIE

La Macédoine est un pays essentiellement montagneux, entaillé par la vallée du Vardar. La population, principalement composée de Macédoniens (environ les deux tiers de la population totale) de confession orthodoxe et d'une minorité d'Albanais (20 %), est en majeure partie urbanisée. L'agriculture se caractérise par le développement de cultures méditerranéennes ou subtropicales (coton, tabac, riz, fruits). L'industrie est représentée par quelques activités extractives (lignite, fer, plomb, zinc, chrome) et de transformation (agroalimentaire) d'importance modeste. *(V. carte Yougoslavie et Macédoine.)*

HISTOIRE

La partie de la Macédoine historique attribuée en 1913 à la Serbie est occupée pendant la Première et la Seconde Guerre mondiale par la Bulgarie. Érigée en République fédérée de Yougoslavie en 1945, elle proclame son indépendance en 1991. La nouvelle République, en butte à l'opposition de la Grèce à la constitution d'un État indépendant portant ce nom, n'entre à l'O. N. U. qu'en 1993 sous le nom d'ex-République yougoslave de Macédoine. En 1995, la Grèce et la Macédoine concluent un accord ouvrant la voie à une normalisation de leurs relations.

MACÉDONIEN, ENNE adj. et n. De Macédoine. ➤ **macédonien** n.m. Langue slave du Sud parlée princ. en Macédoine.

MACÉDONIENNE *(dynastie),* famille byzantine qui, de 867 à 1057, donna à Byzance huit empereurs et deux impératrices.

MACEIÓ, port du Brésil, cap. de l'Alagoas, sur l'Atlantique ; 628 209 hab.

MACÉRATEUR n.m. Récipient où s'opère une macération.

MACÉRATION n.f. **-1.** Fait de macérer. **-2.** Opération consistant à faire tremper un corps dans un liquide pour en extraire les parties solubles, ou un produit alimentaire pour le parfumer ou le conserver.

MACÉRER v.t. [18]. Mettre un aliment dans un liquide pour le conserver ou le parfumer. ➤ v.i. Baigner longuement dans un liquide : *Cerises qui macèrent dans de l'eau-de-vie.*

MACÉRON n.m. Plante herbacée, à fleurs jaunes. (Famille des ombellifères.)

MACH (Ernst), physicien et philosophe autrichien (Chirlitz-Turas, auj. Chrlice-Tuřany, Moravie, 1838 - Haar, près de Munich, 1916). Il a mis en évidence le rôle de la vitesse du son en aérodynamique et fait une étude critique des principes de la mécanique newtonienne, montrant en particulier que l'interaction entre deux masses ne pouvait s'étudier en faisant abstraction du reste de l'Univers. Sa philosophie des sciences soutient que seul existe ce qui peut être exprimé dans les lois expérimentales ; elle a eu une grande influence sur les premiers travaux d'Einstein concernant la relativité restreinte.

Mach *(nombre de),* rapport de la vitesse d'un mobile (projectile, avion) à celle du son dans l'atmosphère où il se déplace. Cette unité n'est pas une véritable unité de vitesse, car la vitesse du son dans l'air est proportionnelle à la racine carrée de la température.

MÁCHA (Karel Hynek), écrivain tchèque (Prague 1810 - Litoměřice 1836). Son poème romantique *Mai* (1836) marque le début de la littérature tchèque moderne.

MACHADO (Antonio), poète espagnol (Séville 1875 - Collioure 1939). Il a chanté l'Andalousie et la Castille dans des recueils qui unissent les thèmes décadents à l'inspiration folklorique (*Solitudes,* 1903 ; *les Paysages de Castille,* 1912 ; *Nouvelles Chansons,* 1924).

MACHADO DE ASSIS (Joaquim Maria), écrivain brésilien (Rio de Janeiro 1839 - *id.* 1908). Poète parnassien, il est surtout connu pour ses romans ironiques (*Quincas Borba,* 1891 ; *Dom Casmurro,* 1900).

MACHAON [makaɔ̃] n.m. Papillon diurne, à ailes jaunes tachetées de noir, de rouge et de bleu, mesurant jusqu'à 9 cm d'envergure et appelé usuellement *porte-queue.* (La chenille du machaon vit sur les ombellifères [carotte, persil, etc.].)

MACHAULT D'ARNOUVILLE (Jean-Baptiste de), homme d'État et financier français (Paris 1701 - *id.* 1794). Il fut contrôleur général des Finances (1745-1754), garde des Sceaux (1750) et ministre secrétaire d'État de la Marine (1754-1757). Il essaya d'établir l'égalité devant l'impôt, en créant un impôt du vingtième sur tous les revenus, nobles et roturiers.

MACHAUT (Guillaume de) → GUILLAUME DE MACHAUT.

MÂCHE n.f. Plante potagère à petites feuilles, du genre valérianelle, que l'on mange en salade. SYN. : **doucette**.

fleurs

jeune plante

MÂCHE

MÂCHEFER [mɑʃɛr] n.m. Scorie provenant de la combustion des charbons produisant des cendres à demi fusibles.

MÂCHER v.t. -1. Broyer un aliment avec les dents avant de l'avaler ; triturer une substance dans la bouche ; mordiller qqch. -2. Couper un matériau sans netteté, en en déchirant les fibres : *Outil qui mâche le bois.*

MACHETTE n.f. Grand coutelas des régions tropicales, à lame épaisse, à poignée courte, utilisé à la volée comme outil ou comme arme.

MACHIAVEL n.m. (de *Machiavel,* n. pr.). Personne, partic. homme politique, qui pratique le machiavélisme.

MACHIAVEL, en ital. Niccolo Machiavelli, homme politique, écrivain et philosophe italien (Florence 1469 - *id.* 1527). Secrétaire de la

MACHIAVEL,
homme politique,
écrivain
et philosophe
italien.
Détail
d'un portrait
par le Rosso.
(Coll. priv.,
Florence.)

République de Florence, il remplit de nombreuses missions diplomatiques (en Italie, en France et en Allemagne) et réorganisa l'armée. Le renversement de la république par les Médicis (1513) l'éloigna du pouvoir. Il mit à profit cette retraite forcée pour écrire la majeure partie de son œuvre d'historien et d'écrivain : *le Prince* (1513, publié en 1532), *Discours sur la première décade de Tite-Live* (1513-1519), l'*Histoire de Florence* (1525), les comédies *la Mandragore* (1520) et *la Clizia* (1525). Machiavel ne se préoccupe pas de concevoir le meilleur régime possible : démasquant les prétentions de la religion en matière politique, il part des réalités contemporaines pour définir un « ordre nouveau » (moral, libre et laïque) où la raison d'État a pour objectif l'amélioration de l'homme et de la société.

MACHIAVÉLIQUE [-kja-] adj. -1. Qui est digne de la doctrine de Machiavel, considérée comme négation de la morale. -2. Qui est d'une grande perfidie, d'une scélératesse tortueuse.

MACHIAVÉLISME [-kja-] n.m. -1. Système politique de Machiavel. -2. Politique faisant abstraction de la morale. -3. Caractère d'une conduite tortueuse et sans scrupules.

MÂCHICOULIS n.m. Au Moyen Âge, galerie en encorbellement au sommet d'une muraille ou d'une tour, comportant des ouvertures permettant de battre le pied de celle-ci au moyen de projectiles divers ; chacune de ces ouvertures.

MACHIN, E n. -1. FAM. Chose dont on ne veut pas ou dont on ne peut pas dire le nom. -2. (Avec une majusc.). Personne inconnue ou que l'on ne veut pas nommer.

MACHINAL, E, AUX adj. Se dit d'un mouvement naturel où la volonté n'a pas de part ; mécanique. ◆ **machinalement** adv.

MACHINATION n.f. Intrigues, menées secrètes pour faire réussir un complot, un mauvais dessein ; manœuvre.

MACHINE n.f. -1. Appareil ou ensemble d'appareils capable d'effectuer un certain travail ou de remplir une certaine fonction, soit sous la conduite d'un opérateur, soit d'une manière autonome. -2. Appareil, instrument destiné à simplifier les tâches, les travaux de la vie quotidienne : *Machine à écrire. Mettre le linge dans la machine.* -3. Tout véhicule comportant un mécanisme ou un moteur. -4. Grande organisation fortement structurée, à rouages complexes : *La machine administrative.* -5. Personne dont l'action est automatique, et qui semble dénuée de sentiments, de qualités humaines. - **6**. *Machine de guerre,* dans l'Antiquité et au Moyen Âge, tout engin employé dans la guerre de siège (bélier, catapulte, baliste, etc.) ; par ext., moyen offensif quelconque utilisé contre qqn. **CH. DE F.** Locomotive. **JEUX.** *Machine à sous,* jeu de hasard constitué par un appareil dans lequel on introduit une pièce de monnaie et qui en redonne parfois plusieurs. **PHYS.** *Machine simple,* dispositif mécanique dans lequel la force se transmet directement (levier, poulie, treuil, etc.). **TECHN.** *Machine à bois,* machine-outil pour le travail du bois.

MACHINE-OUTIL n.f. (pl. machines-outils). Machine destinée à façonner la matière au moyen d'un outillage mis en œuvre par des mouvements et des efforts appropriés.

ENCYCL.

Les types d'opérations. Une machine-outil travaille soit par enlèvement de copeaux, soit par déformation de la matière, soit encore par modification physique de celle-ci. Les premières (enlèvement de copeaux) sont les plus répandues. Elles coupent suivant un mouvement circulaire continu de la pièce *(tour)* ou de l'outil *(fraiseuse, perceuse, aléseuse, rectifieuse,* etc.), ou suivant un mouvement rectiligne alternatif de la pièce *(raboteuse)* ou de l'outil *(étau-limeur, mortaiseuse, brocheuse).* Les opérations de coupe des métaux nécessitent le respect de conditions relatives aux vitesses de coupe et d'avance, variables selon la nature du matériau à usiner et celle de l'outil utilisé. Le refroidissement des pièces en cours d'usinage, effectué par un dispositif d'arrosage (fluide de coupe), est indispensable pour garantir la qualité de l'état de surface et la durée de vie de l'outil. Les machines-outils travaillant par déformation de la matière sont le plus souvent destinées au façonnage de produits semi-finis (tôles, barres, tubes, profilés), qu'elles déforment *(presse à emboutir, rouleuse, cintreuse, plieuse)* ou qu'elles découpent *(presse à découper, cisaille, poinçonneuse).* Enfin, certaines machines-outils travaillent en provoquant un changement d'état du matériau : fusion (oxycoupage, soudage, usinage par laser), dissolution ou passage à l'état ionique (usinage électrochimique, électroérosion).

L'évolution des machines-outils. Elle est marquée par une amélioration constante de la productivité, de la précision et de l'ergonomie. Aujourd'hui, la plupart des machines-outils sont automatisées à des degrés divers, depuis

les cycles de déplacements séquentiels entre butées jusqu'aux commandes numériques programmables, en passant par les dispositifs de copiage d'après un gabarit. L'introduction de la *commande numérique* a profondément transformé les machines, la structure des ateliers et la nature même du travail des opérateurs. Une machine-outil à commande numérique est pilotée par un système informatique qui obéit à un programme d'usinage préalablement établi et mémorisé, spécifique à chaque pièce.

MACHINER v.t. Combiner certains moyens d'action avec de mauvais desseins ; manigancer.

MACHINERIE n.f. **-1**. Ensemble de machines employées à un travail. **-2**. Endroit où sont les machines d'un navire, etc.

MACHINE-TRANSFERT n.f. (pl. machines-transferts). Machine-outil à postes d'usinage multiples, devant lesquels les pièces à usiner sont successivement et automatiquement transférées.

MACHINISME n.m. Emploi généralisé de machines substituées à la main-d'œuvre, dans l'industrie.

MACHINISTE n. **-1**. Conducteur de machines. **-2**. Conducteur d'autobus. **-3. BELGIQUE.** Conducteur de locomotive. **-4**. Ouvrier chargé de mettre en place et de démonter les décors et les accessoires de théâtre et de cinéma.

MACHISME [matʃism] ou [maʃism] n.m. Idéologie fondée sur l'idée que l'homme domine socialement la femme et que, à ce titre, il a droit à des privilèges de maître ; comportement conforme à cette idéologie.

MACHISTE [matʃist] ou [maʃist] adj. et n. Qui fait preuve de machisme ; macho.

MACHMÈTRE [mak-] n.m. Instrument servant à mesurer le nombre de Mach à bord d'un avion.

MACHO [matʃo] adj. et n.m. (du lat. *masculus,* mâle). **FAM.** Qui fait preuve de machisme ; phallocrate.

MÂCHOIRE n.f. **-1**. Chacune des deux formations osseuses ou cartilagineuses munies de dents, soutenant l'orifice de la bouche des vertébrés. **-2**. Pièce double dont les deux parties peuvent se rapprocher ou s'éloigner à volonté pour serrer et maintenir un objet : *Mâchoires d'un étau, d'une tenaille.* **-3**. *Mâchoire de frein,* pièce métallique garnie à sa périphérie d'une matière à haut coefficient de frottement, qui assure le ralentissement et l'arrêt d'un véhicule en frottant sur un tambour solidaire de la roue.

MÂCHONNEMENT n.m. Action de mâchonner.

MÂCHONNER v.t. -1. Triturer qqch avec les dents : *Mâchonner un chewing-gum.* -2. Mordre machinalement un objet qu'on tient entre les dents : *Mâchonner son crayon.*

MACHU PICCHU, ancienne ville inca, à 2 045 m d'altitude au-dessus de la vallée du río Urubamba (Pérou), près de Cuzco. Ignorée des conquérants espagnols, elle fut découverte en 1911. Ses quartiers d'habitation, palais, temples, systèmes hydrauliques et cultures en terrasse furent en usage, semble-t-il, après 1450.
→ ● **DOSSIER** MACHU PICCHU *page 3316.*

Vue des ruines de l'ancienne cité inca de **MACHU PICCHU.**

MÂCHURE n.f. Partie du drap, du velours, où le poil est couché, écrasé.

MACINA, région du Mali, traversée par le Niger et mise en valeur (cultures du riz et du coton) par l'Office du Niger.

MACIS [masi] n.m. (lat. *macir,* écorce aromatique). Capsule, écorce de la noix muscade, utilisée comme condiment.

MACKENSEN (August **von**), maréchal allemand (Haus Leipnitz, près de Wittenberg, 1849 - Burghorn, près de Celle, 1945). Il commanda les troupes austro-allemandes en Galicie, en Serbie (1915) et en Macédoine (1916-1918), où il fut battu par Franchet d'Esperey.

MACKENZIE (le), fl. du Canada ; 4 600 km. Il naît dans les montagnes Rocheuses sous le nom d'Athabasca, traverse le Grand Lac de l'Esclave et se jette dans l'océan Arctique par un immense delta.

MACKENZIE (William Lyon), homme politique canadien (près de Dundee, Écosse, 1795 - Toronto 1861). Journaliste d'opposition, député républicain, il tenta en 1837 de soulever le Haut Canada (auj. Ontario).

MACKENZIE KING (William Lyon) → **KING.**

McKINLEY *(mont),* point culminant de l'Amérique du Nord (Alaska) ; 6 194 m.

McKINLEY (William), homme d'État américain (Niles, Ohio, 1843 - Buffalo, État de New York, 1901). Élu président des États-Unis (1896), il renforça le protectionnisme (tarifs McKinley) et développa une politique impérialiste (annexion des îles Hawaii, guerre hispano-américaine). Réélu en 1900, il fut assassiné par un anarchiste.

MACKINTOSH (Charles Rennie), architecte et décorateur britannique (Glasgow 1868 - Londres 1928). Il fut le leader, à l'époque de l'Art nouveau, d'une « école de Glasgow » dont les productions se singularisent, notamment, par leur élégante sobriété (mobilier, etc.). Il a construit l'École d'art de la ville (1897 et suiv.). (*Voir illustration p. suivante.*)

MACLAGE n.m. Brassage du bain de verre fondu en creuset, afin d'en rendre toutes les parties bien homogènes.

McLAREN (Norman), cinéaste canadien d'origine britannique (Stirling, Écosse, 1914 - Montréal 1987). Il a mis au point une technique du dessin animé qui consiste à dessiner directement sur la pellicule et a utilisé les procédés les plus divers dans ses films : *Là-haut sur les montagnes* (1946), *les Voisins* (1952), *Blinkity Blank* (1954), *Pas de deux* (1968).

MACLAURIN (Colin), mathématicien écossais (Kilmodan 1698 - Édimbourg 1746). Son *Traité des fluxions* (1742) est le premier exposé systématique des méthodes de Newton. On y trouve la série qui porte son nom.

MACLE n.f. (frq. *maskila,* maille). Association de plusieurs cristaux de même espèce, mais orientés différemment, avec interpénétration partielle.

MACLÉ, E adj. Qui présente des macles.

Charles Rennie **MACKINTOSH** : projet de maison particulière. Dessin, 1901 ; école de Glasgow.

MACLEOD (John), médecin britannique (près de Dunkeld, Écosse, 1876 - Aberdeen 1935). Établi au Canada, il fit d'importants travaux de chimie physiologique et participa à la découverte de l'insuline avec F. G. Banting. (Prix Nobel 1923.)

McLUHAN (Herbert Marshall), sociologue canadien (Edmonton, Alberta, 1911 - Toronto 1980). Spécialiste des mass media, il pense que chaque culture se caractérise principalement par ses techniques de diffusion et de reproduction (*la Galaxie Gutenberg,* 1962 ; *Pour comprendre les médias,* 1964).

MAC-MAHON (Edme Patrice, *comte* de), *duc* de Magenta, maréchal de France et homme d'État français (Sully, Saône-et-Loire, 1808 - château de La Forêt, Loiret, 1893). Sous le second Empire, il se signale pendant les guerres de Crimée (prise de Malakoff) et d'Italie (victoire de Magenta, 1859), et est gouverneur général de l'Algérie de 1864 à 1870. Fait prisonnier lors de la guerre de 1870, il est libéré pour former l'armée de Versailles, qui écrase la Commune de Paris (mai 1871). Après la chute de Thiers (24 mai 1873), il est élu président de la République avec l'aide des monarchistes, résolus à restaurer, à terme, la royauté. Avec le duc de Broglie comme Premier ministre, il établit un régime d'ordre moral. Mais les élections d'octobre 1877 à la Chambre, celles de janvier 1879

Le comte de **MAC-MAHON,** maréchal de France et homme d'État français. Détail d'un portrait par H. Vernet. (Château de Versailles.)

au Sénat étant favorables à la République, Mac-Mahon démissionne (30 janv. 1879).

McMILLAN (Edwin Mattison), physicien américain (Redondo Beach, Californie, 1907 - El Cerrito, Californie, 1991). Après avoir obtenu un nouvel élément chimique, le neptunium, et isolé le plutonium (1941), il a découvert le principe du synchrocyclotron. (Prix Nobel de chimie 1951.)

MACMILLAN (Harold), homme politique britannique (Londres 1894 - Birch Grove 1986). Député conservateur (1924), chancelier de l'Échiquier (1955), il devint Premier ministre en 1957 et démissionna en 1963.

MÂCON n.m. Vin du Mâconnais.

MÂCON, ch.-l. du dép. de Saône-et-Loire, sur la Saône, à 393 km au sud-est de Paris ;

38 508 hab. *(Mâconnais)*. Port fluvial. Centre commercial. Constructions mécaniques. – Hôtel-Dieu et demeures du XVIIIe siècle. Musée municipal des Ursulines et musée Lamartine.

1. **MAÇON** n.m. Entrepreneur ou ouvrier qui réalise une construction en maçonnerie (gros œuvre) ou de légers ouvrages (enduits, ravalements, etc.).

2. **MAÇON, ONNE** adj. Se dit des animaux qui se construisent une habitation avec de la terre, de la cire, etc. : *Guêpe maçonne*.

3. **MAÇON, ONNE** n. Franc-maçon.

MAÇONNAGE n.m. -1. Action de maçonner ; travail du maçon. -2. Travail de l'animal qui se construit une habitation.

MÂCONNAIS, partie de la bordure orientale du Massif central ; 758 m. Viticulture.

MAÇONNER v.t. -1. Construire en pierres, moellons, briques, etc. -2. Revêtir d'une maçonnerie. -3. Boucher une ouverture au moyen d'une maçonnerie : *Maçonner une fenêtre.*

MAÇONNERIE n.f. -1. Ouvrage composé de pierres ou de briques, unies par un liant (mortier, plâtre, ciment, etc.) ; partie des travaux d'un bâtiment qui s'y rapporte. -2. Franc-maçonnerie.

MAÇONNIQUE adj. Qui appartient à la franc-maçonnerie.

MAC ORLAN (Pierre **Dumarchey**, dit **Pierre**), écrivain français (Péronne 1882 - Saint-Cyr-sur-Morin 1970), évocateur de la bohème et de l'aventure quotidienne ou exotique (*le Quai des brumes,* 1927 ; *la Bandera,* 1931).

MACPHERSON (James) → OSSIAN.

MACQUE ou **MAQUE** n.f. Masse cannelée avec laquelle on écrasait le chanvre et le lin pour en isoler les fibres.

MACRAMÉ n.m. Dentelle d'ameublement assez lourde, obtenue avec des fils tressés et noués à la main.

MACRE n.f. Plante aquatique des étangs, à feuilles les unes flottantes, les autres immergées, aux belles fleurs blanches et dont le fruit, ou *châtaigne d'eau,* renferme une amande comestible. (Famille des hydrocharidacées.)

1. **MACREUSE** n.f. Canard des régions boréales, à plumage sombre, qui passe l'hiver sur les côtes de France, où il se nourrit de coquillages.

2. **MACREUSE** n.f. Morceau du bœuf constitué par les muscles de l'épaule.

MACROBE, en lat. Ambrosius Theodosius Macrobius, écrivain latin (v. 400 apr. J.-C.), auteur d'un commentaire sur *le Songe de Scipion,* de Cicéron, et d'un ouvrage de compilation, les *Saturnales.*

MACROBIOTIQUE adj. et n.f. Se dit d'un régime végétarien composé essentiellement de céréales, de légumes et de fruits.

MACROCÉPHALIE n.f. (du gr. *makros,* grand, et *kephalê,* tête). Augmentation anormale du volume du crâne, souvent par suite d'une hydrocéphalie.

MACROCHEIRE [-kɛr] n.m. Crabe géant des mers du Japon.

MACROCOSME n.m. L'univers extérieur dans sa relation analogique avec l'homme (microcosme), dans la tradition ésotérique et alchimique.

MACROCYSTE ou **MACROCYSTIS** n.m. (du gr. *makros,* grand, et *kustis,* vessie). Algue brune des mers froides, dont le thalle peut atteindre 200 m de longueur.

MACROCYTE n.m. Globule rouge mûr, de grand diamètre.

MACROÉCONOMIE n.f. Partie de la science économique qui se propose d'expliquer les relations entre les agrégats d'une économie et envisage les faits économiques globaux.

MACROGLOBULINE n.f. Globuline de poids moléculaire élevé, voisin de 1 million.

MACROGLOBULINÉMIE n.f. Affection caractérisée par un excès de macroglobulines dans le plasma sanguin.

MACROGRAPHIE n.f. Étude à l'œil nu ou à la loupe de la structure d'un solide après traitement de sa surface par un réactif.

MACRO-INSTRUCTION n.f. (pl. macro-instructions). Instruction complexe, définissant des opérations composées à partir des instructions du répertoire de base d'un ordinateur.

MACROMOLÉCULAIRE adj. -1. Relatif aux macromolécules. -2. *Chimie macromoléculaire,* partie de la chimie qui traite de la synthèse et des propriétés des macromolécules.

MACROMOLÉCULE n.f. Très grosse molécule, formée par l'enchaînement et la répétition d'un grand nombre de motifs élémentaires.

MACROPHAGE n.m. et adj. Cellule de grande taille intervenant dans les processus immunitaires en phagocytant les éléments tels que, notamm., les cellules étrangères.

Machu Picchu

Pérou

Architecture inca au cœur des Andes

■ Construit sur un massif granitique, au sein de la cordillère des Andes et à 130 kilomètres de Cuzco, le site de Machu Picchu est un remarquable exemple du savoir-faire des architectes incas du XVe siècle. La cité occupe un secteur presque inaccessible dans un environnement hostile (à plus de 2 000 mètres d'altitude). Le terrain escarpé a néanmoins été couvert d'un savant tracé de rues, de quartiers résidentiels reliés par d'innombrables escaliers et d'un réseau serré de terrasses, débouchant souvent sur des précipices qui assuraient aux Incas une défense naturelle. Plus de deux cents constructions sont distribuées en deux ensembles architecturaux, de part et d'autre d'une place centrale : la ville haute, ou Hanan, aurait abrité les dirigeants, tandis que dans la ville basse, ou Hurin, vivaient les artisans et le peuple.

Quartier résidentiel et terrasses agricoles. ▶

double page suivante :
Le site de Machu Picchu, comme suspendu entre ciel et terre.

Tour, appelée aussi temple du Soleil ou ►
Observatoire, communiquant avec une résidence
probable des membres de l'élite.

▲ Mur composé de grands blocs taillés ajustés à
joints vifs, caractéristique de l'architecture inca.

▲ L'Intihuatana (« lieu où le soleil est captif »), sans
doute un autel ou une horloge solaire (gnomon).

◄ Quartier résidentiel et terrasses agricoles.

◄ Maison de type
masma, largement
ouverte sur un des
côtés, peut-être desti-
née à une occupation
saisonnière.

MACROPHOTOGRAPHIE n.f. Photographie des petits objets donnant une image grandeur nature ou un peu plus grande. SYN. : photomacrographie.

MACROPODE n.m. Poisson brillamment coloré, originaire du sud-est de l'Asie, long de 7 cm, souvent élevé en aquarium. (Le mâle fabrique avec son mucus un nid flottant et surveille les œufs, puis les jeunes.)

MACROPSIE n.f. (du gr. *makros,* grand, et *opsis,* vue). Trouble de la vision consistant en l'exagération de la taille des objets.

MACROSCÉLIDIDÉ n.m. (du gr. *makros,* grand, et *skelos,* jambe). *Macroscélididés,* famille de mammifères insectivores africains aux gros yeux, aux pattes arrière propres au saut, tels que le rat à trompe.

MACROSCOPIQUE adj. Qui se voit à l'œil nu.

MACROSÉISME n.m. Séisme sensible directement à l'homme.

MACROSOCIOLOGIE n.f. Sociologie qui étudie la société globalement, dans ses principales structures, économiques, idéologiques, etc.

MACROSPORANGE n.m. Sporange femelle, produisant des macrospores.

MACROSPORE n.f. Grosse spore qui, chez certains cryptogames, donne un prothalle femelle.

MACROURE n.m. (du gr. *makros,* grand, et *oura,* queue). *Macroures,* sous-ordre de crustacés décapodes à l'abdomen bien développé tels que l'écrevisse, le homard, la langouste.

MACULA n.f. Dépression de la rétine, appelée aussi *tache jaune,* située au pôle postérieur de l'œil, et où l'acuité visuelle est maximale.

MACULAGE n.m. -1. Action de maculer, de tacher. -2. Défaut d'impression entraînant le report de l'encre d'une feuille imprimée sur une autre feuille.

MACULATURE n.f. -1. Papier grossier servant à l'emballage du papier en rames. -2. Feuille maculée à l'impression.

MACULE n.f. -1. Tache cutanée non perceptible au toucher, se traduisant par une simple modification de la coloration de la peau. -2. Papier d'emballage très ordinaire, à base de vieux papiers. -3. Mauvaise feuille d'impression.

MACULER v.t. Couvrir qqch de taches : *Maculer sa copie d'encre.*

MACUMBA [makumba] n.f. Culte proche du vaudou, pratiqué dans certaines régions du Brésil.

MADÁCH (Imre), écrivain hongrois (Alsósztregova 1823 - Balassagyarmat 1864), auteur du poème dramatique *la Tragédie de l'homme* (1861).

MADAGASCAR, État insulaire de l'océan Indien.

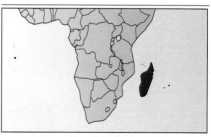

NOM OFFICIEL : République démocratique de Madagascar.
CAPITALE : Antananarivo.
SUPERFICIE : 587 000 km².
POPULATION : 15 240 000 hab. *(Malgaches).*
LANGUES : malgache, français.
RELIGIONS : animisme, catholicisme, protestantisme.
MONNAIE : franc malgache.
RÉGIME : parlementaire.

GÉOGRAPHIE

Le milieu naturel et la population. L'île, plus vaste que la France, est longue de 1 600 km et large d'environ 500 km. Elle est parcourue par un ensemble de hautes terres qui s'élèvent abruptement au-dessus de la plaine orientale et s'abaissent plus doucement vers la côte ouest, où aboutissent les principaux fleuves. Le climat tropical se nuance en fonction de l'altitude et de la situation par rapport aux alizés : la côte est, au vent, est très arrosée et la côte ouest, sous le vent, l'est beaucoup moins. La population a été constituée par vagues successives (asiatique, africaine, arabe, chinoise). Son taux de natalité très élevé compromet la croissance économique.

L'économie. L'agriculture occupe environ 80 % des Malgaches bien que les terres cultivées ne représentent que 5 % de la superficie de l'île. Le riz, base de l'alimentation, vient en premier, mais sa production est insuffisante. Parmi les cultures commerciales, le café fournit la moitié de la valeur des exportations. Il est complété par les clous de girofle, la vanille et le cacao. L'élevage bovin, notable en quantité, doit être amélioré en qualité. La pêche, surtout en eau douce, se développe. Le pays dispose de quelques ressources minières (graphite, chromite, mica, uranium) et d'un peu d'hydrocarbures. Le secteur industriel est très modeste (alimentation, textile), l'énergie hydroélectrique réduisant légèrement la facture pétrolière. Les infrastructures routières et ferroviaires restent insuffisantes. L'île, dont la France demeure le premier partenaire commercial, a une balance commerciale déficitaire, s'est endettée et dépend en partie de l'aide internationale.

HISTOIRE

La population de l'île est issue d'un mélange de Négro-Africains et de Polynésiens. Dès le XIIe siècle, des commerçants arabes s'installent sur les côtes de l'île.

1500 : les Portugais sont les premiers Européens à découvrir l'île.

1643 : fondation de Fort-Dauphin par les Français.

Ceux-ci l'abandonnent dès 1674. L'île est, alors, divisée en royaumes à base tribale.

1787 : l'un d'eux, l'Imerina (capitale Antananarivo) unifie l'île à son profit.

1817 : les Britanniques confèrent à Radama Ier le titre de roi de Madagascar.

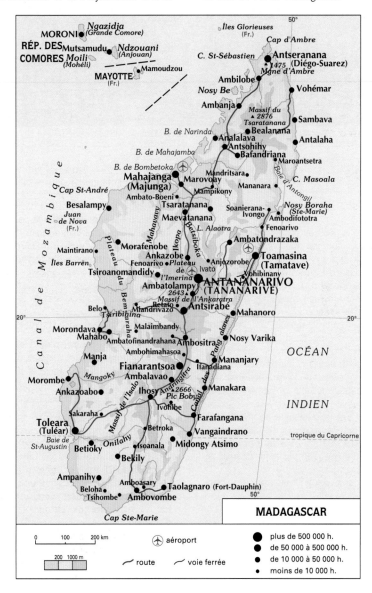

Un aspect du site d'Antananarivo, capitale de **MADAGASCAR.**

Sous l'influence des missions catholiques et surtout protestantes, la christianisation et la scolarisation de l'île progressent.

1885 : un traité impose le protectorat de la France.

1895-96 : une expédition militaire aboutit à la déchéance de la reine Ranavalona III et à l'annexion de l'île par la France.

1896-1905 : Gallieni, gouverneur de l'île, travaille à sa pacification.

1947 : violente rébellion malgache, durement réprimée par la France.

1960 : la République malgache, proclamée en 1958, obtient son indépendance.

Madagascar conserve avec la France des relations économiques et culturelles étroites, sous le gouvernement du président Tsiranana.

1972 : Tsiranana se retire à la suite de troubles importants.

1975 : Didier Ratsiraka devient président de la République démocratique de Madagascar.

Le socialisme étatique suscite une opposition croissante qui culmine dans la crise de 1991.

1992 : adoption d'une Constitution démocratique.

Albert Zafy, leader de l'opposition, élu (1993) président de la République, entre en conflit avec le Parlement, qui le destitue (1996).

1997 : à la suite d'élections, D. Ratsiraka revient à la tête de l'État.

MADAME n.f. (pl. mesdames). **-1.** Titre accordé autref. aux dames de qualité et donné auj. aux femmes mariées et, de plus en plus, à toutes les femmes. (En abrégé, Mme.) **-2.** Titre précédant la fonction ou la profession d'une femme : *Madame la Directrice.* **-3.** (Avec une majusc.). Titre que l'on donnait, à la cour de France, aux filles du roi, du Dauphin, et à la femme de Monsieur, frère du roi.

Madame Bovary → FLAUBERT.

Madame Sans-Gêne, comédie en trois actes et un prologue, de V. Sardou et É. Moreau (1893), dont l'héroïne est la maréchale Lefebvre.

MADAPOLAM [-pɔlam] n.m. Tissu de coton blanc, à armure toile, à grain très marqué, intermédiaire entre le calicot et la percale.

MADE IN [mɛdin], expression anglaise signifiant *fabriqué en, à,* et qui, suivie du nom anglais d'un pays, indique l'origine d'un produit manufacturé.

MADEIRA (le), riv. de l'Amérique du Sud, affl. de l'Amazone (r. dr.) ; 3 350 km.

1. **MADELEINE** n.f. Petit gâteau en forme de coquille bombée, constitué d'une pâte à base d'œufs battus, de sucre, de farine, de beurre fondu, parfumée au citron ou à la fleur d'oranger.

2. **MADELEINE** n.f. Nom commun à divers cépages précoces donnant du raisin de table.

Madeleine *(abri de la),* abri-sous-roche de la Dordogne, situé sur la commune de Tursac.

De nombreux objets d'art mobilier y ont été recueillis, associés à tout un outillage lithique et osseux. C'est à partir de la stratigraphie de ce site, occupé pendant plus de mille ans, qu'Henri Breuil a établi la chronologie du faciès magdalénien.

MADELEINE *(îles de la),* archipel du golfe du Saint-Laurent (Canada, prov. de Québec).

MADELEINE *(sainte)* → MARIE-MADELEINE.

Madelon (la), chanson créée à Paris en 1914, popularisée par les soldats français et alliés pendant la Première Guerre mondiale.

MADEMOISELLE n.f. (pl. mesdemoiselles). -1. Titre donné aux jeunes filles ou aux femmes célibataires. (En abrégé, Mlle.). -2. ANC. Titre donné à une femme mariée dont le mari n'était pas noble. -3. (Avec une majusc.). Titre de la fille aînée du frère puîné du roi. - 4. *La Grande Mademoiselle,* la duchesse de Montpensier, fille de Gaston d'Orléans, frère de Louis XIII.

MADÈRE n.m. -1. Vin muté à l'alcool, produit dans l'île de Madère. -2. *Sauce madère,* sauce brune à laquelle est incorporé du madère.

MADÈRE, en port. Madeira (« Île du bois »), île portugaise de l'Atlantique ; 740 km² ; 263 306 hab. Cap. *Funchal.* Principale île d'un petit archipel volcanique du même nom, Madère culmine à 1 861 m. Grâce à un climat très doux, elle produit du vin, du sucre de canne et des bananes. Le tourisme fournit d'importantes ressources, de même que les envois des émigrés.

MADÉRISATION n.f. Fait pour un vin de se madériser.

MADÉRISER (SE) v.pr. En parlant d'un vin blanc ou rosé, prendre un goût de madère du fait d'une oxydation.

MADERNA (Bruno), compositeur et chef d'orchestre italien (Venise 1920 - Darmstadt 1973). Il fut nommé en 1971 à la tête de l'orchestre de la RAI à Milan. Il a joué un rôle essentiel dans la naissance de l'avant-garde italienne après la Seconde Guerre mondiale en exploitant les techniques sérielles et postsérielles : *Hyperion,* œuvre lyrique en forme de spectacle, d'après Hölderlin (1964) ; *Grande Aulodia* pour flûte, hautbois et orchestre (1970) ; *Satyricon,* opéra en un acte d'après Pétrone (1973).

MADERNO (Carlo), architecte originaire du Tessin (Capolago 1556 - Rome 1629). Neveu de D. Fontana et précurseur du baroque romain, il a notamment construit l'église Ste-Suzanne et achevé la basilique St-Pierre

(allongement de la nef et façade, autour de 1610).

MADHYA PRADESH, État de l'Inde, dans le nord du Deccan ; 443 000 km² ; 66 135 862 hab. Cap. *Bhopal.* Il dispose d'importantes ressources minières.

MADICOLE adj. Se dit de la faune et de la flore des parois rocheuses couvertes d'une simple lame d'eau courante (voisinage des sources, cascades et torrents).

MADISON, v. des États-Unis, cap. du Wisconsin ; 191 262 hab. Université.

MADISON (James), homme d'État américain (Port Conway, Virginie, 1751 - *id.* 1836), un des créateurs du Parti républicain, président des États-Unis (1809-1817).

MADONE n.f. (it. *madonna,* madame). -1. Image, représentation de la Vierge. -2. *La Madone,* la Vierge.

MADONNA DI CAMPIGLIO, station de sports d'hiver (alt. 1 520-2 520 m) d'Italie, dans le Trentin.

MADOURAIS ou **MADURAIS** n.m. Langue indonésienne parlée à Madura et dans l'est de Java.

MADRAGUE n.f. Grande enceinte de filets pour la pêche du thon.

MADRAS [madras] n.m. -1. Étoffe à chaîne de soie et trame de coton, de couleurs vives, dont on fait des fichus, des écharpes, des jupes, etc. -2. Coiffure traditionnelle des femmes antillaises, formée d'un foulard en étoffe de ce genre.

MADRAS, v. de l'Inde, cap. du Tamil Nadu sur la côte de Coromandel ; 5 361 468 hab. Port très ancien, ville tamoule (75 % de la population) avec de fortes minorités musulmane et chrétienne, Madras est à dominante tertiaire (administration, commerce, université). L'industrie juxtapose activités traditionnelles (cuir, habillement) et modernes (matériel ferroviaire et automobile, raffinerie de pétrole et chimie, studios de cinéma, etc.). — Monuments anciens. Central Museum (riche collection archéologique).

MADRASA ou **MEDERSA** n.f. Collège, université dépendant de l'autorité religieuse, dans les pays musulmans.

MADRÉ, E adj. Se dit de certains bois aux fibres irrégulièrement enchevêtrées, utilisés en ébénisterie. SYN. : **ronceux.**

MADRE *(sierra),* nom des deux rebords montagneux qui limitent le plateau mexicain audessus du Pacifique et du golfe du Mexique.

Une section de la Plaza Mayor à **MADRID**.

MADRÉPORAIRE n.m. *Madréporaires,* sous-classe de cnidaires hexacoralliaires tels que le madrépore, renfermant des polypes à squelette calcaire (polypier). [Très abondants dans les mers chaudes, ils forment des récifs côtiers dits *coralliens* ou des îles circulaires (atolls).]

MADRÉPORE n.m. (it. *madrepora,* de *madre,* mère, et *poro,* pore). Cnidaire constructeur jouant un rôle déterminant dans la formation des récifs coralliens.

MADRÉPORIQUE adj. -1. Relatif aux madrépores. -2. *Plaque madréporique,* orifice d'entrée du système aquifère des échinodermes.

MADRID, cap. de l'Espagne et de la *communauté autonome de Madrid* (8 028 km² ; 4 935 642 hab.), en Castille, au pied de la sierra de Guadarrama ; 3 010 492 hab. *(Madrilènes).* **GÉOGR.** La ville est d'abord un centre tertiaire important : administration, commerce, université, banques, tourisme. Les industries, récemment développées, sont localisées surtout dans les banlieues (métallurgie, constructions mécaniques et électriques, textile, chimie). **HIST.** Violents combats pendant la guerre civile (1936-1939). **ARTS.** Plaza Mayor du XVIIᵉ siècle ; églises et couvents classiques ou baroques ; Palais royal du XVIIIᵉ siècle (œuvres d'art ; musée d'Armes). Nombreux musées, dont le Prado (→ PRADO), le Musée archéologique national, le musée Lázaro Galdiano (beaux-arts

et arts décoratifs), le Centre Reina Sofía (art moderne), la collection Thyssen (peintures du XIVᵉ au XXᵉ s., dans le palais de Villahermosa, dépendance du Prado).

MADRIER n.m. -1. Pièce de bois très épaisse, employée en construction. -2. Pièce de bois d'équarrissage normalisée, de forte section (75 × 200 mm ou 75 × 225 mm ou 100 × 225 mm).

MADRIGAL n.m. (pl. madrigaux). -1. Petite pièce en vers exprimant une pensée fine, tendre ou galante. -2. Composition vocale polyphonique a cappella, ou monodique avec accompagnement, et qui cherche à traduire les inflexions d'un poème.

 ENCYCL. Apparu en Italie du Nord au XIVᵉ siècle, à l'apogée de l'Ars nova, le madrigal primitif est une sorte de court poème (amoureux, satirique ou politique) mis en musique, avec un ou deux vers isolés repris en guise de ritournelle sur un rythme différent. Les principaux représentants en sont Jacopo da Bologna et F. Landini. Au XVIᵉ siècle, le genre connaît une nouvelle carrière, en puisant son origine dans la forme populaire de la frottola, et séduit tous les musiciens. Les textes viennent de Dante, de Boccace, de Pétrarque ; la musique est polyphonique. Le madrigal classique (1550-1580) devient de plus en plus expressif dans son souci d'unir la poésie à la liberté de la forme. Ses créateurs sont Roland de Lassus,

Philippus de Monte, G. P. da Palestrina et M. A. Ingegneri. Apparaît ensuite le madrigal de la dernière période (1580-1620) qui devient, avec C. Gesualdo, C. Monteverdi, un poème musical où se rencontrent toutes les audaces. Le madrigal italien s'est répandu dans toute l'Europe, sauf en France, pays dont on peut dire qu'il a pratiquement ignoré ce genre. Les Allemands, en l'assimilant au spirituel, ont écrit des madrigaux (H. L. Hassler, J. H. Schein, H. Schütz), de même que les Espagnols. Toutefois, c'est dans l'Angleterre élisabéthaine que la floraison madrigalesque a été la plus riche : W. Byrd, T. Morley, etc.

MADRIGALISTE n. Auteur de madrigaux.

MADRURE n.f. Forme sinueuse des veines du bois madré, appréciée en ébénisterie.

MADURA, île d'Indonésie, au nord de Java ; 5 290 km².

MADURAI, anc. Madura, v. de l'Inde (Tamil Nadu) ; 1 093 702 hab. Université. — C'est l'ancienne capitale des Pandya, évincés par les Nayak (v. 1525-1736), qui ont laissé de splendides édifices dont le grand temple de Minaksi (v. 1600), aux multiples enceintes rythmées de gopura monumentaux.

MAEBASHI, v. du Japon (Honshu) ; 286 261 hab. Industries textiles (soieries).

MAELSTRÖM ou **MALSTROM** [malstrɔm] n.m. Gouffre, tourbillon.

MAELSTRÖM ou **MALSTROM**, chenal de la mer de Norvège, où se produisent de rapides courants tourbillonnaires, près des îles Lofoten.

MAËRL [maɛrl] ou **MERL** n.m. Sable calcaire des rivages utilisé pour l'amendement de sols, notamm. en Bretagne.

MAESTRIA [maɛstrija] n.f. Perfection dans l'exécution d'une œuvre d'art, dans la réalisation de qqch ; virtuosité.

MAESTRO [maɛstro] n.m. (mot it., *maître*). Nom donné à un compositeur de musique ou à un chef d'orchestre célèbre.

MAETERLINCK (Maurice), écrivain belge d'expression française (Gand 1862 - Nice 1949). Après des poèmes d'inspiration symboliste (*les Serres chaudes,* 1889), il entreprit d'évoquer, dans son théâtre, des personnages aux états d'âme mystérieux, en proie à des forces obscures et malveillantes (*la Princesse Maleine,* 1889 ; *Pelléas et Mélisande,* 1892) ou évoluant dans un monde de féerie (*Monna Vanna,* 1902 ; *l'Oiseau bleu,* 1909). [Prix Nobel 1911.]

MAFÉ n.m. AFRIQUE. Ragoût de viande ou de poisson dans une sauce à l'arachide.

MAFIA ou **MAFFIA** n.f. -1. Bande ou association secrète de malfaiteurs. -2. FAM., PÉJ. Groupe occulte de personnes qui se soutiennent dans leurs intérêts par toutes sortes de moyens.

Mafia (la), réseau d'associations secrètes siciliennes, initialement résolues à assurer la justice par elles-mêmes et à empêcher ainsi l'exercice de la justice officielle. La Mafia se développa dans les années 1820-1848 et s'orienta, au XXe siècle, vers le contrôle de diverses activités illicites dont le trafic de drogue, en liaison avec sa branche américaine, la *Cosa Nostra.* Sa collusion avec différents partis politiques italiens provoque de nombreux scandales dans les années 1990.

MAFIEUX, EUSE ou **MAFFIEUX, EUSE** adj. De la Mafia.

MAFIOSO ou **MAFFIOSO** [mafjozo] n.m. (pl. maf[f]iosi). Membre de la Mafia.

MAGADAN, v. de Russie, sur la mer d'Okhotsk ; 152 000 hab.

MAGASIN n.m. -1. Local pour recevoir et conserver des marchandises, des provisions : *Magasin à blé.* -2. Établissement de commerce plus ou moins important, où l'on vend des marchandises en gros ou au détail. -3. *Grand magasin,* établissement de vente au détail proposant un large assortiment de marchandises sur une grande surface, génér. en étages et en ville. ‖*Magasin d'usine,* grande surface où sont vendus, à des prix inférieurs à ceux du marché, des articles provenant directement de l'usine. ARM. Cavité qui reçoit les cartouches ou le chargeur, dans une arme à répétition. DR. *Magasin général,* établissement exploité par des personnes de droit privé, qui met à la disposition du public des locaux destinés à recevoir des marchandises en vue de constituer

Maurice
MAETERLINCK,
écrivain belge
d'expression
française.
Détail
d'un portrait
par J.-E. Blanche.
(Musée
des Beaux-Arts,
Rouen.)

une garantie à un prêt. **PHOT., CIN**. Contenant hermétique où est enroulée, à l'abri de la lumière, la pellicule à impressionner ou à projeter. ‖ Boîte adaptable à un projecteur, conçue pour recevoir des diapositives et les projeter.

1. **MAGASINAGE** n.m. -**1**. Action de mettre en magasin. -**2**. Droit que l'on paie pour ce dépôt.

2. **MAGASINAGE** n.m. CANADA. Action de magasiner ; shopping.

MAGASINER v.i. CANADA. Faire des courses dans les magasins ; faire du shopping.

MAGASINIER, ÈRE n. Employé chargé de garder les objets amenés en magasin et de tenir des états de stock.

MAGAZINE n.m. -**1**. Publication périodique, le plus souvent illustrée, qui traite des sujets les plus divers. -**2**. Émission de radio, de télévision traitant régulièrement de sujets appartenant à un même domaine de connaissances.

MAGDALENA (le), fl. de Colombie, tributaire de la mer des Antilles ; 1 550 km.

MAGDALÉNIEN, ENNE adj. et n.m. (de l'abri de la *Madeleine,* à Tursac, Dordogne). Se dit de l'ensemble des faciès culturels marquant l'apogée du paléolithique supérieur en Europe occidentale.

ENCYCL. L'outillage lithique (grattoirs, burins et microlithes) est associé à une abondante industrie osseuse (sagaies, harpons, aiguilles à chas, propulseurs, etc.). Cette période correspond à l'épanouissement de la sculpture et de la gravure sur os et ivoire et à celui de l'art pariétal (Altamira, Font-de-Gaume, Niaux, Lascaux, etc.).

MAGDEBOURG, v. d'Allemagne, cap. du Land de Saxe-Anhalt, sur l'Elbe ; 288 355 hab. Port fluvial. Métallurgie. — Siège d'un archevêché dès 968, Magdebourg fut une des principales villes hanséatiques et fut attribuée au Brandebourg en 1648. — Ancienne abbaye Notre-Dame, romane. Cathédrale entreprise vers 1210, premier grand monument construit en Allemagne d'après les modèles gothiques français ; importantes sculptures. Musée de l'Histoire de la civilisation.

1. **MAGE** n.m. -**1**. Membre de la caste sacerdotale et savante de l'Iran ancien. -**2**. Celui qui est versé dans les sciences occultes, la magie. -**3**. *Les Rois mages,* personnages qui vinrent, guidés par une étoile, adorer Jésus à Bethléem. (Une tradition très postérieure aux Évangiles leur a donné les noms de Melchior, Gaspard et Balthazar.)

2. **MAGE** ou **MAJE** adj.m. *Juge mage,* lieutenant du sénéchal dans certaines provinces.

MAGELLAN *(détroit de),* bras de mer entre l'extrémité sud de l'Amérique et la Terre de Feu.

MAGELLAN (Fernand de), en port. **Fernão de Magalhães**, navigateur portugais (Sabrosa, Trás-os-Montes, 1480 - îlot de Mactan, près de l'île de Cebu, Philippines, 1521). De petite noblesse, il participe en 1505 à une expédition vers les Indes. En 1511, il s'illustre lors de la prise de Malacca, qui ouvre le chemin des épices vers les Moluques (auj. Indonésie). Avec le cosmographe Ruy Faleiro, il projette d'atteindre ces îles par la voie de l'ouest, en contournant l'Amérique (1512), mettant à profit pour la première fois la rotondité de la Terre. Convaincus que les Moluques dépendent de l'Espagne et non du Portugal, en raison du partage du monde entre ces deux puissances (traité de Tordesillas, 1494), les deux hommes s'adressent au futur Charles Quint. Comprenant l'historiographe italien Antonio Pigafetta, l'expédition (5 navires, 265 hommes) part de Sanlúcar, près de Cadix, en septembre 1519. En janvier 1520, Magellan pénètre dans le Río de la Plata, hiverne sur la côte de Patagonie et, en novembre 1520, réussit à traverser le détroit qui portera bientôt son nom. Trois navires seulement parviennent aux Mariannes et aux Philippines (mars 1521). Magellan trouve la mort dans un combat (avr.). Le Basque Juan Sebastián Elcano prend le commandement de l'expédition et parvient aux Moluques avec deux navires en novembre 1521. Un seul, le *Victoria,* assure le retour en Espagne, en contournant l'Afrique, et parvient avec 18 survivants à Séville (6 sept. 1522).

Fernand de **MAGELLAN**, navigateur portugais. (Musée maritime, Séville.)

Magellan *(Nuages de),* petites galaxies visibles à l'œil nu dans le ciel austral, remarquées pour la première fois par Magellan, en 1519.

D O S S I E R

LE MAGHREB

Le Maghreb couvre 3 250 000 km². À des latitudes subtropicales, il comprend une partie relativement arrosée et irrigable,
et une partie saharienne, ponctuée d'oasis, surtout développée
en Algérie et au Maroc.

■ GÉOGRAPHIE

Le Maghreb a plus de 60 millions d'habitants et compte environ 2 millions d'habitants de plus chaque année. La population, en majeure partie arabe et en quasi-totalité islamisée, est
donc jeune (plus de 40 % de moins de 15 ans) et en majorité
urbaine (Alger et Casablanca sont les plus grandes villes).

L'agriculture demeure l'activité dominante (blé, orge, cultures
méditerranéennes). Les hydrocarbures (surtout dans l'Algérie
saharienne) et les phosphates (au Maroc) sont les principales
ressources du sous-sol. L'industrie de transformation se limite
pratiquement aux branches de consommation (agroalimentaire et textile).

■ HISTOIRE
La période antique.

Habitée par des populations berbères, la région voit son littoral
méditerranéen et atlantique colonisé à partir du Xᵉ s. av. J.-C.
par les Phéniciens, dont les nombreux comptoirs passent sous
la domination de Carthage, fondée v. 814 av. J.-C. L'intérieur
reste partagé en différents royaumes berbères (Mauritanie,
Numidie). La conquête de la région par les Romains, de 146
av. J.-C. (prise de Carthage) à 40 apr. J.-C. (annexion de la
Mauritanie), aboutit à la division de l'Afrique romaine en quatre
provinces. Principaux centres de la romanisation puis de la
christianisation, les villes connaissent un remarquable essor
économique et culturel. Aux Vᵉ-VIᵉ siècles, la région est sous la
domination des envahisseurs vandales.

La conquête arabe
et les premières dynasties musulmanes.

Le territoire est conquis par les Arabes entre 670 (fondation de
Kairouan, organisation de la province d'Ifriqiya) et 700, et fait
dès lors partie de l'Empire musulman. Les envahisseurs se heurtent à la farouche résistance des Berbères, dont la majorité se
convertit à l'islam. Le Maghreb est progressivement arabisé
(bien que les langues et parlers berbères y soient restés vivants

LE MAGHREB

jusqu'à nos jours). Il sert de base à la conquête de l'Espagne. Dès le VIIIᵉ siècle, des dynasties locales exercent la réalité du pouvoir, et des dissidences religieuses se produisent (kharidjisme, chiisme des Fatimides). Le Maghreb participe à la brillante civilisation arabo-andalouse, synthèse arabo-berbère et ibérique, dont le rayonnement culturel touche des domaines aussi divers que la philosophie, les sciences, la médecine et la littérature. Cet essor est lié au développement économique de la région, qui repose à la fois sur les relations commerciales unissant l'Espagne et l'Orient musulmans et sur l'ouverture du monde berbère vers le Sahara et le Soudan, d'où proviennent l'or et les esclaves vendus dans le monde oriental et méditerranéen. La dynastie des Almoravides (1061-1147) unit sous une même autorité l'Espagne musulmane à la partie occidentale du Maghreb, tandis que la partie orientale est envahie par les Arabes hilaliens. Puis les Almohades (1147-1269) étendent leur domination sur l'ensemble du territoire maghrébin, en plus du sud de l'Espagne. À partir du XIIIᵉ siècle, le Maghreb est à nouveau divisé politiquement (Marinides, Abdalwadides, Hafsides).

Les interventions espagnoles et portugaises et la domination turque.

Au XVᵉ siècle, le Maghreb voit son littoral occidental convoité par les Portugais (prise de Ceuta en 1415), bientôt suivis par les Espagnols. À l'est, la frange maritime tombe au XVIᵉ siècle aux mains des corsaires turcs, qui la placent sous suzeraineté ottomane (constitution des régences d'Alger et de Tunis). Seul le Maroc, qui est parvenu à chasser Espagnols et Portugais, réussit à garantir son indépendance vis-à-vis des Turcs. Il connaît à partir du XVIIᵉ siècle le déclin économique qui frappe sévèrement l'ensemble de la région.

L'ÉPOQUE ALMOHADE
(Ci-dessous, à gauche.)

LE MAGHREB AU XVᵉ S.
(Ci-dessous, à droite.)

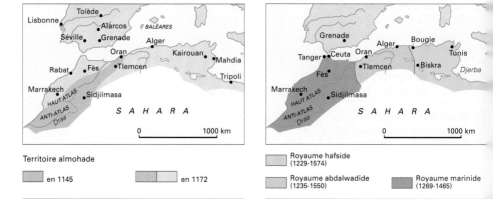

Territoire almohade

en 1145   en 1172

Royaume hafside
(1229-1574)

Royaume abdalwadide
(1235-1550)

Royaume marinide
(1269-1465)

LE MAGHREB

La colonisation européenne.

Au XIXᵉ siècle, le Maghreb passe progressivement sous la domination européenne, principalement française. Commencée avec la prise d'Alger en 1830, la conquête de l'Algérie par la France s'achève en 1847 ; la Tunisie, également convoitée par l'Italie, devient un protectorat français en 1881 ; le Maroc, où les puissances européennes obtiennent très tôt d'importants avantages économiques, n'est constitué en protectorat par la France qu'en 1912, à l'exception du nord et du sud du pays, laissés à l'Espagne. Dans les zones soumises à l'autorité de la France, la colonisation prend des formes différentes selon les pays. L'Algérie devient une colonie de peuplement, directement administrée par les Français, alors que le Maroc et la Tunisie conservent une administration indigène. Mais le modèle culturel français se diffuse dans l'ensemble du Maghreb.

La décolonisation et le Maghreb contemporain.

Les mouvements nationalistes, qui se constituent pour la plupart pendant l'entre-deux-guerres, se radicalisent à partir de 1945. Mais tandis que la Tunisie et le Maroc deviennent indépendants dès 1956, au terme d'un processus relativement pacifique, l'Algérie n'accède à l'indépendance qu'à la suite d'une guerre meurtrière (1954-1962). Chaque pays connaît alors une voie de développement particulière : au Maroc la monarchie, en Tunisie le réformisme autoritaire, en Algérie le socialisme (jusqu'en 1989). Confrontés à des problèmes économiques et sociaux similaires, les pays du Maghreb, l'Algérie et la Tunisie surtout, doivent faire face, à partir de la fin des années 1980, à la montée des mouvements islamistes. La Tunisie parvient à les juguler après avoir mené contre eux une lutte sans merci. Mais l'Algérie, en leur barrant l'accès au pouvoir qu'ils étaient sur le point d'atteindre par des voies légales en 1992, renonce à la démocratisation en cours et entre, en même temps, dans l'engrenage de la violence.

Les problèmes de frontières et les options politiques expliquent les aléas des rapports intermaghrébins. Opposés notamment sur la question du Sahara occidental (dans laquelle est également impliquée la Mauritanie), l'Algérie et le Maroc rompent leurs relations diplomatiques de 1976 à 1988. Le rapprochement engagé en 1983 aboutit cependant à la création en 1989 d'une union économique, l'Union du Maghreb arabe (U. M. A.). Celle-ci regroupe l'Algérie, la Libye, le Maroc, la Mauritanie et la Tunisie. Mais elle est, dans la seconde moitié des années 1990, en sommeil.

MAGENDIE (François), physiologiste et neurologue français (Bordeaux 1783 - Sannois 1855). Il donna son essor à la méthode expérimentale (en pharmacologie, et surtout en physiologie) et accomplit ainsi, avec son élève C. Bernard, une des révolutions médicales du XIXe siècle. Ses vastes travaux de physiologiste portèrent particulièrement sur le système nerveux.

MAGENTA [maʒɛta] adj. inv. et n.m. Couleur primaire, rouge violacé, utilisée en trichromie.

Magenta (bataille de) [4 juin 1859], victoire en Lombardie des Français de Mac-Mahon sur les Autrichiens.

MAGHREB, en ar. Marhrib ou Maghrib (« le Couchant »), ensemble des pays du nord-ouest de l'Afrique (Maroc, Algérie, Tunisie), compris entre la Méditerranée et le Sahara. (Hab. Maghrébins.)
→ ● DOSSIER LE MAGHREB page 3329.

MAGHZEN n.m. → MAKHZEN.

MAGICIEN, ENNE n. -1. Personne qui pratique la magie. -2. Personne qui a comme un pouvoir magique sur les êtres et les choses. -3. Illusionniste qui produit ses effets au moyen d'accessoires truqués.

MAGIE n.f. -1. Ensemble des pratiques fondées sur la croyance en des forces surnaturelles immanentes à la nature et visant à maîtriser, à se concilier ces forces. -2. Effets comparables à ceux de la magie ; puissance de séduction, d'illusion : La magie de la musique. La magie du style. -3. Magie noire, magie blanche, magies respectivement mises en œuvre pour le mal ou pour le bien.

Maginot (ligne), système fortifié construit de 1927 à 1936 sur la frontière française du Nord-Est, à l'initiative d'**André Maginot** (Paris 1877 - id. 1932), ministre de la Guerre de 1922 à 1924 et de 1929 à 1932. Laissant la frontière belge sans protection, la ligne Maginot ne put jouer en 1940 le rôle escompté.

MAGIQUE adj. -1. Qui relève de la magie : Pouvoir magique. -2. Dont les effets sont extraordinaires, sortent du rationnel : Spectacle magique. -3. Qui agit d'une manière surprenante : Mot magique. -4. Carré magique, tableau de nombres, carré, tel que la somme des éléments d'une ligne, d'une colonne ou d'une diagonale soit le même nombre. ‖ Pensée magique, forme de pensée de l'enfant, entre 2 et 7 ans, caractérisée par une confusion entre l'univers subjectif et l'univers objectif. ◆ **magiquement** adv.

MAGISTÈRE n.m. -1. Dignité de grand maître d'un ordre religieux militaire. -2. Ensemble de ceux qui, détenant l'autorité au nom du Christ, ont la charge d'interpréter la doctrine révélée (pape, conciles œcuméniques, évêques). -3. Composition à laquelle les alchimistes attribuaient des propriétés merveilleuses. -4. Diplôme de haut niveau décerné par les universités et sanctionnant au moins trois années de formation associant enseignement et stages.

MAGISTRAL, E, AUX adj. -1. Qui porte la marque de la supériorité, de l'excellence : Une œuvre magistrale. -2. LITT. Qui évoque un maître ; imposant : Ton magistral. -3. Cours magistral, conférence dont le contenu et la présentation dépendent du professeur, par opposition aux travaux dirigés ou à d'autres formes de pédagogie qui impliquent une participation active des étudiants. ‖ Médicament magistral, médicament qui se confectionne en pharmacie d'après l'ordonnance, par opp. à officinal. ◆ **magistralement** adv.

MAGISTRAT n.m. -1. Tout fonctionnaire ou officier civil investi d'une autorité juridictionnelle (membre des tribunaux, des cours, etc.), administrative (maire, préfet, etc.) ou politique (ministre, président de la République, etc.). -2. Fonctionnaire exerçant ses fonctions, au sein d'une juridiction de l'ordre judiciaire ou administratif et, partic., membre de la magistrature du siège ou du parquet. (On rencontre le fém. magistrate.)

MAGISTRATURE n.f. -1. Dignité, charge de magistrat ; temps pendant lequel un magistrat exerce ses fonctions. -2. Corps des magistrats.

magistrature (École nationale de la) [E. N. M.], établissement public créé en 1970 et relevant du ministère de la Justice, chargé d'assurer la formation des futurs magistrats professionnels de l'ordre judiciaire.

MAGMA n.m. (mot gr., pâte pétrie). -1. Mélange formant une masse pâteuse, épaisse et visqueuse. -2. Mélange confus de choses abstraites. -3. Liquide qui se forme à l'intérieur de la Terre, par fusion de la croûte ou du manteau, et qui, en refroidissant, forme une roche.

MAGMATIQUE adj. -1. Relatif au magma. -2. Roche magmatique, roche provenant de la cristallisation en profondeur (roche plutonique) ou en surface (roche volcanique) d'un magma. SYN. : roche éruptive.

MAGMATISME n.m. Formation, migration et solidification des magmas.

PHOTOGRAPHIES

Dans la table ci-après, le numéro de la page
où figure toute photographie référencée
est suivi du nom du photographe et/ou de l'organisme
(agence photographique, musée, entreprise, etc.)
ayant fourni le document.
S'il existe plusieurs photographies référencées
dans la même page, celles-ci sont distinguées
soit par un numéro d'ordre, qui est celui qui figure
dans la légende, soit par une lettre indiquant leur position
(*h* : haut ; *b* : bas ; *d* : droite ; *g* : gauche).
Le lieu de conservation des œuvres reproduites est mentionné
dans la légende de l'illustration.

2963 : Edimedia. **2965** : *g,* Bibliothèque nationale, Paris. **2965** : *d,* Keystone. **2968** : *1,* Stills. **2969** : *g,* Charmet J.L. **2970** : *d,* Barbier-Artephot. **2971** : Cocco P.-CIRIC. **2973** : G. **2974** : Held S. **2975** : Dagli Orti G. **2978** : *g,* Bristol-Imapress. **2978** : *d,* Keystone. **2980** : *g,* Ogawa-Artephot. **2980** : *d,* D.R. Coll. Larousse. **2982** : Tréla-Arthephot. **2984** : *h,* Réunion des Musées Nationaux, Paris. **2984** : *b,* Bernand. **2985** : Giraudon. **2987** : *h,* Musée de Silkeborg. **2987** : *b,* Nimatallah-Artephot. **2989** : Imperial War Museum, Londres. **2991** : Coll. Christophe L. **2992** : *g,* Imapress. **2992** : *d,* Oronoz-Artephot. **2993** : Freund G. **2996** : Iundt D.-TempSport. **2998** : Réunion des Musées Nationaux, Paris. **2999** : Sirpa ECPA.

3000 : Scala. **3004** : Dagli Orti G. **3005** : Le Diascorn-Rapho. **3012** : Dagli Orti G. **3016** : *h,* Franklin S.-Magnum. **3016** : *b,* Perrin-Gamma. **3017** : Bodycomb M.-Kimbell Art Museum, Fort Worth. **3018** : Coll. Larousse. **3020** : Damm-ZEFA. **3023** : Shobunsha International-Artephot. **3024** : Bernand. **3025** : Buss W.-Cedri. **3027** : M.N.A.M.-Centre G.-Pompidou, Paris. **3028** : M.N.A.M.-Centre G.-Pompidou, Paris. **3030** : D.R. **3031** : Roger-Viollet. **3033** : Held S. **3035** : *h,* Held S. **3035** : *b,* Iundt D.-TempSport. **3037** : Garanger M. **3038** : Coll. Passek J.L. **3039** : Karsh-Imapress. **3041** : Giraudon. **3043** : *d,* Erwitt E.-Magnum. **3043** : *g,* Kertész A.-Ministère de la Culture-France-A.F.D.P.P. **3044** : Held S. **3045** : Keystone. **3049** : *g,* Gysembergh-Imapress. **3049** : *d,* Karsh-Imapress. **3050** : Thierry D.-Diaf. **3053** : Haas-Magnum. **3054** : Gerster G.-Rapho. **3056** : *g,* Steffen-Imapress. **3056** : *d,* L'Illustration-Keustone. **3057** : *g,* Rieupeyrout J.M. **3057** : *d,* Réunion des Musées Nationaux, Paris. **3058** : M.N.A.M.-Centre G.-Pompidou, Paris. **3059** : M.N.A.M.-Centre G.-Pompidou, Paris. **3060** : Bridgeman Art Library, Londres-Giraudon. **3062** : Maous-Gamma. **3064** : *g,* Levassort M. **3064** : *d,* Lauros-Giraudon. **3065** : Lajos-Interfoto M.T.I. **3066** : Coll. Larousse. **3071** : Borredon T. **3072-3073** : Held S. **3074** : *h,* Mazin R. **3074** : *b,* Mazin R. **3075** : Mazin R. **3076** : Valentin E.-Hoa-Qui. **3077** : Monier L.-APPM. **3078** : M.N.A.M.-Centre G.-Pompidou, Paris, **3079** : Coll. Christophe L. **3080** : Koch P.-Rapho. **3084** : Varga-Artephot. **3085** : Bibliothèque nationale, Paris. **3089** : *g,* Lauros-Giraudon. **3089** : *d,* Coll. Larousse. **3090** : *g,* Dagli Orti G. **3090** : *d,* Giraudon. **3091** : Boutin G.-Hoa-Qui. **3092** : Lagiewsky J.P.-Réunion des Musées Nationaux, Paris. **3097** : Muller K.-Cedri. **3098** : Museum of Art, Providence (Rhode Island). **3099** : Josse H.

3109 : UFA. **3109** : S.P.L.-Nasa-Cosmos. **3110** : CSG-Kourou-Arianespace. **2119** : Tripelon-Jarry-Top. **3121** : Dagli Orti G. **3122** : Coll. Larousse. **3127** : Vertut J. **3129** : Nimatallah-Artephot. **3131** : Giraudon. **3132** : Keystone. **3133** : Coll. Christophe L. **3134** : Rzepka A.-M.N.A.M.-Centre G.-Pompidou, Paris. **3135** : Trampus. **3137** : Imapress. **3140** : Josse H. **3141** : Charmet J.L. **3143** : Lauros-Giraudon. **3144** : *g,* Keystone. **3144** : *d,* Monier L.-APPM. **3145** : Bibollet C.-Top. **3148** : Musée des Beaux-Arts du Canada, Ottawa. **3153** : Coll. Larousse. **3156** : Réunion des Musées Nationaux, Paris. **3158** : Oronoz-Artephot. **3159** : Cané. **3160** : *h,* Lorette-Giraudon. **3160** : *b,* Lorette-Giraudon. **3162** : Roger-Viollet. **3163** : Novosti. **3165** : Guillard J.-Scope. **3166** : Wertheimer P. **3168** : Coll. Larousse. **3170** : Réunion des Musées Nationaux, Paris. **3171** : Réunion des Musées Nationaux, Paris. **3172** : Royal Collection, Windsor. **3173** :

CARTOGRAPHIE

CARTES GÉOGRAPHIQUES

Réalisées par :

Bartholomew :
Jordanie
Kenya
Liban
Liberia
Libye
Luxembourg
Madagascar.

A.F.D.E.C. :
Kazakhstan
Kirghizistan
Lettonie
Lituanie.

K. Mazoyer :
Languedoc-Roussillon
Limousin
Loire (Pays de la)
Lorraine.

CARTES HISTORIQUES

Réalisées par M. Bézille et K. Mazoyer :
judaïsme (la diaspora du XVe au XXe s.)
Kiev (État de)
Maghreb (à l'époque almohade)
Maghreb (au XVe s.).